ROSANNA LEY

Dom na Sycylii

Przełożyła
Małgorzata Hesko-Kołodzińska

WYDAWNICTWO LITERACKIE

Tytuł oryginału
The Villa

Copyright © 2012 Rosanna Ley
All rights reserved
© Copyright for the Polish translation
by Wydawnictwo Literackie, 2013

Wydanie pierwsze

ISBN 978-83-08-05008-8

Dla kochanej Caroline

ROZDZIAŁ PIERWSZY

Tess otworzyła list dopiero po południu, kiedy siedziała na plaży. Rano, spiesząc się do pracy, zdążyła tylko przechwycić kopertę z wycieraczki i pocałować Ginny na do widzenia.

Teraz wyciągnęła list z torebki i popatrzyła na swoje nazwisko napisane dużą czcionką na maszynie: „Sz.P. Teresa Angel". Na kopercie widniał londyński stempel pocztowy.

Kiedy Ginny — długie nogi, ciemne oczy i włosy — wyszła w dżinsach i czerwonej koszuli na zajęcia do college'u, Tess ruszyła do firmy wodociągowej, w której pracowała w dziale obsługi klienta. Prawdę mówiąc, była to eufemistyczna nazwa działu skarg i zażaleń, bo niby komu potrzeba informacji o wodzie?! (Odkręcasz kurek i woda leci, poza tym i tak lepiej pić butelkowaną).

Podczas przerwy na lunch Tess wybrała się jak zawsze do odległej o pięć minut jazdy samochodem zatoki Pride, żeby zjeść kanapki nad brzegiem morza. Przedwiośnie było dosyć wietrzne, ukryła się więc na plaży Chesil w zachodnim Dorset między rzędem pastelowych domków i wielką stertą drobnych rdzawych kamyków. W ten sposób udało się jej schronić przed wiatrem, a jednocześnie nic nie zasłaniało widoku na morze. Miała czas do wpół do trzeciej. Usiadła, wyprostowała nogi i z zadowoleniem doszła do wniosku, że ruchome godziny pracy to genialny wynalazek.

Wsunęła kciuk pod zakładkę koperty i ją rozerwała. Ze środka wyjęła kartkę papieru, tak grubą i apetycznie kremową, że aż poczuła głód.

„Szanowna Pani, pragniemy panią poinformować..." Tess pospiesznie przejrzała cały tekst: „...z powodu śmierci Edwarda Westermana". Edwarda Westermana? Zdezorientowana, zmarszczyła brwi. Czy znała jakiegoś Edwarda Westermana? Nie... z pewnością nie, chyba nawet nie znała nikogo, kto by niedawno zmarł. Może chodziło o inną Teresę Angel? To akurat mało prawdopodobne. Czytała dalej. „Dotyczący zapisu..." Jakiego znowu zapisu? „Pod warunkiem że..." Tysiące myśli przelatywało przez głowę Tess. Zaraz, zaraz... Sycylia?

Przeczytała list dwukrotnie. Czuła dziwne podenerwowanie, po którym nastąpił przypływ adrenaliny. To nie mogła być prawda, chociaż... Tess wbiła wzrok w fale, które teraz, przez nasilający się wiatr, zaczęły przypominać oliwkowoszare bałwany. Chyba śni. Zjadła kanapkę, wzięła do ręki list i przeczytała go raz jeszcze. Na litość boską, co by powiedziała jej matka?! Tess pokręciła głową. W ogóle nie było sensu się nad tym zastanawiać, z pewnością zaszło nieporozumienie.

Na niebie pojawiły się chmury i Tess zadrżała mimo wełnianego swetra, który narzuciła na marynarkę, wysiadając z auta. Spojrzała na zegarek i doszła do wniosku, że pora się zbierać.

A jeśli to jednak nie był dziwaczny żart? Jeżeli to prawda?

Sycylia...

Wepchnęła list do torebki i próbowała w myślach dopasować elementy tej układanki. Jej zapalczywa, drobniutka matka — mamma Flavia była Sycylijką z krwi i kości, jednak w wieku dwudziestu trzech lat opuściła wyspę i rodzinę. Tess do dzisiaj nie wiedziała dlaczego. Mamma nie lubiła opowiadać o swoim życiu na Sycylii. Uśmiechnęła się, wstała i wzięła do ręki torebkę. Ogromnie kochała Flavię, lecz mamma była uparta jak osioł i rozmowy o Sycylii nie wchodziły w grę.

Tess powróciła pamięcią do szczątków informacji, które udało się jej zgromadzić przez te wszystkie lata. Rodzina matki mieszkała podobno w niewielkim domku na terenie posiadłości Villa Grande, należącej do jakiegoś Anglika. Może chodziło o tego Westermana z listu? Tess zaczęła liczyć. Jeśli to faktycznie była ta sama osoba, wielce prawdopodobne, że dożyła sędziwego wieku. Ale dlaczego Edward Westerman miałby?...

Przystanęła, żeby wysypać kamyki z butów. Niełatwo chodzić po plaży Chesil na wysokich obcasach, chociaż zdążyła już do tego przywyknąć. Ruszyła z powrotem do portu, mijając po drodze jaskrawe, tandetne budki oferujące ryby z frytkami, watę cukrową i lody, a potem przeszła obok łodzi rybackich ze schnącymi sieciami, nad którymi unosił się fetor wypatroszonych morskich stworzeń. Zatoka Pride, mimo swojej nazwy, nie miała szczególnych powodów do dumy, jednak Tess czuła się tu jak w domu. Spędziła tutaj przecież znaczną część swojego dzieciństwa. Nie potrafiłaby żyć z dala od morza, miała je we krwi i była wręcz od niego uzależniona.

W drodze do samochodu odtwarzała w myślach treść listu, a kiedy już usadowiła się za kierownicą swojego fiata 500, wyciągnęła dokument z koperty i chwyciła komórkę. Był tylko jeden sposób, żeby się przekonać, o co właściwie chodzi.

— Nazywam się Teresa Angel — wyjaśniła osobie, która odebrała telefon. — Dostałam od państwa list.

Wracała do pracy jak na autopilocie, nie przestając myśleć o zakończonej przed momentem rozmowie. Przecież to właśnie takie zdarzenia całkowicie odmieniają życie człowieka... tylko że... Tess zamyśliła się głęboko. Miała trzydzieści dziewięć lat i wcale nie była pewna, czy rzeczywiście pragnie tych zmian. W sumie bywały przerażające. Na przykład teraz zmieniało się życie jej córki i Tess kiepsko sobie z tym radziła. Co będzie, jeśli Ginny wyjedzie na studia kilkaset kilometrów stąd, a potem postanowi wyemigrować do Katmandu?

Mimo to zaczęła się poważnie zastanawiać, co właściwie zrobi, jeżeli wszystko zostanie po staremu. A jeśli jej kochanek Robin bez względu na liczne obietnice nigdy nie zostawi swojej oziębłej, kruchej żony Helen, i jeśli ona, Tess, będzie musiała przez resztę życia odpowiadać na skargi klientów firmy wodociągowej?

Już sama myśl o tym była przerażająca.

ROZDZIAŁ DRUGI

Tess minęła Jackaroo Square, przystrojone doniczkami czerwonego i białego geranium, i zbudowany w stylu art déco Ośrodek Sztuki. Nieco zapuszczone centrum miasta budziło się do życia w co drugą sobotę, podczas targu i pokazów tradycyjnych angielskich tańców. Dawniej miasteczko słynęło z wyrobu sznurów, teraz jednak większość starych fabryk przerobiono na mieszkania, biura oraz magazyny z antykami.

Sycylia...

Tess z niedowierzaniem pokręciła głową, po czym zjechała na prawo, żeby zaparkować tuż za budynkiem firmy. W drodze do głównego wejścia doszła do wniosku, że powinna zadzwonić do matki, ale gdy tylko wyciągnęła komórkę, wybrała numer Robina. Komuś musiała powiedzieć o wszystkim już teraz, a z mammą postanowiła porozmawiać w cztery oczy.

— No cześć...

Uwielbiała ten jego poufały ton. Robin witał się z nią tak, jakby za chwilę miał zacząć niespiesznie ją rozbierać. Tess zadrżała.

— Nie uwierzysz — oznajmiła.

— W co? — zaśmiał się.

— Dzisiaj rano dostałam list z kancelarii prawniczej w Londynie.

— Tak? Dobre czy złe wieści?

Tess uśmiechnęła się do siebie. Mieli się spotkać dzisiaj po pracy, ponieważ w czwartki Ginny bardzo późno wracała z college'u. Zwykle widywali się najwyżej dwa razy w tygodniu, czasem udawało się trzy — cztery razy należały już do wyjątków. Wszystkie te wspólne chwile okazywały się jednak kradzione. Tess była przekonana, że gdyby nie jej ruchome godziny pracy, w ogóle nie mogłaby spędzać z Robinem tyle czasu, nie jadaliby poniedziałkowych późnych lunchów (czyli nie kochaliby się) ani nie spotykali wczesnymi wieczorami w czwartki (patrz wyżej). I co by wtedy zrobili? Wolała o tym nie myśleć.

— Dobre. Przynajmniej tak mi się wydaje — odparła.

— Lubię dobre wieści. — Czuła, że się uśmiechał. — Co to takiego?

Wyobrażała sobie, jak Robin bazgrze coś na stronie z kalendarza z dzisiejszą datą, być może rysuje rybie pyszczki i bąbelki. Robił to, odkąd Tess zapisała się na kurs nurkowania dla początkujących. Wspomniał, że właściwie to jej zazdrości, co ją ucieszyło.

— Dostałam dom w spadku. — Nareszcie mogła powiedzieć to na głos.

Przysiadła na murku nieopodal krzewu hortensji. W powietrzu dało się wyczuć charakterystyczną ostrość, którą Tess bardzo lubiła, jakby wiatr chciał powiedzieć: „Hej, obudź się, idzie wiosna. Coś się musi zmienić...".

— Co takiego?!

— Dostałam dom w spadku — powtórzyła zgodnie z prawdą. — Na Sycylii.

— Na Sycylii?

Nie dziwiła się zaskoczeniu Robina, sama nadal usiłowała się oswoić z nową sytuacją. Niby dlaczego Edward Westerman zostawił jej willę? Przecież nawet go nie znała. Nie była też pewna, co zrobić z domem na Sycylii — nieszczególnie pasował do jej stylu życia, które było związane z Dorset. Z Ginny, a także z mammą i tatą, którzy mieszkali zaledwie parę przecznic od jej wiktoriańskiego domku w Pridehaven, no i z Robinem, przynajmniej przy każdej nadarzającej się okazji.

— Tak — potwierdziła. — Dom na Sycylii.

Villa Grande. Ciekawe, czy rzeczywiście była tak pełna przepychu, jak sugerowała jej nazwa.

— Żartujesz sobie, Tess.

— Ależ skąd — zaprzeczyła. W końcu zaczynało to do niej docierać. — Wiem, że to dziwne, ale ktoś zapisał mi dom.

— Kto, do...? Jakiś stary wielbiciel?

Robin był starszy od Tess o dziesięć lat. Czy w takim razie jego też można było nazwać starym wielbicielem? Ginny z pewnością za takiego by go uznała, naturalnie gdyby w ogóle wiedziała, że jej matka ma romans.

— Człowiek, którego nigdy nie spotkałam. Edward Westerman. — Nazwisko brzmiało raczej romantycznie. W kilku słowach opisała sytuację.

— Cholera jasna, skarbie. — Robin westchnął.

— To jeszcze nie wszystko. — Usadowiła się wygodniej na murku i z niechęcią pomyślała o otrzymanej korespondencji. — Dostanę dom pod pewnym warunkiem.

Prawnik wyjaśnił jej, że w zapisie umieszczono klauzulę. Tak jak w życiu, musiał być haczyk. Jak wtedy, gdy rodzisz dziecko facetowi, któremu ufasz, a on cię rzuca i zwiewa do Australii. Albo jak poznajesz wspaniałego mężczyznę, seksownego, z poczuciem humoru, zakochujesz się w nim i nagle się okazuje, że on jest żonaty, rzecz jasna, nie z tobą.

— To znaczy jakim? — Robin wydawał się równie zszokowany jak ona.

— Muszę tam jechać.

— Na Sycylię?

— Tak. Muszę odwiedzić dom, zanim będę mogła... — zawahała się. Pozbyć się go, jak to ujął prawnik. — Sprzedać go — dokończyła.

Była ciekawa, ile by za niego dostała i czy wystarczyłoby na spłatę hipoteki albo na jakąś podróż. Może nawet na zmianę życia...

Ciągnęło ją na Sycylię, nie tylko dlatego że Sycylia znajdowała się w ciepłym i słonecznym regionie świata. Przede wszystkim Tess została wychowana przez mammę, która na pytania o ojczyznę, dzieciństwo, rodziców i tamto życie reagowała wielkim smutkiem albo gniewem. W końcu Tess pogodziła się z tym, że Sycylia to teren zakazany. Ale teraz, tutaj, zdała sobie sprawę, że tak naprawdę nigdy tego nie zaakceptowała. W jej głowie zaczynały krążyć rozmaite pomysły. Była podminowana, podniecona, pełna zapału i nadziei.

— O kurczę — powiedział Robin.

Tess wpatrywała się w pszczołę, lecącą do żółtych pierwiosnków rosnących koło krzewów hortensji. Owad bez zastanowienia pofrunął między kwiaty. Tess doskonale wiedziała, co czuł.

— No tak — przytaknęła.

To było niepojęte. I jeszcze ten tajemniczy warunek. Przed otrzymaniem willi musiała ją zobaczyć, nie wiadomo po co.

— Czyli jedziesz na Sycylię?

— Mhm...

Nic nie mogło jej powstrzymać, nic oprócz mammy, rzecz jasna. W pracy należał się jej urlop, a Ginny... Cóż, ona zapewne się ucieszy, że przez cały tydzień będzie miała dom tylko dla siebie. Przez chwilę Tess myślała o muzyce nastawionej na cały regulator, o najeździe przyjaciół jej córki na dom i o samej Ginny, która wychodzi, dokąd chce, i wraca, kiedy chce, chociaż powinna się uczyć do egzaminów. Szybko jednak doszła do wniosku, że ich sąsiadka Lisa będzie miała oko na jej córeczkę. Kiedy Lisa i rodzice znajdowali się w pobliżu, nic złego nie mogło się stać.

— Niedługo? — Teraz głos Robina brzmiał inaczej, jakby nagle jej słowa wydały mu się bardziej realne.

Tess zastanawiała się, o czym myślał.

— Chyba tak — odparła.

Z budynku wyłoniła się dwójka pracowników, którzy jednocześnie zapalili papierosy. Tess popatrzyła na zegarek. Nie za bardzo miała ochotę wracać za biurko, do klientów dobijających się z listami skarg i pretensji, poza tym zaintrygowała ją nagła powaga w głosie Robina.

— Czy jest jakaś szansa... — celowo zamilkła.

Doskonale wiedziała, że żonaty kochanek nie może ot, tak sobie, wyjechać, bez wcześniejszego żmudnego planowania i bezczelnych kłamstw. Żonaty kochanek oznacza, że nie da się dzielić z nim życia, ponieważ on je dzieli z inną kobietą. Nigdy nie należy do kochanki, nawet w tych krótkich, ekscytujących chwilach, kiedy jej się tak wydaje. A jeśli mimo wszystko kochanka uważa go za swoją własność, zwyczajnie się oszukuje.

— Może i tak — przytaknął. — Może bym pojechał.

Serce Tess załomotało radośnie.

— Byłoby cudownie — powiedziała, nie kryjąc podniecenia w głosie. Jeden z palaczy popatrzył na nią z ciekawością, odwróciła więc głowę i zaczęła przyglądać się hortensjom. — Cudownie — powtórzyła. — Dom na Sycylii, Robinie, wyobraź sobie tylko. Gdybym mogła obejrzeć go razem z tobą, byłoby wspaniale.

Ostrożnie, Tess, za dużo paplasz, skarciła się w duchu. Kochanki muszą za wszelką cenę zachowywać zdrowy rozsądek. Taki jest układ.

— Rzeczywiście byłoby wspaniale, kochanie. — Robin znowu mówił swoim zmysłowym głosem. — Bardzo tego pragnę.

Tess czekała na „ale", które jednak nie nastąpiło.

— Naprawdę byś pojechał? — Uświadomiła sobie, że wstrzymuje oddech.

Wcale nie miała zamiaru się w nim zakochać. Poznali się w kawiarni na placu, gdzie podawano mocną kawę i boskie ciastka. Tess zwróciła na niego uwagę — był atrakcyjny, choć nieco zbyt konserwatywnie ubrany, i składał zamówienie niskim, seksownym głosem. Mimo to nawet nie przyszło jej do głowy, żeby się z nim wiązać. Była niezależną kobietą z dzieckiem i to Ginny zajmowała pierwsze miejsce w jej sercu. Tess wychowała ją sama. Jej dzieciate przyjaciółki próbowały wprowadzać w swoje życie mężczyzn, ale za każdym razem okazywało się, że nie sposób zaspokoić oczekiwań obu stron.

Może kiedy Ginny się wyprowadzi... Tess od czasu do czasu chodziła na randki, miała kolegów, ale o żadnym poważnym związku nie było mowy.

Dwa razy w tygodniu wstępowała do kawiarni na placu na lunch. On także. Zawsze miała przy sobie książkę, on gazetę. Dwukrotnie zauważyła, że zamiast czytać, wpatrywał się w nią, a raz się do niej uśmiechnął.

Pewnego dnia nie było wolnych stolików i pojawił się przy jej krześle z cappuccino, panini i z przepraszającym uśmiechem na twarzy.

— Mógłbym? — zapytał. — Nie będę przeszkadzał.

A jednak przeszkadzał. Szybko zaczęli opowiadać sobie o pracy — Robin był zatrudniony w firmie zajmującej się finansami, dwa budynki dalej — i dyskutować na temat najświeższych wiadomości. Wtedy jeszcze nie wspominał o żonie. Za którymś razem zaproponował spotkanie w piątkowe popołudnie w pubie przy tej samej ulicy. Nie było powodu, by odmawiać. Tess lubiła jego towarzystwo, a zresztą chodziło o zwykły lunch. Potem zaprosił Tess po pracy na drinka i wtedy ją pocałował. Jeszcze później ona przyrządziła mu kurczaka z pistacjami (w końcu nie bez powodu mówiono, że była córką swojej matki). Po kolacji Robin uwiódł Tess na kanapie (Ginny nocowała wtedy u przyjaciółki). I dopiero po tym, co się stało, przyznał się, że jest żonaty.

Tylko że wtedy zdążyła się w nim już trochę zakochać. Po prostu zdołał się wkraść do jej życia, a ona... Cóż, nie było odwrotu, nawet gdyby bardzo tego pragnęła.

Tess patrzyła, jak palacze rzucają niedopałki i miażdżą je podeszwami butów. Nie przerywając rozmowy, zniknęli za szklanymi drzwiami. Opuszkiem palca strząsnęła kroplę wody z pączkującej hortensji. Wcześniej z nieba spadła ulewa, która trwała zaledwie chwilę, zupełnie jakby to było oberwanie chmury. Tess znowu spojrzała na zegarek. Powinna już iść, coś jednak nie pozwalało jej się ruszyć z miejsca. Być może nadszedł moment, na który tak długo czekała.

— Dlaczego nie? Właściwie dlaczego nie miałbym z tobą jechać na Sycylię? — oświadczył Robin.

Z wrażenia wstrzymała oddech.

Cieszyła się jak idiotka, biegnąc przez korytarze budynku i wskakując do windy. To naprawdę miało się stać — dostała w spadku willę na Sycylii i pojedzie tam razem z Robinem! Jednak z każdym mijanym piętrem uśmiech znikał z jej twarzy, aż winda brzęknęła i drzwi zaczęły się otwierać. Teraz należało przekazać te rewelacje mammie...

ROZDZIAŁ TRZECI

N ie rozumiem. — Flavia ciężko usiadła na krześle. Zawsze była bardzo energiczna, lecz ostatnio siły opuszczały ją bez ostrzeżenia i zaczynała się bać własnej słabości. Naturalnie nie stawała się coraz młodsza, miała już osiemdziesiąt dwa lata, co wydawało się niedorzeczne, ponieważ nie czuła się stara. Nie chciała się męczyć ani mieć kłopotów z pamięcią, pragnęła, żeby wszystko było jasne i proste.

Postanowiła uporządkować myśli, ale pod czujnym spojrzeniem Tess nie było to wcale takie łatwe. Powoli uspokoiła oddech. Zatem Edward Westerman umarł. W sumie to nic niezwykłego, w końcu musiał mieć dobrze po dziewięćdziesiątce. Był ostatnim ogniwem — najpierw zmarła mama, potem tata, potem, dwa lata temu, Maria. Flavia straciła kontakt z Santiną. Nie miała wyjścia, musiała tak zrobić. A teraz jeszcze Edward, ostatni człowiek, który łączył ją z Sycylią...

Powoli przyłożyła rękę do czoła i wyczuła pod palcami krople potu. Ostatnie ogniwo. Narastała w niej panika.

— Wszystko w porządku, mamma? — przejęła się Tess. Podeszła do starego kuchennego krzesła przy stole, gdzie siedziała Flavia, i pochyliła się nad matką, kładąc rękę na jej ramieniu. — Przepraszam, nie wiedziałam, że tak się zmartwisz. Byliście sobie bliscy?

— Nie. — Flavia pokręciła głową. — Właściwie nie.

Edward był Anglikiem, jej pracodawcą, a ona młodą dziewczyną z Sycylii. Minęło już tyle lat... Coś ich jednak łączyło. To właśnie Edward pierwszy odezwał się do niej po angielsku i to dzięki niemu Flavia w wieku dwudziestu trzech lat przyjechała do Wielkiej Brytanii. Podobnie jak ona, czuł się outsiderem we własnej ojczyźnie, więc zamieszkał na Sycylii. Dopiero po latach zrozumiała dlaczego. Tak to już bywa z zagadkami. Nie zawsze dostrzega się pełny obraz, nawet mając pod nosem wszystkie elementy układanki.

— To o co chodzi? — dopytywała się Tess.

Flavia poprawiła fartuch, myśląc o tym, że należałoby go wyprasować. Właściwie nie potrafiła powiedzieć, co ją tak przygnębiło. Może wzmianka o Edwardzie, może wspomnienia, a może jego śmierć...

I nagle zrozumiała.

— Dlaczego skontaktowali się z tobą w sprawie jego śmierci? — Popatrzyła na córkę. — Nie rozumiem. Co to ma z tobą wspólnego?

Tess stała tuż obok niej. Ze swoimi długimi nogami i potarganą fryzurą przypominała małą dziewczynkę.

— Zostawił mi w spadku swój dom, mamma — odparła.

Flavia zamrugała i zmarszczyła czoło.

— Co takiego?! — Nie mogła w to uwierzyć. — Dlaczego miałby to zrobić? I to właśnie on...

Wiedział, jak to było z Flavią, sam przecież zerwał związki z Anglią. Bo chyba zerwał?

— Nie mam zielonego pojęcia — odparła Tess i zahaczyła kciuk o szlufkę niebieskich dżinsów. — Myślałam, że ty mi wyjaśnisz.

Flavia powoli wstała z krzesła, żeby przygotować kolację i zająć czymś innym myśli. Na gotowanie nie była za stara, na to nie można być za starym, chociaż ostatnio poprzestawała na jednym daniu oraz okazjonalnie na *dolce*. Teraz ona i Lenny mieszkali w jednym z tych identycznych nowoczesnych domków, od których się roiło na ich angielskim osiedlu, zupełnie inaczej niż na Sycylii, ale *la cucina* i tutaj była najważniejszym pomieszczeniem. Kuchnia, potrawy... Dzięki temu wszystko znowu wydawało się bezpieczne.

— No cóż — mruknęła. Za każdym razem, kiedy wyobrażała sobie, że już całkowicie uwolniła się od Sycylii, coś ją stamtąd dopadało. Teraz byli to Edward i Villa Sirena, dom jej dzieciństwa. Naturalnie rodzina Flavii nie mieszkała w samej Villa Grande, mimo to... — Nie miał dzieci — dodała. — Może czuł...

Co mogła powiedzieć? Może czuł się odpowiedzialny? Czyżby zostawił Tess willę w spadku, żeby wynagrodzić jej rodzinie rzekome krzywdy? Wzruszyła ramionami, świadoma, że takie wyjaśnienie na pewno nie zadowoli ciekawskiej Tess, która nigdy nie odpuszczała. Czyżby Edward to przewidział?

— Ale przecież musiał mieć krewnych, mamma. — I jeszcze to niewinne spojrzenie błękitnych oczu...

— Może nie Tess.

Jego siostra Bea zmarła kilka lat wcześniej i również była bezdzietna. To właśnie dzięki Bei Flavia i Lenny prowadzili restaurację Azzurro w Pridehaven, dopóki nie przeszli na emeryturę ponad dekadę temu. Flavia tęskniła za tamtym miejscem, ale w końcu trzeba było przyhamować.

— A przyjaciele?

— Kto wie? — Flavia zabrała się do krojenia bakłażanów.

Ostrze noża przecinało gładką, lśniącą skórkę i jędrny miąższ. Bakłażany musiały przed przyrządzeniem puścić sok, inaczej byłyby gorzkie.

Oczywiście, że Edward miał przyjaciół ze środowisk artystycznych — a byli to wyłącznie mężczyźni. Dopiero później Flavia zrozumiała, dlaczego w dzieciństwie czuła się przy nim swobodnie, nawet sam na sam. Uświadomiła sobie również, dlaczego pozwalano jej z nim zostawać bez nadzoru. Dzisiaj jego homoseksualizm nikogo by już nie obchodził, ale wtedy... W Anglii jego poczynania były nielegalne, a na Sycylii, w wielkiej willi w małym miasteczku, łatwo było się ukryć, zapraszać licznych gości, urządzać huczne przyjęcia. Angielska ekscentryczność była powszechnie tolerowana, nawet jeżeli niewiele osób ją rozumiało. Do tego Edward cieszył się wielką lojalnością pracowników, ponieważ dzięki niemu ludzie mieli gdzie mieszkać i co jeść, no i dobrze ich traktował.

— Może po prostu był odludkiem — zauważyła. Albo był samotny. Tak, potrafiła to sobie wyobrazić. — Tak się zdarza, zwłaszcza artystom i poetom.

Tess, która właśnie postawiła wodę na herbatę, rzuciła jej pełne niedowierzania spojrzenie i odgarnęła lok z czoła.

— A ludzie, którzy dbali o niego pod koniec życia? — zapytała. — Co z tą osobą, która przejęła obowiązki cioci Marii?

Maria... Ręka Flavii zamarła nad fioletową skórką bakłażana. Śmierć jej siostry była niespodziewana i szokująca. Oddaliły się od siebie, dlatego ta strata wydawała się jeszcze smutniejsza. Teraz było już za późno na pojednanie. Maria tylko raz w życiu przyjechała do Anglii. Tess miała wtedy zaledwie osiemnaście lat. Wizyta okazała się niełatwa dla obu sióstr, ich życie potoczyło się zupełnie innymi torami. Flavia stała się prawie Angielką, nawet myślała po angielsku, Maria z kolei była nieśmiała, ponura i czujna jak wilk. Szokowało ją, w jaki sposób Flavia wychowuje córkę. „Naprawdę pozwalasz jej wychodzić samej na tańce?", pytała. Nieufnie odnosiła się do związku Flavii i Lenny'ego, do ich przekomarzań, do tego, że Flavia beztrosko zostawia mężowi zlew pełen brudnych naczyń po kolacji. Trudno jej było również zaakceptować fakt, że Flavia została bizneswoman, otworzyła restaurację, miała personel i konto w banku.

— Anglia jest zupełnie inna niż Sycylia — raz za razem powtarzała Flavia. — Gdybyś pobyła tu trochę dłużej, sama byś się przekonała. Mamy wolność, o jakiej nawet ci się nie śniło.

— Może i tak. — Biedna Maria z westchnieniem załamywała ręce. — Ale signor Westerman jest całkiem sam. Potrzebuje mnie.

W głębi ducha Flavia podejrzewała, że jej siostra wcale nie pragnie wolności. Maria nie miała dzieci, a męża straciła wiele lat wcześniej w wypadku samochodowym w Monreale.

— Co on tam robił w nocy? — biadoliła Maria podczas swojej wizyty u siostry. — Nigdy się tego nie dowiem.

I może lepiej tego nie wiedzieć, myślała Flavia. Poza tym miały rozmawiać z Tess o Sycylii.

— Nasza rodzina zajmowała się Edwardem przez wiele lat — powiedziała teraz Flavia do córki, wrzucając plastry pokrojonego bakłażana do durszlaka i soląc je. Starała się, żeby jej głos brzmiał bardzo spokojnie. Mówiła prawdę: najpierw zajmowali się nim mama, tata i Flavia, potem Maria i Leonardo. — Pewnie w ten sposób chciał okazać nam wdzięczność.

Czy rzeczywiście tak było, czy też Edward Westerman podejrzewał, że jego gest poruszy w niej jakąś czułą strunę? Osobiście stawiała na to drugie.

Tess wrzuciła do dwóch kubków po torebce herbaty i spojrzała pytająco na Flavię.

— Mamma, chcesz?

— Tak, poproszę.

Flavia dopiero po dwudziestu latach zaczęła doceniać angielską herbatę. Wprawdzie nie stawiała na nogi tak skutecznie jak espresso, za to nie brakowało jej innych zalet.

— Ale dlaczego nie zostawił domu tobie? — dociekała Tess. — Ciebie w końcu znał, ja go nawet nie widziałam na oczy.

— Też coś. — Flavia wzruszyła ramionami. — Mam swoje lata, na pewno był przekonany, że już dawno umarłam.

— Mamma!

Flavia pokręciła głową. Nie miała najmniejszej ochoty na tę rozmowę. Robiła, co mogła, żeby zapomnieć o Sycylii, i od przyjazdu do Wielkiej Brytanii nigdy tam nie pojechała. Na początku wiązało się to z ogromnym bólem i kompromisem, a potem... Potem oczywiście chciała ich ukarać: ojca, któremu nigdy nie wybaczyła; matkę, która w jej oczach dopuściła się równie wielkiej zdrady;

i nawet biedną Marię, bo była taka sama jak oni i nie rozumiała, że tylko walka cokolwiek zmieni.

— Mamma — Tess przytuliła ją mocno. Flavia czuła miodowy zapach perfum córki i delikatny, pomarańczowy aromat jej włosów. — Dlaczego płaczesz?

— To przez cebulę — Flavia otarła oczy wierzchem dłoni. — Wiesz, że zawsze tak na mnie działa.

— Wcale nie przez cebulę.

Na myśl o nieustępliwości córki Flavia opuściła powieki i odetchnęła. Dzika, piękna Tess, podobnie jak ona, nie miała szczęścia w miłości. Kochała zbyt namiętnie, jej oczekiwania okazały się za wysokie i w dodatku trafiła się jej nieposłuszna córka, a zabrakło mężczyzny, z którym mogłaby ją wychować. Robin się nie liczył, Flavia nawet nie chciała o nim słyszeć. Czasem miała wręcz ochotę go udusić gołymi rękami.

— Nie — przyznała. — Nie tylko przez cebulę.

Chodziło o przeszłość, jak zawsze. Sycylia, ten ponury kraj... Jeśli miałeś ją we krwi, to już na dobre.

— Lubiłaś Edwarda Westermana? — Tess odeszła, żeby zalać herbatę wrzątkiem, a Flavia pomyślała, że jej córka świetnie wygląda nawet w zwyczajnych dżinsach.

Flavia zabrała się do krojenia cebuli, czosnku i chilli na sos pomidorowy do *melanzane alla parmigiana*, jednej z ulubionych potraw swojej wnuczki.

— Tak — odparła zwięźle.

Rzeczywiście go lubiła, ponieważ był nietuzinkowy i przekonywał ją, że wszystko może się zdarzyć.

— Chodzi mi tylko o to, że niewiele o nim mówiłaś. — Spojrzenie Tess spod grzywki sugerowało, że Flavia w ogóle niewiele mówiła o Sycylii.

To prawda, nie zdradziła córce, dlaczego wyjechała z Sycylii w 1950 roku i dlaczego nigdy więcej tam nie wróciła. Nie dopuściła do tego, żeby wspomnienia z młodości wdarły się w jej życie w Wielkiej Brytanii. Nie umiała wybaczyć.

Na moment oparła się o ladę, żeby odpocząć.

— Pomogę ci, mamo — Tess natychmiast znalazła się u jej boku.

— Jeszcze nie wylądowałam na wózku. — Flavia poczuła, że jej oddech wraca do normy, i skropiła patelnię oliwą. — Starego wilka można nauczyć nowych sztuczek.

— Psa, i nie można — poprawiła ją Tess, stawiając kubki na stole.

— Pies, wilk, jedna cholera — wymamrotała Flavia, dorzucając czosnek, cebulę i chilli.

Jej córka była pedantyczna, jak na pół-Angielkę przystało.

Flavia dolała więcej oliwy. Miała własne metody pracy, własny sposób działania. Oczywiście, w pewnych kwestiach, jak choćby w kwestii oliwy, Sycylia triumfowała. Najlepsza sycylijska oliwa była blada i złocista, Anglicy woleli zieloną i mniej aromatyczną. Tutaj uważano człowieka za dziwaka, jeśli zwilżał nią chleb albo tosty, miejscowi woleli tłuszcz zwierzęcy. Pod tym względem Flavia nie dostosowała się do angielskiej tradycji.

Tess patrzyła na nią uważnie. Wydawała się niespokojna; najpierw długimi palcami szarpała guziki koszuli, a potem bawiła się łyżeczką.

— Nie mogłabyś mi czegoś o nim opowiedzieć? — poprosiła. — O tym moim dobroczyńcy?

W odpowiedzi Flavia tylko zacmokała. Oliwa osiągnęła odpowiednią temperaturę i bakłażany trafiły na patelnię. Do drugiego rondla wrzuciła wcześniej przygotowane pomidory.

Przeszło jej przez myśl, że niewiedza bywa błogosławieństwem.

— Możesz zetrzeć trochę parmezanu? — zwróciła się przez ramię do Tess.

— Mamma?

Flavia westchnęła ciężko, doszła jednak do wniosku, że Tess zasługuje choćby na szczątkowe informacje.

— Kiedyś mi czytał — powiedziała. — Wiersze.

— Własne? — Tess odwróciła się ku matce.

Słysząc szczere zainteresowanie w głosie córki, Flavię dopadły wyrzuty sumienia. Znowu poczuła narastające zmęczenie.

— I innych poetów. Lubił Byrona i D.H. Lawrence'a. — Uśmiechnęła się.

Edward Westerman opowiadał jej o artystach, a młodziutka Flavia słuchała go z zadumą. Bardzo mu się podobał styl życia Byrona. I właśnie Edward pokazał jej świat o milion lat świetlnych odległy od tego, co czekałoby ją na Sycylii.

Zamarła, gotowa dorzucić szczyptę aromatycznej bazylii do dania na patelni. W myślach nadal słyszała niski głos Westermana intonujący słowa, z których połowy nie rozumiała, za to potrafiła uchwycić ich melodię.

— Wydaje się interesujący. — Tess wyjęła ser ze spiżarki. Temperatura w lodówce była zbyt niska dla pewnych produktów, czego niektórzy Anglicy zupełnie nie potrafili zrozumieć. Zaczęła ścierać parmezan na tarce, wiórki sera spadały na biały talerzyk. — Wystarczy?

— Wystarczy.

Tess na powrót owinęła parmezan w woskowany papier, a Flavia wyjęła talerz z jej rąk. Rozmarzony wyraz twarzy córki nie uszedł jej uwagi.

— Co?

Tess usiadła i objęła kubek dłońmi.

— Po prostu wyobraziłam sobie ciebie jako dziewczynkę i tyle. — Po raz pierwszy, dodała w myślach. Wyciągnęła rękę i delikatnie położyła ją na ramieniu Flavii. — To miłe.

Tak, tak. Flavia dobrze wiedziała, że Lenny miał rację, kiedy nieustannie jej powtarzał: „To niesprawiedliwe, że nie chcesz porozmawiać z nią o tym, co się wydarzyło. To twoje życie i twoja córka. Wszystko już dawno minęło. Naprawdę nie potrafisz opowiedzieć jej tej historii i odpuścić?".

Flavia nie była jednak pewna, czy kiedykolwiek zdoła cokolwiek opowiedzieć, o odpuszczaniu nawet nie wspominając. Kiedy człowiek się starzeje, sprawy się komplikują, a czarno-biały niegdyś świat nabiera odcieni szarości.

— Edward pomógł mi przyjechać do Anglii — powiedziała. — Może właśnie dlatego zostawił ci dom.

Tess zmarszczyła brwi.

— Żeby zachęcić mnie do opuszczenia kraju? — zapytała.

Na myśl o takiej ewentualności Flavia poczuła przypływ paniki.

— Nie zrobiłabyś tego, prawda? — zapatrzyła się na córkę.

— No, nie...

Tess wyglądała przez okno na ogródek i trawnik, zastawiony ogrodowymi meblami, wokół których rosły krzewy oraz jednoroczne rośliny. Flavia już dawno temu odkryła, że to nieodłączne atrybuty angielskiego ogrodu. Nie miała nic przeciwko temu, by tą strefą zajmował się Lenny. Nawet teraz się tam kręcił. Okno było lekko uchylone, wietrzyk poruszał żółtą zasłonką niczym piórami na skrzydle ptaka.

Flavia dostrzegła wyraz twarzy córki, który ani trochę jej się nie spodobał. Tess była gdzieś daleko, daleko stąd. Dlaczego? Czyżby czuła się nieszczęśliwa?

— Ale... — odezwała się Tess.

— Ale?

Bakłażany zdążyły się skarmelizować, lada chwila groziło im przesmażenie. Flavia bez namysłu odwróciła się i zręcznie zdjęła plastry z patelni. Na szczęście wyszły idealnie. Przełożyła je na papier śniadaniowy, żeby obeschły, i spróbowała sosu pomidorowego. Wszystkie sosy robiła wyłącznie ze świeżych składników. Przed emeryturą uprawiała własne pomidory, w dwóch olbrzymich szklarniach, wynajętych od sąsiada rolnika. Jakość pomidorów zależała od gleby oraz od klimatu. Na szczęście mieszkali nad morzem, a sól w podłożu podkreślała słodycz owoców. Flavia wykorzystywała tylko te, w kolorze zachodzącego słońca. Matka nauczyła ją, że dobra kuchnia opiera się na dwóch rzeczach: prostocie oraz najlepszych i najświeższych składnikach. Flavia nigdy o tym nie zapomniała.

— Ale? — powtórzyła.

— Ale chciałabym zobaczyć tamto miejsce — odparła Tess. — To chyba jasne. Zwłaszcza teraz, kiedy należy do mnie. — Spojrzała na matkę. — Chciałabym zobaczyć, gdzie się wychowałaś, mamma.

Flavia z furią zamieszała sos. Bijące od niego ciepło zdawało się ogrzewać nie tylko jej twarz, ale i krew.

Kiedy była w ciąży, cały ranek przed porodem córki spędziła na przyrządzaniu ogromnego rondla sosu bolońskiego. „Instynktownie gromadzi pani zapasy", powiedziała akuszerka na wieść o tym. Flavia lubiła sobie wyobrażać, że kiedy umrze, znajdą koło niej kawał niewyrobionego ciasta, dojrzałe pomidory i bazylię czekającą na swoją kolej...

— Rozumiem. — Starała się, by w głosie nie było słychać urazy, lecz serce ścisnęło się jej w piersi.

Właściwie dlaczego Tess nie miałaby odwiedzić willi? Co w tym strasznego? Nie było się czego bać, przecież Sycylia nie wyciągnie gigantycznej łapy, by porwać Tess w mroczną, bezduszną otchłań. Flavia doszła do wniosku, że jest po prostu głupią staruszką.

— Tak czy inaczej muszę jechać — oznajmiła Tess, najwyraźniej nieświadoma efektu, jaki wywarły jej słowa na matce.

— Dlaczego? — Serce Flavii waliło jak młotem. Nogi się pod nią ugięły, musiała się nawet przytrzymać kuchenki. Tylko na moment, pomyślała, zaraz siły powrócą. — Niby dlaczego musisz jechać?

— Bo to warunek otrzymania spadku. Muszę odwiedzić willę, zanim zdecyduję, co z nią zrobić.

Zanim zdecyduje, co z nią zrobić? Narastała w niej panika, jednak Flavia uparcie mieszała sos, który zdążył już przybrać odpowiedni kolor. Gotowanie pomogło jej w życiu, tylko dzięki swojej kuchni jakoś zdołała przez nie przejść. Pomidory zgęstniały, zrobiły się bardziej aromatyczne, ich słodki zapach wymieszany z wonią chilli unosił się znad rondla.

— Rozumiem — oznajmiła cicho.

Naprawdę zaczynała rozumieć.

— Sprawdziłam tamte okolice na mapie Google — oznajmiła Tess rzeczowo, jakby rozmawiały o wycieczce do pobliskiego Weymouth. — Są piękne. Nigdy nie mówiłaś, że tam jest tak cudownie.

Flavia jęknęła głucho. Nigdy również nie mówiła, gdzie dokładnie mieszkała. Wyciągnęła z szafki blachę i w tym samym momencie zdała sobie sprawę z tego, że prędzej czy później zmuszona będzie powiedzieć znacznie więcej.

— Prawda, mamma? — w głosie Tess zabrzmiało błaganie.

— Tak, tak, jest bardzo pięknie. — Nałożyła na blachę sos, potem rozsypała parmezan, a na końcu dodała bakłażany. Sos, parmezan, bakłażany... Nie jedź... Nie jedź... Nie jedź...

— Będę miała oko na Ginny — usłyszała swój głos. — Jeśli postanowisz odwiedzić Villa Sirena... — umilkła. — Zanim wystawisz ją na sprzedaż. — Sos, parmezan...

— Dzięki, mamma — Tess od razu poweselała.

Jeśli twoja córka tu zostanie, na pewno wrócisz, pomyślała Flavia, jednak nie odważyła się wypowiedzieć tego na głos. Uchyliła drzwiczki piekarnika i wsunęła do środka *melanzane alla parmigiana*.

Po kolacji, gdy Tess i Ginny poszły do domu, Flavia odrzuciła różową kołdrę i położyła się obok Lenny'ego.

W czasie posiłku wszyscy rozmawiali o zupełnie innych sprawach, ale ona nie mogła przestać myśleć o przeszłości. Teraz zdała mężowi relację ze swojej pogawędki z Tess.

— A niech mnie — żachnął się z charakterystyczną dla siebie bezpośredniością. — Dostała w spadku dom na Sycylii i nie pisnęła ani słowa?

— Ginny też jeszcze nie wie.

Ciało Lenny'ego jak zawsze było ciepłe i kojące. Flavia zastanawiała się, co by się z nią stało, gdyby się nie poznali. Lenny kochał ją od samego początku. Mimo wszystko.

— Dlaczego jej nie powiedziała?

— Sama nie wiem. — Może Tess odziedziczyła skrytość po matce? Flavia zadrżała i poczuła, że Lenny obejmuje ją mocniej. Chwała Bogu, w wieku siedemdziesięciu dziewięciu lat nadal był zdrowym i sprawnym mężczyzną. — Może postanowiła poczekać na odpowiedni moment?

— Tak jak ty? — To był wyjątkowo cichy szept, ale Flavia zrozumiała, o co chodzi Lenny'emu.

— Miałam swoje powody — odparła.

— A teraz?

Oparła głowę na jego ramieniu. Było jej wygodnie, czuła, że znajduje się dokładnie tam, gdzie jej miejsce. Lenny jednak za dobrze znał Flavię, by nie zauważyć, że coś się zmieniło.

— Jedzie tam — powiedziała. — Nie mogę jej zatrzymać.

Lenny głaskał Flavię po włosach, teraz białych jak śnieg, nie prawie czarnych, jak dawniej.

— Dla niej to miejsce nie skrywa mrocznej tajemnicy, maleńka — powiedział. — To twoja przeszłość, nie naszej Tess. Ona po prostu chce zobaczyć dom, w którym dorastałaś. To zupełnie zrozumiałe.

Flavia ciężko westchnęła. Na pozór rzeczywiście tak było, ale kryło się za tym coś jeszcze. Każde miejsce mogło zmienić człowieka, wywrzeć na niego wpływ, a sekrety Sycylii sięgały dalekiej przeszłości. No cóż... Flavia była już stara, co ona tam wiedziała?

— Czego się tak obawiasz? — nie ustępował Lenny. — Na litość boską, kochanie, co twoim zdaniem może się jej tam stać?

— Nie wiem. — Flavia zmusiła się do śmiechu, który zabrzmiał nieco nieszczerze.

— Boisz się o nią? — Lenny dalej uspokajająco głaskał ją po włosach. Flavia poczuła, że jest coraz bardziej zrelaksowana i powoli zasypia. — Czy boisz się o siebie?

Zanim zasnęła, uświadomiła sobie, że miał rację. O siebie... Jeśli miała coś zrobić, nie powinna zwlekać. W końcu skończyła osiemdziesiąt dwa lata, ile czasu jej pozostało? Musiała stawić czoło temu, że Tess postanowiła wybrać się na Sycylię.

Najwyższa pora.

ROZDZIAŁ CZWARTY

Ginny zadurzyła się w swoim fryzjerze do tego stopnia, że zdarzało się jej wpadać do zakładu na podcięcie grzywki, zanim ta zdążyła dostatecznie odrosnąć. Patrzyła na niego w lustrze, gdy podnosił kosmyk jej ciemnych włosów i marszczył brwi.

— No co? — zapytała.

Chyba nie regulował sobie brwi? Wcale nie byłaby zdziwiona, miały idealny kształt sierpów.

— Nakładałaś intensywną odżywkę, jak kazałem? — Przewrócił oczami, trzymając pukiel jej włosów między kciukiem i palcem wskazującym, a Ginny zachichotała.

Miał złe oczy, złe jak diabli, niemal granatowe, i prawie czarne włosy. Jego paznokcie, teraz rozczesujące jej długie, gęste pasma, były pomalowane na kolor metalicznej zieleni. Co za potworna szkoda, że był gejem. Wszyscy najprzystojniejsi faceci okazywali się gejami, każdy to wiedział. Ona i jej przyjaciółka Becca leciały na ten sam typ mężczyzn — podobały się im fryzury z długą grzywką i oczy obwiedzione lekko rozmazanym eyelinerem. Oczywiście chłopak musiał być wysoki, w końcu Ginny miała metr osiemdziesiąt trzy w tenisówkach, a Becca metr osiemdziesiąt osiem. To wcale nie było zabawne. Do niedawna Ginny garbiła się i nosiła jedynie płaskie czółenka, ale odkąd poznała w college'u Beccę, chodziły tylko i wyłącznie na wysokich obcasach. Im wyższa szpilka, tym lepiej. Uważały się za nadkobiety, wojowniczki i amazonki.

— Musiało być nieźle — powiedziała Ginny.

Ben właśnie opowiadał jej o piątkowym wieczorze, który spędził w Barney's. Za każdym razem, kiedy dotykał jej włosów, przeszywał ją rozkoszny dreszcz. W takich chwilach niemal zapominała o Guli. Niemal — co nie znaczy, że do końca. Gula była bardzo twarda i tkwiła za jej gardłem, nad mostkiem. Ginny nie bardzo wiedziała, jak długo już tam siedzi, chyba jakiś rok. Czasem wydawało się, że Gula nieco się kurczy, aż tylko przypominała niestrawność, z którą pewnie rozprawiłoby się kilka pastylek na zgagę. Przy innych okazjach rozrastała się i toczyła wewnątrz niej, jak kula śniegowa, która pęcznieje i nabiera pędu, aż Ginny ledwo mogła mówić i oddychać. Było to dość przerażające.

Nie powiedziała matce o Guli. Nie chciała trafić do lekarza na pogadanki o miesiączce, seksie albo czymś równie żenującym. Matka na pewno założyłaby, że ma bulimię albo bierze narkotyki (jej dwa ulubione tematy), albo po prostu ześwirowała. Ginny musiałaby się poddać testom, może wręcz brać jakieś antydepresanty. Nie, nie pisnęła nawet słówkiem. Miała nadzieję, że jeśli bardzo, bardzo postara się o tym nie myśleć, któregoś dnia Gula po prostu zniknie.

— Byłaś tam kiedyś? — zapytał Ben. — W Barney's?

— Nie. To taka trochę dresiarska knajpa.

Becca miała dopiero siedemnaście lat i nawet sfałszowany dowód osobisty nie pomógłby jej dostać się do lokalu, którym zarządzał przyjaciel jej ojca. Faktycznie, było tam mnóstwo dresiarstwa, chłopaków w kapturach i wytatuowanych dziewczyn w mikrotopach, spod których wylewały się blade oponki tłuszczu. Zero klasy, zero stylu, totalna żenada.

— Tak. — Ben przez cały czas przycinał jej włosy. — To prawda.

Ginny pomyślała, że jego dotyk naprawdę jest przyjemny.

Chętnie wpadłaby na Bena przy jakiejś innej okazji. Często o tym fantazjowała. W tych fantazjach miała na sobie czarną, wyjątkowo obcisłą minisukienkę z szerokim suwakiem z przodu, który ciągnął się od biustu aż do samego dołu, a do tego oczywiście czerwone szpilki. Tę sukienkę matka opisała jako „fajną" — z wyrazem twarzy sugerującym, że gorączkowo zastanawia się nad liczbą mężczyzn, którzy spróbują rozpiąć ten strój na jej córce. W tej fantazji Ben był zdumiony transformacją Ginny z niezręcznej uczennicy w ostrą, szaloną laskę.

„Jesteś taka zgrabna — szeptał, pochylając się nad nią. — Taka seksowna"...

Naturalnie, w tej fantazji był całkowicie hetero.

Cóż, niestety przez zbliżające się egzaminy Ginny nie mogła teraz zbyt często wychodzić — mama mocno przynudzała w tej kwestii.

Lekko drgnęła na fotelu. Tego popołudnia miała gołe nogi (były jej największym atutem, więc przy wsparciu Bekki doszła do wniosku, że włoży wysoko wycięte, dżinsowe szorty) i bała się przykleić do obitego czarną skórą fotela. Goliła nogi przez godzinę, tak że aż zaczęły ją piec, więc na sto procent nie zostały na nich żadne niespodzianki. Spokoju nie dawała jej jednak podejrzana wilgoć pod pachami i Ginny postanowiła na wszelki wypadek nie podnosić rąk.

— Gdzie jeszcze chodzisz? — zapytała, mimo że nie miała u niego szans.

— Głównie na imprezy — odparł. — W zeszłym tygodniu zerwałem z dziewczyną i mój kumpel Harley urządził z tej okazji wielką balangę.

— Słucham? — Chyba się przesłyszała.

Dziewczyną?... Ginny zacisnęła ręce na poręczach fotela.

Ben powtórzył.

— Super! — W środku aż piszczała z radości. Miał dziewczynę, w związku z czym przynajmniej chwilowo nie był gejem, no, chyba że nie chciał się do tego przyznać nawet sam przed sobą. To była zdumiewająca nowina, Ginny nie mogła się doczekać, kiedy powtórzy ją Becce. — Piątka — wymamrotała do siebie.

— Co takiego? — spytał. Był bardzo skupiony na skracaniu kosmyka włosów nad jej prawym uchem.

Miała nadzieję, że nie dopatrzył się żadnej woszczyny.

— Nic. — Starała się na niego nie patrzeć, ale podczas przycinania włosów trzeba na coś patrzeć, a wybór nie był zbyt wielki — lustro, lakiery i odżywki, jej własna twarz, Ben. Było oczywiste, na co się zdecydowała. — Przykro mi z powodu twojej dziewczyny.

— Mnie nie. — Uśmiechnął się do niej szeroko.

Ginny wciągnęła brzuch. Cieszyła się, że mimo obecności Guli jest szczupła, poza tym matka powtarzała, że po babci odziedziczyła „czarne, sycylijskie oczy". To na pewno było seksowne. Ludzie bez przerwy powtarzali jej, żeby została modelką, i chyba mieli rację. Powinna rzucić college (chociaż matka by ją zabiła), przenieść się do Londynu i podpisać umowę z jakąś agencją modelek. To nie wydawało się szczególnie skomplikowane, wiedziała jednak, że tego nie zrobi. Próbując przełknąć ślinę, poczuła znajomą Gulę w gardle. Nie byłaby w stanie tego zrobić, po prostu nie i kropka. I musiała iść na studia, bo wszyscy tego od niej oczekiwali.

Ciach, ciach... Ciach, ciach... Ben przyglądał się jej w lustrze, aż Ginny zrobiło się gorąco. Co z nią było nie tak? Teraz, kiedy wiedziała, że Ben nie jest gejem, nie mogła się do niego odezwać. Dotykał palcami jej szyi i całe ciało Ginny pokryła gęsia skórka. Dziwne, to przecież nie było nic nadzwyczajnego. To w końcu było jej gorąco, zimno czy jak?

Po raz tysięczny zaczęła się zastanawiać, jak by to było zrobić to z chłopakiem. Większość jej przyjaciółek dotarła co najmniej do drugiej albo trzeciej bazy, Becca poszła na całość. Tyle że, jak zauważyła matka, Becca była nieco za bardzo hop do przodu. Ginny wolała nie wyobrażać sobie Bekki podczas... Czasem jednak, kiedy się na nią patrzyło, człowiek nie mógł sobie nie wyobrażać, i prawdopodobnie o to chodziło matce. Becca nie była szczupła, miała jednak to, czego Ginny pragnęła najbardziej na świecie, nawet bardziej niż dotyku dłoni Bena na swojej szyi (chociaż nie bardziej niż zniknięcia Guli) — piersi.

Ginny miała teorię, że trzecia baza jest bardziej intymna niż czwarta, ale z nikim nie zamierzała się dzielić tym spostrzeżeniem, na wypadek gdyby jednak coś jej umknęło. W końcu dopóki nie zaliczyło się jednego i drugiego... Czy była jedyną nastolatką w Pridehaven, która jeszcze tego nie robiła? Czasami wydawało się to bardzo prawdopodobne. Oczywiście, że mogła za to winić tylko siebie. Chodziło o to, że wszyscy ci chłopcy... No cóż, zwyczajnie się jej nie podobali, ale chciała mieć to z głowy.

Po prostu, żeby wiedzieć.

— Może powinniśmy się wybrać kiedyś razem na drinka — odezwał się Ben, jakby umiał czytać w jej myślach.

Czyżby zapraszał ją na randkę? Ten cudowny chłopak o seksownych ustach, który mimo obwiedzionych błyszczącym turkusowym eyelinerem oczu wyglądał jak macho? Ginny usiłowała zachować spokój. Nagle przypomniała sobie wszystko, co najlepsze na świecie — dżinsy z Topshopu, czekoladowe herbatniki z Marks & Spencer, bułkę z kurczakiem z KFC i ciasteczkowe lody (w większości to, co najlepsze, kojarzyło się jej z jedzeniem, to był problem, z którym musiała sobie poradzić) — i poczuła się tak, jakby to, co dobre, nadciągnęło jedną fantastyczną falą. Wyobraziła sobie siebie na plaży, w pełnym słońcu, bez pryszczy na twarzy, za to w bikini w zebrze paski. Gula zniknęła daleko za horyzontem...

— Tak — przytaknęła. — Może powinniśmy.

— Świetnie. — Dokończył strzępienie fragmentu jej grzywki. — Wymieńmy się numerami.

— Okej. — Patrzyła, jak roztrzepuje tę grzywkę palcami. — Wkrótce urządzam imprezę — dodała.

Co prawda matka dopiero wczoraj poinformowała ją o wyjeździe, ale w końcu jak długo można podejmować decyzję o imprezie? W tym przypadku jakieś dwadzieścia sekund.

— Dasz sobie radę, Ginny? — spytała matka. — To tylko na tydzień. Zajmą się tobą nonna i dziadek, no i nasza sąsiadka Lisa. Jeśli nie chcesz być sama, możesz nocować u dziadków.

Jeszcze czego! Chyba jej się coś pomyliło, nie zostawiała przecież dziesięciolatki. Ginny uwielbiała być sama w domu, co zdarzało się niezwykle rzadko. Problem polegał na tym, że dziadkowie mieszkali o rzut beretem (chociaż byli cudowni, babcia poza tym świetnie gotowała), a Lisa pod samym nosem.

— To z kim wyjeżdżasz na wakacje? — zapytała niewinnie matkę.

Oczywiście, zgodnie z planem, udało się jej wzbudzić skruchę w Tess.

— Och, Ginny, bardzo chciałabym zabrać cię z sobą, tylko że akurat uczysz się do egzaminów i...

— W porządku. — Ginny wzruszyła ramionami. — Ale któregoś dnia może zaproszę na noc parę kumpelek. Mogę, prawda? Zjemy sobie pizzę i obejrzymy film.

Jeśli matka będzie wiedziała, że Ginny planuje imprezę, to g d y b y cokolwiek wymknęło się spod kontroli, albo k i e d y wymknęłoby się spod kontroli, albo g d y b y/k i e d y jej tymczasowi opiekunowie z a u w a-ż y l i/z a u w a ż y l i b y, że cokolwiek wymknęło się spod kontroli, Ginny łatwiej zdołałaby wszystko wyjaśnić. Stanowczo zdusiła w sobie wyrzuty sumienia, które pojawiały się za każdym razem, kiedy oszukiwała matkę. Ginny kochała Tess, oczywiście, że tak, i była świadoma tego, co matka dla niej robi, jak bardzo się poświęca i tak dalej. Czasem jednak nachodziła ją chęć ukarania matki, właściwie trudno powiedzieć za co. Po prostu.

— Oczywiście, że możesz — odparła Tess niepewnie. — Kto...?

— Mówiłaś, że z kim jedziesz? — natychmiast przerwała jej Ginny.

— Nie jestem pewna — oznajmiła Tess wymijająco, co naturalnie oznaczało, że zamierza wyjechać z Robinem. — Może sama.

Co również oznaczało, że zamierza z nim wyjechać. Frajerka i tyle.

Z jakiegoś niezrozumiałego dla Ginny powodu Tess nie zdawała sobie sprawy, że jej córka wie o Robinie. Została mu przedstawiona w obecności Lisy i jej męża Mitcha. Prawdopodobnie mama zaprosiła ich na wszelki wypadek, żeby Ginny nie przyszło do głowy powiedzieć mu na powitanie: „Kim ty, kurwa, jesteś?" zamiast: „Dzień dobry", co na zawsze zrujnowałoby wiarygodność Tess. Choć ją kusiło, Ginny była uprzejma i odpowiadała na wszystkie przewidywalne pytania o college i studia, nawet nie robiąc przy tym głupich min. Ulga matki, kiedy Robin oświadczył: „Cóż za urocza dziewczyna", była niemal namacalna.

Kutafon.

Matka nie miała pojęcia, że Ginny doskonale się orientuje, kiedy Robin przychodzi popołudniami, kiedy chodzą do łóżka (zaciągnięte zasłony w sypialni matki, dwa kieliszki z winem w salonie) i kiedy robią to na sofie (poprawione poduszki, inaczej ustawiony stolik). Ginny próbowała nie zaprzątać sobie tym głowy.

Domyśliła się również, że był żonaty, ponieważ nie spotykali się na mieście jak zwykłe pary, a matka często miała nieszczęśliwy wyraz twarzy i czerwone plamy na policzkach, co znaczyło, że albo zamierza się z nim spotkać, albo właśnie odebrała ukradkiem telefon. Ginny nie lubiła Robina, był zbyt grzeczny, zbyt ułożony i zbyt żonaty, i nie podobało się jej to, co robił z jej mamą. Doszła jednak do wniosku, że gdyby Tess pragnęła jakiejś rady w tej sprawie, sama by o nią poprosiła.

— Imprezę? Super. — Ben zakręcił nożyczkami. — Rozumiem, że zaprosisz ulubionego stylistę?

— Masz to jak w banku — odparła.

Nie mogła się już doczekać. Pomyślała, że bardzo prawdopodobnie TO będzie jej pierwsze seksualne doświadczenie. Precz z Gulą. Tak trzymać!

Ben uruchomił suszarkę i zaczął suszyć włosy Ginny.

— Dobrze dmucham? — Uniósł perfekcyjnie wyskubaną brew.

Wcale nie żartował.

— Jak cholera — odparła Ginny.

ROZDZIAŁ PIĄTY

Tess zapukała i nie czekając na odpowiedź, weszła do kuchni Lisy.

— Przyjdź na kawę — zaproponowała Lisa przez telefon dziesięć minut wcześniej, po tym jak Tess podzieliła się z nią nowinami. — Wygodniej nam będzie gadać. Właśnie szykuję kolację.

Lisa, mistrzyni wielozadaniowości, miała na sobie czarne dżinsy i T-shirt, a na tym zielony fartuszek w czerwone słonie. Była drobną brunetką, która nigdy nie traciła zimnej krwi. Jedną ręką mieszała zawartość ogromnego rondla chilli, a drugą kierowała gromadką dzieci w wieku od siedmiu do jedenastu lat. Tess, samotna matka jedynaczki, przyglądała się temu, wspominając swoje doświadczenia z Ginny, tak różne od doświadczeń Lisy.

— Cześć, Tess — Lisa nadstawiła policzek do pocałunku. — Chodź, siadaj.

Kuchnia Lisy, pachnąca ostrym chilli, pełna życia i ciepła, pomalowana na pogodny kolor ochry, była niczym bezpieczna przystań. Kiedy Lisa i Mitch zamieszkali obok nieco zapuszczonego domu Tess, ostatniego z rzędu wiktoriańskich szeregowców, i Tess dołączyła do towarzyskiego kręgu nowych sąsiadów, liczyła na to, że zdoła wchłonąć i odtworzyć atmosferę, którą Lisa wyczarowywała bez najmniejszego wysiłku. Atmosferę bliskości z Mitchem i dziećmi, domową i rodzinną. Naturalnie nic z tego nie wyszło. Niby jak miało wyjść, skoro nie było przy niej mężczyzny pokroju Mitcha? Zastanawiała się, czy powinna czuć się winna dlatego, że Ginny wychowała się bez ojca. Może jednak ta wyjątkowa więź, która je łączyła, istniała wyłącznie dzięki temu, że były we dwie przeciwko całemu światu?

— Zaraz do ciebie dołączę — oznajmiła Lisa. — Muszę tylko... — spojrzała na swoje dzieci. — Zabierać te książki ze stołu, ale już, jeśli chcecie dostać dziś kolację!

Tess odsunęła się na bok, kiedy trzy pary małych rączek chwyciły podręczniki, piórniki i różne inne przedmioty. Dzieciom ani na chwilę nie zamykały się usta. „Masz mój czarny flamaster? Gdzie moja linijka? To moja gumka, Androidzie. Nie mów na niego Android" (to akurat powiedziała Lisa, która uśmiechnęła się do przyjaciółki ze skruchą). Tess przyszło do głowy, że oni wszyscy są niczym wulkan kipiący lawą. Wulkan... Usiadła wygodniej, myśląc o tym, że razem z Robinem obejrzy Etnę i Palermo, stare świątynie, katedry, opuszczone, piaszczyste plaże. Znowu dopadły ją wyrzuty sumienia. Czy naprawdę może tak sobie zniknąć na cały tydzień i zostawić córkę samą?

Ojciec Ginny, niezależny, gitarzysta i surfer, o długich nogach i oczach niebieskich jak woda w basenie, na którym pracował jako ratownik, był przy Tess przez pierwsze sześć miesięcy ciąży, a potem odleciał do Australii. Twierdził, że nie zniesie angielskiej zimy, i chciał, by Tess z nim pojechała. Dla niej jednak czas miał kluczowe znaczenie, zaledwie trzy miesiące później zamierzała sprowadzić na ten świat dziecko. Mając do wyboru rozstanie z kochanką albo konfrontację z angielską zimą, David wybrał ucieczkę. Nie wróżyło to dobrze na przyszłość. Teraz córka szybko dorastała, co było przerażające, gdyż czekało ją tyle trudnych decyzji w życiu, na tyle sposobów coś mogło pójść nie tak. Patrząc na dzieci Lisy, stłoczone wokół matki, Tess pomyślała, że Ginny coraz bardziej się od niej oddala.

— Jestem zajęta, Freddie — zwróciła się Lisa do najstarszej pociechy. — Idź odrabiać lekcje w innym pokoju albo obejrzyj sobie film na DVD, a potem zajmiemy się pracą domową.

— Zawsze tak mówisz — wyjęczał Freddie, ale uśmiechnął się do Tess, chwycił pomarańczę z miski na stole i radośnie wybiegł.

— I dopilnuj, żeby to się nadawało dla twoich sióstr! — dodała Lisa, wypychając z kuchni dwie małe dziewczynki. — Chcę porozmawiać z Tess.

Tess uśmiechnęła się szeroko. Była tak podminowana, jakby lada chwila miała wybuchnąć. Odziedziczyła nieruchomość na Sycylii i zamierzała tam pojechać razem z Robinem.

Lisa postawiła przed nią kieliszek.

— Dzięki. — Obiecana kawa tajemniczym sposobem przemieniła się w czerwone wino, ale Tess nie miała zamiaru narzekać.

— Mamy ich z głowy. — Lisa napełniła swój kieliszek i chlusnęła winem do rondla z chilli. — Zdrówko i gratulacje. — Uniosła butelkę.

— Dzięki. — Tess zaczęła się zastanawiać, czym właściwie sobie na to zasłużyła. Po prostu miała szczęście urodzić się we właściwej rodzinie.

— Opowiedz mi o wszystkim — zażądała Lisa.

I Tess posłusznie jej opowiedziała. Wcześniej sprawdziła w Internecie okolice Cetarii i okazało się, że idealnie nadają się do nurkowania. Położone nieopodal rezerwatu przyrody, były pełne skalistych i piaszczystych plaż oraz przejrzystej, akwamarynowej wody. Dzięki wybuchom wulkanów i trzęsieniom ziemi przez lata powstawały tam jaskinie ze stalaktytami i źródłami słodkiej wody, a morskie życie wręcz kwitło. Tess nie mogła uwierzyć we własne szczęście. Od dzieciństwa kochała morze. Rodzice kupili jej pierwsze okularki do nurkowania, kiedy tylko skończyła siedem lat. Zanurzała głowę pod falami i mrużyła oczy, próbując dojrzeć dno. Barwy pod wodą zawsze wydawały się jej żywsze i bardziej realne niż te na lądzie. Listki roślin i wodorostów tańczyły w rytm prądów morskich, maleńkie rybki śmigały niczym smużki oleju. Tess była zafascynowana tym innym światem, kolorowym, płynnym i tajemniczym.

Dorastając, podczas wakacji za granicą uczyła się nurkować z rurką do oddychania. Nieustannie chciała zejść jeszcze niżej, zobaczyć jeszcze więcej. W zeszłym roku w sklepie dla surferów w Pridehaven dostrzegła reklamę kursu dla nurków. Było to równo dwanaście miesięcy po tym, jak zaczęła się widywać z Robinem. By to uczcić, zaplanowali romantyczną kolację w restauracji, oddalonej o bezpieczne dwadzieścia pięć kilometrów od miasteczka. („Wiem, że to przykre, kochanie, ale czy naprawdę chcemy przysparzać Helen niepotrzebnego bólu?") Oczywiście Robin ją wystawił, odwołał randkę zaledwie na godzinę przed spotkaniem. Nie pierwszy raz zresztą i z pewnością nie ostatni. „Wynagrodzę ci to, Tess", obiecywał. W tamtej chwili doszła jednak do wniosku, że sama musi zrobić coś dla siebie.

Zapisała numer telefonu z reklamy, tak na wszelki wypadek.

Kurs PADI okazał się dokładnie tym, czego jej było trzeba. Najpierw zaznajomiono ich ze sprzętem — kombinezonem, maską, butlą i pasem z obciążnikami — potem nauczono procedur bezpieczeństwa: jak się wynurzać, jak używać języka migowego pod wodą i jak wykorzystywać te umiejętności w terenie. Tess była zafascynowana. Zapisała się też na inne kursy, aż w końcu skończyła ten dla zaawansowanych nurków.

— I po co ci to, skarbie? — zapytał ją Robin, jakby wszystko w życiu musiało mieć praktyczne zastosowanie.

— Dla rozrywki — odparła. — Żebym mogła sama wyjechać na wakacje i nurkować. Po prostu fajnie żyć.

Wtedy się przymknął, no bo niby co miał odpowiedzieć? Nie dawał Tess wszystkiego, co jej było potrzebne, postanowiła więc szukać gdzie indziej. W końcu jej szczęście nie musi zależeć od jednego mężczyzny i nie on ma być sensem jej życia. Tess zrozumiała to, gdy David wyjechał do Australii i poprzysięgła sobie, że nigdy więcej nie powtórzy takiego błędu.

Teraz jednak nie wybierała się na wakacje dla nurków amatorów, tylko w prawdziwą podróż. Miała zobaczyć, gdzie przyszła na świat jej matka, gdzie dorastała, może nawet odkryć, dlaczego Flavia wyjechała z Sycylii i nigdy tam nie powróciła. Zamierzała przyjrzeć się domowi, który ni z tego, ni z owego spadł jej z nieba, i w dodatku w idealnym momencie. Była bardzo ciekawa, jaki się okaże i zastanawiała się, co z nim zrobi.

Mimo to czuła lekki opór przed wyjazdem, i to nie tylko ze względu na Ginny. Nie mogła nie zauważyć, że jej matka nie jest zachwycona. Tym, co Flavia przez lata wyjawiła na temat dorastania na Sycylii, były tylko niejasne fragmenty zdań, interesujące strzępki, którym Tess nie była w stanie się oprzeć, co najmniej tak jak potrawom przyrządzanym przez mammę. Dlaczego mamma nigdy nie chciała odwiedzić miejsc i ludzi ze swojego dzieciństwa? Flavia była piekielnie uparta.

— I Robin twierdzi, że z tobą pojedzie? — zapytała Lisa.

— Już zarezerwowaliśmy bilety na samolot. — Tess czuła niezwykłą ulgę, że może to powiedzieć.

— No dobrze. — W głosie Lisy zabrakło przekonania.

— Nie pochwalasz tego?

Lisa natknęła się na Robina przy kilku okazjach, na drinku w domu Tess, i oznajmiła, że jest czarujący. W żaden sposób nie oceniała Tess, a już na pewno nie tak surowo, jak ta oceniała samą siebie. Wcześniej Tess do głowy by nie przyszło, że nawiąże romans z żonatym mężczyzną. Długo unikała myślenia o nieznanej Helen, a kiedy już się to zdarzało, przypominała sobie, jak Robin narzeka na żonę. Naturalnie był z nią wyłącznie ze względu na dzieci.

— Nie o to chodzi. — Lisa upiła łyk wina.

— No to o co?

Przyjaciółka rzuciła jej spojrzenie przez ramię i machinalnie wytarła ręce w fartuszek w słonie.

— Po prostu chcę, żebyś dostała to, na co zasługujesz — odparła. — Czyli dobry związek z wyjątkowym mężczyzną.

— Robin nie jest wystarczająco wyjątkowy? — burknęła Tess, chociaż domyślała się, o co jej chodzi.

— Z wyjątkowym wolnym mężczyzną — sprecyzowała Lisa. — Takim, który może dać ci wszystko.

Tess uniosła brew. Wiedziała, czego się teraz spodziewać, i jak zwykle starała się na tym nie skupiać.

— Miłość, bezpieczeństwo, zaangażowanie. Sama wiesz.

— Tak, wiem. — Czyli to wszystko, co wcale nie było jej potrzebne, jak sobie wmawiała, zwłaszcza o czwartej nad ranem.

— Ale... — Lisa była uprzejma i gotowa się wycofać. — Przynajmniej tym razem...

— Nie mogę się doczekać, kiedy z nim wyjadę — natychmiast przerwała jej Tess. — W dodatku na Sycylię... To wiele dla mnie znaczy, Liso.

— Wiem, skarbie. — Lisa podeszła do Tess i objęła ją ramieniem. — Tylko że... — Westchnęła.

— No co?

Lisa była jej najlepszą przyjaciółką, mimo to Tess nie miała ochoty wysłuchiwać prawdy z jej ust. Czasem marzyła o tym, żeby Lisa chociaż troszkę skłamała.

— Skąd ten nagły zwrot, skoro ostatnio mówił, że nie może z tobą wyjechać? Nie rozumiem, co się zmieniło.

Głos Lisy brzmiał łagodnie, jednak kiedy Tess podniosła wzrok, ze zdumieniem dostrzegła zmarszczone brwi przyjaciółki. Widać nawet Lisa nie potrafiła tego zrozumieć. Robin wcale nie traktował Tess źle, naprawdę — po prostu był dobrym człowiekiem i nie mógł znieść myśli, że skrzywdziłby swoje dzieci i żonę, z którą wziął ślub dwadzieścia lat wcześniej. Nie należało go za to winić, przecież nie zakochał się w Tess specjalnie.

Już miała to powiedzieć, kiedy nagle drzwi od ogrodu się otworzyły i do kuchni wszedł znużony i przygaszony Mitch.

— Co ja widzę? — Rzucił aktówkę na najbliższe krzesło i poluzował krawat. — Witają mnie aż dwie piękne kobiety? — Ucałował je obie. — Mam nadzieję, że zostaniesz na kolacji — zwrócił się do Tess.

Zanim zdążyła odpowiedzieć, zadźwięczała jej komórka.

— To pewnie Ginny — Tess wyciągnęła telefon z torby. — Bardzo bym chciała, w końcu widziałam, co trafiło do tego chilli. Ale w domu mam zapiekankę w wolnowarze.

To była jednak wiadomość od Robina, nie od Ginny. „Skarbie, spotkamy się na szybkiego drinka? U Ciebie czy w Czarnym Króliku?"

Tess przeszył dreszcz oczekiwania. Wiedziała, że powinna iść do domu, ale kolacja w zasadzie była gotowa, więc zostało sporo czasu. Chyba mogła sobie pozwolić na szybki drink w Czarnym Króliku (dziesięć minut od rogatek miasta, czyli w miejscu, gdzie nie mogła się zjawić żadna z jej przyjaciółek ani, co ważniejsze, nikt z przyjaciół Helen i Robina)?

— Robin? — Lisa najwyraźniej zauważyła jej minę.

Tess tylko skinęła głową i szybko odpisała: „OK, w CK za 15 min".

Lisa patrzyła, jak Tess z udawaną swobodą wrzuca telefon do torby.

— Uważaj na siebie, kochana — powiedziała.

ROZDZIAŁ SZÓSTY

W domu Tess ruszyła tam, skąd dobiegała najgłoś-
niejsza muzyka Vampire Weekend, czyli do pokoju Jacka. Nazywały go tak dlatego, że rezydowała
tu, zrobiona z rafii i wielka na półtora metra, pomarań-
czowożółta żyrafa o imieniu Jack. Ginny, rozwaliwszy się
na sofie, najprawdopodobniej wkuwała do egzaminów.

— Muszę na chwilę wyskoczyć! — krzyknęła Tess. —
Wracam góra za godzinę.

Ginny pokiwała głową w rytm muzyki.

— Idź na całość, mała!

Tess tylko skinęła głową.

W drodze do pubu położonego nad brzegiem rzeki
zaczęła się zastanawiać, co Lisa miała na myśli, kiedy pytała o zmianę. Tak naprawdę nic się nie zmieniło, chyba
że Robin nagle sobie uświadomił, iż powinien bardziej
dbać o ten związek, jeżeli chce go utrzymać.

Tuż po siódmej wjechała na parking i na wszelki wypadek przyjrzała się okolicznym samochodom. Nie było
żadnych aut jej znajomych ani auta Robina. Tak właśnie
wyglądało życie kochanki — wszędzie musiała dojeż-
dżać sama i czekać całe wieki. Tess westchnęła ciężko.
Istniały też dobre strony takiego związku, choć łatwo
o tym zapominała. Życie z Robinem było ekscytujące,

seks także. Nic jej nie ograniczało i mogła być tak samolubna, jak tylko chciała, przynajmniej przez większość czasu. Nie musiała gotować ani za niego sprzątać, a kiedy się z nią widywał, to dlatego że naprawdę tego pragnął. Był hojny, miły i zabawny. O co jej więc chodziło? Zerknęła do lusterka i zobaczyła błysk w swoich oczach, poczuła też dziwny przypływ oczekiwania. Dlaczego tak bardzo pragnęła zmiany?

— Umówiła nas na weekend u teściów — powiedział Robin. — Zacząłem jej mówić o wyjeździe...

Pojawił się pięć minut po Tess, wyraźnie zniecierpliwiony i nie w sosie. Ucałował ją, po czym przeszedł do rzeczy. Jeszcze zanim otworzył usta, już wiedziała.

— No i? — ponagliła go.

Czuła w środku lodowaty chłód. Czy weekendu u rodziców Helen nie dało się przełożyć na następny tydzień? Żałowała, że nie zamówiła większego kieliszka wina. To co, że prowadziła, teraz było jej wszystko jedno. Zaczęła się zastanawiać, co też planował powiedzieć Helen — wymyślił wyjazd w interesach czy męski wypad z kumplami, którzy nie wydaliby jego sekretu?

— Helen uznała, że to będzie miła niespodzianka. — Przejechał rękami przez włosy. Chyba jeszcze nigdy w życiu nie był taki potargany.

— No i? — powtórzyła.

Naprawdę zamierzał odwołać wyjazd na Sycylię z powodu weekendu u rodziców Helen?! To po prostu nie miało sensu.

— Zarezerwowała stolik w restauracji, bilety do teatru. — Rozłożył ręce i zmarszczył czoło. — Jeśli się nie pojawię, wszystko zepsuję.

Najwyraźniej nie przyszło mu do głowy, że wyjeżdżając do teściów, zepsuje jej wyjazd na Sycylię. Wzięła głęboki oddech i zorientowała się, że jeśli będzie tak kurczowo ściskać kieliszek z winem, cienka szklana nóżka lada chwila pęknie. Odstawiła go pospiesznie.

— A ja zarezerwowałam bilety lotnicze. — Dziwił ją spokój we własnym głosie.

— Wiem. — Po raz pierwszy Robin opuścił wzrok. — Nie dam rady się z tego wyplątać, Tess. Nie chodzi tylko o Helen, ale o jej rodziców.

— Dlaczego nie możesz z nią jechać w jakiś inny weekend? — Tess znowu upiła odrobinę wina, zastanawiając się, czy niektóre kobiety urodziły się, by być kochankami, a inne żonami. — Rezerwacje w restauracji i w teatrze można przecież odwołać, to nie koniec świata. — Przez cały czas była bardzo opanowana, ale czuła, że emocjonalnie jest już setki lat świetlnych od Robina, tworzy dystans, by mniej bolało. Nie zamierzała błagać. Już na samym początku postanowiła, że nie będzie narzucającą się, jęczącą kochanką, która zawsze pragnie czegoś więcej — nawet jeśli rzeczywiście pragnęła. Będzie seksowna, zabawna i chętna brać to, co chciał jej dawać. Ale, to nie wystarczało. — Dlaczego ten termin ma takie znaczenie?

— Nie znasz moich teściów. — Nadal na nią nie patrzył.

— No co? — wzruszyła ramionami. — Mają nad tobą jakąś władzę?

Powiedziała to od niechcenia, z lekką goryczą, ale od razu uświadomiła sobie, że trafiła w sedno. Robin westchnął i pociągnął spory łyk ze szklanki. Zauważyła, że zamówił małe piwo — najwyraźniej nie planował spędzać z nią zbyt wiele czasu.

— Nie chodzi tylko o Helen — westchnął ponownie. — Oczywiście, o nią też, ale pozostaje kwestia pieniędzy.

— Pieniędzy? — Tess poczuła, że włosy na jej karku stają dęba. Najwyraźniej one pierwsze się domyśliły, że zaraz usłyszy coś, co się jej nie spodoba. — Jakich znowu pieniędzy?

— Wiesz, kochanie, że moi teściowie są nadziani.

Przygładził włosy i teraz wyglądał jak gładko ogolony, elegancki biznesmen. Zwykle to ją bawiło, bo stanowił jej całkowite przeciwieństwo, dziś jednak poczuła smutek. Rzeczywiście byli zupełnie inni. Jak mogła liczyć na to, że kiedykolwiek się do siebie dopasują?

— Nie wiem. — Bo niby skąd?

Właściwie co miał do rzeczy status finansowy jego teściów? Coraz mniej podobała się jej ta rozmowa.

— No są, i to bardzo.

Tess pomyślała, że czegoś tu nie rozumie, i nagle zapragnęła głośno wrzasnąć. Czuła się kompletnie zdezorientowana.

— Przecież ty i Helen jesteście finansowo niezależni — oznajmiła.

Robin miał pracę, duży dom (kilka razy przejechała obok, nie mogła się oprzeć pokusie. Musiała zobaczyć, gdzie Robin spędza tyle czasu, gdy nie jest z nią), ładny samochód. Nie był pazerny, nie był też dusigroszem.

— A kto w dzisiejszych czasach jest finansowo niezależny? — zaśmiał się niewesoło.

Tess wpatrywała się w niego. Dotarło do niej, że podczas wspólnych chwil rzadko rozmawiali o pieniądzach, nie było takiej potrzeby. Nie mieli wspólnego konta ani różnych przyziemnych problemów. Kiedy wybierali się na kolację, Robin zawsze nalegał, że on zapłaci, Tess mu gotowała i częstowała go drinkami w domu, czasem dawali sobie jakieś drobiazgi. Żadne z nich nie zaprzątało sobie głowy finansami. Teraz zżerało ją rozczarowanie. Robin nie pojedzie na Sycylię, znów ją zawiódł. W razie potrzeby nie mogłaby na nim polegać. Nie mogła na nim polegać nawet wtedy, gdy nie był jej niezbędny, gdy po prostu chciała spędzić z nim trochę czasu.

— Ty też masz hipotekę, prawda, skarbie? — zapytał. Wcześniej go to nie interesowało.

— Owszem, niewielką — odparła.

Rodzice pomogli jej kupić dom po narodzinach Ginny i nadal musiała go spłacać. Był trochę zaniedbany i położony w nie najlepszej części miasta, za to wygodny, z charakterem i, co najważniejsze, jej własny. Ale dlaczego, na litość boską, rozmawiali teraz o hipotekach?

— No, ja jestem mocno związany z teściami — powiedział. — Helen lubi wygodę. Nie ma takiej możliwości, żebyśmy mogli sobie pozwolić na nasz styl życia tylko z mojej pensji.

— Rozumiem. — Rzeczywiście, zaczynała rozumieć. To tłumaczyło, dlaczego Helen nie pracowała, a także parę innych rzeczy. — Czyli kiedy pstrykną palcami, ty od razu podskakujesz.

— Niezupełnie tak. — Chwycił ją za dłoń. — Ale rzeczywiście, muszę zachować ostrożność.

Popatrzyła na jego schludne białe mankiety, na wystające spod koszuli ciemne włoski i wyrwała rękę.

— W porządku — oznajmiła, chociaż wcale tak nie czuła. — Rozumiem.

— Tess...

— Rozumiem twoje priorytety, wszystko mi wyjaśniłeś.

— Tess. — Mówił cicho i natarczywie. Zwykle jej się to podobało, ale nie teraz. — Nie wiesz, że oddałbym wszystko, żeby z tobą pojechać? Gdyby to było możliwe...

— Jest. — Nadal nie mogła uwierzyć, jak spokojna się czuła, jak zdystansowana. — A przynajmniej było. — Wstała. — Ale ty już podjąłeś decyzję.

Ona zaś była zbyt dumna, by prosić go o jej zmianę.

Robin również wstał i ujął ją pod ramię.

— Kiedy wrócisz... — zaczął.

Tess popatrzyła mu w oczy.

— Nie — powiedziała.

— Porozmawiamy.

Tess milczała.

— Jakoś ci to wynagrodzę, skarbie.

Raz jeszcze zabrała rękę.

— Do widzenia, Robin — oświadczyła.

Wyszła z pubu, nie za szybko i nie za wolno, myśląc, że zasługuje na coś lepszego. Wsiadła do auta, uruchomiła silnik. Nie będzie płakała, niech go szlag... Dlaczego miałaby płakać? Człowiek płacze, kiedy coś traci, a jak ona go mogła utracić, skoro Robin nigdy do niej nie należał.

W każdym razie teraz już na pewno nie.

ROZDZIAŁ SIÓDMY

Flavia wytarła ręce w kuchenną ścierkę i powoli wyszła z kuchni do ogrodu. Było wczesne popołudnie, słońce przyjemnie ogrzewało jej nagie przedramiona. Pomyślała, że na Sycylii będzie jeszcze cieplej, i przystanęła przy grządce z ziołami, gdzie jak zawsze o tej porze zaczynała się panoszyć mięta. Co roku Flavia obiecywała sobie, że ją wykopie i ujarzmi w doniczce, ale nie mogła się przemóc. Przyroda podarowała tej roślince dzikość i wolność, z jakiej racji ona, Flavia, miałaby ją ograniczać?

Zerknęła na zegarek i uświadomiła sobie, że Tess jest już w drodze, samolot pewnie przelatywał w tej chwili nad Francją. Ciekawe, co myślała jej córka, wyglądając przez okno i patrząc na chmury. Czy była podekscytowana, czy też pełna obaw przed tym, co ją czeka?

Z kieszonki fartucha Flavia wyciągnęła notes i długopis. Zdjęła fartuch, starannie go poskładała i położyła na drewnianym stole na patio. Lenny wyszedł na lunch z jednym ze swoich starych kumpli, miała więc dom tylko dla siebie. Z satysfakcją popatrzyła na ogród. Był niewielki, ale kolorowy i świetnie utrzymany. Dziwne, że w szarej Anglii przywiązywano do ogrodów tak wielką wagę. Przez te wszystkie lata Flavia przywykła już do tutejszego klimatu i pogoda nie zaprzątała jej myśli. Nadal jednak tęskniła za głębokim błękitem sycylijskiego nieba, za słodkim letnim upałem, choć dawniej klęła na niego na czym świat stoi.

— Będę o tobie myślała — powiedziała do Tess przed jej wyjazdem i zdała sobie sprawę, że będzie myślała również o Sycylii.

Usiadła i otworzyła notes. Naprawdę nie potrafiła opowiedzieć jej tej historii i odpuścić? Cóż, przynajmniej zamierzała spróbować i napisać to, czego nie mogła powiedzieć. Opowiedzieć historię dziewczyny o imieniu Flavia, teraz już tak bardzo odległą.

Już czas.

„Najdroższa Tess", napisała, niepewna, od czego zacząć, postanowiła więc pisać od samego początku. Od dnia, w którym to się stało, w którym wszystko się zaczęło.

Był lipiec, bardzo, bardzo upalny. Flavia pamiętała gorące promienie słońca na plecach, palące jej kark, gdy się schylała i odklejała od skóry cienką tkaninę białej bluzki. Pamiętała również, jak wierzchem dłoni odgarniała gęste, pachnące pomidorami włosy...

Lipiec 1943 roku

Flavia przebudziła się tego ranka, czując, że coś się wydarzyło. Kiedy wstała z łóżka i wyjrzała przez okno, wszystko na zewnątrz udawało, że jest takie samo jak wcześniej. Róż poranka już ciemniał, stawał się coraz bardziej zmysłowy i wyrazisty. Flavia jednak wiedziała, po prostu wiedziała. W nocy obudziła się, od razu świadoma dźwięku w ciemności, niezbyt odległego grzmotu. Światła, być może reflektorów, zdawały się rozrywać nocne niebo.

Później, już rano, przykucnęła na polu, by zerwać dojrzałe pomidory z następnej rośliny w rządku. Słodka Madonno, pomyślała. Dopiero zaczęła pracę, a już rozbolały ją plecy i palce zrobiły się zielone. Jeszcze jeden lipiec, jeszcze jedne zbiory: pomidory i oliwki, jabłka i śliwki. Zrywać, zrywać przez cały boży dzień, żeby mama mogła rozdrabniać i wyciskać, wyparzać i przekładać do słoików z tym swoim sosem pomidorowym („najważniejszy domowy obowiązek w roku, dziecko"), dżemem, oliwą z oliwek albo... Uch! Flavia odgarnęła ciężkie, grube włosy, przez które pociła się jeszcze bardziej. Miała ochotę krzyczeć.

Dość tego. Wyprostowała się gwałtownie. Jak okiem sięgnąć, nad zielono-rdzawymi wyżynami, pełnymi sosen i cyprysów, gajów oliwnych, nad winnicami i nielicznymi chatami z wapienia zawisły opary upału. Powietrze miało charakterystyczną barwę, fioletową szarość, oraz dźwięk, jednostajny pomruk. Trzymając rękę na biodrze, Flavia krzyknęła głośno: „Mmm!". Bzyczenie owadów, niekończące się brzęczenie wystarczało, żeby odebrać człowiekowi rozum.

Na niebie nie było ani jednej chmurki, w nozdrzach czuła wyłącznie cierpką zieleń pomidorów. Nic nie wskazywało na to, że nocą coś się zmieniło.

— Hej!

Flavia się wzdrygnęła.

— Trafiłaś do krainy marzeń! — krzyknęła do niej jej siostra Maria. — Znowu! — Zacmokała w pełen wyższości sposób, typowy dla starszych sióstr, opanowany przez nią do perfekcji, i wskazała pusty koszyk Flavii. — Pospiesz się!

— Pospiesz się — burknęła Flavia pod nosem.

Kolejne zbiory, znowu rok pracy i czekania, tylko na co? Żeby jakiś młodziak z miasteczka zaczął się o nią starać?

Podeszła do następnej rośliny i niedbale zaczęła zrywać owoce ze szczeciniastych gałązek. Skojarzyły się jej z brodą staruszka, na przykład starego Luciana, który pasł kozy na górskich szczytach. Cierpki zapach rozgrzanych słońcem pomidorów oblepiał jej nozdrza, gardło i brzuch.

Do wzięcia było tylko dwóch lub trzech młodych mężczyzn, a zresztą Flavia i tak nie miała nic do powiedzenia w tej kwestii. Mama twierdziła, że nikt jej nie zechce, „dopóki nie nauczy się gryźć w język". Flavia była zbyt niezależna i uparta. „Zachowaj ten zapał na później", powtarzała mama. Chodziło jej o czasy po ślubie, kiedy, jak to w matriarchacie, kobieta przejmuje kontrolę. Słodki Jezu... Nieświadomie Flavia zbyt mocno ścisnęła owoc i poczuła, jak skórka pęka, a miąższ ciekne między jej palcami. Uniosła je do ust i zaczęła ssać, skórkę zaś rzuciła na suchą ziemię.

Maria znowu cmoknęła.

Flavia nadąsała się i podeszła do następnej rośliny, beztrosko kołysząc ramionami. Wiedziała, kogo pragnie jej siostra — Leonarda Rossiego. Domyśliła się tego, gdyż spojrzenia, które rzucali sobie w kościele, były zrozumiałe wyłącznie dla obserwatorów samouków, takich jak Flavia. Niby gdzie mieli się kontaktować? Tylko w kościele można było kogoś spotkać, a i wtedy należało trzymać opuszczony wzrok. Skromność przede wszystkim.

Też coś.

Flavia przeciągnęła się powoli. Miała tylko siedemnaście lat, młode i elastyczne plecy i ramiona, ale dobrze wiedziała, dlaczego stare kobiety są takie poszarzałe, zgarbione i zniszczone. Choćby od zbierania pomidorów...

Jej wzrok zatrzymał się na Villa Sirena w kolorze brudnego różu, górującej nad otoczonym murem placem zwanym *baglio* i nad zatoką. Willa należała do Edwarda Westermana, angielskiego poety i ekscentryka, który był również właścicielem drzewek oliwnych i pomidorów, doglądanych przez rodziców Flavii, a także kamiennego domku, gdzie mieszkali. Wybudowano ją dziewięć lat wcześniej, kiedy Edward pojawił się na Sycylii. W tamtych czasach Flavia była bardzo małym dzieckiem, wojna nikomu się nawet nie śniła. Teraz Palermo, jak twierdzili niektórzy, najbardziej podbite miasto świata, było pełne zarówno Niemców, jak i Amerykanów. Pokonane, z otwartymi ramionami powitało swoich konkwistadorów, oferując im prostytucję na masową skalę — tak przynajmniej słyszała. W gruncie rzeczy Flavia nie wiedziała, co myśleć, nie była nawet pewna, po której stronie są Sycylijczycy. Raz jeszcze odgarnęła włosy z czoła, ignorując plamy na dłoniach. Były bez znaczenia, i tak nikt ich nie zobaczy.

Rodzina Flavii zajmowała się Villa Sirena, ziemią oraz signorem Westermanem od 1935 roku. Wtedy właśnie dwudziestojednoletni Westerman zjawił się tu po odziedziczeniu spadku i zatrudnił ojca Flavii do pomocy przy budowie willi. Papa był mu wdzięczny za pracę i często to powtarzał. Signor Westerman, choć młody, okazał się dobrym pracodawcą. Tak dobrym, że matka Flavii postanowiła ubiegać się o stanowisko kucharki oraz gospodyni, i oczywiście je otrzymała. Papa został pełnoetatowym nadzorcą, choć przed przybyciem signora Westermana nie miał nic („zupełnie nic, moje dziecko"). Jego dzieci „jadłyby ziemię, tak jak wiele innych w miasteczku, lub pomarłyby na ulicy, gdyby nie dobroć *l'inglese*, signora Westermana. Chwała niech będzie Madonnie — często powtarzał ojciec Flavii. — Signor Westerman nas ocalił, nie dał nam głodować".

W rzeczy samej signor Westerman zawsze był miły dla Flavii, a czasem, kiedy miała pomagać mamie, wzywał ją do siebie,

opowiadał jej o Anglii i czytał na głos poezje w nieznanym języku. Słyszała jednak, jak obce słowa tańczą, zamykała więc oczy
i oddawała się marzeniom.

Mówił o Anglii mieszanką angielskiego i włoskiego, którą
również trudno było zrozumieć. Flavia jednak pojmowała ją
na tyle, by dojść do wniosku, że tamtejsze życie musi być niesamowite. Lubiła sobie wyobrażać miejsca, gdzie dziewczęta
chodzą na tańce — i to jakie tańce! — swobodnie rozmawiają i spacerują po ulicach same, albo nawet z mężczyzną. I żyją.
Słodka Madonno, i to jak żyją!

Maria dotarła niemal do końca grządki.

— Pospiesz się, Flavio, jesteś taka powolna! — wrzasnęła.

Umysł Flavii pracował na pełnych obrotach. Wciąż zastanawiała się nad tym, co się zdarzyło poprzedniej nocy, skąd się
wzięły światła i hałasy. Niewątpliwie coś się szykowało. Widziała, jak papa spotkał się z innymi mężczyznami z miasteczka,
z samego rana, w barze Piccolo na *piazza*. Nie uszły jej uwadze
ich niespokojne twarze, kręcenie głów, szepty i hektolitry wypi-
janego espresso. Pętała się pod barem, jednak niczego nie odkryła. Podejrzewała, że to ma coś wspólnego z wojną. Wszystko
miało coś wspólnego z wojną, choć papa twierdził, że wojna ich
nie dotyczy. Po prostu zabierała i zabijała młodych mężczyzn.
Flavia westchnęła na myśl o tym, że będzie ich jeszcze mniej
do wyboru.

Musnęła palcami napięte skórki pomidorów. Owoce wchło-
nęły tak dużo słońca, że wydawały się ciężarne. Teraz wojna
zabrała też signora Westermana. Wszyscy twierdzili, że czasy
są niespokojne i nie powinien pozostawać na Sycylii. Nikt nie
mógł przewidzieć posunięć Hitlera i Mussoliniego, nikt nawet
nie wiedział, co gorsze, faszyści czy naziści. Flavia przeżegnała
się pospiesznie.

Signor wrócił do Anglii, gdzie miał zostać do końca wojny. Nie wiadomo było, kiedy się zjawi ponownie w swojej pięknej willi na pięknej ziemi wśród oliwnych gajów.

Tymczasem Flavia wpatrywała się w pochyloną, zrywającą owoce Marię. Jej siostra poruszała się płynnie i rytmicznie i nagle Flavia uświadomiła sobie, ze zdumieniem i frustracją, że Maria jest zadowolona. Jak mogła tak się czuć, skoro wokół panowała niepewność, Leonardo przepadł, a rodzina nie miała z czego żyć, bo signor Westerman wyjechał? Każde z nich mogło zginąć na tej bezsensownej wojnie. Czy Maria upadła na głowę?

Nie wyglądała jak wariatka, lecz raczej jak osoba, która wie coś, czego nie wie jej siostra. Flavia westchnęła ciężko. Może wieki zniszczeń, powodowanych trzęsieniami ziemi, wybuchami wulkanu albo najazdami obcych plemion sprawiły, że Sycylijczycy zachowywali stoicki spokój i byli zadowoleni ze swojego losu? Nieprzypadkowo w dialekcie sycylijskim brakowało czasu przyszłego. Tutejsi ludzie potrafili tylko spoglądać w przeszłość, za to nigdy z nadzieją w przyszłość.

Flavia wystawiła twarz do gorącego słońca. Nie ma przyszłości? Podobno w Palermo wisiały w oknach faszystowskie hasła: „Lepiej żyć przez dzień jak lew niż przez sto lat jak owca". Papa twierdził jednak, że takie slogany nie robią wrażenia na Sycylijczykach. Byli ludźmi honoru, a jakże, ale wojnę mieli w nosie. To nie była ich wojna, bardziej interesowało ich przetrwanie. Poza tym rodzina Flavii lubiła Anglików i pozostawała lojalna wobec signora Westermana, który tak wiele im ofiarował. Poukrywali rzeczy z jego domu, przynajmniej wszystko, co przedstawiało jakąkolwiek wartość, w tym *il tesoro*. Trafił on — jak zdradził papa ojcu Santiny, kiedy nie wiedział, że Flavia chowa się za zasłoną i podsłuchuje — w miejsce, w którym nikt nigdy go nie znajdzie, ba, nikomu nawet nie przyjdzie do głowy tam szukać.

Flavia wzruszyła ramionami. No i co z tego? Jakie znaczenie miały dla niej te wszystkie intrygi, szeptanie o wrogach i o kosztownościach, które należy ukryć?

— Niech no spojrzę. — Maria stała tuż obok niej i zerkała do koszyka.

Flavia zaczęła się zastanawiać, co zrobi siostra, jeśli okaże się prawdą, że jej ukochany wyjechał z miasteczka wcale nie na wojnę, lecz by się ukryć w górach, jak gadali ludzie. Część nazywała takich jak on dezerterami — sypiali w jaskiniach, a żyli z zysków na czarnym rynku i z kradzionego bydła. Większość nie miała im tego za złe. A co, jeśli Leonardo nie wróci? Co potem? Nawet jeśli byłaby wybranką młodzieńca, który przeżył wojnę, jakie życie by ją czekało? Takie jak mamę, i to tylko gdyby dopisało jej szczęście — gotowanie, sprzątanie, rodzenie dzieci. Nuda. Zamknięcie w domu na zawsze, wyprawy jedynie do kościoła i na targ.

— Znowu myślisz o niebieskich migdałach — Maria zmarszczyła brwi. — Co się z tobą dzieje? Przecież chodzi o nasze jedzenie, nasze życie.

Flavia zakołysała koszykiem. Nasze jedzenie, nasze życie. Czy to źle, że pragnęła czegoś więcej?

Po lunchu, podczas sjesty, nie mogła się zrelaksować. Jaskrawe światło wczesnego popołudnia wciskało się pod powieki, gdy niespokojnie przewracała się z boku na bok na łóżku, zastanawiając się, czy to przez te letnie upały. W pewnej chwili wstała, opłukała twarz zimną wodą i zeszła na dół. Cały świat spał, wokół panowała cisza... cisza przed burzą.

Osłaniając oczy przed słońcem, pchnęła poluzowane drzwi siatkowe i wyszła z domu. Ziemia w kuchennym ogrodzie była wyschnięta i twarda, ale bób, karczochy i groch dobrze sobie radziły, już mama o to zadbała. Dopóki mogli uprawiać ziemię, było co włożyć do garnka, a zbiory miały dostarczyć nasion na następny rok.

Najpierw zamierzała ruszyć nad morze, gdzie mogłaby ochłodzić się w wodzie, ale ciągnęło ją w drugą stronę, ku odległym polom i gajom oliwnym na zboczach niższych gór. Zmrużyła oczy i spojrzała w dal. Przez ułamki sekund wydawało się jej, że na polu płowej pszenicy, między gajami oliwnymi, widzi odbicie światła na metalu. Czekała bez ruchu, a krople potu spływały po jej kręgosłupie i czole. *Si*. Mignięcie powtórzyło się niczym sygnał, znak.

Flavia obróciła się na pięcie i wpadła do domu po butelkę z wodą. Po chwili znów wybiegła, a następnie rozejrzała się wokół siebie. W pobliżu nie było nikogo, wszyscy siedzieli w domach, ukryci przed nieznośnym skwarem. Na nagim, białym kamieniu grzała się jaszczurka, teraz uciekła z niego żwawo, niczym żywe srebro.

Flavia ruszyła po ścieżce do pierwszego gaju oliwnego. Szła między drzewami, które lśniły w słońcu szarością i srebrem, a ich gałęzie uginały się pod ciężarem dojrzałych oliwek. Ziemia, niegdyś rdzawa, wyschła na kolor bladego łososia i zdawała się pulsować, cykady bezlitośnie dzwoniły. Horyzont w oddali przypominał płynny fiolet.

Na końcu pierwszego gaju przystanęła pod drzewem, aby się napić. Woda smakowała niczym nektar, była zimna i słodka. Flavia rozglądała się wokół siebie, patrzyła na pola miodowej pszenicy, otoczonej dzikimi makami i koniczyną, która zdawała się wibrować w popołudniowym upale. W pewnym momencie znów dostrzegła błysk, niezbyt daleko, tuż za grzbietem wzniesienia.

Raz jeszcze ruszyła przez pole, do następnego gaju oliwnego. Kiedy dotarła do grzbietu, brakowało jej tchu, a serce waliło jak młotem. Powietrze było całkiem nieruchome.

Stanęła bez ruchu, po czym ruszyła przed siebie, zerknęła na dół i wreszcie to ujrzała. To był samolot, w połowie zmiażdżony, i porozrzucane wokół niego szczątki.

— *O dio Beddramadre* — szepnęła, zasłaniając ręką usta. Święta Matko Boska... Niespełna dwadzieścia metrów dalej leżał mężczyzna, na pewno nie Sycylijczyk, i z cierpieniem wypisanym na twarzy trzymał się za nogę. Pilot. — *O dio Beddramadre*...

Flavia odłożyła długopis. Była tak wyczerpana, jakby przepuszczono ją przez magiel. To i tak nie wystarczyło. Pomyliła się, teraz wyraźnie to widziała, czuła jednak, że jeszcze zdąży przywrócić równowagę. Mogła podarować córce coś ze swojej ojczyzny.

Nagle uświadomiła sobie, co to musi być.

ROZDZIAŁ ÓSMY

Tess odebrała samochód z wypożyczalni na lotnisku w Palermo i ruszyła do Cetarii, próbując nie myśleć o Robinie. Na razie jakoś dawała sobie radę, nie był jej potrzebny. Zresztą nie mogła sobie pozwolić na żadne słabości. Bez dwóch zdań Sycylia idealnie nadawała się do odciągnięcia uwagi od sercowych dramatów. Teraz wzrok Tess przykuwały zielonoszare wzgórza, rdzawa ziemia i rosnące na niej sosny i brzozy po jednej stronie oraz błysk późnopopołudniowego słońca na lazurowym morzu po drugiej. Musiała się jednak skupić na jeździe. Zwłaszcza że znajdowała się już w obcym kraju, samochód nie należał do niej i w dodatku trzeba było pamiętać, że obowiązuje tu ruch prawostronny.

Był wczesny wieczór, jeszcze nie zdążył zapaść zmrok, kiedy mniej więcej po godzinie zauważyła miasteczko, labirynt biegnących szeregowo uliczek. Droga do Cetarii wiła się stromo. Tess przejechała obok kaplicy o fasadzie ozdobionej morelowym stiukiem i zanim zdołała się zorientować, gdzie jest, już krążyła po uliczkach. Wysokie domy z okiennicami wznosiły się po obu stronach brukowanych jezdni, a wąskie, kamienne schodki prowadziły na niższy poziom. Czasem dostrzegała na ich końcu jeden z licznych *piazzas* lub ukazywał się widok na morze. To naprawdę był labirynt.

Zaparkowała przy bocznej uliczce, wysiadła i przeciągnęła się leniwie. Było ciepło i zachciało się jej pospacerować — i dobrze, w ten sposób łatwiej znajdzie dom przy ulicy Dogali. Tam, pod numerem piętnastym, miała odebrać klucz od signory Sciarry, przyjaciółki rodziny. Tess była ciekawa, czyjej rodziny. Czy signora Sciarra znała Flavię?

— W jakim stanie jest willa? Bardzo złym? — zapytała wcześniej prawnika, zajmującego się sprawą spadku po Edwardzie Westermanie.

Postanowiła być praktyczna. Oczekiwana radosna przygoda z Robinem mogła się zamienić w męczarnię, gdyby przyszło jej w pojedynkę stawić czoło sytuacji. Prawnik zapewnił ją jednak, że dom jest tylko stary, lekko sfatygowany i wymaga nieco troski.

Stary i sfatygowany. Z tym mogła dać sobie radę sama, jednak cieknące krany i popękane sufity to zupełnie inna para kaloszy. Usiłowała być silna, mimo że jej związek z Robinem dotarł na skraj przepaści i Tess bardzo korciło, żeby skoczyć.

Zostawiwszy bagaże w samochodzie, podeszła do rogu ulicy. Była pora kolacji, z otwartych okien, balkonów i tarasów docierały do niej zapachy pomidorów, ziół i pieczonego mięsa. Na sąsiedniej uliczce dostrzegła starą, zgarbioną kobietę w czerni, zamiatającą schodki przed domem.

— *Scusi* — powiedziała Tess, niepewna, czy właśnie tak powinna ją powitać.

Kobieta zerknęła na nią czarnymi, nieprzeniknionymi oczami, ale milczała.

— *Sera*. Eee... — w zasadzie wykorzystała całą swoją znajomość włoskiego, poza tym dialekt sycylijski to zupełnie inny język, którego Flavia nie raczyła nauczyć córki. — Via Dogali?

Pokazała staruszce skrawek papieru z adresem. Sycylijczycy z pewnością rozumieli włoski, bez wątpienia większość z nich rozmawiała w tym języku z turystami, regularnie najeżdżającymi wyspę.

Kobieta wyszarpnęła jej karteczkę brązowymi, sękatymi palcami, popatrzyła na nią i cmoknęła. Choć wieczór był ciepły, głowę miała opatuloną grubym czarnym szalem. Nagle wyrzuciła z siebie potok sycylijskich słów. W pewnej chwili Tess wydało się, że słyszy imię Santina.

— Tak — przytaknęła. — Santina. *Si.*

Kobieta położyła kościstą dłoń na ramieniu Tess i mocno je ścisnęła. Mówiła bardzo szybko. Tess doszła do wniosku, że pewnie pyta ją, kim jest.

— Jestem córką Flavii — powiedziała bardzo wyraźnie. — Flavia. *Figlia.* — Miała nadzieję, że tak się mówi.

W odpowiedzi zalał ją następny potok słów. Kobieta odwróciła się i machnęła ręką.

— *Si, si* — wymamrotała. — Chodź, chodź.

Szybko pokuśtykała po wąskiej uliczce, a jej ciężkie czarne buty stukały na bruku. Tess pospieszyła za nią. Ile lat mogła mieć ta kobieta, siedemdziesiąt, osiemdziesiąt, sto? Nie sposób było się domyślić. Chodziła zgięta niemal wpół, a skórę miała pomarszczoną, brązową i zniszczoną od słońca.

Na pewno nie były daleko od domu Santiny, tu wszędzie było blisko. Na myśl o tym, że w tym miejscu dorastała jej matka, Tess poczuła przypływ entuzjazmu. Zastanawiała się, czy Flavia chodziła po tych ulicach, wdychała takie same zapachy — pysznych potraw, owszem, ale i mniej urokliwą woń ścieków, może też gnijącego jedzenia, fetor rozkładu. Schodki mijanych domów były czyste, jednak ściany zapaskudzone, a spod odłażącej farby wyłaniały się gołe mury, kamienne jądro budynków. Tess ciekawiło, czy tak już było wcześniej. W tym miasteczku pewnie każdy znał każdego i wiedział, czym się zajmują inni. Ta kobieta bez wątpienia mieszkała tu przez całe swoje życie i znała wszystkie fakty, które Tess pragnęła teraz poznać. Gdyby tylko zdołały się porozumieć...

Doszły do stromej ulicy, która opadała ku morzu. Tess zauważyła coś, co wyglądało jak mała, otoczona przez skały zatoczka. Na nabrzeżu spoczywała jaskrawo pomalowana rybacka łódź. Nie udało się jej zobaczyć nic więcej, gdyż wysoki kamienny budynek zasłonił cały widok. Kobieta nadal mamrotała do siebie i Tess usłyszała jedynie „Flavia", potem *l'inglese* i jeszcze „Maria" oraz „Santina". W pewnym momencie dziwna przewodniczka nerwowo się przeżegnała.

Tess nie miała pojęcia, co takiego zrobiła jej matka, wobec tego tylko kiwała głową w odpowiedzi na niezrozumiałe słowa Sycylijki, jednak jej umysł pracował na pełnych obrotach. Nie mogła się doczekać, kiedy dokona jakiegoś odkrycia. Może Edward Westerman pragnął, żeby poznała historię matki i dlatego w testamencie zmusił ją do przybycia tutaj. Tylko skąd miałby wiedzieć, że nie była zaznajomiona z tą historią? Przyspieszyła, by dotrzymać kroku swojej przewodniczce. Przyszło jej do głowy, że może po prostu chciał, by z jakiegoś powodu zżyła się z tym miejscem.

Staruszka nadal kiwała głową i ręką, pospiesznie drobiąc po kamieniach jak czarna wdowa. Tess z zachęcającym uśmiechem odkiwnęła, bo tylko tyle mogła zrobić. Z pewnością kryła się tu jakaś tajemnica, inaczej mamma opowiedziałaby jej o tamtych czasach. Zagadka stanowiła część tej podróży. Tutaj, na tych szarych, brukowanych uliczkach i w wysokich domach z okiennicami mieszkała przeszłość. Tess zaczynała sobie uświadamiać, że Sycylia to miejsce, które może nawiedzać człowieka.

Zatrzymały się pod piętnastką, przed zardzewiałą żelazną kratą na drzwiach, z których odłaziła zielona farba. Starsza kobieta zapukała trzy razy, nie przestając mamrotać. Tess uśmiechnęła się tylko bez przekonania i czekała.

Po kilku minutach inna staruszka, również cała ubrana na czarno, otworzyła ostrożnie, wyjrzała, a potem uchyliła drzwi nieco szerzej. Skinęła do kobiety w czerni numer jeden, a na widok Tess wybałuszyła oczy. Tess znowu się uśmiechnęła i energicznie pokiwała głową. Pewnie wyglądała na wariatkę, ale wszystko wskazywało na to, że ta metoda się sprawdza.

Obie staruszki przywitały się ciepło i natychmiast zaczęły prowadzić ożywioną rozmowę, której towarzyszyło cmokanie, potrząsanie głowami i patrzenie na Tess jak na interesujący gatunek zwierzęcia w zoo. Czyżby nie pojawiali się tutaj angielscy turyści? Tess była jednak kimś innym, właścicielką domu, potencjalną nową sąsiadką. A może zachowywały się tak ze względu na jej pokrewieństwo z Flavią?

Po kilku minutach zaczęło ją to męczyć. Dotarła bardzo daleko i była już bardzo blisko. Za jej plecami zapadał zmierzch, robiło się coraz ciemniej. Chciała wreszcie zobaczyć tę cholerną willę, a nie stać na progu domu

kompletnie obcej kobiety i wysłuchiwać niekończącego
się pytlowania, którego nie potrafiła zrozumieć.

— Proszę... — odezwała się.

Staruszki popatrzyły na nią i zamilkły, zupełnie jakby
odłączono je od prądu.

— Ma pani klucz? — zwróciła się Tess do drugiej kobiety. — Do Villa Sirena? — Gestem pokazała, jak prze-
kręca niewidzialny klucz w zamku. — Proszę. *Grazie*.

Druga kobieta chwyciła ją za ramię równie mocno,
jak pierwsza wcześniej, a potem za drugie i wciągnęła
do środka. Zaskoczona jej niespodziewaną siłą, Tess straciła równowagę i wpadła prosto w objęcia starszej pani.
Poczuła jej szorstkie włoski na brodzie, gdy nieznajoma
całowała ją siarczyście w oba policzki.

Rany boskie.

— Santina — oznajmiła kobieta, wskazując na siebie.

— Ma pani klucz? — zapytała Tess, nie dając się zbić
z tropu.

To imię nic jej nie mówiło, bo niby dlaczego?

W tym samym momencie Santina praktycznie za-
wlokła ją do ciemnego, obskurnego korytarza, który po-
malowany był na kolor krwistej czerwieni i obwieszony
fotografiami w ramkach oraz dewocjonaliami. Potem
Santina pożegnała się z kobietą w czerni numer jeden
i zaprowadziła Tess do kuchni, wciąż nie puszczając
jej ramienia. Dominował tu stary piec, nad którym na
hakach wbitych w osmaloną, bieloną wapnem ścianę
wisiały rozmaite kuchenne przybory. W kuchni znajdowało się też małe, kwadratowe okienko z firanką, do
tego rozmaite drewniane krzesła, porozstawiane wokół
poplamionego, dziobatego stołu na środku.

— Espresso? — zapytała Santina. — *Caffè? Biscottu?*

Wprawdzie Tess pragnęła już zobaczyć willę, ale czuła, że nie należy lekceważyć gościnności gospodyni. Poza tym od lunchu na lotnisku Gatwick minęło sporo czasu i espresso naprawdę mogło ją pokrzepić.

— *Si, grazie.* — Usiadła na wskazanym przez Santinę krześle.

Była naprawdę zmęczona. Napięcie dręczyło ją od wielu dni, a właściwie od chwili, gdy Robin oświadczył, że z nią nie pojedzie. Zastanawiała się, jak mija mu weekend u teściów. Gdzie był teraz — na kolacji, w teatrze? Na szczęście pobyt w tej kuchni podziałał na nią odprężająco. Opuściła ramiona, czując, że powoli dochodzi do siebie. Znalazła się tam, gdzie powinna. Udało się.

Santina pokiwała głową, stanęła w progu kuchni i popatrzyła w górę.

— Giovanni! — wrzasnęła głośno. — Giovanni!

Tess była ciekawa, kim okaże się ów Giovanni. Starzejącym się mężem czy jakimś osobnikiem z przeszłości mammy, przekonanym, że Tess go zna?

Jakże się myliła! Dwie minuty później do kuchni wszedł Sycylijczyk, prawdopodobnie przed czterdziestką. Nie był wysoki, ale gdy przystanął w progu, robił imponujące wrażenie. Wyglądał niemal tak, jakby ćwiczył tę pozę od lat. Na widok Tess jego czarne, szerokie brwi zbiegły się u nasady. Wytrajkotał coś do Santiny, a ona coś mu odtrajkotała. Przypominało to stukot dwóch staroświeckich, pędzących po szynach pociągów.

— Jesteś córką Flavii? — znienacka zwrócił się do Tess po angielsku.

— Tak. — To wszystko zaczynało przypominać tele-nowelę. Tess nie wiedziała, czy powinna czuć się ura-żona jego tonem, czy cieszyć, że w końcu znalazł się ktoś, z kim może się porozumieć. — Jestem Tess. Tess Angel. — Wstała, wyciągając do niego rękę. — A ty to...?

— Giovanni Sciarra. — Przedstawił się z wyraźną dumą. Ujął rękę Tess i uniósł ją do ust, zerkając na nią spod ciemnych rzęs. — Do usług.

Hm. Nie była tego taka pewna. Chwilowo zupełnie nie życzyła sobie męskiej uwagi.

Santina nalała do metalowej kawiarki wodę z dzban-ka, po czym wsypała kawę i ustawiła kawiarkę na pie-cu. Rozpromieniona, podeszła do Tess, pokiwała głową, a następnie zalała ją potokiem kompletnie niezrozumia-łych słów.

Giovanni uśmiechnął się do niej, a Tess uznała, że ma okrutny uśmiech. Trochę przypominał tygrysa, który właśnie dostrzegł potencjalną ofiarę.

— Muszę cię przeprosić — powiedział. — Twoja wizyta to *una sorpresa*, niespodzianka. Spodziewaliśmy się, że córka Flavii będzie w bardziej zaawansowanym wieku.

Tess uniosła brew.

— Wybacz, że cię rozczarowałam — odparła.

— Nie, nie, wcale nie rozczarowałaś. — Jego oczy zalśniły. — Ale...

Wysunął krzesło, odwrócił je i usiadł na nim okra-kiem, szeroko rozstawiając muskularne nogi. Tess z tru-dem stłumiła chichot. Ta pozycja pasowała do jej fantazji o tygrysie, tylko że teraz ten tygrys znajdował się za kra-tami oparcia.

74

— Moja stryjeczna babcia Santina — wskazał staruszkę — i twoja matka przyjaźniły się w dzieciństwie. Jak zapewne wiesz — dodał po chwili.

Tess pokręciła głową. Równie dobrze mogła powiedzieć prawdę.

— Przykro mi, ale nie wiedziałam. — Uśmiechnęła się do Santiny, która również odpowiedziała jej uśmiechem.

— Babcia często o tym mówi — ciągnął Giovanni. — Bawiły się razem jako dziewczynki, a ich rodziny... Rodziny były sobie bardzo bliskie.

Zahaczył o siebie małe palce obu rąk. Zauważyła, że nosił złoty sygnet z inicjałami GES.

— Ach, rozumiem.

Stąd to wylewne powitanie. Tess raz jeszcze uśmiechnęła się do staruszki. Giovanni wzruszył ramionami.

— Mój ojciec, gdy już mógł, poślubił moją mamę — powiedział.

Flavia urodziła Tess po czterdziestce, czyli bardzo późno, przynajmniej według sycylijskich standardów. Giovanni oczekiwał, że córka Flavii będzie niewiele młodsza od jego własnego ojca, w rzeczywistości jednak on i Tess byli niemal rówieśnikami.

Santina znowu coś mówiła. Giovanni przechylił głowę, przysłuchując się temu z lekkim grymasem na całkiem atrakcyjnej twarzy. Miał ciemnooliwkową skórę i brązowe oczy. Tess pomyślała, że jest niebrzydki, tylko chyba trochę oschły.

— Ciocia chciała zapytać o zdrowie Flavii, twojej matki — powiedział raczej oficjalnym tonem, kiedy Santina skończyła.

— U niej wszystko w porządku. — Tess pokiwała głową. — *Grazie*.

Santina najwyraźniej była usatysfakcjonowana, choć przez chwilę spojrzenie jej ciemnych, okolonych zmarszczkami oczu wydawało się nieobecne. Podeszła do pieca, na którym parowała kawa, i nalała gęsty, ciemny płyn do małej kremowej filiżanki. Postawiła ją przed Tess i czekała, aż gość upije pierwszy łyk.

— Bardzo dobre — oświadczyła Tess szczerze. — *Bene. Grazie.*

Teraz naprawdę wykorzystała już wszystkie znane sobie włoskie słowa. Na szczęście mogła się jeszcze uśmiechać, kiwać głową i dziękować ludziom, dzięki czemu nie wychodziła na źle wychowaną, no, może tylko na nieco głupią.

Giovanni sięgnął po czarną kurtkę, która wisiała na haczyku przed drzwiami kuchni, i włożył ją na siebie.

— Kiedy będziesz gotowa, *signorina* — powiedział. — Czy *signora*? — Popatrzył znacząco na lewą dłoń Tess.

— Nie jestem mężatką — poinformowała go, myśląc sobie, że tu szybko przechodzi się do rzeczy.

— *Bene* — oznajmił.

Bene?

— Zabiorę cię do Villa Sirena.

Wyciągnął dłoń spodem do góry i popatrzył pytająco na ciotkę. Santina wyjęła dwa klucze z kieszeni fartuszka, jeden duży, drugi mały, i z nabożną czcią położyła je na jego ręce. Giovanni zacisnął na nich palce.

— *Allora, andiamo.*

— Świetnie. — Tess dopiła kawę i wstała. — *Grazie.*

Santina zrobiła krok do przodu, by chwycić Tess za rękę, i przytrzymała ją, jakby pragnęła coś powiedzieć albo nie chciała jej wypuścić. Kiedy Giovanni znów się odezwał, pocałowała Tess w oba policzki, uścisnęła jej ramiona i w końcu ją oswobodziła. Kiedy jednak Tess wyszła za Giovannim Sciarrą z domu, była przekonana, że drobna kobieta w czerni obserwuje ich od progu. Santina wydawała się miła, choć Tess z trudem mogła uwierzyć, że to rówieśnica Flavii. Tess westchnęła ciężko. Gdyby mamma opowiedziała jej chociaż trochę o tutejszych mieszkańcach! Nie miała pojęcia, kto jest przyjacielem, a kto wrogiem, komu ufać, a komu nie. Inna sprawa, że przecież nie groziło jej żadne niebezpieczeństwo. Przyjechała tylko zerknąć na dom, swój własny dom.

Kiedy została sam na sam z Giovannim, poczuła się trochę niepewnie.

— Czy to daleko? — zapytała. — Bo mam bagaże w samochodzie...

— *Non*. — Wskazał kilka schodków w kierunku *piazza*. Było już niemal ciemno, ale i tak zauważyła kamienny łuk i ławeczki. — To tam, za *baglio*. Zaprowadzę cię i wrócę po twoje rzeczy.

— Och, nie ma potrzeby... — zaczęła, ale uniósł dłoń, żeby ją uciszyć.

Tess potulnie ruszyła za nim po schodkach. Tu, na Sycylii, mężczyźni byli najwyraźniej przekonani o swoim bezdyskusyjnym autorytecie. Postanowiła, że nie będzie z tym walczyć, przynajmniej nie dzisiaj.

— *Baglio* — oznajmił, gdy przeszli pod sklepionym przejściem, które skrywało wielkie drewniane drzwi z żelaznymi ryglami oraz wysokie, zarośnięte pnączami okno wachlarzowe. Po obu jego stronach stały na straży dwa wyprężone kaktusy.

Nawet w nieprzeniknionych ciemnościach Tess wyczuwała piękno tego miejsca, historię zapisaną w dużych wydeptanych przez wieki brukowych kamieniach czy w zniszczonych budynkach z portykami. *Baglio* było starym, otoczonym murami placem, częściowo zadaszonym, ze sklepikami, galeriami oraz restauracją. Tess była przekonana, że to pozostałość po czasach arabskich. Wcześniej w przewodniku po Sycylii zdążyła przeczytać, że wyspa, a zwłaszcza jej zachodnia część, ulegała silnym wpływom Bliskiego Wschodu.

Przeszli przez *baglio*, obok wysokiego, eleganckiego eukaliptusa o nakrapianej korze, minęli stary kamienny wodotrysk z wodą pitną. Tess chciała zadać jeszcze kilka pytań, ale jej też zależało na tym, żeby jak najszybciej dotrzeć do celu. Nie mogła się doczekać, kiedy zobaczy willę.

Po drugiej stronie placu przechodzili obok niewielkiego budynku, w którym najwyraźniej mieściła się pracownia artystyczna. Tess wpatrywała się w nią z fascynacją. Witryna, otoczona maleńkimi światełkami, była pełna szklanych ozdób, kamieni szlachetnych i mozaik.

— Co to za miejsce? — zapytała.

Giovanni ledwie raczył się odwrócić, chociaż widocznie zesztywniał.

— Dla turystów — odparł wymijająco. — Jak wy to tam nazywacie? Badziewie. Nie zawracaj sobie tym głowy.

— Naprawdę?

Zdaniem Tess wcale nie wyglądało to jak badziewie, tylko magicznie, niczym z innego świata. Czyżby był to jakiś lapsus językowy? Chyba Giovanni Sciarra nie mówiłby jej, co powinna myśleć? Nie miała czasu się nad tym zastanawiać, musiała biec, żeby dotrzymać mu kroku.

Schodki za pracownią prowadziły w kierunku skalistej plaży i morza.

— Jak tu pięknie — szepnęła.

Niebo przybrało kolor indygo, od którego wyraźnie odcinało się kilka skał. Okrągły księżyc przeglądał się w morzu.

Nawet Giovanni przystanął.

— To najpiękniejszy widok w Europie — oznajmił z dumą, zupełnie jakby to było jego zasługą. — Teraz należy do ciebie.

Przez chwilę nie rozumiała, co ma na myśli, ale nagle popatrzyła na to, co wskazywał. Jeszcze kilka spiralnie skręconych schodków, które prowadziły do budynku na szczycie urwiska, a konkretnie do zbudowanej w stylu lat trzydziestych willi, i będą na miejscu — przynajmniej tak jej się wydawało w półmroku.

— O mój Boże — jęknęła. — Czy to jest?...

— Villa Sirena. — Giovanni pokiwał głową. — Chodź.

Tess z wrażenia omal nie zapomniała o oddychaniu. Nie mogła uwierzyć, że ten dom naprawdę należy do niej.

Poszła za Giovannim na szczyt schodków, gdzie w wysoki, kamienny mur wbudowano furtkę z czarnego, kutego żelaza, z napisem *„Privato"*. Tess patrzyła, jak Giovanni otwiera ją niewielkim kluczem. Zardzewiałe zawiasy zaskrzypiały i po chwili oboje przeszli pod baldachimem gęstych roślin. Znajdowały się z boku domu, ale wyglądało to tak, jakby zmierzały do przestronnego, wysypanego drobnymi kamykami tarasu. Na jego końcu ujrzała frontowe drzwi do budynku i półkoliste okienko nad nimi. Z prawej strony wejścia zainstalowano lampę, teraz zgaszoną, a nad okienkiem ukazała się wbudowana w tynk płaskorzeźba. Niestety, w ciemności Tess nie mogła się zorientować, co to takiego.

Giovanni oderwał płat odłażącej farby, wsunął duży klucz do zamka i z namaszczeniem otworzył drzwi.

— Villa Sirena — powtórzył.

Blokował jej przejście i zauważyła dziwny grymas na jego twarzy. Czyżby był zazdrosny? Po raz pierwszy zaczęła się zastanawiać, jakiego przyjęcia mogła się spodziewać w tym miejscu. Była w końcu obcą osobą, do tego cudzoziemką. Może uważali, że nie ma prawa tu przebywać? Pozostawała jeszcze nieznana historia jej matki.

Tess wyprostowała się i uniosła głowę.

— Zamknęłaś samochód? — zapytał Giovanni.

— No tak.

Wyciągnął do niej rękę tak samo, jak wcześniej do swojej stryjecznej babki. Podobnie jak Santina Tess poszperała w kieszeni, szukając kluczyków, które następnie położyła na jego dłoni. Nie pamiętała nazwy ulicy, na której zaparkowała, a on nie pytał. Po prostu skinął głową, strzelił obcasami, jakby jej salutował, i zniknął.

Tess wzięła głęboki oddech, po czym weszła do budynku.

ROZDZIAŁ DZIEWIĄTY

Spała tak głęboko, że kiedy się przebudziła, przez moment nie wiedziała, gdzie się znajduje. Jej myśli biegły to do Robina, to do Ginny, to do Flavii. Nagle uświadomiła sobie, że wokół panuje cisza i zrozumiała, że spędziła właśnie pierwszą noc w Villa Sirena. Popatrzyła na swoją walizkę, otwartą i porzuconą u stóp szerokiego łóżka z drzewa kasztanowca.

Tess podreptała do wielkiego okna, w którym duży prostokąt wygniecionego muślinu kołysał się na łagodnym wietrze. W pokoju było ciepło i trochę duszno. Odsunęła muślin, po czym otworzyła okno i okiennice.

Giovanni nie przesadził w kwestii widoku. Po lewej stronie, na górskim zboczu rozpościerały się pola uprawne, gaje oliwne i tamaryszkowe. Małe, zwiewne chmurki krążyły wokół szczytów, delikatne i śliczne na tle jasnobłękitnego, porannego nieba. Kręta droga prowadziła z gór do miasteczka, a skupisko domów przypominało układankę, złożoną z pogodnych twarzy, starożytnych, kamiennych murów i przejścia na... jak to się nazywało?... *Baglio*. Schodami docierało się nad zatokę, w świetle dnia jeszcze piękniejszą niż nocą.

W zatoce pod *baglio* znajdowało się kilka opuszczonych budynków i schowek na łodzie z trzema wielkimi łukami, połączony z molo. Pod ścianami, od których odłaziły płaty bladożółtej farby, ustawiono zardzewiałe kotwice, które wyglądały jak żołnierze w szeregu. W oknach nad kamiennymi korytkami, pełnymi białych oleandrów, widniały kratownice. Przed budynkiem rósł figowiec, rozpościerając gałęzie jakby w geście powitania.

Odnóża kamiennego pirsu wdzierały się w turkusową wodę. Tess osłoniła oczy przed słońcem. W oddali dostrzegła sterczące ponad morzem skały, beżowe i białe, poprzetykane rdzawymi zaciekami. Na plaży nie było żywej duszy, słyszała tylko krzyk samotnej mewy. Przypomniała sobie, że ten widok należy do niej, wyłącznie do niej. Na moment powróciła myślami do Robina i zrobiło jej się przykro, ale postanowiła mieć to w nosie. Robin dokonał wyboru. Teraz była tutaj i tylko to się liczyło.

Poprzedniego wieczoru zdążyła jedynie pobieżnie rozejrzeć się po wnętrzach willi, ponieważ wcześniej pisała esemesa do Ginny z informacją o bezpiecznym przybyciu na miejsce. Była tak zmęczona, a światło tak słabe, że wolała się wstrzymać z porządnym zwiedzaniem do rana. Teraz uświadomiła sobie, że dom, jej dom, ma dwa poziomy i zbudowano go na planie półkola. Największa sypialnia, tam gdzie Tess spała tej nocy, znajdowała się w samym środku łuku i właśnie z niej roztaczał się ów wspaniały widok. Tess chodziła od pomieszczenia do pomieszczenia, za każdym razem kierując się prosto do okna. Z trzech frontowych sypialni miała widok na morze, z tyłu na pola i na góry. W domu była tylko jedna łazienka, za to zdumiewająco nowoczesna.

Umierała z głodu, dlatego szybko zeszła na parter kręconymi schodami z żelazną poręczą. Kuchnia okazała się duża i zabałaganiona, z podłogą z brukowych kamieni oraz długim, dębowym, wiejskim stołem na samym środku. Już wieczorem Tess dostrzegła tutaj ogólne znamiona chaosu: pootwierane szafki i rozrzuconą zawartość. Nie wyglądało to na włamanie, raczej ktoś tu czegoś gorączkowo szukał. Na stole stał koszyk z chlebem i winem. Założyła, że to prezent powitalny. Chociaż nie, Giovanni wspominał, że Santina zostawiła ten upominek dla duchów w domu. No tak...

Napomknął o tym, kiedy zaparkował samochód Tess przed domem, za bramą z kutego żelaza. Nie komentowała jego słów, choć była przekonana, że to Giovanni zajmuje się tym domem, a nie Santina.

— Masz tutaj prąd — poinformował ją. — Jest też elektryczny bojler. — Zanim wyszedł, pokazał jej, gdzie znajdują się bojler oraz skrzynka z bezpiecznikami.

Teraz Tess znalazła kawę, świeże bułeczki, owoce i dżem. Ktoś (Giovanni? Santina?) postanowił więc zadbać również o nią, a nie tylko o duchy domu.

Zjadła śniadanie przy zniszczonym przez słońce i deszcze stoliku z kutego żelaza na tarasie z widokiem na zatokę. Stamtąd mogła się też przyglądać ludziom włóczącym się po *baglio* i miała niezły punkt obserwacyjny na intrygującą pracownię artystyczną, której drzwi nagle szeroko się otworzyły.

Było tu tyle do obejrzenia... Tess zerwała się na równe nogi i zaczęła spacerować po zarośniętym ogrodzie. Na samym środku znajdował się niewielki staw z fontanną, a pęki dzikiego geranium, jaskraworóżowej bugenwilli oraz jasnoliliowego jaśminu zwieszały się z wielkich, glinianych donic i pięły chaotycznie po ścianach i schodkach. Popatrzyła na cudowną różową willę. Jak jej matka mogła stąd wyjechać?!

Chociaż z drugiej strony... Tess ruszyła w głąb ogrodu, za którym widziała pola żółtej i ceglastej czerwieni, a także ruiny kamiennego domku za murem. Czy właśnie tam dorastała Flavia? Domek był taki maleńki... Wtedy jednak wszyscy byli biedni, wszyscy poza Edwardami Westermanami tego świata.

Znalazła uszkodzoną furtkę i wyszła za ogrodzenie. Z domku pozostały właściwie same ruiny. Tess stała tam dłuższą chwilę, myśląc o matce, dziadkach, których nigdy nie poznała, oraz o ciotce Marii, która złożyła jej wizytę wiele lat wcześniej, jednak potem trzymała się z dala od siostrzenicy, jakby Tess była kosmitką. Pewnie właśnie tak ją postrzegała.

Tess odwróciła się na pięcie i poszła z powrotem do willi. W salonie panował rozgardiasz. W kamiennym kominku stało wiadro ze szczapami drewna, część z nich leżała na terakotowych płytach w palenisku. W pomieszczeniu były też zniszczona, obita skórą stara sofa i dwa fotele oraz regał, na wpół zapełniony książkami. Więcej zakurzonych tomisk leżało na biurku tuż obok. Jadalnia wyglądała tak, jakby nie spożywano w niej posiłków od wielu dziesięcioleci.

Podsumowując, nie było najgorzej. Instalacja elektryczna zdawała się trochę niebezpieczna, z gniazdek i przyłączy wystawało sporo drutów, z kranu w kuchni kapała woda, kilka uszkodzonych okiennic trzaskało na wietrze, a do tego Tess zauważyła mnóstwo pęknięć i plam wilgoci na sufitach oraz ścianach. Jednak willa nie była tak zapuszczona, jak Tess się obawiała. Wymagała raczej liftingu niż drastycznej operacji i faktycznie była wspaniała, zwłaszcza pod względem lokalizacji i stylu. Zbudowano ją na szczycie klifu nad *baglio* oraz zatoką, gdzie prezentowała się po prostu imponująco. Tess nie mogłaby sobie wymarzyć piękniejszego domu; to niewiarygodne, że należał tylko do niej. Nie odważyła się uszczypnąć, by przypadkiem to wszystko nie okazało się jedynie snem.

Ciągnęło ją jednak do morza, więc szybko wskoczyła w bikini, T-shirt i sarong, po czym wyszła frontowymi drzwiami. Wynajęty samochód stał na dziedzińcu, na mozaice kamieni wokół niewielkiego posągu. Tess pomyślała z uśmiechem, że być może wyrzeźbił go jeden z przyjaciół Edwarda Westermana. Przed kamiennym murem granicznym półksiężyc krzaczastych oleandrów tworzył wyraziste obrzeże z bieli i różu.

Za frontowymi drzwiami Tess popatrzyła na ciemnoróżowy tynk i przekonała się, że płaskorzeźba, którą dostrzegła poprzedniego wieczoru, przedstawia kobietę, a przynajmniej postać o twarzy kobiety, smutnej twarzy, otulonej długimi do ramion lokami. Miała uniesione ręce, a wnętrza dłoni skierowane do przodu w geście... Błagania? Od pasa w dół jej ciało dzieliło się na dwie części, które ją okalały niczym skrzydła, do tego postać była w całości pokryta gwiazdami.

Zaintrygowana Tess wpatrywała się w nią przez chwilę. Kim była ta kobieta, co symbolizowała? Potem podeszła do bramy, otworzyła ją i zeszła po kręconych schodach do zatoki.

Artysta, twórca mozaik, stał przed swoją pracownią i porządkował kolorowe szkła oraz kamyki na tacach.

Tess zauważyła, że był mniej więcej w jej wieku, miał ciemne włosy i melancholijny wyraz twarzy. Nie wydawał się szczególnie przyjaźnie nastawiony. Kiedy tak szła ku niemu po schodkach, szybko podniósł głowę. Miał głębokie i zdecydowanie wrogie spojrzenie.

— *Buon giorno* — powiedziała ze swoim najlepszym akcentem. W końcu mogła się nieco wysilić dla miejscowych.

W odpowiedzi facet burknął coś, co mogło być powitaniem, chociaż niekoniecznie.

Jezu, a tego co ugryzło? — pomyślała. Niestety nie miała pojęcia, jak po włosku spytać, czy wstał lewą nogą.

— Te mozaiki są piękne — oświadczyła zamiast tego, wskazując na witrynę w pracowni za nim.

Wiele z nich przedstawiało motywy zwierzęce. Były tam podrygujący koń z bursztynu, zielony ptak, jaszczurka i smok, a także delfin we wzburzonym morzu.

Mężczyzna wzruszył ramionami.

— *Grazie* — powiedział niechętnie. Przynajmniej zdawał się rozumieć po angielsku.

— Z czego pan je robi? — dopytywała.

Wymamrotał coś niezrozumiale. Tess doszła do wniosku, że jeśli tak zachowywali się wszyscy mieszkańcy Cetarii, to porzuci oszałamiające widoki i czym prędzej się stąd zmyje. Coraz mniej ją dziwiło, że matka opuściła Sycylię.

— Tylko ze szkła? — Właściwie co ją to obchodziło? — Czy też z kamieni?

— Ze wszystkiego. — Przez chwilę patrzył na nią czarnymi oczami. — Z czegokolwiek, jeśli pasuje. I się nadaje.

Tess pomyślała teraz, że może po prostu nie lubił takich błahych pogaduszek.

— Znalazł pan to wszystko na plaży?

Wzięła do ręki kawałek szkła w kolorze jasnego bursztynu, jakby nakrapianego solą, o zaokrąglonych, rozmytych kształtach, zapewne przez fale. Gdy przyjrzała mu się bliżej, odniosła wrażenie, że na jego nierównej powierzchni widzi odciski piasku, kamienia i skał.

— *Si.* — Znowu odwrócił wzrok. — Morze to bogata i hojna kochanka.

Przez chwilę przebierał długimi palcami w mętnych okruchach zielonego, turkusowego, brązowego i żółtego szkła.

— Tess!

Odwróciła się szybko. Tylko dwie osoby znały tutaj jej imię, i oczywiście, był to Giovanni Sciarra, który szedł ku niej przez *baglio*, w eleganckim stroju, postukując w zegarek, zupełnie jakby spóźniła się na spotkanie. Czyżby rzeczywiście tak było?

— Cześć. — Uniosła rękę i zrobiła kilka kroków w jego kierunku, zadowolona, że wreszcie widzi przyjazną twarz. Poczuła się prawie tak, jakby pasowała do tego miejsca.

— Mam nadzieję, że już się zadomowiłaś — powiedział.

— Tak. — Pomyślała o zapasach w kuchni. Giovanni zachowywał się jak macho, ale miał miłą rodzinę. — Dzięki za chleb, owoce i resztę.

— *Di niente.* — Wzruszył ramionami. — Drobiazg. A teraz... — Znowu zrobił jakiś gest. — Przyszedłem zabrać cię na lunch — oznajmił.

Uśmiechnęła się, chociaż jego władczy ton ją irytował.

— Już pora lunchu? — zapytała.

Powinna była wstać wcześniej, ale tak czy inaczej chciała jeszcze pozwiedzać, nie mówiąc o tym, że zamierzała popływać.

— Jest sporo do przedyskutowania. *Andiamo.* Idziemy.

— Muszę się przebrać.

Wolałaby już raczej zrezygnować z lunchu, ale to była dobra okazja, by dowiedzieć się więcej o rodzinie matki. Cóż, prawdopodobnie Giovanni wiedział wszystko, poza tym nie wyglądał na kogoś, kto łatwo pogodzi się z odmową.

— Dobrze, poczekam na ciebie.

Tess znowu zerknęła na artystę, ale wydawał się nieświadomy tej wymiany zdań i pochłonięty pracą. Ciekawe, mieszkali w tym samym miasteczku, a Giovanni najwyraźniej w ogóle go nie dostrzegał. Nagle mężczyzna uniósł ciemną głowę i spiorunował Sciarrę jeszcze bardziej wrogim spojrzeniem niż wcześniej Tess. Na twarzy miał bliznę. Wyglądała na bardzo starą i biegła od lewego oka niemal do kącika ust. Tess przypomniała sobie lekceważący, a właściwie niegrzeczny sposób, w jaki wczoraj wieczorem Giovanni odniósł się do mozaik artysty. A przecież były takie delikatne i żywe, każda z niesłychaną precyzją tworzyła wizję z koloru i ze światła. Ktoś o tak artystycznej duszy musiał być... Jaki? Interesujący? Atrakcyjny? Albo po prostu uważał, że może sobie pozwolić na cholerną nieuprzejmość?

— W porządku — odparła przekornie, chcąc zdenerwować artystę. W końcu to nie dzięki niemu miała co jeść na śniadanie. — Dokąd mnie zabierasz?

ROZDZIAŁ DZIESIĄTY

F lavia nie mogła sobie przypomnieć, co zobaczyła na samym początku. Może rozbity samolot? Chyba tylko cudem nie stanął w płomieniach. Spodnia część kadłuba została całkowicie rozerwana, jej fragmenty walały się po ziemi. W powietrzu unosił się zapach startego metalu, który kojarzył się Flavii z zaprzepaszczoną szansą. A może najpierw dostrzegła mężczyznę w nieznanym lotniczym mundurze? Trzymał nogę pod dziwnym kątem i wydawał się zupełnie bezbronny. Na jego twarzy malował się ból i zmęczenie. A może krew, skrzepniętą i lepką w upale? Jednak nawet teraz, po tych wszystkich latach, wiedziała, że to nie była żadna z tych rzeczy. To były jego oczy.

Jego oczy były bardziej błękitne niż sycylijskie niebo, bardziej błękitne niż morze latem. Nigdy nie widziała takich oczu. *O dio Beddramadre...* Święta Matko Boska...

— Proszę... — Chyba wierzył, że Flavia mu pomoże. Miał wykrzywione grymasem bólu usta i rozkładał dłonie. — Masz trochę wody? Woda? Tak?

Flavia go rozumiała. Zrozumiałaby go, nawet gdyby nie spędziła tyle czasu w towarzystwie signora Westermana. Nie czuła strachu, nie przyszło jej do głowy, że powinna uciekać.

Podbiegła ku niemu i przystanęła, niepewna, co dalej. Co właściwie mogła zrobić? Rozejrzała się dookoła. Ziemia była sucha, pusta i cicha, słychać było jedynie cykanie owadów. Coś pulsowało w głowie Flavii. Były tu tylko ziemia i niebo, i ani żywego ducha.

— Proszę. — Oblizał spierzchnięte, popękane usta.

— Si.

Odkręciła butelkę, a pochyliwszy się ku mężczyźnie, poczuła zapach potu, krwi, a także ciepło jego ciała. Przytknęła mu butelkę do ust i lekko ją przechyliła.

Pił szybko, omal się nie zakrztusił. Woda spływała mu po brodzie. Potem westchnął i wypił jeszcze trochę, tym razem mniej łapczywie.

Flavia przykucnęła obok niego i czekała, zastanawiając się, jak poważnie jest ranny. Należało wezwać pomoc. Sama nie dałaby sobie z tym rady, ale kto?...

— *Inglesi?* — szepnęła.

Skinął głową.

Podniosła się i poruszyła nogami tak, jakby szła, jednocześnie wskazując na mężczyznę.

— *Si?*

Pokręcił głową i zachichotał ponuro.

— Nie, absolutnie wykluczone. Obawiam się, że nie ma mowy, próbowałem.

Zakręciła z powrotem butelkę i postawiła ją obok niego. Skoro nie mógł chodzić...

— Czy wiesz, co się wczoraj stało? — Próbując usiąść nieco wygodniej, wskazał na niebo.

Teraz to ona pokręciła głową. Pamiętała jednak tamte hałasy i reflektory, jaśniejsze od księżyca w trzeciej kwadrze, a także to, jak bardzo liczyła na znak, na jakąś zmianę. Przypomniała sobie również, co podsłuchała, drepcząc pod drzwiami *caffè*, gdy byli tam papa i inni mężczyźni z miasteczka. O co chodziło? O nalot?

— Rozumiesz po angielsku, prawda?

— *Si* — skinęła głową. — Trochę.

Wstydziła się jednak mówić, nigdy jej się to nie zdarzało. Była pewna, że jeśli coś pokręci, mężczyzna ją wyśmieje.

— Obok Syrakuz jest most... — Westchnął. Chyba nie mógł powiedzieć nic więcej.

Wiedziała, że musi coś zrobić, a nie tylko stać jak kompletna idiotka.

— Straciliśmy z oczu wybrzeże, zboczyliśmy z kursu. — Mówienie bez wątpienia sprawiało mu trudność. — Nie miałem szans przestudiować map okolicy. Nie było żadnych naprowadzających świateł. Tylko ta cholerna ciemność.

Skinęła głową, żeby pokazać, że rozumie, choć tak naprawdę wcale nie rozumiała. Nie była pewna, czy może ryzykować sprowadzenie tu papy. Współczuł Anglikom, był niesłychanie lojalny wobec signora Westermana. W razie potrzeby gotów był strzec willi i jej wyposażenia, nawet z narażeniem życia.

— Mogłabyś przynieść coś do jedzenia? — spytał pilot. Jego głos brzmiał coraz słabiej. — Będę ci niezwykle wdzięczny.

— *Si*. — Zanim jednak to zrobiła, wskazała na jego nogę. — Twoja noga?

— Mam chyba paskudną ranę. Cholernie mocno oberwałem fragmentem kadłuba.

Flavia zmarszczyła brwi.

— Złamana? — zapytała.

Gestem pokazała, o co jej chodzi, a pilot się skrzywił.

— Chyba nie — odparł.

Czyli należało przynieść przynajmniej bandaże, środek odkażający i ciepłą wodę oraz jedzenie. Czy mogła go jednak zostawić w szczerym polu, w lipcowym sycylijskim upale? Nie, to nie wchodziło w grę, usmażyłby się żywcem.

— Idę... — zaczęła. — Idę po pomoc.

Na jego twarzy pojawił się strach.

— Nie — powiedział. — Wróć sama, proszę. Przynieś mi kapelusz, jedzenie, bandaże, jeśli możesz.

Flavia wstała.

— Nikomu nie mów — ostrzegł ją. — Zabiją mnie. Zginę.

Zrozumiała jego słowa.

— Czekaj — nakazała mu, całkiem jakby miał jakieś inne wyjście.

Pobiegła z powrotem w białym świetle popołudnia, po rdzawej ziemi, i minęła pole pszenicy, która w tym upale wydawała się miękka niczym futerko kota. Przebiegła przez gaj oliwny, w którym drzewa uśmiechały się do niej i lśniły, aż w końcu dotarła do starego, kamiennego domku, który, o dziwo, wydawał się dokładnie taki jak wcześniej. Jak to możliwe, skoro aż tyle się zmieniło?

Gdy wpadła przez drzwi, ociekała potem i brakowało jej tchu. Dotarła do pokoju z tyłu, w którym spał jej ojciec, cicho pochrapując.

Flavia otworzyła usta, ale zaraz je zamknęła. A jeśli się pomyliła i papa powie władzom, i Anglik zginie? Będzie miała jego krew na rękach.

Powoli wyszła z pokoju. Z kuchni zabrała wszystkie potrzebne rzeczy. Cenny chleb, upieczony przez mamę tego dnia, z dżemem z pigwy, oliwę z ich własnych oliwek, kozi ser od Luciana, pomidory z pobliskich krzewów, dwa szerokie bandaże z szafki mamy, a do tego małą buteleczkę jodyny. Co jeszcze? Prosił o kapelusz. Czy mogła zaryzykować i zabrać kapelusz papy? Może pęsetę? Szarpie i gazę? Napełniła manierkę gorącą wodą z garnka na piecu, modląc się do Madonny, żeby nikt jej z tym nie zobaczył, bo byłoby po niej, no i po nim.

Ostrożnie niczym włamywaczka obeszła dom, minęła drzwi z poluzowaną siatką i ruszyła na przełaj, w kierunku oliwnego gaju i pola żółtej pszenicy. Oślepiało ją słońce, gdy biegła, przyciskając rzeczy do piersi, a jej serce waliło tak mocno, że czuła się, jakby to wszystko nie działo się naprawdę. Jakby to nie był prawdziwy dzień, jakby jej tu nie było, jakby nic się nie stało. Jakby nic nie miała odnaleźć, kiedy dotrze do miejsca, w którym zostawiła pilota i szczątki samolotu. Przez chwilę była pewna, że mężczyzna okaże się fatamorganą. Ziemia pulsowała żarem i zdawała się z niej kpić, w oddali krzyknął ptak. To na pewno było przywidzeniem.

Jednak pilot nie zniknął.

Otworzył oczy i rozejrzał się lękliwie, by sprawdzić, czy przyszła sama. Wydawał się żałośnie rozpromieniony jej widokiem. Trudno się dziwić, w końcu niosła mu rzeczy niezbędne do przeżycia. Jego radość nie miała nic wspólnego z nią samą, przecież mogła na niego wpaść którakolwiek dziewczyna z miasteczka.

— Dzięki — powiedział. — To cholernie miło z twojej strony. Jesteś cudowna.

A jednak... Jednak patrzył na nią tak, jakby mówił serio.

Nieśmiało podała mu chleb, oliwę, ser oraz pomidory i przyglądała się, jak łapczywie żuł pieczywo, jak gryzł, wysysał i połykał owoce.

— Jedz powoli — powiedziała w swoim ojczystym języku.

Wydawał się rozumieć, gdyż skinął głową i zaczął jeść z nieco mniejszą zachłannością niż przed chwilą. Kiedy skończył, Flavia wzięła ciepłą wodę oraz jodynę i przemyła ranę na jego nodze. Ledwie mogła oddychać, taka była zdenerwowana. Krzywił się, kiedy go dotykała, zwłaszcza gdy wzięła pęsetę i wydłubała nią tkwiący w ciele kawałek metalu. Nie była pewna, czy coś przypadkiem nie zostało. Rana zdawała się głęboka, pełna krwi i spuchnięta. Próbowała się zasklepić pod rozciętą tkaniną spodni, ale Flavia wiedziała, że grozi mu infekcja.

Może ratunek pojawił się w samą porę.

— Gdzie? — zapytała.

Wskazał otarcia na rękach i ramieniu.

Flavia jeszcze nigdy nie dotykała mężczyzny. Ostrożnie ściągnęła z niego podartą koszulę. Skóra pilota była blada i lekko upstrzona piegami, muskulatura wyraźnie zarysowana. Flavia przygryzła wargę i skupiła się na zadaniu. Miała zachowywać się jak pielęgniarka i nie myśleć o nim jak o mężczyźnie, tylko jak o pacjencie.

Gdy skończyła, dotknął jej ręki. Popatrzyła w jego niebieskie oczy, zastanawiając się, czy powinna zmówić modlitwę, za siebie i za swoje zbawienie.

— Jesteś aniołem — powiedział. — Moim aniołem stróżem.

Mimo upału przeszył ją dreszcz.

— Muszę iść — odparła.

Zmęczona pisaniem, Flavia przez chwilę odpoczywała. Jedzenie było częścią sycylijskiej duszy, jej duszy. Gdy była młoda, brakowało książek kucharskich. Przepisy przekazywano z pokolenia na pokolenie, zgodnie z dobrą starą tradycją, i ona nie zamierzała się wyłamywać. Zmarszczyła brwi i doszła do wniosku, że zacznie od caponaty. Była to raczej pewna koncepcja niż konkretne danie, każda kucharka miała własny przepis. Caponatę należało przyrządzić dzień lub dwa przed spożyciem, żeby smaki zdążyły się połączyć i przegryźć.

Zaczęła pisać.

Pokrój w kostkę *melanzane* i usmaż w gorącej oliwie. Sparz seler naciowy z oliwkami. Usmaż cebulę. Dodaj ocet z czerwonego wina i cukier. Rozgrzej pastę pomidorową, dodaj warzywa. Ostudź, posyp posiekaną miętą lub bazylią.

Słodkie i kwaśne. Co teraz robiła Tess, z kim rozmawiała? Czy dotarła już do willi? Flavia nie chciała tego wiedzieć, ale jednocześnie nie mogła myśleć o niczym innym. Same sprzeczności, pomyślała. Słodkie i kwaśne...

ROZDZIAŁ JEDENASTY

Z dumiewa mnie, że nie znasz tej historii — powiedział Giovanni, kiedy siedzieli w restauracji w pobliskim miasteczku. — Czy w waszej rodzinie matki nie rozmawiają z córkami?

Tess bawiła się ciężkim, kryształowym kieliszkiem z winem. W pomieszczeniu pachniały gałęzie drzewa oliwnego. To był zapach tego, co płonęło w kominku poprzedniego wieczoru. Jedzenie okazało się smaczne. Zaczęli od bruschetty i plastrów bakłażana, grillowanych z czosnkiem, pietruszką i karmelizowaną cebulą.

— Rozmawiają. O niektórych rzeczach. — Tess wydobyła małża z lśniącej czarnej muszelki. Na drugie danie jedli *spaghetti con le cozze* i przypomniała sobie słowa Flavii, że stosunek makaronu do sosu jest ściśle określony i proporcjonalny. Oba smaki powinny jednocześnie działać na podniebienie. Musiała przyznać, że makaron był niezły, ale nie tak dobry, jak ten u mammy. — Moja mama zawsze była nieco skryta w kwestii Sycylii.

Niedopowiedzenie stulecia. A Tess nigdy nie gotowała sycylijskich potraw. Może był to przejaw buntu, sposób na pokazanie matce, że skoro ona nie chce opowiadać o Sycylii, to Tess nie będzie przyrządzała tamtejszych przysmaków.

— Skryta? — Zmarszczył brwi.

— Ostrożna, milcząca, tajemnicza.

— Ach. — Dotknął nosa. — Tajemnice. Rozumiem.

Jasne, pomyślała Tess, na pewno rozumiesz. Usiłowała zgadnąć, co się skrywa pod jego pewnością siebie i wystudiowanym uśmiechem, i przypomniał się jej Robin. Przeżyła szok na wieść o jego zależności finansowej od teściów. Wiedziała, że tak bywa w rodzinach, ale na Boga, relacja między kobietą i mężczyzną nie powinna się opierać na ilości pieniędzy na koncie, lecz na miłości i bliskości. Problem w tym, że romantyczny idealizm nie pomógł jej znaleźć partnera, którego mogłaby kochać i podziwiać. Próbując intensywnego sosu z pomidorów, pomyślała, że przynajmniej pozostały jej marzenia.

— Było tak... — zaczął Giovanni.

Opowiedział jej, że Edward Westerman przybył na Sycylię w 1935 roku jako bardzo młody człowiek ze spadkiem (miał więcej pieniędzy, niż mogło mu to wyjść na dobre) i marzeniem o życiu w słońcu.

— Dla mnie bomba — powiedziała Tess.

— Kiedy ją zaprojektowano i wybudowano, Villa Sirena była pełna przepychu — ciągnął Giovanni. — Wykorzystano miejscowe kamienie i marmur, zatrudniono lokalnych budowlańców. Teraz jednak... — wzruszył ramionami. — Jest *moltu malandata*, czyż nie?

— *Moltu...?* — Tess nabrała łyżką jeszcze trochę sosu pomidorowego.

Było w nim więcej niż odrobina sosu chilli i raz jeszcze przyszła jej na myśl matka. Tess coraz lepiej rozumiała stosunek Sycylijczyków do jedzenia.

— Jak wy to mówicie? Zrujnowany?

— Podupadła elegancja. — Uśmiechnęła się.

— No tak. — Giovanni zdawał się bardzo uważnie ją obserwować, a może jej się zdawało. — Tam jest wiele zakamarków — oznajmił na pozór neutralnym tonem. — Miejsc, w których można schować różne rzeczy.

— Różne rzeczy?

Pokręcił głową, jakby za dużo powiedział, ale Tess podejrzewała, że tylko badał grunt. Usiłował wyciągnąć z niej, jak dużo wie. Znowu sekrety. Zaczynała się zastanawiać, o co im wszystkim chodzi.

Giovanni nieufnie rozejrzał się po restauracji.

— Na Sycylii zawsze ktoś podsłuchuje — mruknął.

No jasne. A Tess naiwnie myślała, że przyszło tu tylko kilka zwykłych par i rodzin.

Jej myśli powędrowały do Ginny. Zadzwoniła do córki, zanim wyszli z willi, ale było boleśnie oczywiste, że Ginny nie może się doczekać końca rozmowy.

— Wszystko okej, mamo, poważnie — powiedziała. — Wyjechałaś dopiero wczoraj, wyluzuj.

W porządku, tylko że po raz pierwszy znajdowały się tak daleko od siebie i Tess dziwnie się czuła.

— A co do tego Anglika, Edwarda Westermana... — odezwał się Giovanni. — Nie tylko na słońcu tak mu zależało.

— Tak? — Tess zakręciła na widelcu resztkę spaghetti z małżami.

— Musiał wyjechać z Anglii. — Zrobił w powietrzu dziwny gest. — Był... No wiesz.

Nie, nie wiem, pomyślała.

— Co?

— Urządzał przyjęcia. — Giovanni znacząco uniósł brew. — Specyficzne.

Tess była zdezorientowana.

— Przecież był poetą, prawda? — Odsunęła talerz.

— No właśnie. Otaczał się artystami, pisarzami, ludźmi o otwartych umysłach. Ludźmi, którzy nie mieli nic przeciwko... No wiesz... — znowu uniósł brew.

Nareszcie Tess załapała.

— Był gejem, tak? Homoseksualistą?

— Otóż to. — Giovanni również skończył jeść i delikatnie otarł usta serwetką. Wyraz jego twarzy zdradzał, że choć nie jest homofobem, to jednak nie popiera pewnych zachowań. — W Anglii to było nielegalne, prawda? Mieliście przecież tego swojego Oscara Wilde'a?

Tess parsknęła śmiechem.

— No tak, mieliśmy. — Upiła łyk wina, delikatnie miodowego gatunku z samej Sycylii.

— *Sincero* — powiedział Giovanni. — Czyste winogrona, bez żadnych chemikaliów i bez kaca. Proste.

— Wspaniałe. — Tess patrzyła, jak nalewał jej następny kieliszek. — Ale czy homoseksualizm nie był nielegalny również na Sycylii?

— Och. — Giovanni odłożył widelec na talerz z większą siłą, niż to było konieczne. Sos pomidorowy rozprysł się, brudząc ścianę w kolorze ochry. — Wydawałoby się, że tak. — Westchnął ciężko. — Na Sycylii przymykamy oczy na angielski ekscentryzm. — Żeby to zademonstrować, opuścił powieki, ale nadal miał udręczony wyraz twarzy.

Ekscentryzm, pomyślała Tess. Słowo pochodzące z łacińskiego *ex centro*, z dala od centrum, odporne na proces uśredniania, który sprawia, że wszyscy są tacy sami. Niełatwo jest mieć tyle odwagi, aby być ekscentrykiem, i Tess doszła do wniosku, że pewnie polubiłaby Edwarda Westermana.

— Mają pieniądze, budują wystawne *casas*, zatrudniają naszych mężczyzn i nasze kobiety. Nas nie obchodzi, co robią w swoich sypialniach.

Tess zamrugała. Wprawdzie Giovanni nie wydawał się do tego przekonany, ale cieszyło ją, że jej rodzina miała szersze horyzonty. Więź, która łączyła jej krewnych z Edwardem Westermanem, niewątpliwie przekraczała zwykły stosunek pracodawcy i pracowników. A do tego Edward zostawił jej swoją piękną willę...

Promienie słońca nadal oświetlały taras. Dlaczego, na litość boską, Włosi tak często jadali lunche w pomieszczeniach? Po promenadzie szła jakaś para, trzymając się za ręce. Nagle przystanęli i zapatrzyli się na morze i na cumujące w przystani łodzie. Mężczyzna odezwał się i wskazał ręką horyzont. Kobieta osłoniła oczy, skinęła głową, po czym się zaśmiała. Kiedy się całowali, Tess odwróciła wzrok. Rana była zbyt świeża, za bardzo bolała.

Giovanni wychylił spory łyk wina.

— W tamtych czasach Sycylia była bardzo biedna — zauważył. — Panował głód. Niezadowolenie.

Tess pokiwała głową. Domyślała się, jak to było. Próbowała wyobrazić sobie matkę jako młodą dziewczynę, w latach trzydziestych dwudziestego wieku, gdy Edward Westerman wybudował swój dom, z charakterystycznymi ozdobami w stylu art déco, z różowymi murami i sztukaterią. Młoda Sycylijka musiała uważać go za wyjątkowo egzotyczną postać.

— Mówiłeś, że twoja stryjeczna babcia i moja matka były dobrymi przyjaciółkami — przypomniała mu Tess.

Giovanni wskazał menu z deserami, ale pokręciła głową i zdecydowała się tylko na kawę. Doszła do wniosku, że będzie się musiała uzbroić w cierpliwość. Jeśli te dwie kobiety rzeczywiście były z sobą tak blisko, Santina na pewno wiedziała, dlaczego Flavia opuściła Sycylię i niemal całkowicie zerwała kontakt z rodziną, a także dlaczego nie opowiadała o wyspie i nigdy tu nie powróciła.

Tess uważnie przyglądała się Giovanniemu, zastanawiając się, czy on coś wie i, co ważniejsze, czy powiedziałby jej prawdę. Mocno w to wątpiła.

— Może mogłabym porozmawiać kiedyś z twoją ciocią Santiną? — zapytała. — Bardzo chciałabym się dowiedzieć, jaka była moja mama w młodości.

Giovanni zmarszczył brwi.

— Ciocia nie mówi po angielsku — odparł. — Wiele osób z jej pokolenia nie mówi po angielsku, bo i po co?

— Mógłbyś tłumaczyć.

Przez chwilę rozważał tę ewentualność, po czym nagle się rozpogodził.

— Jak sobie życzysz — powiedział. — Możesz powiedzieć nam wszystko. Możesz nam ufać.

Tess nie była pewna, co niby miałaby im powiedzieć. Spodziewała się raczej, że będzie odwrotnie, więc postanowiła zmienić temat.

— A ten człowiek, który układa mozaiki? — zapytała. — To nie jest przyjaciel?

— Amato — wycedził Giovanni wrogo. — Jemu nie możesz ufać. To nie jest przyjaciel ani twojej rodziny, ani mojej, tego możesz być pewna.

Kelnerka przyniosła kawę i Tess nalała do niej mleka.

— Dlaczego? — zapytała.

Na Sycylii najwyraźniej wszyscy żywili do siebie wyjątkowo silne uczucia. Sycylijczycy albo z natury zachowywali się melodramatycznie, albo było tu mnóstwo międzyrodzinnych waśni i wrogości.

Giovanni pochylił się ku niej.

— W grę wchodzi wieloletni spór i dług — powiedział cicho. — A potem kradzież czegoś bardzo cennego. Wielka strata.

Tym razem to Tess uniosła brwi. Czyżby na Sycylii nie mieli sądów?

— To był dług wobec mojej rodziny. — Giovanni lekko się wyprostował. — Kwestia honoru. Ale kradzież...

— Tak?

Zdała sobie sprawę, że im więcej z niego wyciągnie, tym lepiej. Być może ta cała kradzież i dług nie miały nic wspólnego z powodami, dla których jej matka opuściła Sycylię, ale takie informacje mogły się przydać. Poza tym miała wielką ochotę dowiedzieć się nieco więcej o szorstkim facecie od mozaiki w *baglio*.

— Kradzież dotyczyła twojego dziadka — dodał. — A to było coś, co nawet do niego nie należało. Coś... — zawiesił głos.

— Coś? — Tess pomyślała, że akcja staje się coraz bardziej dramatyczna. Zastanawiała się też, jaki był jej dziadek. A może Santina rzuci na tę kwestię nieco światła?

— Alberto Amato był najbliższym przyjacielem twojego dziadka — ciągnął Giovanni. — I ta kradzież to zdrada. — Jego oczy pociemniały. — Zdrada najgorszego rodzaju.

ROZDZIAŁ DWUNASTY

Ginny przygotowywała dom do imprezy. Upięła włosy spinką w kształcie grzebienia, przepasała się fartuchem, zarzuciła na ramię kilka ścierek i złapała płyn do czyszczenia, po czym wyruszyła na misję.

Od razu postanowiła, że sypialnia matki będzie niedostępna (jedna plama po wódce z sokiem żurawinowym, a matka urwałaby jej głowę) i posłuży za przechowalnię delikatnych przedmiotów, takich jak fotografie w ramkach. Zebrała je wszystkie, na chwilę zatrzymując się przy swoim zdjęciu, na którym w wieku pięciu lat jechała na kucyku, z wiatrem we włosach i miną pełną strachu oraz zachwytu jednocześnie. Ginny pamiętała ten dzień, potrafiła wrócić do niego myślami dosłownie w ciągu sekundy, znowu usłyszeć rżenie i parskanie konia, poczuć słodki zapach siana, woń morskiej bryzy na twarzy i niepokój w brzuchu, gdy kucyk puścił się powolnym kłusem, a matka uśmiechała się i machała zza aparatu. „Hej, Ginny! Ale jesteś dzielna!" Kiedy Ginny zsiadła z grzbietu kucyka, natychmiast chciała z powrotem się na niego wdrapać.

Uśmiechnęła się na to wspomnienie. Wzięła do ręki jedyne zdjęcie rodziców. Rodzice... Dziwnie było tak o nich myśleć, przecież ten człowiek w zasadzie nie był jej ojcem. Ojcem nie może być ktoś zupełnie nieobecny. Tess była piękna na tym nieupozowanym zdjęciu. Wysoka, smukła, o długich, kręconych, jasnobrązowych włosach i szerokim uśmiechu. Ginny dotknęła palcem fotografii. Matka chyba nadal taka była, to znaczy atrakcyjna, bo mężczyźni się za nią oglądali. Ciągle ją zauważali, a do tego miała fantastyczne nogi. Wtedy jednak... Na fotografii rodzice trzymali się za ręce. Matka pochylała się ku ojcu Ginny ze spojrzeniem, z którego można było wyczytać: „O mój Boże, jesteś beznadziejny, ale i tak cię kocham", a on się śmiał. Był wysoki, tyczkowaty, taki zwykły chłopak. Jej biologiczny ojciec. Wydawał się zdystansowany. Ginny zmarszczyła czoło. W sumie nadal taki był — ani razu się do nich nie odezwał.

Gdyby mama wiedziała, co się tu będzie dzisiaj działo, szlag by ją trafił. Gula zawibrowała od wyrzutów sumienia. Tess już zdążyła zadzwonić i wysłać dwa esemesy z Sycylii, żeby sprawdzić, czy wszystko okej. O co jej chodziło? Tak naprawdę nic nie wiedziała ani o niej, ani o jej życiu. Niby dlaczego miałaby wiedzieć? Matka to matka, nie przyjaciółka.

Ginny zabrała iPoda ze swojej sypialni i zeszła do salonu. To powinno załatwić sprawę. *Henrietta*, The Fratellis na cały regulator. Przecież matka i tak się nie dowie.

Słuchając *Chelsea Dagger* na cały regulator, wyniosła z salonu wszystko, co mogłoby się zniszczyć. Przepchnęła drugą sofę do pokoju Jacka, czyli pokoju relaksacyjnego na imprezę, i podłączyła iPoda do wieży. *Got Ma Nuts from a Hippy* ryknęło w pomieszczeniu. Ginny wykonała kilka obrotów i skoków, potem zwinęła dywanik. Drewniana podłoga idealnie nadawała się do tańca.

W telefonie brzęknął sygnał esemesa. Ginny wyciągnęła aparat z kieszeni dżinsów. „Co z żarciem?", pytała Becca. Ginny odpisała: „Chipsy i popcorn".

W kuchni posprzątała blaty i poustawiała drinki. Do picia były wino (z zapasów matki, pewnie nawet nie zauważy), dżin (kupiony przez dziadka na Gwiazdkę dwa lata temu, praktycznie nietknięty), cola i sok żurawinowy (wkład własny Ginny). Ludzie na pewno przyniosą jakieś flaszki, więc nie będzie problemu.

Wyszła na zewnątrz, zatrzaskując za sobą drzwi frontowe. Lisa wyrywała chwasty w swoim maleńkim ogródku, a jej córki grały w *bat'n'ball*. Na widok Ginny zaczęły wołać:

— Ginny! Chodź się z nami pobawić!

— Nie mogę. — Zrobiła smutną minę. — Sprzątam dom.

— Naprawdę? — Lisa aż przysiadła na piętach. — Dobre dziecko. Mama będzie zachwycona.

Ginny uśmiechnęła się skromnie i zahaczyła palce o szlufki w dżinsach.

— Powinnyście brać z niej przykład, dziewczynki! — zawołała Lisa do swoich córek. — Właśnie tego będę się po was spodziewała za kilka lat.

— Czy mama wspomniała, że zaprosiłam na wieczór kilku znajomych? — zapytała Ginny niewinnie.

— Hm... Nie. — Lisa zmarszczyła brwi. — Chyba nie.

— Postaramy się nie przeszkadzać. — Ginny skrzyżowała palce za plecami.

Lisa uśmiechnęła się do niej wspaniałomyślnie i pomachała w powietrzu pazurkami ogrodniczymi.

— Nie przejmuj się — powiedziała. — Włączymy sobie telewizor. Bawcie się dobrze.

— Dzięki, Lisa.

Ginny pomyślała, że jeśli zrobi się zbyt hałaśliwie, jutro przeprosi, a przy odrobinie szczęścia Lisa wybaczy jej i zapomni, zanim mama wróci do domu. Mama. Ginny aż zadrżała na tę myśl. Nie mogła się jednak wycofać, w końcu już Bena zaprosiła.

Zanim z powrotem znalazła się w domu, zakradła się do przesmyku obok domu i z kieszeni długiego szarego kardigana wyciągnęła paczkę papierosów. Niewiele paliła, zwykle w klubach, w domu tylko pod nieobecność mamy. Zaciągnęła się głęboko. Czy Ben zamierzał przyjść na jej imprezę? Napisała do niego esemesa, prosząc, by przyprowadził kilku kumpli, odpisał, że z pewnością tak właśnie zrobi. Teraz pozostało jej tylko czekanie, a z tym Ginny radziła sobie raczej kiepsko.

W domu, zaopatrzona w czarne worki na śmieci, krytycznie przyjrzała się swojej sypialni. Zamknęła oczy i wyobraziła sobie, jak Ben podchodzi do niej, a ona czuje jego ciepło i słodki oddech na twarzy, dotyk ust na swoich ustach, i razem opadają na łóżko... Aż się spociła na samą myśl. Co sobie pomyśli, jeśli tu przyjdzie? Pokój był dziewczęcy, pełen uroczych, słodkich dupereli, ładny i sympatyczny. Sorry, ale nie takie wrażenie zamierzała zrobić.

Rozłożyła pierwszy worek, do którego powędrowały wszystkie stare kosmetyki — cienie do powiek, błyszczyki, przedpotopowy lakier do paznokci i brokat. Wszystko trafiło do czarnej dziury. W ślad za kosmetykami poszły czasopisma i ubrania, których już nie nosiła. Pracowała coraz szybciej, opróżniając szuflady, pełne starych skarpetek i bielizny, ściągając sukienki z wieszaków. Rozpra-

wiła się z bajkami (*Lew na łące*, *Kubuś Puchatek*) i z plusza-
kami (Biały Miś i Sówka Bill powędrowały do szafy, tak
na wszelki wypadek). Teraz nie potrafiła się już zatrzymać. Zniknęło całe zoo zwierzęcych ozdóbek, wszystko,
co świadczyło o tym, że jest dzieckiem, a nie kobietą.
Kapcie w pingwinki, plakat z żyrafą, kalendarz z Miffy.
Długopis, który wyglądał jak paw, skarbonka w kształcie misia grizzly, kołdra w zebry. (Co jest grane z tymi
zwierzętami?) Won, won, won. Gula zadrżała i zaczęła
się toczyć.

Ginny znowu nastawiła The Fratellis, *Creeping up the
Backstairs*. Muzyka rozbrzmiewała w jej głowie, bolały ją
ramiona. O to właśnie chodziło, o egzorcyzm. Czuła, jak
się oczyszcza. Ale czy Gula wreszcie zniknie? Czy dzięki
temu pozbędzie się jej raz na zawsze?

Obok komputera leżał stos notatek z college'u. Obiecała matce, że w tym tygodniu naprawdę ostro po-
pracuje. Ginny odetchnęła głęboko i wrzuciła zapiski
do wora. Nie chciała iść na uniwerek... Zdecydowanie
NIE CHCIAŁA IŚĆ NA... Owszem, pragnęła wyjechać
z domu, ale podróżować, zobaczyć świat, być wolna, być
kimś zupełnie innym, kimś starszym. I nie chciała już
być dziewicą. Chciała... Szlag by to.

Usiadła na łóżku. Sama nie była pewna, czego chce,
ale czegoś na pewno.

ROZDZIAŁ TRZYNASTY

Zdrada najgorszego rodzaju... Tess zanurzyła stopę w wodzie. Była ciepła i zachęcająca, morze lśniło w oddali, a fale obmywały jej palce. Zdrada, kradzież i stary, rodzinny dług, o tym mówił Giovanni. W sprawę były zamieszane trzy sycylijskie rodziny — rodzina Farro (jej matki), Sciarra (klan Santiny i Giovanniego) oraz Amato (ci od Mozaikowego). Tylko kto zrobił co i komu? Jakaś rzecz skradziona jeszcze w latach czterdziestych? Dlaczego była to zdrada i co to miało wspólnego z wyjazdem jej matki?

Tess ruszyła przed siebie, a gdy woda sięgała jej już do ud, zanurzyła głowę i płynnym ruchem odbiła się od dna. Początkowy szok przeszedł w stan, który tak uwielbiała, kiedy ciało i woda stawały się niemal jednością. Wypuściła powietrze z płuc. Kochała pływać, nurkować, samo przebywanie w morzu sprawiało jej niesłychaną przyjemność. Zaczęła zdecydowanie poruszać rękami i nogami i wypłynęła na otwarte morze. Czasem żałowała, że nie może tak płynąć w nieskończoność.

Przybyła tutaj tylko na tydzień. W trakcie tego tygodnia miała postanowić, co zrobić z odziedziczonym domem i dowiedzieć się, dlaczego jej matka na zawsze opuściła Sycylię. Tess obróciła się i przez chwilę płynęła na plecach, poddając się sile wody. Szkoda, że nie dzieje się tak w życiu. Gdyby tylko dało się dryfować z prądem i wypłynąć z pewnych sytuacji, tak jak David... Tylko czy to naprawdę takie dobre? Większość ludzi w końcu zapuszcza korzenie, być może tak się stało także z nim. Tess nie miała o tym pojęcia. Nigdy nie skontaktował się z nią, żeby zapytać, co z jego córką, albo zaproponować jakieś pieniądze. Nie, odpowiedzialność nie była jego mocną stroną. Nie pasowała do jego stylu życia. Powinna była się wcześniej zorientować.

Zaczęła powoli płynąć żabką ku skalistym wysepkom. Na dryfowanie mogła sobie pozwolić jedynie w morzu. Na lądzie ciężko pracowała, a w zeszłym tygodniu zaczęła się nawet ubiegać o stanowisko kierowniczki. Janice szła na emeryturę i sugerowano, że Tess jest jej oczywistą następczynią. Oznaczałoby to niezłą podwyżkę i więcej wolnego. Praca była w porządku. Tess dogadywała się ze wszystkimi kolegami, może z wyjątkiem Malcolma. Nawet jeśli czasem zdarzało się jej pomyśleć, że chce od życia więcej, dusiła te myśli w zarodku i nakazywała sobie dorosnąć. Była zdrowa, miała Ginny, mammę i tatę oraz przyzwoitą pracę. Powinna czuć się szczęściarą.

Przy kawie Giovanni poruszył temat jej planów w związku z willą. Rozparł się na krześle niczym przeżarty tygrys, zapalił papierosa i powiedział:

— No, Tess, to sprzedasz willę, tak? Pewnie w takim stanie, jak jest? A może wolisz, żebym zorganizował ekipę, żeby ją osuszyła, odmalowała, naprawiła, co się da, zanim wystawisz ją na rynek? — Miał zrelaksowaną, lecz pełną oczekiwania minę.

Tess czuła się rozdęta od jedzenia i wina. Nagle odniosła wrażenie, że Giovanni patrzy na nią jak na ofiarę.

— Nie zapominaj, że dopiero przyjechałam — odparła.

Może zapewnił jej śniadanie i lunch, ale niby co łączyło go z Villą Sirena i co Tess o nim wiedziała? Zapewniał ją, że rodzina jej matki oraz jego rodzina zawsze były sobie bliskie, ale świadczyły o tym tylko jego słowa. Nadgorliwość Sciarry nie przypadła jej do gustu. A może, Boże broń, zaczęła cierpieć na syndrom paranoi sycylijskiej?

Giovanni nie wydawał się poruszony. Nadal przypominał odprężonego drapieżnika.

— Naturalnie, naturalnie. — Pomachał papierosem w powietrzu. — Najpierw musisz odpocząć, tak? Obejrzeć nasze wspaniałe zachodnie wybrzeże Sycylii. Nie spiesz się. Tak, takie rzeczy zajmują trochę czasu.

Gdyby tylko miała go nieco więcej...

Teraz, będąc bliżej skalistych wysepek, Tess się nimi zachwyciła. Formacje brązowego, białego i przetykanego rdzawymi żyłkami granitu kiedyś zapewne stanowiły fragment stałego lądu. Sterczące z wody skały były pokryte pęknięciami i szczelinami, w których rosły sukulenty. Głazy stały się także siedliskiem rybitw zwyczajnych i mew. Postanowiła wypożyczyć sprzęt do nurkowania i sprawdzić, co się dzieje pod falami...

Tess zachichotała, brodząc po dnie. Nie dała się zwieść Giovanniemu. Był za bardzo zainteresowany, prawdopodobnie liczył na to, że wyciągnie z niej jakąś kasę. Właściwie co jej to przeszkadzało? Giovanni i jego rodzina byli dla niej mili, gościnni i życzliwi.

Czuła się tak, jakby kąpała się w morzu zupełnie sama. To było cudowne. Robin naprawdę nie wiedział, co tracił.

Odwróciła się i zaczęła płynąć w kierunku brzegu. Willa, jej willa, wznosiła się dumnie na klifie, a zataczające łagodny łuk mury w kolorze brudnego różu odcinały się od lazurowego nieba. A jednak... Zależało jej. Czuła dziwny pociąg do tego miejsca. O dziwo, okolica wydawała się jej znajoma i niepokojąca. Czy Edward Westerman domyślał się, że tak będzie? Tess zamknęła powieki, czując, jak prąd pieszczotliwie kieruje ją ku brzegowi. Nagle otworzyła oczy.

Na brzegu stał Mozaikowy, ze skrzyżowanymi ramionami i zmarszczonym czołem. Jeśli Giovanni był tygrysem, to ten człowiek przypominał dziką, nieokiełznaną panterę. Nie miał na sobie nic poza czarnymi szortami. A niech to. Ciekawe, co zrobiła tym razem?

Tess ruszyła do brzegu. Miała mokre włosy i zapewne rozmazaną mascarę, czuła się wyjątkowo nieelegancko. Nic jednak nie mogła na to poradzić. Najwyraźniej Mozaikowy na nią czekał.

— Ciao — powiedział w chwili, gdy, jak można się było spodziewać, potknęła się o śliskie kamienie.

Wyciągnął rękę, a ona popatrzyła na nią nieufnie. To była ręka artysty. Długie, zwężające się ku końcom palce, krótko obcięte paznokcie, wąski przegub... Chwyciła tę dłoń, a on poprowadził ją przez kamyki ku kamiennemu murowi przy pomoście, gdzie zostawiła ręcznik.

Uznała, że jest jakieś trzy centymetry wyższy od niej. Podał Tess ręcznik, lekko muskając ręką jej nagie ramię.

Czyżby zdążyli przeszczepić mu osobowość?

— *Grazie* — powiedziała.

— Chciałem z panią porozmawiać — oświadczył.

— Tak? — Osuszyła ręcznikiem włosy, jednocześnie robiąc lekko zaciekawioną minę.

Czy i on chciał pośredniczyć w sprzedaży jej willi? A może postanowił zorganizować ekipę budowlaną albo opowiedzieć jej o kradzieży lub zdradzie z przeszłości?

— Chodzi o meduzy. — Miał surową minę. — Tu jest dużo meduz.

— Meduz?

— Tu, w zatoce. — Zrobił ręką gest, który miał się kojarzyć z meduzą, ocierającą się mackami o rękę, a potem odskoczył, jakby pod wpływem poparzenia.

— Au — zaśmiała się Tess.

— Tak, au! — odpowiedział z uśmiechem. — Pracuję tu cały czas. Widzę je.

Skinęła głową. Naprawdę ładnie się uśmiechał. Może jednak nie był takim wrogiem, a przynajmniej nie jej wrogiem.

— Są tu jakieś inne drapieżniki, o których powinnam wiedzieć? — zapytała.

Znacząco poruszył brwiami. Mimo blizny na twarzy, a może właśnie z jej powodu, był niezwykle atrakcyjny, w ponury, mroczny sposób. Odruchowo pomyślała o Robinie.

Cholera jasna.

— Znajdzie je pani na własną rękę, jak sądzę — odparł.

— Pewnie tak. — Uśmiechnęła się do niego.

— Jest tu pani sama? — zapytał.

— Mhm.

Miał skórę brązową niczym skorupa orzecha, co zdarza się wyłącznie u ludzi, którzy przez cały rok żyją w południowym klimacie.

— Na jak długo pani przyjechała? — dopytywał się. Tess szczelnie opatuliła się ręcznikiem. Skąd się wzięła ta nagła przychylność? Chyba że ten permanentny grymas niezadowolenia na twarzy to jakaś jego poranna przypadłość? Chciała go polubić i odpowiedzieć, jednak nie mogła zapomnieć o ostrzeżeniu Giovanniego. Miała serdecznie dosyć tego, że inni przejmowali za nią kontrolę. Giovanni zaprosił ją dziś na kolację, ale dosyć tego dobrego. Potrzebowała pobyć trochę sama z sobą, a nie z jakimiś Sycylijczykami, niezależnie od ich atrakcyjności czy też dobrych chęci. Tylu ich zaczęło się wokół niej kręcić, jakby odziedziczyła spadek po milionerze, a nie zwykłą willę.

— Na tydzień — odparła. — Na razie.

— Na razie? — Znowu uniósł brew.

Tess wzruszyła ramionami. Sama dokładnie nie wiedziała, więc nie była w stanie powiedzieć temu przystojnemu nieznajomemu nic konkretnego. Nagle coś jej przyszło do głowy.

— Do czego używano tych budynków? — wskazała palcem sąsiednie zabudowania.

Jego spojrzenie powędrowało w tamtym kierunku.

— To była tuńczykarnia. Do łowienia tuńczyków. — Jego dobre samopoczucie najwyraźniej się wyczerpało i znowu spochmurniał. — Tu była *tonnara*, a tu magazyny.

— A, rozumiem. — Wyczuła, że nie powinna ciągnąć tego tematu. — No to ciao. I dziękuję za ostrzeżenie
w kwestii meduz.

Pomachała mu na do widzenia i ruszyła po schodkach
do willi. Postanowiła nie dzwonić dzisiaj wieczorem do
Ginny. Musiała okazać jej zaufanie, to było ważne dla
nastolatek. Doszła do wniosku, że zamiast tego zatelefo-
nuje do matki, zapyta o Santinę i o rodzinę Sciarra.

Kiedy wbiegła na górę, odruchowo obejrzała się
przez ramię na stare *baglio*. Obok drzewa eukaliptusowego stał Giovanni, a język jego ciała jasno wskazywał
na to, że był mocno wkurzony. Trudno, Tess w duchu
wzruszyła ramionami. Jego waśnie rodzinne nie były
jej waśniami, chociaż on sugerował coś innego. Wolno jej
było rozmawiać, z kim tylko chciała, i Giovanni nie mógł
nic na to poradzić.

ROZDZIAŁ CZTERNASTY

Migdały sprowadzili na Sycylię starożytni Grecy. Powinny być pełne i sycące, a w dodatku ociekać słodkim olejkiem.

Migdały idealnie nadawały się na *spuntini*, przekąski na drugie śniadanie. Jadało się je w cukrze (białym na wesele, zielonym na zaręczyny, różowym i niebieskim na narodziny), prażone i w *biscotti*. Pachnące kwiecie migdałowców pojawiało się pierwsze i pierwsze też znikało, a płatki opadały niczym śnieg w lutym. Orzechów nie zbierano jednak aż do lata. Do tego czasu miały pozostać na drzewie i nabierać intensywności, chronione twardą skorupą, ogrzewane słońcem i nawilżane własnym olejkiem. *Mandola...*

Była pewna historia... Flavia chwyciła długopis. Postanowiła opisać to córce.

Na Sycylii związek między migdałowcem oraz miłością i wiernością miał swoje korzenie w greckiej mitologii. Filis, szlachetna dziewica, pragnęła po wojnie trojańskiej poślubić syna Tezeusza, Demofona. Czekała, aż powróci on z Aten, dokąd udał się, by uporządkować swoje sprawy przed ślubem. Jego nieobecność niemiłosiernie się przedłużała i Filis, przekonana, że jej ukochany ją porzucił, po kilku latach się powiesiła. Po śmierci została zamieniona w drzewo migdałowca. Demofon jednak wkrótce się zjawił i wiadomość o losie ukochanej wpędziła go w wielką rozpacz. Kiedy objął drzewko, migdałowiec w jednej chwili pięknie zakwitł.

Flavia postanowiła podzielić się z córką przepisem na *taglignozo*, czyli rodzaj *biscotto*. Tess uwielbiała je w dzieciństwie, właściwie to nadal za nimi przepadała.

Wymieszaj mąkę, cukier, jajka, masło, cynamon i posiekane migdały. Sekret to konsystencja. Zachowaj *la pazienza*, czyli cierpliwość migdałowca. Sprawdzaj ciasto palcami i sercem. Jeśli będzie zbyt twarde, dodaj więcej jajek, jeśli zbyt wilgotne, dorzuć migdałów. Wtedy i tylko wtedy będzie idealne.

Piecz w piekarniku, aż się zezłoci. Poczekaj i jedz na zimno z kieliszkiem marsali...

Przez trzy dni Flavia wracała z wodą, jedzeniem i świeżymi opatrunkami. Przychodziła do pilota w trakcie sjesty, wczesnym popołudniem, gdy większość ludzi spała lub odpoczywała w łóżkach, i raz jeszcze, gdy zapadał wieczór i mogła pobiec do niego pod osłoną ciemności. Wiedziała, że to szaleństwo, jakby opętało ją coś, co mógł zrozumieć tylko sam diabeł. To jej jednak nie powstrzymywało.

Musiała tam chodzić. W godzinach między wizytami marzyła o tym, by przebiec przez pola, jak najszybciej znaleźć się na miejscu, przemyć i opatrzyć mu ranę, słuchać jego dziwnej mowy, spoglądać w błękitną głębię jego oczu. Czyżby ją zauroczył? Nie rozważała konsekwencji swoich czynów, nic innego się nie liczyło.

Czwartego dnia jego czoło było wyjątkowo rozpalone i wiedziała, że ma gorączkę. Ledwie skubnął przyniesione jedzenie, a uśmiechał się z takim trudem, że Flavia się przestraszyła. Prawie nic nie mówił. Miała wrażenie, że umierał. W dodatku kiedy wracała przez gaj oliwny, wyczuła, że zmieniło się coś jeszcze. W domu papa, mama i Maria czekali na nią niczym pluton egzekucyjny.

— Gdzie byłaś, córko? — spytał ojciec.

Jego wzrok był bardzo ponury.

— Na spacerze — wyjąkała.

Wystarczyło jednak, że popatrzyła na Marię i od razu zrozumiała. Czyżby Maria zauważyła, jak Flavia biegła do pilota? A może nawet ją śledziła? Jej siostra była taka praworządna, świętsza od papieża. Flavia uniosła głowę. I co z tego, że nie miała przyzwoitki, że ryzykowała swoją cześć? Chodziło przecież o ludzkie życie. Życie i śmierć: to było naprawdę ważne, najważniejsze.

— Coś ty narobiła? — Mama podeszła do niej. — Święta Madonno, coś ty narobiła?

— Nic! — Flavia poczuła się urażona. — Nic złego nie zrobiłam. Chodzi o to, że...

Nagle poczuła, że dłużej nie wytrzyma. Strach o jego życie, obawa, że nigdy nie zdoła dojść do siebie, że gorączka wzrośnie i lotnik umrze tam na polu, a ona dowie się o tym dopiero następnego popołudnia, gdy znajdzie...

Zacinając się, opowiedziała im o pilocie, o tym, jak prosił ją, żeby milczała, i błagał o pomoc. Czuła, że to jego jedyna szansa na przeżycie. Po tej opowieści mina ojca się zmieniła. Zmełł w ustach przekleństwo, po czym chwycił kurtkę z wieszaka przy drzwiach.

— Muszę powiedzieć innym — oznajmił.

Flavia wiedziała, że chodzi o jego najbliższych kumpli, Alberta i tych, którzy rozmawiali z nim w barze Gaviota. Czy można im było ufać? Pomyślała o ojcu Santiny, Enzo. Jemu z pewnością nie. Miał ponurą, okrutną twarz o wąskich, zaciśniętych wargach i chyba nie podzielał sympatii jej ojca do Anglików. Myślał wyłącznie o sobie i o klanie Sciarra.

— Papa! — zawołała. — Nie zrobicie mu krzywdy?

Ojciec popatrzył na nią.

— Sam nie mogę o tym decydować — odparł. — Zobaczymy. Jeśli Alberto się zgodzi, przyniesiemy go tutaj. Pomóż matce posłać łóżko.

— Papa!

Ale jego już nie było.

Flavia osunęła się na kolana. Postanowiła modlić się za pilota, który spadł z nieba i nazywał ją swoim aniołem. Modlić się o jego bezpieczeństwo. Bezpieczeństwo... Zmarszczyła brwi. Jeśli nawet go tutaj sprowadzą, jeśli jednak nie umrze, czy po tej zdradzie zechce się do niej jeszcze w ogóle odezwać?

ROZDZIAŁ PIĘTNASTY

N astępnego ranka Tess wyniosła śniadanie na taras.
Dom był doskonale zaopatrzony, znalazła obrus,
naczynia, zastawę, sztućce, wszystko, co mogła sobie
zamarzyć. Był również w pełni umeblowany, choć nieco brudny i zapuszczony. Na kamiennej podłodze leżały spłowiałe, lecz piękne dywaniki, zdobione wzorami
w kolorach fuksji, indygo i kasztana, odkryła też lniane
serwetki w kredensie. Wyglądało to tak, jakby Edward
Westerman wyszedł stąd i nigdy nie wrócił. Do pewnego
stopnia tak właśnie było.

Popijając kawę, myślała o tym, że zamiast sprzedawać willę, mogłaby ją wynająć. Tak, to był zdecydowanie
lepszy pomysł. Na razie nie chciała się rozstawać z tym
wyjątkowym domem. Na niekorzyść tego planu prze-
mawiała jedynie konieczność inwestycji, a chwilowo
Tess nie dysponowała większą gotówką. Może powinna
poruszyć ten temat w rozmowie z Giovannim, dowiedzieć się, jak wielu turystów przybywa do Cetarii i czy
takie przedsięwzięcie ma szansę powodzenia.

Największym atutem willi był widok. Tess wstała
i przeszła po tarasie, żeby popatrzeć na *baglio* oraz starą
tuńczykarnię w zatoce, z armią zardzewiałych kotwic na
zewnątrz. Zauważyła, że jedna ze skalistych wysepek na
morzu ma kształt ruin zamku. W świetle mglistego poranka kamienie wydawały się niemal srebrne, jakby ktoś

zaczarował skały magiczną różdżką. Morze kołysało się wokół nich, gładkie i nonszalanckie. I kuszące, pomyślała, czując znajomą tęsknotę.

Na przystani dostrzegła łódź rybacką, a obok kamiennego pomostu ktoś dziko gestykulował i wykrzykiwał coś po włosku. Gdy uświadomiła sobie, że to artysta od mozaik, jej Mozaikowy, parsknęła śmiechem. Zdecydowanie miał ognisty temperament. Tess pokręciła głową. Może Giovanni wcale się nie mylił co do tego faceta. Mozaikowy faktycznie wyglądał trochę na wariata.

Kiedy posprzątała po sobie, zeszła, żeby nieco popływać o poranku. Mozaikowy co chwila to wpadał do pracowni, to z niej wypadał.

— Ciao. — Miał na twarzy ni to wyraz niezadowolenia, ni to uśmiech. — Idzie pani teraz pływać, tak wcześnie?

— Naturalnie. — Umilkła na chwilę. — Codziennie pan tu pracuje?

— Pracuję, jem i śpię. — Wskazał głową drzwi. — Z tyłu mam mieszkanie.

W takim razie pracownia była pewnie większa, niż myślała Tess. To ją zaintrygowało, jednak miała pewne obawy przed wejściem do jaskini smoka.

Chyba nie.

— Słyszałam pana dzisiaj rano — przyznała. — Wydawał się pan zły.

W jego oczach zamigotała furia.

— Idioci — warknął. — Wypływają na morze, mają podarte sieci i wyrzucają je za burtę. Ot, tak. — Machnął ręką. — W ogóle nie myślą o niebezpieczeństwie. — Postukał się w głowę. — *Loccu. Stupido.*

Tess przytaknęła, doskonale rozumiejąc, o co mu chodzi. W podarte rybackie sieci mogło się zaplątać cokolwiek, porzucanie ich w morzu świadczyło o lenistwie i nieodpowiedzialności. Tess odnosiła jednak wrażenie, że na Sycylii sprzątanie po sobie nie znajduje się na liście priorytetów jej mieszkańców. Bałagan psuł krajobraz, w każdym malowniczym zakątku czaił się stos śmieci. Tess uświadomiła sobie, że Sycylia to kraj kontrastów. Piękno mieszało się tu z brzydotą, światło z ciemnością, a romans z niebezpieczeństwem.

Ale czy Mozaikowy trochę nie przesadzał? Popatrzyła na niego z ciekawością. Blizna na twarzy była stara, może nawet z dzieciństwa, trochę przypominał pirata. W jego podkrążonych oczach skrywał się niezbyt starannie maskowany smutek, przez co natychmiast zapragnęła go pocieszyć. Ktoś lub coś musiało go zranić, i to bardzo.

— To nie ma znaczenia. — Jego spojrzenie zaprzeczało tym słowom. — To nic. — Machnął lekceważąco ręką. — Weź piątkę.

— Weź piątkę? — powtórzyła.

— *Prendere cinque.* — Skrzywił się. — Taki sycylijski zwyczaj. Każdego dnia musimy wziąć pięć minut wolnego, żeby się poawanturować i spuścić parę.

— Niezły pomysł — uśmiechnęła się Tess.

Pomyślała o kilku osobach w Anglii, których poziom stresu mógłby skorzystać na...

— Miłego pływania. Ciao — oznajmił i zniknął.

Przewrażliwiony, pomyślała, płynąc ku skałom. Teraz było oczywiste, dlaczego wydawały się srebrne. To przez tymianek i dzikie trawy, które do nich przywarły.

Jej myśli powędrowały do późnowieczornej rozmowy z matką.

— Oczywiście, że pamiętam Santinę Sciarrę — oznajmiła Flavia w odpowiedzi na pytanie Tess. — To była moja najlepsza przyjaciółka — dodała łagodniej. — Nadal żyje?

— Bez wątpienia.

— Czy przekażesz jej... — Flavia wyraźnie się zawahała — ...pozdrowienia ode mnie?

— Tak, mamma. — Tess usłyszała czułość w głosie matki. — Jaka była reszta jej rodziny?

— Jej ojciec uważał, że mam na nią zły wpływ — Flavia parsknęła śmiechem.

Tess również się uśmiechnęła.

— Dlaczego? — zainteresowała się. — Co takiego...

— Wystarczy, Tess — przerwała jej matka ostro. — Daj spokój.

Tess niechętnie zrezygnowała z dalszych pytań, jednak nie mogła zostawić tego w spokoju. Co do tego nie miała najmniejszych wątpliwości. Jeśli mamma komukolwiek się zwierzyła, to na pewno stryjecznej babce Giovanniego, Santinie, i to z nią należało porozmawiać. Postanowiła więc poszukać Giovanniego, o ile on nie znajdzie jej pierwszy.

Nagle uświadomiła sobie, że obok jej ramienia pojawiły się bąbelki i zanim zdążyła je odtrącić, poczuła parzący dotyk meduzy. Niech to szlag. Płynęła dalej, próbując ignorować ból ramienia.

Mozaikowy czyścił i przesiewał jakieś kamyki. Za nim znajdowała się mozaika mniej więcej trzydzieści na trzydzieści centymetrów, w połowie ukończona, w odcieniach jaskrawej zieleni i złota. Tess jeszcze nie wiedziała, co będzie przedstawiać.

Położyła rękę na czerwonej opuchliźnie na ramieniu, żeby nie zauważył.

— Dopadły panią, co? — Nawet nie podniósł wzroku. — Kawy?

— A kawa na to pomaga? — Opuściła rękę. Najwyraźniej nic nie mogło ujść jego uwagi.

— Na to jest tylko jedno lekarstwo. — Popatrzył na nią. Ku zaskoczeniu Tess uśmiechał się szeroko. — Jak wy to nazywacie po angielsku?

— Ach, amoniak. — Odwzajemniła jego uśmiech i pomyślała, że raczej trudno jest nasikać na własne ramię, a nie miała zamiaru prosić o to Mozaikowego.

Popatrzyła na jego dzieło.

— Jest śliczna — powiedziała. — Co to za kamienie?

Podniósł kilka zmatowiałych kawałków, cienkich jak papierek.

— Turkus, malachit, szkło z morza — odparł.

— Miesza pan kamienie półszlachetne ze szkłem? — Sięgnęła po jeden z okruchów i pogłaskała palcem jego szorstką powierzchnię.

— A kto decyduje o wartości? — wzruszył ramionami. — Może właśnie ktoś taki jak ja? Dawniej szkło z morza pewnie nie miało dla niektórych żadnej wartości. Ale teraz jest inaczej.

Tess skinęła głową. Szkło z morza...

— Zastanawia się pan czasem, skąd pochodzi?

Znowu się uśmiechnął.

— A to już zależy od naszej wyobraźni. — Podniósł mleczne szkiełko w kształcie kropelki. — Z wraku? —

Przechylił głowę i wziął do ręki bursztynowy trójkąt o zaokrąglonych brzegach. — Z nocnego pikniku na plaży?

— Potrafi pan powiedzieć, czy to stare?

— Mniej więcej. — Zanurzył rękę w zbieraninę i wyciągnął kamyczek tak ciemnozielony, dziobaty i okrągły, że wyglądał na czarny. — Ten na przykład jest stary jak świat.

— A ten? — wybrała przejrzysty okruch w kolorze prymulki.

— Młody jak wiosna — odparł. — Przezroczysty. Można przez niego patrzeć.

Tess domyślała się, dlaczego tak lubił szkło. Każdy kawałek opowiadał jakąś historię, każdy miał unikatowy kolor oraz niepowtarzalny kształt, każdy przebył inną drogę.

— Dużo podróżują, zanim fale przyniosą je do mnie — ciągnął. — Nigdy nie popękają i mają w sobie światło. Widzi pani?

Wręczył jej bańkę zielonego szkła w kolorze miąższu limonki, na dodatek perłowego, całkiem jakby oświetlał ją księżyc.

— Tak. — Doskonale wiedziała, o co mu chodzi. — Czego pan jeszcze używa w swoich mozaikach?

— Tego, co znajdę. — Wzruszył ramionami. — Czasem coś kupuję, jeśli mam zlecenie, ale większość jest tutaj, w kamieniu, w skałach wokół nas, i w morzu.

Tess rozejrzała się po skałach, w których wykuto *baglio*. Nie umknęło jej uwadze, że kamień był przetykany minerałami, a urwiska za nimi to...

— Marmur i wapień — powiedział Mozaikowy, jakby czytał w jej myślach. — I koral. Bursztyn i agat. Wiele kamieni.

Kamienie były tu naprawdę ważne, od podłoża skalnego prastarego *baglio* po miodowe piaskowce w budynkach. Tess popatrzyła na swoją różową willę na klifie. Było w niej tyle energii, że o pewnych porach dnia i nocy dom zdawał się wibrować życiem.

— Dlaczego pan się tym zajmuje? — Nie przestawała drążyć. — Dlaczego chciał pan robić mozaiki ze szkła i z kamienia?

— To powolna robota, ale satysfakcjonująca — oznajmił. — Uspokaja. Ma działanie terapeutyczne. — Umilkł na chwilę. — Poza tym mozaiki to część historii Sycylii. — Wstał, otrzepał ręce o szorty i ruszył do pracowni. — Sycylia to układanka.

— To znaczy? — Nie pozostało jej nic innego, jak iść za nim.

Smok czy nie smok, ten człowiek był niezwykle interesujący.

— Najpiękniejsze mozaiki znajdują się w katedrze w Monreale — odparł. — Powinna tam pani pojechać. Pochodzą z okresu bizantyjskiego. Bizantyjskie kostki mozaikowe są wyjątkowe, wspaniale odbijają światło. Warstwy szkła przekładano złotymi i srebrnymi listkami, o tak. — Pokazał palcami.

— Naprawdę? — Rozejrzała się po pracowni.

Była niewielka, ale przez wąskie okna z boku i przez drzwi wpadało tu sporo światła. Tess zobaczyła warsztat pełen narzędzi, klejów, gąbek, arkuszy szkła i metalu, a także naczynia z rozmaitymi kolorowymi kamykami i ze szkłem. Niektóre z kamyków zostały już oszlifowane, inne nawet nie były przycięte. W kącie stała niewielka kuchenka, a na tyłach Tess dostrzegła jeszcze jedno pomieszczenie z łóżkiem i małą sofą.

— Greccy twórcy mozaik byli bardzo znani. — Napełnił kawiarkę wodą i włożył do środka filtr. — A normańscy królowie w Palermo wspierali rozwój sztuki.

Tess patrzyła, jak otwiera niewielki pojemnik i nabiera z niego kawy. Poczuła jej zapach, orzechowy i drzewny, przypominający woń przygaszonych węgielków. Mozaikowy miał w sobie pewien mrok. Nie wydawał się już jednak niebezpieczny, bardziej przypominał nauczyciela historii.

Dokręcił kawiarkę i postawił ją na kuchence.

— Ale pan nie używa przyciętych płytek, tak jak większość twórców — zauważyła.

Jego materiały pochodziły ze świata natury, w którym trudno o złote listki.

Zapalił gaz, przez cały czas stojąc tyłem do Tess.

— Większość używa *smalti* — wyjaśnił. — To specjalne, intensywnie barwione szkło, nie płytki. Wypala się je w piecu, a potem przycina.

Pomyślała, że on posługuje się zupełnie innymi metodami, bo korzysta tylko z morskiego szkła i z naturalnych kamieni.

— Kamienie żyją bardzo długo, nigdzie się nie spieszą. — Odwrócił się do niej. — Nie umierają.

Tess nie bardzo wiedziała, co na to odpowiedzieć, choć domyślała się, o co mu chodzi. Jego słowa niepokojąco przypominały jej własne myśli.

Otworzył szafkę, z której wyciągnął tubkę kremu, i pokazał ją Tess.

— To może pomóc — powiedział.

Ujął ją za ramię i wtarł w ranę odrobinę białej maści. Był to bardzo intymny gest i zupełnie zaskoczył Tess.

Dotyk okazał się jednak wyjątkowo delikatny, zresztą artysta szybko cofnął rękę.

— *Grazie* — powiedziała.

— Nie ma za co. — Uśmiechnął się.

W półmroku pracowni ledwie widziała jego bliznę, ale nie potrafiła o niej zapomnieć.

— Jak pan ma na imię? — zapytała. Przecież nie mogła ciągle nazywać go Mozaikowym. Giovanni wymienił jego nazwisko, ale...

— Proszę mi mówić Tonino. — Wyciągnął rękę. — Tonino Amato.

— Tess — odparła. — Tess Angel.

Miał bardzo mocny uścisk i suche dłonie.

— Angel. — Trzymał jej dłoń znacznie dłużej, niż to było konieczne i przeszywał ją spojrzeniem, które wprawiało ją w zakłopotanie. Całkiem — podobnie jak Giovanni — jakby czegoś od niej chciał.

— Skąd czerpiesz inspirację, Tonino? — zapytała. — Chodzi mi o twoją pracę.

Słyszała, że kawa zaczyna bulgotać na kuchence, a powietrze wypełniło się gęstym i kuszącym aromatem dobrej kawy.

— Z opowieści. — Uśmiechnął się.

— Jakich opowieści?

— Sycylijskich mitów, bajek, legend, jak zwał, tak zwał. — Rozłożył ręce. — Mamy długą historię rabunków, gwałtów i biedy, wiedziałaś o tym? To część układanki, o której ci mówiłem.

Tess pokiwała głową. Pogodna pogawędka z tym człowiekiem najwyraźniej nie wchodziła w grę. Cokolwiek mówił lub robił, zawsze wydawał się stuprocentowo zaangażowany.

— Te opowieści są o odwadze i współczuciu — ciągnął. — O ucisku, kradzieży i zdradzie.

Zaczyna się, pomyślała. Kradzież i zdrada, tutejszy temat przewodni. Czyżby Giovanni Sciarra miał rację co do tego człowieka? Tonino był wybuchowy, co sama zauważyła, ale miał w sobie uczciwość, która przypadła jej do gustu.

— A jakie tematy wybierasz? — Dotknęła mozaiki z rybą, która była srebrzystoszara oraz żółta i wyłaniała się z perłowobiałego morza. Pod nią znajdowało się lustro, a nad nią rząd delikatnych, żółtawych płetw. Tess uśmiechnęła się do siebie. Ginny byłaby zachwycona, mozaika idealnie pasowałaby do łazienki w ich domu w Anglii. Nie pytała jednak o cenę, nie chciała, aby pomyślał, że jest kolejną turystką, następną klientką do obsłużenia i nadskakiwania. — Czy to obrazki z tych historii?

— Właśnie. — Nalał kawę do białych filiżanek. Była gęsta i czarna, a *crema* miała kolor orzecha laskowego.

— Więc ta ryba...?

— Pochodzi z opowieści o Ciccu — odparł. — Ciccu ratuje rybę przed śmiercią, a ona nagradza go, zwracając złoty pierścień, którego odnalezienie nakazał król. Bez tego zaraz by umarł. — Postawił kawiarkę na kuchence. — Odwaga i życzliwość są nagradzane, widzisz?

Tess pokiwała głową, zastanawiając się, czy jej rodzina dostała Villa Sirena w nagrodę.

— Ale to przecież tylko bajki — zauważyła. — Prawda?

— Być może. — Usiadł obok niej. Była świadoma ciepła jego skóry, bliskości, od której niemal dostała gęsiej skórki. — Ale dzięki opowieściom uciemiężeni mają głos. Biedni, wieśniacy, ci bez władzy...

— Rozumiem.

Zaczęła myśleć o tym, co Giovanni opowiadał jej o biedzie na Sycylii. Bliscy jej matki również musieli cierpieć, przynajmniej dopóki nie zatrudnił ich Edward Westerman. Przypomniały się jej opowiastki matki o podróżach, grach i niegodziwych książętach. Czy pochodziły z sycylijskiego folkloru i, podobnie jak przepisy, przekazywano je z pokolenia na pokolenie?

— Freud wierzył, że bajki i mity to idealne opisy pracy ludzkiego mózgu — odezwał się nagle Tonino.

Tess gapiła się na niego w milczeniu. Był naprawdę niesamowity.

— Poważnie? — zapytała. — To opowiedz mi jeszcze jakąś historię, dobrze? — Jej spojrzenie wędrowało od mozaiki do mozaiki, aż dotarło do zielonego ptaka. Miał pochylony łebek, jakby właśnie zobaczył owada, i jaskrawożółty, rozchylony dziób. Skrzydła były nieco uniesione, a rozwidlony ogon sterczał do góry, w pozycji gotowej do lotu. Mozaikowe pióra lśniły i połyskiwały jadeitem i szmaragdem w promieniach słońca, wpadających przez okno. — Może o tym?

— Ten zielony ptak to tak naprawdę książę — wyjaśnił.

Tess napiła się kawy i usiadła wygodniej, żeby posłuchać. Królowie, królowe i magiczne zaklęcia... Czuła się bezpieczna i nieco śpiąca, jakby powróciła do czasów dzieciństwa. Kawa była wspaniała, mocno palona i jak obiecywał zapach, rzeczywiście smakowała ogniskiem, kasztanami i nocą. Wyrazisty smak nie dawał o sobie zapomnieć, a mimo to czuła też słodycz, która utrzymywała się w ustach niczym tytoń.

Gdy popijali kawę, Tonino mówił i pracował, a Tess słuchała i patrzyła, wręcz zahipnotyzowana ruchem jego rąk, gdy sortował kamienie, mył je, ciął, polerował i układał wzory. Zaczął od jednego z rogów i komponował schemat we wszystkie strony, pozostawiając przestrzenie, zapewne na fugę, nieustannie zmieniając zdanie i zastępując jeden kamień drugim. Jego palce poruszały się szybko i sprawnie.

— I tak księżniczka przekonuje się, że zbyt wielka pokora obróci się przeciwko niej i że musi się bronić, i że nie może dawać się wykorzystywać.

— A zielony ptak dochodzi do wniosku, że prawdziwe piękno bierze się z wnętrza — dodała Tess.

— Właśnie.

— Myślisz, że to prawda?

— A ty?

Znowu zapadła cisza. Tess uświadomiła sobie, że kawałki mozaiki, nad którą pracował, tworzą bursztynowo-zielony ogon węża. Dobro i zło, pomyślała. Kolejny sycylijski kontrast. Kuszenie.

Tonino popatrzył na nią i Tess nagle się zawstydziła. Czuła się tak, jakby ją zahipnotyzował, i w jednej chwili czar prysł. Smak kawy nadal pozostawał na jej języku niczym dym palonego drewna, jednak myślała tylko o tym, żeby znaleźć Giovanniego i zaaranżować spotkanie z Santiną. Podniosła się.

— Musisz iść, załatwić sprawy, zobaczyć się z ludźmi.

— No cóż, tak — potwierdziła.

Chciała zapytać go o jego rodzinę, a właściwie o wszystkie trzy sycylijskie rodziny, jednak odpowiednia chwila już minęła.

Tonino ponownie powrócił do mozaiki.

— A twoja ręka? Lepiej, *si*?

Było do tego stopnia lepiej, że zupełnie zapomniała o oparzeniu.

— Tak. Dziękuję, że posmarowałeś ranę kremem. — Umilkła na chwilę, nie dodając tego, co miała na końcu języka.

Niewypowiedziane słowa zawisły w powietrzu między nimi.

Pokiwał głową.

— Ale to nie dzięki kremowi poczułaś się lepiej. — Posłał jej szybki uśmiech, który natychmiast zniknął. — To dzięki kawie.

Tess wybuchnęła śmiechem.

— Lepiej już pójdę — oświadczyła.

— Do willi syreny? — mruknął.

— Dokąd?

— Villa Sirena.

Nagle załapała. Przecież *sirena* po włosku oznaczało syrenę. Płaskorzeźba nad drzwiami wejściowymi, kobieta o smutnej twarzy i długich, kręconych włosach, jej ciało dzieliło się na dwie części, otaczało ją. A wokół gwiazdy... To była właśnie syrena.

— Ona też ma swoją historię — dodał z uśmiechem. — Może któregoś dnia ci o tym opowiem.

ROZDZIAŁ SZESNASTY

W południe rozległo się pukanie do drzwi. Ginny, w samej koszuli nocnej, otworzyła i ujrzała Lisę.

— Tylko sprawdzam, czy wszystko w porządku — powiedziała Lisa.

— Cześć — przywitała ją Ginny. — Przepraszam, jeśli narobiłyśmy hałasu wczoraj wieczorem. Nie budziłaś się przez nas w nocy, prawda?

— Nie. — Lisa skrzyżowała ręce na piersi. — A to dopiero był babski wieczór! Po co komu faceci, tyle ci powiem.

— No tak. — Ginny oparła się o framugę drzwi. Dlaczego własne imprezy nigdy się nie udają? — Nie powiesz mamie, prawda?

— A nie powinnam? — Lisa miała poważny wyraz twarzy, lecz przynajmniej nie wpadła w szał.

— Nie — odparła Ginny. — Posprzątam w domu. Mama nie musi o niczym wiedzieć.

— Okej. — Lisa umilkła na chwilę. — Są jakieś zniszczenia?

— Zniszczenia? — powtórzyła Ginny niewinnie.

Gula drgnęła o milimetr, tylko tyle, żeby dać o sobie znać. O jakich zniszczeniach mówiła Lisa? Podartej rafii na nogawce Jacka, kiedy dwóch chłopaków udawało, że uprawia z nim seks? (Ohyda). Plamach na kremowym dywanie i sofie matki? Czy może o obolałym sercu Ginny?

— Niewielkie — przyznała. — Coś tam się porozlewało.

— Ale nic nieodwracalnego?

— Nie, nic nieodwracalnego — potwierdziła Ginny, chociaż impreza lekko wymknęła się spod kontroli.

Ona sama za dużo wypiła i nie tylko Jack ucierpiał. Na szczęście nikt nie zginął. A co do Bena...

Pożegnawszy się z Lisą, Ginny bliżej przyjrzała się zniszczeniom. Przesunęła sofę, pozbierała butelki i kieliszki. Rzekoma dziura po papierosie okazała się zwykłą plamą od błota. Takich śladów będzie pewnie więcej, jak tylko wróci matka i sama obrzuci Ginny błotem. Ha, ha, dowcip stulecia, pomyślała. Wszędzie były plamy, ale nie, nic nieodwracalnego.

Do trzeciej po południu Ginny zdążyła wytrzeć, wypolerować i wyskrobać większość dowodów imprezy. Postanowiła odwołać Olka Odkurzacza z jego tymczasowej emerytury w schowku pod schodami i go włączyć. Wydawał się nieco zaskoczony, ale szybko przystąpił do akcji i ruszył naprzód, ani razu się nie krztusząc. Ginny zastanawiała się, dlaczego ludzie, zwłaszcza jej matka, narzekają na domowe obowiązki. To proste — najpierw zapraszasz gości, a potem sprzątasz. Po co robić z tego problem?

Odstawiła Olka i zaczęła wkładać naczynia do zmywarki, bo wiedziała, że matka zacznie inspekcję od kuchni. Becca zjawiła się godzinę później, tak jak Ginny się spodziewała.

— Hej, Gins — przywitała się.

Zawsze spotykały się po imprezie, żeby przedyskutować i przeanalizować poczynania i motywację wszystkich zebranych.

— Hej — odparła Ginny.

Tym razem nie bardzo miała ochotę na taką rozmowę. Becca również nie była w najlepszej formie.

— Mam kaca giganta — poskarżyła się.

— Nie ty jedna. Bierz. — Ginny podała przyjaciółce dwa paracetamole.

Przez mniej więcej pół godziny Becca non stop trajkotała o Harrym. Całowali się przez cały wieczór, ledwie robiąc przerwy na zaczerpnięcie powietrza. Skubane skumbrie, Ginny była zdumiona, że to nie pozostawiło śladów na jej twarzy. Becca od tygodni cierpiała na NP (Notoryczne Pożądanie) w stosunku do Harry'ego. Na pierwszy znak, że może liczyć na wzajemność, kompletnie olała Ginny (to tyle w kwestii babskiej solidarności i siły kobiet). Teraz Ginny dowiedziała się, że Becca i Harry przez cały poranek słali sobie esemesy, więc każde słowo musiało zostać gruntownie przeegzaminowane, każdy przecinek przeanalizowany, każdy pocałunek policzony.

— Myślisz, że powinnam się przyznać? — zapytała Becca, oddychając ciężko. — Chodzi mi o to, co do niego czuję?

Ginny odniosła wrażenie, że Becca zrobiła to już ostatniej nocy.

— Nie wiem. — Nawet ona była świadoma, że nagłe zauroczenie rzadko prowadzi do stałego związku.

134

Becca usiadła wygodnie na krześle. Miała rozanieloną minę, która zawsze bawiła ją i Ginny u innych.

— Ma samochód i w ogóle — wydyszała.

— Cudownie — ziewnęła Ginny.

Becca spojrzała na nią krzywo.

— A co z tobą?

Ginny westchnęła. Ben pojawił się po północy z trzema dziewczynami i dwoma kumplami. Kiepski start, zwłaszcza że jedna z dziewczyn miała miseczkę w rozmiarze co najmniej E i niemal cały biust nad nią. Ben był nawalony jak stodoła, a Ginny tak zdenerwowana, że też się szybko upiła. Z minuty na minutę robiło się coraz głośniej i nagle Ben sprowokował bójkę. Ginny marzyła, żeby wszyscy już sobie poszli do domu, i chyba szepnęła to do Bena, bo jakoś zdołał się pozbyć gości i zostali sami.

— Nocował tutaj? — spytała Becca.

Kiedy w domu był tylko Ben, Ginny znowu się przestraszyła. Żałowała, że nie ma mamy, żałowała, że urządziła imprezę i że mama wyjechała na Sycylię. Żałowała, że tak się upiła i Gula nie jest zwykłą kulką, którą można kopnąć albo cisnąć w górę, aby złapał ją ktoś inny.

— Mogę zostać? — spytał Ben.

— Jasne — wymamrotała.

Przecież tego właśnie pragnęła, misternie to zaplanowała. Teraz jednak mogła się zastanawiać wyłącznie nad tym, czy zwymiotuje.

— Tak, tak — dodała, udając opanowanie.

Dziwnie było patrzeć na Bena w jej pokoju, w jej łóżku. Przecież dom należał tylko do niej i do mamy, a co do łóżka... Chyba to nie był najlepszy pomysł. Jeszcze nie. Chociaż z drugiej strony...

— Nie martw się — powiedział Ben. — Nie będę się do ciebie przystawiał.

A dlaczego nie? Właściwie dlaczego nie? Coś z nią nie tak? Do Bekki chłopcy ciągle się przystawiali. Ginny powiedziała przecież, że Ben może zostać. Potrzebował specjalnej zachęty?

Tak czy owak po krótkim całowaniu (był dobry, bardzo dobry) i odrobinie pieszczot (nie dotarli nawet do drugiej bazy) szybko zasnął, a ona zwymiotowała, najciszej jak mogła, w łazience na dole, po czym również zapadła w sen. Rano, choć czuła się okropnie, zrobiła mu kanapkę z bekonem, a on wstał i się zmył. Ani trochę nie rozumie chłopaków.

— Do niczego nie doszło — poinformowała Bekkę.

— Ta, jasne — odparła Becca i zaczęła natychmiast opowiadać o Harrym.

Niezależnie od związku, czy jego braku, z Harrym doszło do rozmaitych rzeczy, a Becca radośnie opisywała je w najdrobniejszych detalach.

— Zobaczycie się jeszcze z Benem? — zapytała.

— Chyba tak — odparła Ginny.

Przez cały dzień co dziesięć minut sprawdzała telefon i z każdą godziną jej optymizm wyparowywał.

— Trzymaj się — powiedziała Becca.

— Ty też — Ginny skinęła jej głową.

Po wyjściu Bekki nie była pewna, co robić. Gula ciągle podskakiwała, trącając ją w gardło, więc Ginny doszła do wniosku, że wyśle esemes do matki. Może dzięki temu nie będzie czuła się taka winna.

„Tęsknię. Oby Sycylia była super. Gxx".

Odpowiedź przyszła niemal natychmiast. Ginny się uśmiechnęła. Matka coraz lepiej sobie radziła. „Też tęsknię, Ginusia, napisała. Zadzwonię później. Kocham, Mxx".

Ginusia... Matka od lat jej tak nie nazywała. Ginny nagle zapragnęła zalać się łzami.

ROZDZIAŁ SIEDEMNASTY

Tess znalazła Giovanniego po drugiej stronie *baglio*. Rozmawiał z dwójką ogorzałych mężczyzn, którzy na jej widok się oddalili.

— Ciao — powiedziała.

Spojrzenie, które jej rzucił, jasno sugerowało, że nie przebaczył Tess rozmowy z wrogiem.

— Dzień dobry. — Pochylił głowę.

— Zastanawiałam się, czy mogę niedługo porozmawiać z tobą i z twoją ciocią Santiną.

— *Si*. — Wzruszył ramionami. — Przyjdź dzisiaj na *dolce*.

— *Dolce?*

— Na słodycze, deser. — Cmoknął koniuszki swoich palców. — I na kieliszek wina.

— Bardzo chętnie. Spotkamy się u was w domu?

Nie była pewna, czy uda się jej go znaleźć. Miasteczko za *baglio* przypominało labirynt, prowadzący do głównej drogi wyjazdowej, i kiedy człowiek wreszcie widział znajome stopnie kamiennych schodków, prowadzących z placu na drugą stronę kamiennego łuku, natychmiast zauważał następne.

Tego ranka, po rozstaniu z Toninem, Tess wróciła do willi i się przebrała. Potem spacerowała po miasteczku, chcąc się lepiej zaznajomić z miejscem, w którym jej matka spędziła wczesne lata życia. Za rogatkami były pola i gaje oliwne po wschodniej stronie oraz góry po zachodniej. W samym sercu Cetarii znajdowało się skupisko kamiennych wiejskich domów, zniszczonych i zaniedbanych, o wypłowiałych, gipsowych fasadach, niebieskich lub zielonych okiennicach, dachach i rynnach ze śródziemnomorskiej terakoty. Brukowane kocimi łbami uliczki były wąskie i strome, skupione wokół placyków, na których znajdowały się kamienne ławeczki i stare fontanny, czasami także maleńka kapliczka różańcowa bądź drzewko figowe lub oliwne. Powietrze wypełniały zapachy jaśminu i hibiskusa, niemal z każdego zakątka było widać zatokę. Całe miasteczko zdawało się wychylać ku *baglio* i morzu.

Rankami wszystkie kobiety prały, sprzątały i robiły zakupy. Dywaniki o jaskrawych kolorach, pościel i ubrania wisiały w oknach i na sznurkach nad balkonami, powiewając na wietrze. Kobiety gromadziły się wokół straganów z żywnością na głównym *piazza* albo czyściły schodki lub okna na błysk, przerywając co kilka minut, by wdawać się w długie rozmowy z innymi kobietami, zwykle staruszkami w czerni i zwykle zgiętymi wpół, po latach ciężkiej pracy, jak sądziła Tess. Tak też wyglądałaby Flavia, gdyby nie wyjechała do Anglii, więc co tu się dziwić.

— Tam się właśnie spotkamy, o siódmej — oznajmił Giovanni, stanowczy jak zawsze.

Kilka godzin później Tess pojawiła się w wyznaczonym miejscu, ubrana w sukienkę z białego lnu, bez rękawów i japonki.

Giovanni rzucił jej przeciągłe, pełne aprobaty spojrzenie.

— *Bella* — powiedział. — Wyglądasz dziś bardzo pięknie, Tess.

— Dziękuję.

Była świadoma, że jej skóra nabrała już złocistego odcienia, a słońce rozjaśniło włosy. Nie mogła przestać się uśmiechać. Dlaczego by miała się nie uśmiechać, w końcu znalazła się w cudownym miasteczku, do tego rozmowa z Ginny przebiegła bez zgrzytów. Choć raz jej córka zdawała się szczerze zainteresowana tym, co robi Tess, jaka jest willa i co udało się odkryć. Być może rzeczywiście rozstanie pozytywnie wpływa na uczucia bliskich sobie osób. Może Flavia miała rację, może pewien etap w życiu Tess i Ginny faktycznie się zakończył. Mimo afery z Robinem Tess czuła się doskonale.

Giovanni pochylił głowę.

— Co robisz, Giovanni? — zapytała z ciekawością. — To znaczy chodzi mi o twój zawód.

Jak na trzydziestokilkulatka, któremu zdecydowanie nie brakowało pieniędzy, wydawał się dysponować dość dużą ilością wolnego czasu.

— To i tamto. — Wzruszył ramionami, po czym dodał jeszcze bardziej enigmatycznie: — Nawet teraz trudno wyżyć tutaj, w Cetarii.

Ruszył przed siebie, a ona znowu miała trudności z dotrzymaniem mu kroku. Uznała, że musi być jakimś przedsiębiorcą — chyba to najbardziej do niego pasowało. Nie był oszustem, ale i nie kryształowo uczciwym obywatelem, bywał ryzykantem, bezlitosnym w razie potrzeby. Wyobrażała sobie, że na Sycylii jest mnóstwo takich mężczyzn jak Giovanni.

Zauważyła sporo samochodów oraz ludzi, i wspomniała o tym Giovanniemu. Nawet nie raczył zwolnić kroku.

— To pora *passegiata* — odparł. — Ludzie przychodzą tu przywitać się z innymi. Taka tradycja.

Rzeczywiście, kiedy tak szli, zauważyła, że podnosił rękę, pozdrawiając rozmaite osoby. Całkiem jak królowa, pomyślała, ale postanowiła mu tego nie mówić — sycylijscy mężczyźni byli niesłychanie wrażliwi na punkcie swojej męskości. Zobaczyła też, że samochody nie kierują się z punktu A do punktu B, tylko raczej zataczają wielkie koła po głównych drogach i wokół miasteczka. Najwyraźniej nie chodziło o to, żeby dotrzeć do celu, tylko wyjść z domu i się pokazać. W porządku, widocznie taka tradycja.

Kiedy dotarli do domu Santiny, staruszka ucałowała Tess równie siarczyście jak wcześniej, w oba policzki. Raz jeszcze Tess poczuła włoski na jej ciemnej, przypominającej pergamin skórze. Santina wciągnęła ją w ciemność we wnętrzu domu, przez korytarz, do *la cucina*, niewątpliwie serca tego miejsca.

Stół w kuchni był zastawiony smakołykami.

— *Cannoli* — powiedział Giovanni. — Klasyczne ciastka sycylijskie, w miasteczku robi je Roberta. — Stały tam również butelka białego wina i trzy delikatne kieliszki o długich nóżkach. — Najlepsze — dodał. — Prawie nigdy ich nie używa. Widocznie jesteś wyjątkowym gościem.

— Czuję się zaszczycona. — Tess mówiła prawdę.

Wyrzuciwszy z siebie potok słów w sycylijskim dialekcie, Santina wskazała na oczy Tess.

— Co ona mówi? — zapytała Tess Giovanniego.

— Że masz niesamowicie błękitne oczy — odparł. — To zupełnie niezwykłe na Sycylii. Mówi, że twoja matka musiała poślubić bardzo przystojnego, błękitnookiego mężczyznę.

Tess natychmiast wyobraziła sobie ojca.

— To prawda. — Zaśmiała się.

— Pyta, czy jesteś mężatką. Powiedziałem, że nie. Pyta, dlaczego nie.

— Może dlatego, że nigdy nie poznałam odpowiedniego mężczyzny — oznajmiła Tess wesoło.

Przyjęła talerzyk i małe ciastko od Santiny. Ciasto na zewnątrz było chrupiące, a nadzienie gęste i kremowe.

— Ricotta — oznajmił Giovanni. — Z miodem i kandyzowanymi owocami. To na zewnątrz to *scorza*, skorupka ciastka.

— Mhm.

Ciastko smakowało wyśmienicie, Tess nawet nie zaprzątała sobie głowy kaloriami. Naturalnie przywykła do tego typu przysmaków. Mamma często piekła *cassata*, *tartufino* i *cornetti*, czyli włoskie odpowiedniki croissantów. Tu jednak smakowały inaczej.

Giovanni podał jej kieliszek wina.

— *Salute* — powiedziała.

— Do dna. — Uśmiechnął się do niej. — Nie tak mówicie po angielsku?

— Ostatnio niezbyt często. — Zaśmiała się.

Santina nie przestawała mówić, a Giovanni potakiwał.

— Miłość jest na całe życie — przetłumaczył. — Właściwy mężczyzna nie zawsze zjawia się we właściwym momencie.

Tess pomyślała o Robinie. Nawet nie byłaby w stanie wyobrazić sobie małżeństwa z nim. Naturalnie, poza bezdyskusyjnym faktem, że miał już żonę, i tak nie mieściło się jej w głowie, że byliby razem, związani węzłem małżeńskim, i dzieliliby życie. A jednak czy nie tego właśnie pragnęła? Wyjątkowej miłości, partnera, pokrewnej duszy? Chyba każdy o tym marzył.

— Czy możesz spytać ciocię Santinę o moją mamę? — zwróciła się do Giovanniego i spojrzała na staruszkę, jakby Santina mogła zrozumieć, co do niej mówi. — Mamma nigdy nie opowiada o Sycylii ani o swoim dzieciństwie. Nie wiem dlaczego, tak dużo chciałabym wiedzieć. — Nagle uświadomiła sobie, że z całej siły zaciska pięści.

Na smagłej, pomarszczonej twarzy Santiny odmalowało się zrozumienie. Giovanni powiedział coś do niej, a ona pokiwała głową, nie odrywając wzroku od Tess.

— Spytaj, czy Flavia miała tu kogoś, kogo kochała — poprosiła Tess.

Santina zaczęła mrugać i znowu odezwała się do Giovanniego. Pokazała ręką na sufit, a wtedy Giovanni westchnął ciężko i wstał. Tess strasznie żałowała, że nie mówi po sycylijsku lub choćby po włosku.

Giovanni ruszył do drzwi.

— Chciałaby, żebyś coś zobaczyła — powiedział przez ramię. — Zaraz wracam.

Gdy zniknął, Santina natychmiast zerwała się z krzesła, położyła rękę na głowie Tess i ujęła jej twarz w dłonie.

— Twoja matka była z ognia — wyszeptała.

Tess szeroko otworzyła usta.

— Mówi pani po angielsku...

— Cicho! — Santina zerknęła na otwarte drzwi. — Giovanni... On nie wie.

Tess pokiwała głową. Chciała wiedzieć, o co chodzi, ale to nie był odpowiedni moment. Emocje staruszki sprawiły, że atmosfera zrobiła się bardzo napięta.

— Flavia nigdy nie robiła tego, co chcą inni — wymamrotała Santina łamaną angielszczyzną. — Flavia robiła, co Flavia chce.

Tess chwyciła ją za rękę.

— A czego chciała? Możesz mi powiedzieć?

— Nigdy nie chce chłopaki z miasteczka. Ciii! — Znowu zerknęła na drzwi.

— Tylko kogo? — Tess nawet nie mogła marzyć o takim przełomie.

— Ach. — Przez chwilę na twarzy Santiny malował się smutek. — Chce wolność, moje dziecko. Twoja matka chce wolność. — Westchnęła. — Na Sycylii wolność niemożliwa — dodała.

Tess uścisnęła jej rękę.

— A ty? — wyszeptała. — Ty też chcesz być wolna?

Mogła sobie wyobrazić życie, jakie wiodły jej matka i Santina. Giovanni opowiadał jej o biedzie, o okropnościach wojny i faszyzmu. Na litość boską, do tego dochodziła jeszcze mafia!

Santina gwałtownie pokręciła głową.

— Dla kobiet niemożliwe — odparła. — Mamy dom, dają my mężowi, albo i nie. — Przeszyła Tess swoim zagadkowym spojrzeniem. — Takie nasze życie.

Ale nie Flavii, pomyślała Tess.

— Co się stało? — szepnęła. — Co się stało z Flavią?

Miała teraz w głowie wyłącznie matkę, ten kłębuszek energii, który marzył o wolności. Niemal widziała oczyma duszy, jak Flavia bawi się na polach z Santiną, jak wypełnia codzienne obowiązki w kamiennym domku, jak Edward Westerman czyta jej w Villa Sirena. Jak dowiaduje się o życiu w Anglii, gdzie kobieta mogła być wolna.

Santina pochyliła się tak nisko, że Tess czuła suchość jej skóry i jej ciepły oddech.

— Flavia znajduje Anglik — wyszeptała. — Znajduje go, dziecko, *si*. — Energicznie pokiwała głową.

Tess usłyszała ciężkie kroki Giovanniego na schodach.

— Jakiego Anglika? — Jak to, znalazła Anglika?

Santina pogłaskała ją po włosach i dotknęła jej policzka, po czym natychmiast wróciła na swoją stronę pokoju, gdzie zaczęła nucić pod nosem. Po chwili wszedł Giovanni i wręczył stryjecznej babce skrawek materiału, stary wzór z próbkami haftu.

Santina uśmiechnęła się i podała tkaninę Tess, nie przestając wyrzucać z siebie sycylijskich słów.

— Mówi, że zrobiła to razem z Flavią — przetłumaczył Giovanni. Miał znudzoną minę. — To był, jak mówicie, gest przyjaźni. — Wzruszył ramionami.

Tess dotknęła tkaniny, która wyglądała na cienki, naturalny len. Nić wypłowiała, ale nadal było widać krzyżykowy wzór, zachodzące na siebie karo.

— Bardzo piękne — powiedziała, patrząc w oczy Santinie, która pochyliła głowę.

Tess oddała haft, po czym wypiła łyk wina, które okazało się słodkie i intensywne — rzeczywiście *dolce*. Teraz nie wiedziała, o co pytać ani jak dużo powiedzieć.

Santina znowu zaczęła mówić.

— Coś się stało — oznajmił Giovanni ponurym głosem. — Podczas wojny. Ciocia nie była już mile widziana w domu twojej matki. Rodzina Farro miała jakiś sekret, ale ciocia nie wie jaki. Flavia nie mówiła i ciocia nigdy się nie dowiedziała.

Tess zmarszczyła brwi. Znowu sekret? Przyjęła jeszcze jedno *dolce*, były naprawdę pyszne. Coś jej jednak podpowiadało, że być może istnieje jeszcze inna wersja minionych wydarzeń. Santina nie chciała, żeby Giovanni wiedział, że zna angielski. Może nie chciała również, by znał prawdę?

Santina uśmiechnęła się i pokiwała głową.

— Lubi patrzeć, jak ludzie jedzą — zauważył Giovanni. — Kiedyś sama piekła *dolce*, ale to zajmuje mnóstwo czasu, a ostatnio ciocia szybko się męczy. Santina wysłuchała tłumaczenia, a potem skomentowała po sycylijsku. — Mówi, że potrzebujesz *la pazienza*, cierpliwości, nie tylko energii. Nie można przyspieszyć *dolce*.

Tess z powagą skinęła głową. Czy naprawdę chodziło tylko o *dolce*? Tonino również wspominał o cierpliwości, ona jednak miała zaledwie tydzień, by wszystkiego się dowiedzieć i podjąć decyzję w sprawie spadku. Nie było czasu na cierpliwość.

— A potem moja matka wyjechała do Anglii? — zapytała.

Giovanni przetłumaczył.

— Nie, nie wtedy — odparł po wysłuchaniu Santiny. — Flavia wyjechała kilka lat później. Wtedy rodziny Sciarro i Farra znowu były *simpatico* i sobie bliskie. — Zamachał rękami, tak jak poprzednio. — Flavia była smutna, mówi ciocia. Nigdy nie zdradziła dlaczego, ale chyba chodziło o miłość.

No jasne, pomyślała Tess.

Pół godziny później, gdy wychodziła z domu, żeby podążyć za Giovannim, Santina chwyciła ją za ramię.

— Więcej nie mogę mówić — wymamrotała cichutko, zanim ucałowała ją w oba policzki. — Ciao, ciao.

„Więcej nie mogę mówić"... Ciekawe... „Nie mogę", bo nie znam całej historii, czy „nie mogę", bo w pomieszczeniu znajdował się Giovanni Sciarra? Tego akurat Tess nie była pewna, ale nie miała wątpliwości, że musi się spotkać z Santiną sam na sam. Tylko wtedy mogła poznać nieocenzurowaną wersję historii matki...

Minęła dziewiąta. *Passegiata* dawno się skończyła, ulice były niemal puste. Tess miała ochotę przejść się po *baglio*, samotnie wchłonąć w siebie zapachy i cienie tej późnej pory. Giovanni jednak znowu szedł przed nią, najwyraźniej zdeterminowany odprowadzić ją pod same drzwi.

I ani kroku dalej, postanowiła.

— Myślałaś o tym, co zrobisz z willą? — spytał, gdy minęli ogromny eukaliptus.

— Tak, ale nie podjęłam jeszcze decyzji. — Liście eukaliptusa musnęły jej ramiona i poczuła lekko mentolowy zapach, wymieszany z wonią słonego powietrza i wilgotnych kamieni. — Mogłabym ją wynajmować, na przykład turystom.

— Och. — Odwrócił się do niej. — Nie chcesz jej sprzedać? — W ciemnościach nie widziała wyrazu jego twarzy.

— Nie, przynajmniej jeszcze nie.

Giovanni pokręcił głową.

— Powinniśmy o tym porozmawiać.

— Powinniśmy?

Gdy mijali pracownię Tonina, zauważyła, że drzwi są zamknięte. W oknie widniała niemal ukończona mozaika z wężem. Jaskrawe zielenie zdawały się lśnić niczym morze w słońcu, a czarne, łupkowe pasma przypominały maleńkie strzały. Oczy z żółtych szkieł połyskiwały na płaskiej głowie. Wąż był jednocześnie piękny i zły. Tess zadrżała. Jak ktoś mógłby kupić taką mozaikę?

— Ależ tak. — Nadstawił ramię, gdy dotarli do podnóża schodków. Po chwili wahania wzięła go pod rękę. — Zabieram cię jutro na kolację, w jakieś wyjątkowe miejsce, dobrze?

— Naprawdę nie musisz... — wymamrotała.

Był bardzo miły, ale nie mogła się pozbyć wrażenia, że przyjdzie jej za to zapłacić.

— Nalegam — przerwał jej, kładąc palec na ustach. Mówił bardzo surowym głosem. — W Cetarii poważnie traktujemy swoje obowiązki. Poza tym muszę ci opowiedzieć więcej o Villa Sirena.

— Co opowiedzieć? — Tess była zaintrygowana.

Czyżby znowu chodziło o sekrety? I niby dlaczego uważał, że jest za nią odpowiedzialny? Na szczycie schodów otworzyła furtkę i podeszli do drzwi willi.

— Może ty też powiesz mi coś w zamian. — Giovanni stał bardzo blisko, niemal szeptał jej do ucha.

— Jeśli zdołam. — Odsunęła się odrobinę, niepewna, o co mu chodzi.

— Czy twoja matka przekazała ci jakąś wiadomość? — Stali pod lampą przy wejściu. Tess dostrzegła irytację w ciemnych oczach Giovanniego. — Wiadomość dotyczącą czegoś specjalnego w domu? — ciągnął. — Czego należałoby poszukać? Jakiegoś wyjątkowego przedmiotu, gdzie mógłby się znajdować?

Tess zmarszczyła brwi. Nie miała pojęcia, co też wygadywał Giovanni, ale najwyraźniej i on nie wiedział, jak dyskretna była jej matka w kwestii Sycylii.

— Przecież chyba dlatego przyjechałaś, prawda? — zapytał. — Żeby to znaleźć?

— Nie — zaprzeczyła. — Nic mi nie powiedziała.

— Nic. — Minimalnie się przygarbił.

— Nic.

— *Va bene.* — Wzruszył ramionami w ten swój charakterystyczny sycylijski sposób i wyciągnął rękę, zapewne po klucz.

— Jestem zmęczona, Giovanni — powiedziała. — Muszę się pożegnać.

Najwyraźniej z tutejszymi mężczyznami trzeba było postępować stanowczo. Daj im palec, a...

— Jak sobie życzysz. — Skinął głową. — Zatem dobranoc.

— Do jutra? — Wyciągnęła szyję, żeby pocałować go w policzek.

— *Si. Dumani.*

Odwrócił się i ruszył przed siebie. Kiedy otworzył furtkę, dał znak, żeby Tess za nim zamknęła, i po chwili zniknął w mroku.

Tess otworzyła drzwi wejściowe i pomaszerowała przez korytarz i kuchnię na taras z tyłu domu, zatrzymując się tylko na moment, żeby rzucić torebkę na kuchenne krzesło. Przez chwilę patrzyła na zatokę. Ciemniejące niebo nadal było nieco zaróżowione.

Liczyła, że znajdzie dzisiaj jakieś odpowiedzi, a pojawiło się tylko jeszcze więcej pytań. Podczas wojny rodzina Farro miała sekret — tylko jaki? Tess czuła, że Santina wie. Jej matka, kula energii, pełna ognia... Tess zachichotała, bo ten żywioł idealnie pasował do Flavii. Mamma nadal była pełna ognia i nikt z rodziny nie ośmielał się nadepnąć jej na odcisk.

Znalazła jakiegoś Anglika? Tess pomyślała, że to mogła być kwestia łamanej angielszczyzny Santiny. Czyżby Santinie chodziło o to, że mamma poznała Anglika, a nie znalazła? Pozostawały jeszcze dług, kradzież i zdrada, no i do tego tajemnicze coś, ukryte w willi. Zdezorientowana, pokręciła głową. I dlaczego, na litość boską, Giovanni nie wiedział, że jego stryjeczna babka Santina nauczyła się angielskiego?

Na brzegu morza stał jakiś mężczyzna i patrzył przed siebie. To musiał być Tonino. Wydawał się niespokojny i smutny.

Tess zastanawiała się, jaki krył w sobie sekret. Najwyraźniej tutaj, na Sycylii, każdy nosił w sobie tajemnicę.

ROZDZIAŁ OSIEMNASTY

Przynieśli go pod osłoną nocy.

A zatem żył, chwała niech będzie Madonnie. Żył, ale ledwie oddychał, a jego płuca chrapliwie usiłowały łapać powietrze. Ojciec Flavii oraz Alberto przydźwigali go sami. Bóg wie, jak im się to udało. Teraz mieli poważne miny i mówili *adaciu*, zupełnie jakby w kamiennych ścianach domku krył się ktoś gotów ich zdradzić. Mama przyniosła ręcznik, ciepłą wodę i bandaże. Poruszała się sprawnie i cicho. Maria tylko kręciła z rozpaczą głową. Można by pomyśleć, że jest jedną z nich, dorosłą, a nie zwykłą dziewczyną, zaledwie parę lat starszą od Flavii.

— Módl się za niego, córko — nakazała mama, całkiem jakby Flavia, która nawet nie była już pewna, czy może liczyć na Boga w kwestii swoich modłów, nie robiła tego w każdej godzinie, każdego dnia.

Modliła się do Madonny o wybaczenie i o życie pilota.

— I nikomu nie mów — dodał papa. — Nawet Santinie.

Zrozumiała wtedy, że papa nic nie powiedział Enzo, i domyśliła się, że to zapewne decyzja Alberta. Wszyscy wiedzieli, że między tymi dwiema rodzinami było dużo złej krwi, a rodziny Amato i Sciarra nie ufały sobie od wielu pokoleń. Słyszała, że chodziło o spór w związku z jakąś ziemią, kłótnie stawały się coraz bardziej zapiekłe. Latami podsycały je plotki i nieufność, potajemnie zawierane układy i niebezpieczne koalicje. Ojciec Flavii zawsze tkwił w samym środku niesnasek.

Zakradła się do pokoju, który przygotowali dla pilota, maleńkiej sypialni, gdzie nocowała siostra mamy podczas swoich wizyt. Leżał w łóżku, nieruchomy niczym posąg, a jego czoło było białe i perliło się od potu. Delikatnie położyła mu na nim zimną, mokrą ściereczkę, a potem... Niepewnie musnęła palcem jego policzek. Skóra lotnika wydawała się zimna i lepka. Otworzył oczy, a Flavia zamrugała, zaskoczona tą niespodziewaną reakcją, niezwykłym, błękitnym spojrzeniem oraz bijącą od niego jasnością. Czy jej wybaczył?

— Przepraszam — wymamrotała.

— Mój anioł. — Jego usta rozciągnęły się w krzywym, zbolałym uśmiechu.

Flavia niemal zasłabła z ulgi.

— Mój anioł — powtórzył, po czym zamknął oczy i zasnął.

— *Sogni d'oru* — szepnęła.

Słodkich snów... Złotych snów...

Flavia odłożyła notes do następnego popołudnia. To było wyczerpujące — nie tyle pisanie, ile przeżywanie tych emocji na nowo. Niewiele mogła na to poradzić. Opisując pilota, wspominała jego wygląd, bladość, błękit oczu, zapach, chorobę, woń lekarstw walczących z rozkładem. I to, jak mówił. Mój anioł...

Co za ironia losu — Flavia Farro została Flavią Angel. Ale nie należało uprzedzać faktów, tyle jeszcze było do opowiedzenia. Tess musiała się dowiedzieć tak wielu rzeczy...

* * *

Uliczne jedzenie, targowe jedzenie, krwawe i surowe, kolorowe i świeże, prawdziwe trzewia Sycylii. Pełne towaru stragany w sieci wąskich alejek. Wołowina i koźlina, sery i chleby, podroby i ryby, owoce i warzywa. *Arancini* — małe ryżowe kuleczki z mięsem albo serem. *Panelle...* Smażona ciecierzyca, kupowana na ulicy, jedzona palcami w słodkiej bułeczce albo jako *antipasti*, na pobudzenie apetytu. Gorące i sycące, chrupkie i soczyste. Arabskie dziedzictwo, smażone w głębokim tłuszczu.

Zagotuj wodę, powoli dodawaj mąkę z ciecierzycy, mieszając w tym samym kierunku. (Flavia podkreśliła słowa „w tym samym kierunku"). Dodaj posiekaną natkę pietruszki i pieprz. Ugotuj na pastę, która odchodzi od patelni. Przełóż na posmarowaną olejem powierzchnię, wygładź, ostudź. Pokrój w podłużne prostokąty, smaż na złocisty kolor, dodaj sok z cytryny. Gotowe.

ROZDZIAŁ DZIEWIĘTNASTY

Jechali wzdłuż wybrzeża, aż dotarli do małej rodzinnej restauracji. Giovanni niewątpliwie znał właścicieli. Signora oraz rozmaite signoriny z wypiekami na policzkach bez przerwy wyłaniały się z kuchni, by sprawdzić, czy dobrze się czuł, czy był zadowolony i czy wszystko w porządku.

— Ta willa, którą odziedziczyłaś... Muszę ci powiedzieć, że to nie jest dobre miejsce — oznajmił Giovanni, gdy pojawiła się przystawka.

To była *caponata*, słodko-kwaśny warzywny gulasz z bakłażanów, selera, cebuli i oliwek, danie często przygotowywane przez matkę Tess, chociaż tutaj smakowało zupełnie inaczej.

— Nie jest dobre pod jakim względem? — spytała. — Chodzi ci o konieczność remontu czy o złą historię?

— O jedno i drugie — odparł. — To prawda, że trzeba dużo zrobić, żeby to miejsce odzyskało dawny blask i... — Dotknął czubka nosa. — Stały się tam złe rzeczy. To ponura historia.

Hm.

— Rozumiem, że nie ma szans, żebyś mi o tym opowiedział?

Giovanni zawahał się i machnięciem ręki odprawił jeszcze jedną kelnerkę.

— To nie dla delikatnych uszu — oznajmił.

Tess zastanawiała się, jak mu wytłumaczyć, że jej uszy wcale nie są delikatne. Cóż, zapewne miało to coś wspólnego ze słynnym długiem, kradzieżą i zdradą, o których ciągle gadał, i tym tajemniczym „czymś". Albo z wojną i homoseksualizmem Edwarda Westermana.

— Sycylia ma bardzo ponurą historię — mruknął, wycierając resztki caponaty odrobiną miejscowego chleba o charakterystycznej żółtej barwie.

Tak, zaczynała to rozumieć.

— W twoim interesie jest sprzedać dom — dodał.

Tess zawsze miała w sobie coś z buntowniczki. Teraz uświadomiła sobie, że zapewne odziedziczyła tę cechę po matce. Sięgnęła po zamówione przez Giovanniego wino, Nero d'Avola, treściwe i nieco porzeczkowe, z nutą pieprzu. Kiedy ktoś mówił jej, co ma robić, natychmiast pragnęła postąpić na odwrót.

— Zatrzymam willę — oświadczyła. — Na razie.

Giovanni głośno westchnął.

— Uparta jesteś, *no*?

— Możliwe. — Tess odstawiła kieliszek. — Ale podoba mi się tutaj. Rozumiem, co mówisz, i dziękuję, że próbujesz mi pomóc. — Skrzyżowała palce pod stołem. — Tylko że ja nie czuję żadnych złych wibracji w Villa Sirena. Dlatego nie chcę jej sprzedać, przynajmniej na razie.

Giovanni pokręcił głową. Wyglądał jak zwiastun zagłady.

— A twoja matka? — spytał ponuro. — Co ona mówi?

Tess nie rozmawiała o tym z matką, ale mogła przewidzieć jej reakcję.

— Nie spodoba się jej to — przyznała. — Będzie chciała, żebym wystawiła willę na sprzedaż i wróciła do Anglii. *Pronto.*

Giovanni pomachał palcem w kierunku *la cucina*. Natychmiast pojawiła się jedna z dziewczyn, żeby zabrać talerze.

— *Si, si, beni.* Tak, smakowało — powiedział, patrząc na niespokojną twarz kelnerki, po czym znowu wbił spojrzenie w Tess i z powagą pokiwał głową. — Twoja matka to mądra kobieta — oznajmił. — Może wie więcej, niż mówi.

Niewykluczone, w końcu Flavia niewiele mówiła. Tess pochyliła się ku niemu.

— No więc co to takiego? — spytała wprost.

— Co: to? — zmarszczył brwi.

— Ta rzecz, którą niby miała kazać mi odnaleźć? Coś wyjątkowego? Tajemniczego? Czy to cenne?

Giovanni szybko rozejrzał się na boki, po czym wbił spojrzenie w przestrzeń nad lewym ramieniem Tess.

— *No capisco* — wymamrotał. — Nie rozumiem cię, Tess. To nic ważnego.

Nie była przekonana. Ostatnio niewątpliwie wydawało mu się to bardzo ważne.

Makaron wniesiono z rozmachem. Było to *spaghetti con le fave*, z dzikim koprem, bobem i oliwą z oliwek. Giovanni oświadczył, że kiedy się tu pojawili, signora powiedziała mu, że to makaron dnia, więc musieli go zamówić.

— A jeśli jej nie sprzedasz — ciągnął, kiedy kelnerka zniknęła — co z nią zrobisz? Mówiłaś coś o turystach.

Udało mu się zawrzeć w tym słowie tyle pogardy, że Tess musiała się uśmiechnąć. Nadziała bób na widelec.

Pewnie akurat trwał na niego sezon, bo kiedy tu jechali, całkiem sporo rosło go przy drodze.

— Nie jestem pewna — odparła.

Niby skąd miała wziąć pieniądze na remont willi? Pomyślała o *la pazienza*, o której wspominali Santina i Tonino. Na razie nie znalazła jeszcze pretekstu, żeby móc odwiedzić Santinę (i sposobu na upewnienie się, że Giovanniego nie będzie wtedy w domu). Nie zdążyła też zapytać Tonina o słynne rodzinne waśnie. Zostało jej jednak jeszcze kilka dni.

Po prostu musiała się uzbroić w cierpliwość.

ROZDZIAŁ DWUDZIESTY

Przez następne dwa dni Ginny ledwo wytrzymywała. Ben nie odezwał się ani słowem, a do tego była zmuszona wysłuchiwać, jak Becca rozpływa się bez przerwy nad tym, że Harry to, Harry tamto i że Harry to chłopak, na którego czekała przez całe życie. Czekała przez całe życie — w wieku siedemnastu lat. Na miłość boską, czasami Ginny miała serdecznie dosyć Bekki.

Na Facebooku z alarmującą prędkością ukazywały się zdjęcia. Harry i Becca w barze, na drinku z okazji pierwszej „rocznicy" (dzień po tym, jak się zeszli), Harry i Becca całują się na plaży. Błeee! Dlaczego ktoś miałby chcieć to oglądać? Innymi słowy, Becca była w związku. No cóż, kto by się spodziewał?

Kiedy Ginny wpadła już w otchłań rozpaczy, bo Ben nawet nie wysłał esemesa, nieoczekiwanie zadzwonił.

— Cześć, mała — powiedział. — Masz ochotę na drina?

Czy miała? O tak.

Przygotowała się do spotkania cała w nerwach i pełna radosnego podniecenia. Dwa razy dzwoniła do Bekki, żeby sprawdzić, czy jej strój jest okej, a potem zmieniła zdanie i przebrała się w dżinsy, które włożyła na początku.

Spóźniona o czterdzieści pięć minut, niemal chwiała się na nogach ze strachu, gdy wchodziła samotnie do pubu. Nie przywykła do takich miejsc, mimo że sfałszowany dowód osobisty nosiła przy sobie jeszcze przed osiemnastką, jak wszyscy zresztą.

Był tam z piątką swoich kumpli. W pubie odbywał się jakiś koszmarny quiz. Gula miała tyle węzłów i supłów, że Ginny nie mogła wykrztusić z siebie ani słowa podczas zabawy i całkiem zamknęła się w sobie. Czuła się jak kompletna idiotka, nawet gorzej, bo jedyne pytanie, na które znała odpowiedź, dotyczyło imienia jednego z bohaterów opery mydlanej Eastenders. Była kompletną frajerką.

Pod koniec wieczoru Ben objął ją ramieniem (co wcale nie było łatwe ze względu na jej wzrost) i zapytał:

— Wracamy do mnie? — Całkiem jakby z sobą chodzili czy coś.

Ginny wzruszyła ramionami. Próbowała zachowywać się tak, jakby się tego spodziewała.

— Okej — odparła znudzonym głosem.

To jednak coś znaczyło, musiało coś znaczyć, prawda? Zaczęła nieco lżej oddychać.

W drodze do Bena rozmawiali o rodzinach.

— Jaki jest twój ojciec? — spytał Ben.

Wyprostowana grzywka zasłaniała mu prawą brew. Wyglądał seksownie i niebezpiecznie zarazem.

— Mój ojciec? Pojęcia nie mam — odparła.

W ostatnich latach to była jej standardowa odpowiedź. Jako dziecko niewiele o tym myślała, w końcu byli przy niej dziadkowie i mama i to wydawało się wystarczać. Potem uświadomiła sobie, że z jej kolegami jest inaczej. Wszyscy mieli ojców, o których rozmawiali w szkole, którzy zabierali ich na weekendy, jeździli ładnymi samochodami i zjawiali się na przedstawieniach i zebraniach. Dotarło do niej również, że dziadek bardzo się starał zapełnić tę lukę i że właśnie on — bo chyba nie matka — zdawał sobie z niej sprawę. Cokolwiek jednak robił i bez względu na to, jak bardzo próbował, to nie było to samo.

— Nie poznałaś go? — spytał Ben.

— Nie widziałam faceta na oczy.

Ginny zgromadziła jak najwięcej faktów o nieobecnym ojcu. Miał na imię David, a matka opisywała go jako „kogoś w rodzaju starego hipisa, niestety". Było jeszcze zdjęcie ich obojga, mamy i Davida, który obejmował ją ramieniem, z beztroskim uśmiechem i nieobecnym spojrzeniem. Ginny zastanawiała się, na co patrzył tamtego dnia i o czym myślał.

Trzeba było przyznać mamie, że nigdy nie krytykowała Davida.

— Nie byłaś zaplanowanym dzieckiem — powiedziała do pięcio- lub sześcioletniej Ginny. — Byłaś cudownym darem.

Co naturalnie oznaczało wpadkę. Ginny teraz już to wiedziała. Podobał się jej jednak sposób, w jaki mama to ujęła. Jakby Ginny była przyjemną niespodzianką, czekającą rankiem na progu.

— A David? — Nigdy nie nazywała go tatą, a matka wcale nie próbowała jej do tego skłaniać.

— Nie nadawał się do roli ojca — odparła matka.

Ginny próbowała analizować jej ton. Zawsze interesowała ją osobowość ludzi i to, co sprawia, że jedni są tacy, a inni owacy. W sumie dlatego postanowiła studiować psychologię.

Na myśl o studiach poczuła, jak Gula wykonuje gwałtowny półobrót, i to wcale nie było oczekiwanie — to był przeraźliwy strach. Po wszystkich się spodziewano, że pójdą na uniwersytet, chyba że oczywiście nie byli dostatecznie inteligentni. Nikomu nie przyszło do głowy, że studiów można się bać.

Ale psychologia... Nauka o ludziach, o ich umysłach i zachowaniach, na początku wydawała się obiecująca, potem okazała się w zasadzie tylko zbiorem teorii i statystyk. Szczerze mówiąc, Ginny nie bardzo mogła się na tym skupić. Podobnie fotografia, która najpierw tak atrakcyjna, polegała bardziej na studiowaniu technik innych fotografów niż na robieniu zdjęć. W studiach ogólnych z kolei chodziło po prostu o wykłócanie się o swoje, co akurat Ginny wychodziło najlepiej. Tak, college według niej to było jedno wielkie oszustwo.

Lekko się zachwiała, ale nie od alkoholu, bo dziś piła bardzo mało, tylko dlatego że trudno jej było utrzymać równowagę, kiedy chłopak niższy od niej trzymał rękę na jej ramieniu. Szła pochylona do przodu, a biodro miała na wysokości jego pasa. Tak naprawdę to ona powinna obejmować Bena.

Głos jej matki, kiedy mówiła o Davidzie i ojcostwie (Właściwie dlaczego nie nadawał się do rodzicielstwa? Każdemu lepiej czy gorzej to wychodziło. Czy to nie było coś, co się robi niezależnie od predyspozycji?), nie był smutny, kochający ani pełen żalu. Pobrzmiewała w nim akceptacja.

— Kochałaś go? — spytała Ginny, gdy miała dziesięć czy jedenaście lat i pragnęła dowiedzieć się tych rzeczy.

— O tak — odparła matka. — Kochałam.

Ginny się ucieszyła.

— A teraz?

— Teraz? — powtórzyła Tess.

— Czy teraz też go kochasz?

Matka bywała czasami niesłychanie tępa.

— Nie tak jak myślisz — oznajmiła (chociaż Ginny w zasadzie nie myślała o tym w jakiś szczególny sposób, chodziło jej o miłość i kropka). — Już nie. To było zbyt dawno temu.

Oczywiście, to się działo w przed-Robinowych czasach, gdy w życiu matki nie było innego mężczyzny, zdarzały się tylko przypadkowe i nieistotne randki. To były niewinne dni, kiedy Ginny dużo się śmiała i wszystko wydawało się dziecinnie proste. A Gula jeszcze się jej nawet nie śniła.

— Ulotnił się? — spytał Ben.

— Tak, do Australii.

— Dlaczego nie pojechałaś razem z nim i nie urodziłaś mnie w Australii? — zapytała kiedyś matkę.

Podobała się jej Australia. Życie tam byłoby zupełnie inne.

— Myślałam o tym — przyznała matka. — Ale nie bardzo miałam ochotę na przeprowadzkę. No i jeszcze dziadkowie...

Nawet w wieku dziesięciu lub jedenastu lat Ginny rozumiała, co matka chce powiedzieć. Na dziadkach można było polegać, na Davidzie nie.

Nie powtórzyła tego Benowi, to były prywatne sprawy. Po prostu myślała o tym, kiedy tak szli na wzgórze, gdzie mieszkał.

— Mój stary odszedł jakieś dziesięć lat temu — odezwał się Ben po chwili. — Teraz mieszka w Bristolu razem z nową żoną, starą i brzydką nudziarą.

Ginny zastanawiała się, jak to jest, kiedy ojciec ma nową żonę, wszystko jedno, czy starą i brzydką nudziarę, czy nie. Rodzice lubili truć, że mają swoje życie i że nie powinni, nie mogą i nie chcą żyć życiem swoich dzieci. Matka często to powtarzała i to była czcza gadanina o tak zwanym zdrowym egoizmie. Ale przecież sprowadzili dzieci na ten świat, prawda? Więc byli za nie odpowiedzialni i to one powinny być dla nich najważniejsze, znacznie ważniejsze niż dobra zabawa, wyjazd na wakacje albo nowa żona.

— Mój postanowił zamieszkać w kolonii hipisów — poinformowała Bena.

To przynajmniej było interesujące. Lepiej być nieobecnym interesującym niż obecnym, ale nudnym, łysym i z włosami sterczącymi z nosa.

W wieku czternastu lat Ginny straszliwie tęskniła za ojcem i rozważała odnalezienie go przez Internet. Jako piętnastolatka zmieniła zdanie i zaczęła go żywiołowo nienawidzić. Nigdy nie próbował się z nią skontaktować, więc po co miała się wysilać? Postanowiła, że po prostu któregoś dnia pojawi się w Australii, już po tym, jak odniesie olbrzymi sukces (choć nie była jeszcze pewna, w jakiej dziedzinie) i pokaże mu, co stracił, kiedy odszedł. „A co stracił?", zapytała Gula. Ginny ją zignorowała. Mając szesnaście lat, zaczęła obwiniać matkę o to, że pozwoliła ojcu odejść. Najwyraźniej nie starała się na tyle, żeby go przy sobie zatrzymać.

Teraz jednak nauczyła się wykorzystywać jego nieobecność dla swoich celów. Widziała, jak surowi bywają ojcowie jej koleżanek. Znacznie łatwiej było manipulować jednym z rodziców niż dwójką. Matka nie dawała sobą pomiatać, potrafiła być twarda, ale była też podatna na szantaż emocjonalny, a Ginny stała się ekspertką w jego stosowaniu.

Na miejscu Ben zaproponował film, popcorn i piwo. Kiedy skończyli oglądać jeden film, nastawił drugi, a Ginny w tym czasie zasnęła.

Rankiem mama Bena zrobiła jej kanapkę z bekonem, po czym Ginny poszła do domu, żeby przeanalizować, co zaszło.

Wyglądało na to, że nie miał ochoty na seks. Może mimo wszystko był gejem? To wydawało się mało prawdopodobne. Albo potrzebował kogoś, z kim mógłby spać i oglądać filmy? Może. Nie podobała mu się? Pocałunki sugerowały coś innego. A może podobała mu się, tylko ją szanuje? Hm. Czyżby czekał na jakiś znak, o którym Ginny nie miała pojęcia, albo chciał ją lepiej poznać, potrzebował więcej czasu? A niech to. W którymś momencie w nocy przenieśli się na łóżko, chociaż pozostali częściowo ubrani. Ginny pomyślała, z nadzieją i przerażeniem jednocześnie, że Ben będzie mógł rozebrać ją później. Przytuliła się do niego i zaczęli się całować, coraz namiętniej. Dotykał jej we wszystkich odpowiednich miejscach, a ją przeszywały dreszcze pożądania. Kiedy jednak myślała, że to już to, to już to, Ben zamarł, mruknął: „Sorry. Chyba lepiej się trochę przekimam” i odwrócił się do niej plecami. To otrzeźwiło Ginny. Tak jak podejrzewała, studiowanie psychologii było kompletnie bezużyteczne, bo nie miała pojęcia, o co chodzi.

ROZDZIAŁ DWUDZIESTY PIERWSZY

Sycylijski tydzień Tess powoli dobiegał końca. Obudziła się we wtorkowy poranek i poczuła przemożny smutek. Jutro miała jechać do Palermo, a stamtąd lecieć do Anglii. Czas minął zbyt szybko. Cieszyło ją, że zobaczy się z rodziną, ale Robin... Przeciągnęła się na dużym łóżku z drzewa kasztanowca. Wysłał jej kilka esemesów i parę razy próbował dzwonić, jednak nie odbierała i nie odpowiadała na wiadomości. Tchórzostwo? Może i tak, lecz postanowiła, że stawi mu czoło w odpowiednim czasie. Sprawa nie została załatwiona i musieli porozmawiać, ale na jej warunkach i wtedy, kiedy ona uzna za stosowne.

Poszukiwanie informacji zakończyło się fiaskiem. Wczoraj dwukrotnie poszła do domu Santiny i Giovanniego, pukała do drzwi, jakby właśnie przypadkowo tędy przechodziła i postanowiła wpaść. Raz nikt jej nie odpowiedział, za drugim razem Santina otworzyła, lecz w domu był Giovanni, więc nie miały okazji porozmawiać w cztery oczy. Cierpliwość mogła być cnotą, ale Tess kojarzyła się bardziej z kulą u nogi.

Powietrze było nieruchome i ciepłe. Jak zwykle zjadła śniadanie na tarasie i jak zwykle zobaczyła Tonina w zatoce. Stał przy białej skale, obok punktu obserwacyjnego, z twarzą przeoraną bruzdami jak kamienie, nad którymi pracował, a jego ciemne włosy przypominały skrzydło kruka na tle bladego nieba. W czarnych dżinsach i białej koszulce jego sylwetka odcinała się od granatowego oceanu. Spoglądał na morze. Zawsze spoglądał na morze, ale nie widziała, żeby wchodził do wody.

Sprzątnęła naczynia po śniadaniu i przeniosła je do kuchni. W willi było chłodno, a jednak przyjemnie, zupełnie inaczej, niż twierdził Giovanni podczas tamtej kolacji. Znów zaczęła się zastanawiać, czy Sciarra był wobec niej zupełnie uczciwy, czy miał jakieś ukryte zamiary.

Kiedy zeszła do zatoki, Tonino był już u siebie w pracowni. Od tamtego poranka, gdy zaparzył Tess kawę, odpowiadał na jej pytania monosylabami, a wyraz jego twarzy nie był ani przyjazny, ani wrogi, raczej obojętny, i to doprowadzało ją do szewskiej pasji. Nie miała pojęcia, co o niej myślał, jednak z jakiegoś powodu, nad którym wolała się nie zastanawiać, czuła się tym zirytowana.

Przystanęła przy witrynie jego pracowni. Mozaika z wężem demonicznie pobłyskiwała na samym środku. Tess chciała zapytać Tonina o historię kryjącą się za mozaiką, ale miał na twarzy maskę i przycinał jakieś kamienie, a wokół niego fruwały drobiny kurzu i pyłu. Ruszyła więc przed siebie.

Idąc brzegiem morza i patrząc, jak maleńkie fale obmywają jej palce u stóp, pomyślała, że kiedy następnym razem się tu zjawi, zabierze z sobą sprzęt do nurkowania i porządnie zbada okolicę, co dla niej oznaczało eksplorację głębin. A potem porozmawia z Santiną, sam na sam.

Tess przymknęła powieki i poczuła, że będzie jej brakowało spokoju tego miejsca, o pogodzie nie wspominając. W Anglii nadal panowały chłody, a tu sycylijska wiosna powoli przechodziła w lato. Niebo już robiło się ciężkie i mgliste od upału. Postała tak przez chwilę, ciesząc się ciepłem słońca na skórze.

— Ciao.

Odwróciła się na pięcie. Tonino stał tuż za nią i mierzył ją uważnym spojrzeniem. Zdążył się przebrać w szorty i japonki, ale nadal miał na sobie rozchełstaną, białą koszulkę.

— Ciao. *Bon g...* — zająknęła się i kolejny raz wkurzyła na matkę, która nie raczyła nauczyć jej w dzieciństwie sycylijskiego, czy choćby włoskiego. Teraz posługiwałaby się nim płynnie, może nawet byłaby dwujęzyczna. Znała jednak przyczynę tego stanu rzeczy. Sycylia była terenem zakazanym. Wolno było jeść sycylijskie jedzenie, nawet mamma nie potrafiła się od tego powstrzymać, ale wszystko inne było *no grata*. — Rozkoszowałam się spokojem — dodała.

Tonino pokiwał głową.

— Tu jest bardzo spokojnie, tak. Widzę, że lubisz nasze miasteczko.

— Myślisz, że zawsze będziesz tu mieszkał? — Poruszyła stopą w wodzie, przekonana, że bliscy Tonina żyją w Cetarii od niepamiętnych czasów.

— Tu jest wszystko, czego mi trzeba.

Po tych słowach znowu zapatrzył się na morze i Tess raz jeszcze dostrzegła jego smutek. Kochał to miejsce i wodę, ale sprawa była bardziej skomplikowana. On był bardziej skomplikowany.

— A rodzina? — drążyła. — Co z nimi?

Tonino zamrugał i znowu popatrzył na nią.

— Mój dziadek to Alberto Amato — wyjaśnił.

Tess uniosła brew, jak gdyby nigdy nie słyszała tego nazwiska.

— Łowił ryby harpunem. Był legendą. Kiedy nurkował, potrafił wstrzymać oddech na ponad cztery minuty i umiał zanurzyć się na sześćdziesiąt metrów.

To rzeczywiście zrobiło na niej wrażenie.

— A twój ojciec?

— Też był rybakiem. Wypływał kutrem. W maju i czerwcu brał udział w *mattanza*. Jak wszyscy.

— *Mattanza?*

— To rytuał łowienia tuńczyka błękitnego. — Wskazał na budynki, które stały nad zatoką, magazyn z trzema wielkimi łukami, a także samą tuńczykarnię, obecnie porzuconą i niewykorzystywaną. — Pracowali w zespole. Wielu mężczyzn w małych łódkach.

— Jak to było? — spytała.

— Kiedyś to był bardzo opłacalny interes, i przy okazji krwawy. Inne słowo na *mattanza* to masakra. Ale... — wzruszył ramionami. — Mówią, że Cetaria zawdzięcza swoją nazwę wielu rybom w morzu. Po grecku to znaczy dosłownie „ziemia tuńczyków". — Pokręcił ze smutkiem głową. — Jednak rzeź tuńczyków to nie był miły widok. Ludziom, którzy musieli to robić, też było ciężko.

Tess zadrżała. Zaczynała rozumieć, jak trudno było tu wyżyć. Cieszyło ją jednak, że tuńczyków nie łowi się już w ten sposób.

— Tam trzymali łodzie. — Wskazał na magazyny. — Mówią, że w tych konstrukcjach nadal słychać echa *Cialomy*.

Tess nadstawiła uszu. Nic nie słyszała, chyba że chodziło mu o głuchy pogłos.

— A co to jest dokładnie?

— Piosenka — wyjaśnił. — Rybacy śpiewali ją, żeby znaleźć siły do wyciągania sieci.

— A jednak wszystko tutaj wydaje się takie spokojne.

Budynki rzeczywiście odpoczywały, dla nich czas się zatrzymał. Figowiec i oleander rosły przed rdzewiejącymi kotwicami, jakby symbolizując ich nowo odnaleziony spokój.

Wzruszył ramionami.

— Jeżeli masz ochotę zobaczyć, co to jest zupełny spokój, to odwiedź Segestę — zasugerował.

— Segestę? — powtórzyła.

Widziała ją na mapie, lecz nie przybyła tu przecież zwiedzać okolice. Wolała obejrzeć miasteczko matki, dowiedzieć się, czego trzeba i odpoczywać w willi oraz nad morzem. Potrzebny był jej czas do namysłu, żeby mogła się zastanowić, co zrobić z Villa Sirena i z Robinem.

Tonino potarł bliznę na policzku.

— Oczywiście. Nie możesz przyjechać do Cetarii i nie odwiedzić Segesty.

— Bardzo bym chciała. — Uśmiechnęła się. — Ale już jutro wracam.

— Jest jeszcze dzisiaj. — Uniósł brew.

— No tak — odparła niechętnie.

Przyszło jej do głowy, że mogłaby jeszcze raz wstąpić do Santiny, ale nie chciała, by Giovanni nabrał podejrzeń.

— A co tam jest do zobaczenia?

Tonino odgarnął włosy wierzchem dłoni. Na jego twarzy osiadła cienka warstwa pyłu, zapewne z kamieni, która nieco przypominała brokat.

— Świątynia — wyjaśnił. — Amfiteatr.

To zrobiło na niej wrażenie. Nie każdego dnia widuje się świątynie albo amfiteatry, zwłaszcza w Pridehaven.

— Mógłbym cię tam zabrać. — Patrzył na nią tak, jakby potrafił przewiercić ją spojrzeniem na wylot.

— A twoja praca?

— Poczeka. Chyba że...

— Nie — odparła błyskawicznie. Niewątpliwie widział ją z Giovannim. Nie chciała, aby myślał, że ona i Giovanni... To nie była prawda i tylko by się zdenerwował, jeśli nie lubił Sciarrów tak, jak Giovanni nie lubił jego. — Bardzo chętnie. — Rozejrzała się po *baglio*. — Masz samochód? Bo... — już miała powiedzieć, że mogliby pojechać jej wynajętym autem. Jak dotąd nieszczególnie się przydał.

— Mam lepszy pomysł. — Uśmiechnął się.

— Tak?

— Spotkajmy się tutaj za godzinę. — W jego oczach wyraźnie dostrzegła iskierkę, być może niebezpieczeństwa.

Nie wahała się ani przez moment.

— Będę na miejscu — oznajmiła.

Kiedy godzinę później zeszła po kamiennych schodkach, Tonino już na nią czekał.

— Ciao. — Wręczył jej kask.

Na szczęście Tess włożyła spodnie z niebieskiego lnu, a nie krótką, dżinsową spódniczkę. Jego skuter, lambretta, wyglądający bardziej stylowo niż stabilnie, stał zaparkowany przy wejściu na *baglio*.

Usiadła na siodełku za Toninem.

— Trzymaj się! — wrzasnął i ruszyli.

Wyjechali z miasteczka na drogę, otoczoną przez zarośla bambusowe, kaktusy i drzewa oliwne. Prowadziła ona ku jasnozielonym zboczom gór, których granitowe szczyty były na wpół ukryte w zwiewnych chmurkach. Tess czuła przypływ entuzjazmu, gdy obejmowała Tonina w pasie — w końcu musiała się czegoś trzymać, poza tym tak było najbezpieczniej. Nie jechali specjalnie szybko, zresztą nie dałoby się, ponieważ skuter nie miał odpowiedniej mocy. Wiatr we włosach i na twarzy sprawiał jej przyjemność. Od dawna nie czuła się równie dobrze.

Nagle dał się słyszeć wystrzał, który rozniósł się echem po okolicy.

— Mafia? — wrzasnęła Tess.

Tonino tylko się roześmiał.

Przejechali pod wiaduktem, obok wysokich cyprysów, między winnicami po lewej i drzewami eukaliptusowymi po prawej. Dalej rozciągały się srebrzyste gaje oliwne i pola żółtej pszenicy, a także łąki pełne szkarłatnych maków, białych stokrotek i kolczastych, żółtych ostów. Zwolnili przed skrzyżowaniem i Tess dostrzegła na poboczu śmigającą jaszczurkę, zieloną z pomarańczowymi plamkami. Natychmiast pomyślała o wężu i rybie Tonina, o dzieciństwie matki, a także o tutejszym życiu, tak różnym od tego, które znała z Anglii.

Droga była wyboista, pełna dziur i głębokich kolein. Tess przez cały czas podskakiwała na siodełku. Nagle Tonino zwolnił.

— Segesta — oznajmił.

Przy turystycznym autokarze stał jakiś staruszek i zbierał bilety od ludzi ustawionych w kolejce. Tess czekała, aż Tonino się zatrzyma, żeby mogli dołączyć do turystów, ale on tylko minął staruszka, machając mu wesoło, a potem zjechał na krętą drogę. Była stroma, więc lambretta zaczęła zwalniać, aż w końcu ledwo się wlokła. Na jednym z zakrętów Tonino zatrzymał skuter i wskazał za siebie, tam, skąd przyjechali.

— Helleńska świątynia — oznajmił.

Tess odwróciła głowę. Budowla o barwie miodu dominowała nad krajobrazem. Tess pomyślała, że to doskonałe miejsce na pierwszy kontakt z historią. Świątynia wyglądała tak, jakby umieścił ją tutaj sam Bóg.

Zsiedli ze skutera. Powietrze było zupełnie nieruchome i ciężkie, Tess słyszała tylko śpiew ptaków i brzęczenie owadów, świerszczy, a może cykad. Tonino popatrzył w górę.

— Jaskółki wróciły z Afryki Północnej — powiedział.

Samotną świątynię otaczały zielone i rdzawe równiny, a góra była porośnięta dębami i wawrzynem. U stóp wzgórza rozciągało się wyschnięte koryto rzeki. Patrząc na głęboki rów, Tess pomyślała, że ten krajobraz ma hipnotyczne działanie. Ziemia zdawała się tętnić niczym gigantyczny magnes. Czy była to moc świątyni, czy też samej ziemi? A może obu?

Minęło kilka minut, zanim Tonino machnął ręką, żeby wracała na skuter. Powoli podjechali do amfiteatru, na sam szczyt wzgórza. Najwyraźniej trafili na przerwę między jednym autokarem a drugim, gdyż oprócz nich nie było nikogo.

— Niesamowite — wymamrotała, niemal bojąc się mówić zbyt głośno.

Starożytny teatr był wielki i głęboki, zbudowany na planie półkola, z obniżającymi się rzędami z nierównego, białego kamienia. Za sceną Tess widziała drzewa, góry i doliny, a w oddali połyskiwało morze.

— Chodź. — Tonino poprowadził ją po wybrukowanych schodkach na front teatru, gdzie Tess przysiadła na kamiennej półce, wytartej i zniszczonej przez wieki.

On powędrował na sam środek sceny, uśmiechnął się, wyrzucił ręce ku niebu i ku jej kompletnemu zdumieniu zaczął śpiewać, po włosku, pięknym tenorem. Tess była zafascynowana. Rozpoznała tę arię, z jakiejś włoskiej opery, może Pucciniego. Nigdy jednak nie słyszała jej w greckim kamiennym amfiteatrze, pod sycylijskim niebem, w wykonaniu najbardziej enigmatycznego człowieka, jakiego zdarzyło się jej spotkać.

Kiedy przebrzmiała ostatnia nuta, Tonino skłonił się nisko, a Tess zaczęła klaskać.

— Fantastycznie! — zawołała.

— Możesz sobie wyobrazić, jak to było w czasach Greków? — Usiadł obok niej na białym kamieniu. — Na scenie z błota i kamieni, z gwiazdami nad głową?

— Mhm. — Objęła kolana rękami. Rzeczywiście, zaczynała to sobie wyobrażać.

— Gorąca, parna, nieruchoma noc. Góry, ciemniejące niebo...

Pomyślała, że niezły z niego poeta, i uśmiechnęła się dyskretnie.

— Podczas uroczystości w teatrze jest mnóstwo światła — dodał. — Ludzie przychodzą tu wieczorami, z butelką *prosecco* i poduszką.

— Musi być magicznie. — Nie zdołała ukryć smutku w głosie.

Raz jeszcze przyszło jej do głowy, że wcale nie chce stąd wyjeżdżać. Czuła się tak, jakby dar Edwarda Westermana miał zostać jej odebrany.

— Czasami ludzie przychodzą tutaj oglądać wschód słońca. — Znowu wpatrywał się w nią przenikliwie, jak gdyby chciał ocenić jej reakcję. Jakby ją testował.

Tess pokiwała głową, nie chcąc nic mówić, żeby nie psuć nastroju chwili.

— Zostają na śniadanie, a czasem ktoś przyjeżdża furgonetką, żeby sprzedawać tu sycylijskie kiełbaski w bułce.

Nie mogła się nie roześmiać, tak jej to nie pasowało.

— Co cię tak bawi?

— Furgonetka z hot dogami zawsze w końcu dotrze do najbardziej nieskalanych miejsc — wyjaśniła.

— Hot dogami? — Zmarszczył czoło.

— To właśnie takie kiełbaski w bułce. — I nie, ona również nie wiedziała, dlaczego noszą nazwę hot dogów, czyli „gorących psów".

Na parkingu pod nimi pojawił się autobus pełen ludzi, którzy teraz szli gromadą ku teatrowi.

— Czas na nas — oznajmił Tonino.

Wskoczyli na skuter i zjechali krętą drogą ku samotnej świątyni. Po zaparkowaniu ruszyli ścieżką, po której obu stronach rosły agawy i mirty. Świątynia okazała się większa, niż Tess się spodziewała, starsza i piękniejsza. Kamienie w miodowym odcieniu uległy zniszczeniu pod wpływem warunków atmosferycznych, a z zakamarków i spękań w olbrzymich kolumnach wyrastały dzikie kwiatki.

— Teraz jaskółki mają tutaj gniazda — zauważył Tonino.

W tej samej chwili z oddali dobiegło ich brzęczenie kozich dzwonków.

— Jak bardzo jest stara? — zapytała Tess.

— Z piątego wieku przed naszą erą. Podobno nie można jej sprofanować, bo nie została ukończona. Nadal czeka na dach, widzisz?

— Mhm. — Pomyślała, że poczeka jeszcze całe wieki.

Tonino uśmiechnął się do niej.

— Bardzo tu spokojnie, prawda? — zapytał.

— O tak — zgodziła się. — Dziękuję.

— Za to, że cię przywiozłem? — Wzruszył ramionami. — To nic. Kiedy mieszka się w jakimś miejscu, czasem dobrze sobie przypomnieć, co się ma.

— Za to, że dzięki tobie tego nie przeoczyłam.

Przyjął to skinieniem głowy i wskazał jej drewnianą ławeczkę pod figowcem.

Tess posłusznie usiadła. Miejsce było osłonięte przed wzrokiem ewentualnych gapiów, ale i tak zdumiało ją, kiedy zerwał dwie dojrzałe figi z drzewa i podał jej jedną.

— Wczesne zbiory — wyjaśnił. — Wiosną była dobra pogoda. To odmiana San Pietro. Zwykle jest dobra dopiero pod koniec czerwca.

Tess wgryzła się w aksamitną skórkę figi i poczuła na języku miąższ, ziarnisty i wręcz nieprzyzwoicie słodki.

— Myślę, że to pierwsze figi w sezonie — dodał.

Tess pomyślała o tym, jak bardzo Tonino Amato i Giovanni Sciarra różnią się od siebie. Giovanni był biznesmenem, Tonino artystą. Giovanni zabierał ją do restauracji, gdzie zapewniał jej najlepsze jedzenie i obsługę; Tonino przyprowadził ją do ruin świątyni, śpiewał jej i karmił ją dojrzałymi figami prosto z drzewa.

Stanowili swoje przeciwieństwo.

— Dlaczego Giovanni Sciarra tak bardzo cię nienawidzi? — zapytała, zanim zdążyła ugryźć się w język.

Wyraz jego twarzy natychmiast się zmienił, na czole pojawiła się głęboka zmarszczka. Tonino wymamrotał coś, co zabrzmiało jak *bastardo*.

— To stara kłótnia — mruknął, muskając bliznę czubkami palców. — Nie my pierwsi, nie my ostatni. Dlaczego się tym interesujesz, Tess? — Jego głos wydawał się lodowaty. — Co cię to obchodzi?

Podniosła się z ławki i stanęła obok niego.

— Po prostu jestem ciekawa. — I rzeczywiście była. Skąd mogła wiedzieć, komu wierzyć, skoro nawet nie zdążyła poznać jego wersji historii? — Giovanni coś mi opowiadał...

Tonino znowu zaklął pod nosem.

— Dawno temu zabrali nam ziemię. Wiedzieli, komu służyć i kogo ukarać. To jedno. Ale morderstwo to coś zupełnie innego — warknął.

— Morderstwo? — Tess wpatrywała się w niego. — Chyba nie Giovanni?...

— Nie, nie on. — Odwrócił się. — Jego rodzina, Sciarrowie. To przez nich zginął mój stryjek. Nie mają skrupułów, przed niczym się nie cofną. — Znowu przejechał palcem po bliźnie.

— Ale co się stało? — nie mogła tego tak zostawić. — Co z policją? Nie było dochodzenia? Dlaczego mieliby...

Umilkła, ponieważ Tonino wybuchnął szorstkim, pozbawionym humoru śmiechem.

— Jesteśmy na Sycylii, Tess — odparł. — Mówimy o rodzinie Sciarra.

— Ale...

Nie zdążyła nic dodać, ponieważ zrobił krok w jej kierunku i złapał ją za ramiona.

— Daj temu spokój, Tess — zażądał.

Odwróciła głowę, a jego usta niemal dotknęły jej włosów. Coś w zarysie jego szczęki wydało się jej znajome, coś jej to przypominało, coś lub kogoś. Pachniał dziką miętą i cytrynami. Wzdrygnął się, kiedy Tess dotknęła blizny na jego twarzy.

— Ta blizna... — zaczęła i nagle zrozumiała.

— Tak. — Pochylił głowę. — Kiedy byliśmy nastolatkami. Zawsze z sobą walczyliśmy, mamy to we krwi. Nasi przodkowie byli tacy sami.

Przejechała palcem przez całą długość blizny. Oczywiście, to była robota Giovanniego. Ale dlaczego ten stryjek został zamordowany, a Sciarrom uszło to na sucho? Komu służyli i kogo ukarali? Od tego wszystkiego Tess miała mętlik w głowie — dług, kradzież, zdrada, a teraz jeszcze morderstwo?!

Położyła dłoń na jego ramieniu. Pragnęła objąć go za kark, porośnięty kędzierzawymi, ciemnymi włosami, ale...

To miejsce musiało tak na nią podziałać. Na pewno.

— Jeszcze nie opowiedziałeś mi o syrenie — przypomniała mu cicho.

Ich twarze znajdowały się zaledwie kilka centymetrów od siebie.

— Ale opowiem. — Pochylił się lekko i poczuła prze-
lotny dotyk jego ust na swoich. Smakowały słodyczą,
dojrzałymi figami i piżmem. — Chyba wrócisz na Sycylię? — powiedział. — Wrócisz do Cetarii, prawda?

— Tak. — Jego kark okazał się tak ciepły, jak się spodziewała.

Przez chwilę Tess nie myślała ani o Robinie, ani
o Ginny, ani o mammie i papie. Nie myślała o niczym,
ani o rodzinie Sciarra, ani Amato, ani też Farro, ani
o Villa Sirena i jej sekretach. Nie myślała nawet o historii
matki.

— Wrócę — obiecała, choć nie była pewna, kiedy to
nastąpi. — Obiecuję.

ROZDZIAŁ DWUDZIESTY DRUGI

P owiada się, że stół bez chleba jest jak dzień bez słońca. Chleb, znak firmowy Sycylii, świeży i złocisty, ciężki i twardawy. Religia i rytuał. Bochenki plecione w warkocze, ozdobione krzyżem, pieczone spodem do góry; czarny chleb, orzechowy, podpłomyk, ziarnisty. Pieczony w ceglanych piecach, opalanych drewnem z drzew oliwnych.

Z tego, co wiedziała Flavia, tradycja dekoracyjnego wotywnego chleba od wieków była kultywowana na Sycylii. Wielkanocny chleb paschalny, a także wypieki z okazji innych świąt religijnych dawały twórczym piekarzom szansę na popisanie się swoim talentem. Piekli *ferro di cavallo*, chleb w kształcie podkowy, lub *pesce*, przypominający rybę, a także skręcony w formę o nazwie *mafalda*.

To nie takie proste... Żeby chleb idealnie urósł podczas pieczenia, należy użyć ściśle określonej ilości drożdży.

Flavia zaczęła się zastanawiać, czy Tess kiedykolwiek sama upiecze chleb, musiała jednak przyznać, że to mało prawdopodobne. Tak czy owak umiejętność ta nie mogła pójść w zapomnienie, w każdym razie nie dopóki Flavia miała w sobie jeszcze choć trochę życia i siły. Trzeba było koniecznie spisać przepis, jej własny, który otrzymała od mamy, a ta z kolei dostała go od babki Flavii.

Chleb, symbol wszystkiego, co nieskończone. Chleb, treść życia...

Opieka nad pilotem sprawiła, że Flavia znalazła cel w życiu. Stała się bardziej zdyscyplinowana i mniej egoistyczna. Już nie próbowała wykręcać się od obowiązków i nie śniła godzinami na jawie. Pracowała ciężko w domu i na polu, żeby szybko wrócić i zająć się Anglikiem. Wiedziała, że wszyscy w rodzinie byli zdumieni jej obowiązkowością. W końcu jednak pilot spadł z nieba i to ona go znalazła, dlatego też rościła sobie do niego prawa. Dotykanie go, przemywanie mu ran, karmienie, pomoc przy siadaniu i podtrzymywanie, gdy wstał pierwszy raz, niepewny niczym mały koziołek — to dawało jej satysfakcję. Po raz pierwszy w życiu była komuś potrzebna.

Ciągle się dziwił, że sycylijska rodzina przyjęła go pod swój dach.

— Dlaczego? — pytał ją spierzchniętymi ustami od samego początku, kiedy najgorsze minęło i wiedzieli, że przeżyje. — Co was to obchodzi? Jestem wam niesamowicie wdzięczny, ale dlaczego mi pomogliście?

Flavia delikatnie otarła mu twarz flanelową ściereczką. Miał wystające kości policzkowe, szerokie czoło, skórę napiętą i białą. Dolna warga była pełna i zmysłowa, górna nieco nierówna. Ta niedoskonałość szczególnie przypadła jej do gustu, Flavia miała ochotę godzinami się w nią wpatrywać.

— Moja rodzina lubi Anglików — poinformowała go. — Pracujemy dla Anglika.

Z wahaniem opowiedziała mu o signorze Westermanie, o wielkiej willi i o poezji, którą jej czytał, kiedy jako dziewczynka biegała po jego *casa* ze szmatkami i środkami czyszczącymi.

— Gdzie on jest? — Pilot rozejrzał się wokół, jakby oczekiwał, że signor Westerman nagle się zmaterializuje i wyłoni z kamiennej ściany.

— Wrócił do Anglii — poinformowała go Flavia. — Tu było zbyt niebezpiecznie.

Pokiwał głową i odwrócił wzrok. Wiedziała, że myślał o ataku lotniczym, w którym brał udział i który go tu sprowadził.

— Cholerna wojna — mruknął. — Załatwi nas wszystkich, zobaczysz.

Był dobrym słuchaczem, zresztą i tak nie miał nic innego do roboty. Wobec tego przy różnych okazjach Flavia mówiła mu, a raczej szeptała, o swojej rodzinie i o swoim życiu. Opowiedziała mu rzeczy, którymi wcześniej dzieliła się wyłącznie ze swoją przyjaciółką Santiną.

— Ja tu nie pasuję — wyznała. — Nigdy nie pasowałam.

— A gdzie pasujesz? — uśmiechnął się.

Nie chciała, żeby się z niej naśmiewał.

— Tam, gdzie mogę żyć — odparła. — Gdzie mogę oddychać. Gdzie mogę być sobą.

Ze zrozumieniem pokiwał głową.

— Jesteś cudowną dziewczyną, Flavio — oznajmił. — Mam nadzieję, że dostaniesz wszystko, czego pragniesz. Naprawdę.

— Dostanę, jeśli będę o to walczyć. — Czuła się przy nim coraz śmielsza. Zdradził jej swoje imię — Peter — i czasem szeptała je do siebie nocą, kiedy nikt nie słyszał.

— Mimo to twoja rodzina to dobrzy ludzie, ocalili mi życie. Wszyscy mnie uratowaliście, psiakrew. Może kiedy dorośniesz, będziesz żyła inaczej.

— Nie jestem dzieckiem. — Wyprostowała się. — Mam siedemnaście lat.

— Siedemnaście, tak? — Popatrzył na nią z uśmiechem.

Wtedy uświadomiła sobie, że siedemnaście to zbyt mało.

— Wiesz, Flavio — powiedział pewnego dnia. — Może w tym innym życiu, w tym, do którego tak tęsknisz, wcale nie jest tak dobrze, jak ci się wydaje. — Patrzył na nią z dziwną powagą w niebieskich oczach. — Marzenia zawsze wydają się idealne, ale trawa sąsiada niekoniecznie jest bardziej zielona.

Flavia słuchała jego słów. Trawa sąsiada?...

— I tak chciałabym zobaczyć — odparła.

Mogła sobie tylko wyobrazić życie, w którym człowiek ma wybór, a jego ścieżka nie jest wytyczona przez kogoś innego. Jak on miałby to zrozumieć? Niewiele wiedział o życiu na Sycylii.

Z biegiem czasu czuła się przy pilocie coraz bardziej odprężona. Często razem się śmiali i wydawało się jej, że zawsze na nią czeka. Wyraz jego twarzy zmieniał się, gdy obserwował, jak Flavia chodzi po pokoju, porządkując rzeczy, lub przynosi świeżą wodę. Zaczął się z nią przekomarzać, opowiadać historyjki, wspominać Anglię. Podczas tych rozmów w jego oczach pojawiała się tęsknota, co wzbudzało zazdrość Flavii.

Pewnego dnia wpadła do pokoju wściekła jak osa. Maria kazała jej wcześniej wyszorować piecyk, chociaż Flavia już go bardzo starannie wyczyściła. Siostra zrobiła to z czystej złośliwości, żeby ją powstrzymać... przed wizytą u niego, omal nie dodała, ale ugryzła się w język.

Peter siedział na łóżku, a Flavia usiadła obok niego.

Uśmiechnął się i poklepał ją po ręce.

— Chyba powinienem zabrać cię do starej, dobrej Anglii — oznajmił. — Pokazać ci, jak tam jest. — Wyraźnie spochmurniał. — Kiedy już ta cholerna wojna dobiegnie końca.

Flavia nie miała wrażenia, że żartował.

— Naprawdę byś to zrobił? — spytała błagalnie.

Zapadło długie milczenie. Peter patrzył na nią i nic nie mówił.

— Zabrałbyś mnie? — Uniosła twarz, a on jęknął cicho, ale pochylił głowę.

Kiedy ją całował, było zupełnie inaczej, niż sobie wyobrażała. Dotyk jego ust na jej wargach... Czuła, że rozpływa się w środku, a jej wnętrze rozgrzewa się i parzy.

Gdy odsunął głowę, chciała poprosić, żeby ją znowu pocałował i przytrzymał tak mocno, aby nikt nigdy nie zdołał ich rozdzielić. On jednak nawet na nią nie spojrzał.

— Idź już, Flavio — powiedział. — Proszę, odejdź.

Flavia przerwała pisanie. Chciała odpocząć i pomyśleć. Była stara, a wspomnienia okazały się zbyt żywe i świeże, żeby mogła sobie z nimi poradzić. Podświadomie sądziła, że streści suche fakty, i nie spodziewała się tej fali smutku.

Kiedy się w nim zakochała? Któż to wie? Może w chwili gdy znalazła go w dolinie, gdzie leżał ranny i krwawił pośród szczątków rozbitego samolotu. A może kiedy prawie umarł i myślała, że go utraciła. Lub wtedy, gdy ją po raz pierwszy pocałował.

Raz jeszcze Flavia chwyciła długopis. Musiała panować nad pisaniem, nawet jeśli nie udało się jej utrzymać w ryzach emocji. Musiała też pamiętać, dla kogo pisze — dla swojej pięknej córki Tess, która powinna znać tę historię. A jednak pisała nie tylko dla Tess.

— O co chodzi? — zapytała go następnego dnia. — Co takiego zrobiłam?

Znowu na nią nie patrzył.

— Nic — odparł.

Wydawał się smutny. Czubkami palców delikatnie odgarnął włosy z jej twarzy.

Flavia zamknęła oczy. Jego dotyk sprawiał jej ogromną przyjemność...

— Popełniłem błąd, całując cię — dodał. — Facet nie powinien tak wykorzystywać dziewczyny.

— Nie wykorzystałeś mnie.

Tym razem to ona pochyliła się, żeby go pocałować, i ona przytrzymała jego twarz, rozchyliła usta i poczuła jego smak na swoim języku. Nie bała się okazywać namiętności. Pragnęła tylko trzymać Petera w ramionach i całować, raz po raz. Gdyby tylko mogła, utonęłaby w nim całkowicie.

Ale po kolei.

Flavia przymknęła na chwilę oczy. To było zbyt bolesne i dlatego właśnie...

To było tak odległe, powiedział kiedyś Lenny, i naturalnie miał rację. Jednak odległość, bez względu na to, czy to czasowa, czy geograficzna, nie zawsze uśmierza ból. Teraz to czuła, po tych wszystkich latach, głęboko, tak jak wtedy, za pierwszym razem, czuła jego miękkie usta na swoich.

Rzecz jasna wtedy była bardzo bezbronna, gotowa na zerwanie niczym dojrzała wiśnia, można by powiedzieć. Chociaż wcale nie o to chodziło, naprawdę nie o to.

Nagle uświadomiła sobie, że była niemal w tym samym wieku, co teraz jej wnuczka Ginny, chociaż Ginny obchodziła urodziny wczesną wiosną, a Flavia miała skończyć osiemnaście lat dopiero zimą. A jednak... Młodą Sycylijkę i jej angielską wnuczkę dzieliła przepaść.

— Pomóż mi znaleźć słowa — wyszeptała.

Musiała uczciwie opowiedzieć o tym, co się stało.

Pomogła swojemu pilotowi wyzdrowieć, a potem oddała mu serce. To było takie proste, takie naturalne. Kochała go. Wydawało się jej, że nie przestanie go kochać do końca świata, że będzie ją nawiedzał aż do śmierci i że nigdy się od niego nie uwolni.

Mama musiała wyczuć niebezpieczeństwo. Może Maria jej powiedziała. Porozmawiała z papą i odtąd nie pozwalali Flavii przebywać sam na sam z pilotem. Było już jednak za późno, o wiele za późno.

ROZDZIAŁ DWUDZIESTY TRZECI

P o powrocie do Pridehaven Tess czuła się niespokojna. Nie cieszył ją powrót do pracy, padało, a dom
wydawał się podejrzanie wysprzątany.

— Czy w trakcie mojego wyjazdu coś się zdarzyło? — zapytała córkę, która od powrotu Tess skrupulat-
nie unikała jej wzroku.

— Zdarzyło? — powtórzyła Ginny. — Nie, raczej nie.
Bo co?

— Bo wszystko wydaje się czystsze — odparła Tess,
spoglądając na odbicie córki w lusterku art déco nad kominkiem.

Ginny siedziała przy laptopie, a Tess zaczęła się zastanawiać, czy uczy się do egzaminu, czy też siedzi na
Facebooku. Któż to wiedział? Tess nie rozumiała potrzeby informowania dziesiątków znajomych o najmniej
istotnych detalach ze swojego życia, i to w dodatku z bo-
gatym materiałem ilustracyjnym. Martwiło ją, że realne-
mu światu grozi całkowite zniknięcie, i wiedziała też, że
należy w swoich poglądach do mniejszości.

— Nie narobiłyśmy zbyt dużo bałaganu. — W głosie
Ginny pobrzmiewała nutka niepewności. — Po prostu
trochę potem posprzątałam i tyle.

No tak, babski wieczór z pizzą i filmami.

— Świetnie — mruknęła Tess. Dawno, dawno temu opowiadałaś mi o wszystkim, miała ochotę dodać. — Świetnie — powtórzyła tylko.

Ale wcale nie uważała, że jest świetnie.

W pracy Simon Wheeler, szef Tess, wezwał ją do gabinetu, znanego jako Akwarium. Nazwano go tak z oczywistych powodów — był mały, przeszklony i nie zapewniał nawet odrobiny prywatności.

— Co do tej pracy... — zaczął.

— Tak? — Tess cieszyła się, że ma na sobie szpilki, wiśniową bluzkę z jedwabiu, czarny żakiet i wąską, ołówkową spódnicę. Jako kierowniczka musiała wyglądać elegancko, żeby przynajmniej stwarzać pozory panowania nad sytuacją.

— Obawiam się, że tym razem ci się nie poszczęściło, Tess — westchnął.

— Słucham?

Czyżby się przesłyszała? Co do tego miało szczęście? Wcześniej wszyscy dawali jej do zrozumienia, że ma tę pracę w kieszeni.

— Malcolm dostał to stanowisko.

— Malcolm? — powtórzyła. Nawet nie wiedziała, że Malcolm się o nie ubiegał. Pochyliła się ku Simonowi. — Przecież pracuje tu dopiero od pięciu minut.

— Właściwie od pięciu miesięcy — odparł Simon natychmiast i postukał długopisem w blat biurka. Ten irytujący zwyczaj zdradzał jego zakłopotanie. — Nie o to zresztą chodzi, Tess. Simon ma doświadczenie na tym stanowisku z poprzedniej firmy. Przykro mi.

Tess milczała. Nie było o czym mówić. Simon i Malcolm czasami chodzili razem do pubu i była pewna, że Simon oraz jego żona Marjorie zapraszali Malcolma i Sheilę na kolacje. No i oczywiście, choć myślała, że w obecnych czasach nie ma to najmniejszego znaczenia, Malcolm był mężczyzną.

— Naprawdę rozważaliśmy twoją kandydaturę. — Simon poprawił krawat. Najwyraźniej czuł się coraz gorzej. — Byłaś doskonała.

— Tyle że Malcolm był lepszy — odparła Tess.

Kto by pomyślał. Siatka seksistów w kierownictwie spółki wodnej w zachodnim Dorset? Na litość boską...

— Okazał większe zaangażowanie — oznajmił Simon. — Więcej ambicji. — Zmarszczył brwi. — Mam nadzieję, Tess, że nie czujesz się przygnębiona.

Zaangażowanie? Ambicja? Tess wstała.

— Staram się — odparła. Nie czuła się przygnębiona, ale wściekła, po prostu wściekła, ot co. Pominięta, wręcz zdradzona. — Uważam, że zasłużyłam na to stanowisko, Simon.

Simon westchnął ciężko.

— Niełatwo jest kierować zespołem, Tess. Najważniejsza jest umiejętność pracy w zespole, a radzenie sobie z ludźmi to nie przelewki.

— Tak, wiem.

To było niesprawiedliwe. Tak ciężko pracowała dla firmy, a dopóki nie pojawił się Malcolm...

Wyjrzała z Akwarium. Dwie dziewczyny śmiały się i żartowały z Malcolmem. Umiejętność pracy w zespole, pomyślała. Janice popatrzyła na nią ze współczuciem. Nagle Tess uświadomiła sobie, że wszyscy już wiedzą.

— Chcę złożyć wypowiedzenie — usłyszała swój głos.

Zabrzmiało to trochę niepoważnie, ale jak mogłaby tu zostać? Ludzie uśmiechaliby się pogardliwie za jej plecami, litowaliby się nad nią albo podlizywali się Malcolmowi, który byłby jej bezpośrednim przełożonym.

— Daj spokój, Tess. — Simon również wstał. — Proszę, zastanów się nad tym. Decyzje podjęte pod wpływem emocji...

— To instynktowne decyzje — wtrąciła. — I zapewne rozsądne.

Zapadła niezbyt przyjazna cisza.

Simon podszedł do Tess i położył jej dłoń na ramieniu. Miała ochotę ją strząsnąć, ale udało się jej nad sobą zapanować.

— Dopóki nie wręczysz mi wypowiedzenia na piśmie, nic o tym nie wiem, dobrze?

Protekcjonalny dupek. Tess nie mogła się zmusić do odpowiedzi. Otworzyła drzwi Akwarium i pomaszerowała prosto do automatu z kawą. Niech to szlag trafi! Najbardziej na świecie pragnęła teraz poskarżyć się Robinowi i usłyszeć jego spokojny, opanowany głos, jak ją pociesza i wykazuje słuszne oburzenie. „Oczywiście, że ty jesteś najlepsza, Tess — powiedziałby. — Jeśli on tego nie widzi, to znaczy, że jest idiotą".

A jednak Robin wcale nie uważał, że jest najlepsza. Tess obracała w dłoniach polistyrenowy kubek i pod wpływem kaprysu wybrała espresso. Dla Robina również była na drugim miejscu. Przecież nie był z nią, tylko z numerem jeden, z Helen.

Nagle zebrało się jej na płacz. Pieprzyć to. Z espresso w dłoni ruszyła do damskiej toalety, mając nadzieję, że okaże się pusta. Nie byłaby w stanie stawić czoła plotkom ani podszytemu złośliwością współczuciu. Zaangażowanie? Do diabła z nim. Jak można być zaangażowanym w wodę?

W ubikacji szybko wypiła kawę i poczuła się jeszcze gorzej, bo wcale nie smakowała jak espresso, które zaparzył jej Tonino na Sycylii. Ta mętna ciecz z automatu tak bardzo nie przypominała tamtej kawy, że nawet nie zasługiwała na tę nazwę.

Sycylia... Nie mogła sobie wybić jej z głowy ani przestać myśleć o Segeście i o smaku dojrzałych fig. Zaczynała żałować, że Edward Westerman zostawił jej w spadku Villa Sirena. To ją wprawiło w niepokój, wywróciło jej życie do góry nogami i wszystko pozmieniało.

Już za biurkiem napisała wypowiedzenie. „Czuję, że moje umiejętności i doświadczenie nie zostały w pełni docenione. Z żalem zawiadamiam..." Tak, akurat. Z żalem, myślałby kto.

Doczekała do szesnastej, a kiedy dostrzegła, że Simon poszedł porozmawiać z Malcolmem, zostawiła list na biurku w Akwarium. Potem zebrała rzeczy, wzięła torbę i wyszła z biura.

Innymi słowy, rzuciła pracę dla zasady. Co teraz?

Kilka minut po jej powrocie do domu zadzwoniła Lisa.

— Czekałam na ciebie, ale wpadłaś do domu jak wariatka — oznajmiła. — Wszystko w porządku?

Nie, pomyślała Tess.

— Tak, naturalnie — odparła.

Wiedziała, że w końcu opowie wszystko Lisie, ale na razie miała ochotę zostać z tym sama.

— Chcę porozmawiać o sobocie — powiedziała Lisa.

W sobotę Lisa kończyła czterdziestkę i urządzała wielkie przyjęcie. Szczerze mówiąc, była to ostatnia rzecz, na jaką w swoim obecnym stanie miała ochotę Tess, ale wczorajszego popołudnia, przy kawie i herbatnikach z karmelem, przyrzekła Lisie, że z całą pewnością się pojawi.

— Tak? Mogę wpaść koło czwartej, żeby ci pomóc — zaproponowała. — Super, złotko, ale zapomniałam ci powiedzieć... — Lisa wyraźnie się zawahała. — Przyprowadź Robina, dobrze?

Tess westchnęła ciężko. Dziś Robin próbował dodzwonić się do niej aż trzy razy, ale nie odbierała.

— Już się nie widuję z Robinem — odparła. — Od wyjazdu na Sycylię.

Co by się stało, gdyby pojechali do Cetarii razem? Cóż, z pewnością nic by nie zaszło z Toninem — nie żeby cokolwiek zaszło, a ponadto, jeśli wierzyć Giovanniemu, nic nie powinno zajść. Czy nadal była zakochana w Robinie? Gdyby tak było, to raczej nie doszłoby do tamtego prawie pocałunku. Musiała się pogodzić z tym, że ona i Robin to już przeszłość.

— Nic nie jest skończone, dopóki piłka w grze — roześmiała się Lisa. — Nie rozmawiałaś z nim jeszcze, prawda? — Tess usłyszała, jak Lisa przykrywa mikrofon dłonią i tłumaczy coś jednemu ze swoich dzieci. — Mówiłam ci, że jest w schowku pod schodami...

— Nie. — Tess uznała, że ma ochotę na drinka, albo lepiej na dwa.

— Czego się boisz, Tess?

Trafne pytanie. Czego się bała? Że Robin ją namówi, skłoni do zmiany zdania? Przekona, że powinni się widywać, że wszystko się zmieni i że zostawi Helen, a świnie nauczą się latać...

— Dobrze, porozmawiam z nim — odparła.

Lisa miała rację. Tess musiała załatwić tę sprawę, tylko tak mogła ruszyć z miejsca.

— Okej. — W głosie Lisy zabrzmiało zadowolenie. — Grzeczna dziewczynka.

O siódmej wieczorem Tess zostawiła Ginny razem z boysbandem z *X Factor* na pełny regulator, wsiadła do swojego fiata i pojechała na drugą stronę miasta, tam gdzie mieszkał Robin. Nie była nawet pewna, czy robi to po to, żeby zobaczyć fragment jego innego życia, czy też żeby przyjrzeć się tej kruchej Helen, na którą trzeba było chuchać i dmuchać, w przeciwieństwie do Tess.

Nie żeby pragnęła szczególnej uwagi. Włączyła kierunkowskaz i czekała na odpowiedni moment, by skręcić w prawo. Byłoby jednak miło, gdyby ktoś chciał się o nią nieco zatroszczyć.

Wjechała na ulicę, przy której mieszkał. Pewnie kupował niedzielne gazety w kiosku na rogu. Może po prostu nie była jedną z tych kobiet, którymi mężczyźni lubili się opiekować? Wrzuciła trzeci bieg, ale nadal jechała bardzo powoli. W końcu urodziła dziecko i sama je wychowała. Czasami nie chciało się jej nawet umalować ust, a na ulubiony zestaw ubrań składały się dżinsy i rozciągnięty podkoszulek (ale umiała się zrobić na bóstwo, przynajmniej tak sądziła, i nawet Ginny uważała, że ma świetne nogi). Poza tym bardzo ceniła sobie swoją niezależność. Po co jej zatem nadskakiwanie i ochrona?

Kiedy nagle zobaczyła Robina, tak ją to zszokowało, że omal nie straciła panowania nad autem. Szedł po chodniku i wyglądał, jakby był u siebie (w sumie to był). Towarzyszyła mu kobieta.

Tess mocniej zacisnęła ręce na kierownicy. Wiedziała, że cokolwiek się stanie, nie może ściągnąć na siebie uwagi. Kobieta była wysoka, jasnowłosa i wyglądała na równie wymagającą opieki jak nosorożec. Niestety, na tym kończyły się podobieństwa między nią a nosorożcem. Była szczupła, atrakcyjna, uśmiechnięta i niewątpliwie miała na imię Helen.

Tess jechała najwolniej, jak się dało. Robin obejmował w pasie tę nieszczególnie kruchą Helen i wyglądało na to, że sprawia mu to przyjemność. Kiedy Tess ich mijała, zaciskając zęby i próbując o niczym nie myśleć, zerknęła na Robina i dostrzegła, że się śmiał. Śmiał się! Nagle uświadomiła sobie, że oboje są szczęśliwi. Jak on miał czelność być szczęśliwy?! Poczuła się, jakby dostała obuchem w głowę. Skoro był szczęśliwy ze swoją żoną, to... Dlaczego?

ROZDZIAŁ DWUDZIESTY CZWARTY

To dopiero przełom, prawda?

Tess odwróciła głowę, żeby sprawdzić, kto ją zagaduje. To był czterdziestoparoletni, niedogolony mężczyzna o jasnych włosach i czerwonej twarzy, niski i otyły, z piwem w dłoni. Zauważyła to wszystko, zanim odpowiedziała.

— Czterdziestka? — Zamyśliła się. — Tak, chyba tak.

— Ty pewnie nic o tym nie wiesz. — Z aprobatą zmierzył ją wzrokiem od stóp do głów. — Daleko ci do czterdziestki.

Za to tobie dawno stuknęła, pomyślała z niemrawym uśmiechem.

— Przepraszam. — Ruszyła w kierunku stołu z jedzeniem.

Mitch napełniał talerz kurczakiem, frytkami i sałatką coleslaw.

— A już myślałem, że ci się poszczęściło, Tess — zażartował.

— Ratuj mnie — poprosiła błagalnie.

Tamten facet był z gatunku tych, których obowiązkowo spotyka samotna kobieta na przyjęciu. Zastanawiała się, jak długo jeszcze ma zamiar być ich ofiarą? Co było z nią nie tak, na litość boską? Najwyższa pora coś z tym zrobić.

Nałożyła sobie jedzenie na talerzyk, bardziej po to, żeby zająć czymś ręce niż z głodu.

— Dobra — odparł Mitch. — Tylko że dziś są urodziny mojej żony, więc obawiam się, że nie będę mógł pomagać ci przez cały wieczór.

Pomachał do niej butelką cavy, a Tess nadstawiła kieliszek.

— Co jest ze mną nie tak, Mitch? — zapytała.

No właśnie, jeszcze w dodatku to. Ostatnio na przyjęciach zaczynała się nad sobą użalać.

— Ja tam nie widzę nic złego. — Poklepał ją po ramieniu.

Czy była zbyt wybredna i chciała czegoś, co po prostu nie istniało? Może utknęła w błędnym kole — przyciągała niewłaściwych mężczyzn, by potem żałować? Tak było z Robinem. To też nie całkiem do niej dotarło. Czy przypadkiem nie była wystarczająco pewna, co powinna czuć? Jedno wiedziała na bank. W chwili gdy zobaczyła go z jego nie tak znowu kruchą Helen, było już po wszystkim, naprawdę. Nawet bardziej po wszystkim niż wtedy, gdy już wiedziała, że jest po wszystkim.

Tyle że jeszcze nie zdążyła go o tym poinformować.

— Świetne przyjęcie — powiedziała do Mitcha. — Kim są ci wszyscy ludzie?

Lisa przedstawiła ją pierwszym gościom, ale impreza nabierała rozmachu i pojawiało się coraz więcej osób. Lisa, jako gospodyni i jubilatka, znajdowała się w centrum uwagi. Mitch przygotował stoły z jedzeniem w salonie, a goście siedzieli na rozmaitych sofach i krzesłach albo krążyli z kieliszkami i talerzykami, rozmawiając z sobą o niczym. Tak jak Tess się spodziewała, Ginny, która przez pewien czas jej towarzyszyła, wyszła na spotkanie z przyjacielem.

— Ach, kto to wie? — Wzruszył ramionami. — Przyjaciele, znajomi z pracy, rodzice kolegów dzieciaków, krewni, kilku starych sąsiadów, sama wiesz. — Mrugnął do niej. — Myślisz, że już pora na tort?

Tess zauważyła, że po drugiej stronie pokoju Lisa rozmawia z czterdziestoparolatkiem. Podchwyciła spojrzenie Tess i zaczęła dramatycznie machać do niej rękami, co wyglądało jak błaganie o pomoc.

— Tak, pora na tort — potwierdziła Tess. — I to jak najszybciej.

Zaczęła się przeciskać przez tłum. Tamten facet miał rację co do jednego — czterdziestka była kamieniem milowym, który wkrótce czekał także Tess. Lisa przynajmniej miała Mitcha i rodzinę, życie Tess było całkowicie niepoukładane. Brakowało w nim mężczyzny, pracy, córka właśnie zamierzała się wyrwać w wielki świat i z każdym dniem oddalała się od niej. Dochodził jeszcze dom na Sycylii. Na twarzy Tess pojawił się uśmiech.

Kiedy dotarła do Lisy, chwyciła przyjaciółkę za rękę i pociągnęła.

— Przepraszam, ale muszę ją ukraść — powiedziała do mężczyzny. — No, chodź, jubilatko.

— Dziękuję — westchnęła Lisa.

Wyglądała wręcz oszałamiająco w prostej, czarnej mini z głębokim dekoltem i biżuterią z białego złota, którą mąż kupił jej na czterdziestkę.

— Bardzo proszę.

Wtedy wszedł Mitch z dziećmi i tortem cytrynowym ozdobionym mnóstwem srebrnych kulek i świec. Tess,

Ginny i dzieci Lisy przygotowały go wczoraj wieczorem u Tess (zanim jej córka wyszła na spotkanie z przyjacielem. Kim byli ci wszyscy przyjaciele? I dlaczego przestała się jej zwierzać? Kiedy to się stało?), podczas gdy Mitch zabrał Lisę na romantyczną kolację.

— Och... — Wzruszona Lisa położyła rękę na ustach i powiedziała: — Jak wy...?

Wtedy jeden z młodszych facetów zagrał *Sto lat* na gitarze, wszyscy zaśpiewali, a Mitch przyniósł jeszcze więcej musującej cavy, którą napełnił kieliszki. Zebrani zaczęli wznosić toasty, a Lisa kroiła tort, życząc sobie...

Tess ze śmiechem klaskała i śpiewała wraz z resztą gości. Patrzyła na roześmiane twarze i zaczęła tańczyć, najpierw z Lisą, potem z dzieciakami, potem z Mitchem i nawet z namolnym czterdziestoparolatkiem. Myślami jednak błądziła gdzie indziej, tak naprawdę nie tu chciała teraz być.

— Może powinniśmy się kiedyś umówić — zaproponował po tańcu czterdziestoparolatek, który miał na imię Mark i był kolegą Mitcha z pracy.

Sama widzisz, pomyślała Tess, wszystko z tobą w porządku. Po prostu jesteś wybredna.

— Obawiam się, że niedługo wyjeżdżam — odparła.

Postanowiła, że nie będzie dłużej umawiać się na randki z nieznajomymi, których wcale nie chciała poznać. Życie było na to zbyt krótkie, a czas zbyt cenny. Liczyła się każda minuta.

— Tak? — Wydawał się rozczarowany. — Wyjeżdżasz?

— Tak — przytaknęła.

Nie była jeszcze pewna kiedy, to zależało od Ginny i nie tylko. Zanim złożyła wypowiedzenie, myślała, że wyjedzie za jakieś pół roku, w zależności od tego, kiedy uda się jej załatwić urlop, ale teraz nadszedł ostateczny i decydujący moment. Wiedziała już, co powinna zrobić.

Co ją skłoniło do wyjazdu? Dawny sekret matki, który chciała poznać? Zew willi i turkusowej zatoki czy obietnica złożona mężczyźnie w starej greckiej świątyni? Nieważne. Dom na Sycylii przywoływał ją coraz głośniej i Tess nie zamierzała się opierać.

* * *

Była w domu zaledwie od pół godziny, kiedy zadzwonił Robin. Miała to zignorować, ale nagle przypomniało jej się przyjęcie Lisy i to, co czuła, znowu będąc sama.

— Nareszcie — powiedział, gdy odebrała. — Nie rozłączaj się. Wiem, że mnie unikasz.

Mówił tak, jakby brakowało mu tchu. Pewnie właśnie wypadł z domu pod pretekstem wyniesienia śmieci czy czegoś w tym rodzaju.

— Zwykle dzwonisz, kiedy jestem w pracy — oznajmiła sztywno i przyszło jej do głowy, że to się już skończyło, bo w końcu złożyła wymówienie.

Robin mógł wygadywać, co mu ślina na język przyniesie, jego słowa i tak nic nie zmienią. Przyszłość rysowała się niepewnie, ale czy to samo w sobie nie było fascynujące?

— Tess, byłem idiotą — oświadczył Robin. Tak jak zawsze, jego głos bez trudu kruszył mur, którym się otoczyła.

Postanowiła nie zaprzeczać.

— Powinienem był pojechać z tobą na Sycylię. Niepotrzebnie pozwoliłem, żeby Helen postawiła na swoim. Przestraszyłem się. Rozumiem, dlaczego mnie nienawidzisz.

— Wcale cię nie nienawidzę — odparła.

O dziwo, nie kłamała, po prostu czuła się zirytowana. Te same stare wymówki, ten sam stary Robin. Nic się nie zmieniło.

— Wynagrodzę ci to — dodał. — Co powiesz na kolację jutro wieczorem? Opowiesz mi o tym domu i o wszystkim.

— Raczej nie.

Była zdumiona własną postawą. Wcześniej z całą pewnością by uległa, nie umiałaby się powstrzymać. Teraz przyciągała ją Sycylia i to właśnie ona zdecydowanie odpychała ją od Robina.

— Tess, Tess, kochanie... — niemal mruczał. Nadal myślał, że ma nad nią władzę. — Jesteś przygnębiona, mogę to zrozumieć. Ale jeśli dasz mi jeszcze jedną szansę... Tym razem będzie inaczej.

— Zawsze chciałam więcej ciebie, Robin — zauważyła. — Teraz uświadomiłam sobie, że nie mogę tego mieć. — Kompletnie nie rozumiała, dlaczego zajęło jej to aż tyle czasu.

— Tu się właśnie mylisz — powiedział pośpiesznie. — Możesz mieć więcej mnie, bo...

— Nie mogę — przerwała mu Tess. — Bo jesteś żonaty. A teraz... Teraz, prawdę mówiąc, nawet nie chcę tego, co mogłabym mieć. Już nie.

Zawsze uważała, że jest wyjątkowy, ale w gruncie rzeczy co było wyjątkowego w człowieku, który podlizywał się swoim teściom, bo mieli pieniądze? Nie było nic wyjątkowego w facecie, który trzymał ją na rogatkach życia.

Lisa miała rację, Tess zasłużyła na coś więcej.

— Ale Tess...

— Żegnaj, Robin. Proszę, nie dzwoń do mnie więcej.

Wyłączyła komórkę, rozprostowała ramiona i wyobraziła sobie, że czuje, jak spada z nich ciężar Robina. To było całkiem przyjemne.

Pomyślała o Ginny i o egzaminach, które się rozpoczęły. Po tygodniu spędzonym samotnie w domu jej córka wydawała się jeszcze bardziej zestresowana niż zwykle. Unikała spojrzenia Tess i nieustannie wychodziła na spotkania z tajemniczym przyjacielem. Ginny oddalała się od niej. Przed oczami Tess przesuwały się rozmaite obrazki: pierwsze, pełne wahania kroczki małej Ginny, z rękami wyciągniętymi ku mamie, żeby ją uratowała i zawirowała z nią jak na karuzeli. Pierwszy dzień Ginny w szkole — poważne, ciemne oczy w bladej twarzy, granatowy sweterek i szara plisowana spódniczka. Pierwszy raz, kiedy Ginny popatrzyła na Tess z aprobatą i powiedziała: „Ładnie ci w tym kolorze, mamo". Potem zaczęły razem wychodzić na zakupy, śpiewając z Oasis: *Don't look back in anger*... Tess zamrugała, żeby odpędzić łzy.

Nagle coś jej przyszło do głowy. No jasne. Była zdumiona, że nie pomyślała o tym wcześniej. Mogła to wszystko naprawić, musiała tylko wykorzystać tę szansę...

ROZDZIAŁ DWUDZIESTY PIĄTY

Ginny maszerowała do Bena. Maszerowała, bo była zła i robiła wszystko, żeby się nie rozpłakać, a robiła wszystko, żeby się nie rozpłakać, bo właśnie zdążyła pokłócić się z matką. Kłótnie z Tess sprawiały, że czuła niechęć, przygnębienie i za nic nie chciała się przyznać, że matka mogłaby mieć rację w jakiejkolwiek kwestii.

Sprzeczka dotyczyła głównie Bena, chociaż, jak większość kłótni, potem zamieniła się w coś innego niż to, czym była na początku. Brzmiało to jakoś tak:

— Co dziś robisz, kochanie?

— Idę do Bena.

— Och.

— Och? Co masz na myśli, mówiąc „Och"?

— Nic. To twój chłopak?

— Nie, ktoś, z kim się spotykam.

— Ale raczej często się z nim spotykasz, skarbie.

— Lubię go.

— Dobrze.

— Naprawdę?

— Co naprawdę?

— Naprawdę dobrze?

— Chyba tak.

Milczenie.

— Ale czy uczysz się tyle, ile powinnaś? Strasznie dużo czasu spędzasz z tym... Benem...

To chyba właśnie „ten Ben" najbardziej wkurzył Ginny. Wiedziała, że matka chce go poznać, ale po pierwsze, Ginny niechętnie podchodziła do narażania Bena na tę traumę, po drugie, była pewna, że kiedy matka go pozna, zrobi wszystko, żeby zniechęcić ją do tego związku, dlatego nie był to najlepszy pomysł.

Ginny próbowała rozluźnić ramiona i uspokoić oddech. Kiedy była spięta, Gula rosła i rozkwitała.

Matka zdążyła już zadać zwyczajowe, rodzicielskie pytania, typu: Ile on ma lat? (Tłumaczenie: Czy jest dużo starszy od ciebie?) Gdzie mieszka? (W dobrej części miasta?) Co robią jego rodzice? (Czy mają jakieś szanowane zawody?) I: Czy zawsze chciał być fryzjerem? (Czy jego ambicje nie sięgają wyżej?).

— Są rozwiedzeni — wyjaśniła jej Ginny. — Jego mama pracuje w pubie Pod Zającem i Ogierem.

— W pubie? Naprawdę? — Matka wydawała się zdumiona, a Ginny zaczęła się zastanawiać, czy jej zdaniem wszyscy rodzice powinni pracować w bankach albo w biurach. Potem dodała: — Przyprowadź go do nas. Chciałabym zobaczyć, kto cię tak wyciąga z domu każdego wieczoru. (Kiedyś lubiłaś posiedzieć w domu ze mną, a teraz wychodzisz nie wiadomo gdzie i zostawiasz mnie samą).

— Dobrze. — Oczywiście, nie zrobiła tego.

Nie chodziło tylko o to pierwsze i drugie, pod tym kryło się znacznie więcej.

Problem z mamą polegał na tym, że nigdy nie wiedziała, kiedy przyhamować z tą dociekliwością. Ginny skręciła za róg ulicy i zaczęła szperać w torbie w poszukiwaniu papierosa. Postanowiła, że rzuci palenie dopiero po egzaminach.

— To moje życie! — wrzasnęła na matkę w odpowiedzi na pytania o wiek / egzaminy / Bena, czym zaszokowała samą siebie.

Może czuła się nieco winna z powodu sprawy z egzaminami, a może dlatego, że Gula kręciła się i obracała, tak jakby lada chwila miała wyrwać się spod kontroli.

Po tym ataku matka cofnęła się o krok. To była jeszcze jedna jej charakterystyczna cecha: nigdy nie kontratakowała. Ginny wiedziała, że nie musi rzucać się matce do gardła, ale i tak to zrobiła.

— Dlaczego się nie odchrzanisz i nie dasz mi żyć po swojemu? — O tym odchrzanianiu się usłyszała w *Przyjaciołach* i uznała to za niezły tekst.

Matka zachowała spokój, ale nalała sobie kieliszek czerwonego wina, co oznaczało, że Ginny zalazła jej za skórę.

— Obowiązki rodzicielskie — odparła. — Dlatego właśnie się nie odchrzanię, jak to wdzięcznie ujęłaś. Masz tylko osiemnaście lat. To, jak sobie poradzisz na egzaminach, będzie miało wpływ na całe twoje życie.

Cholera.

— Po prostu jesteś zazdrosna — poinformowała Ginny matkę.

— O Bena? — Tess była wyraźnie zdezorientowana.

— O to, że mam chłopaka.

I kto tu mówi o ładowaniu się w cudze życie z buciorami? Przecież nikt nie czuł większej ulgi niż Ginny, kiedy Robin wreszcie zniknął ze sceny. Tak jej się przynajmniej wydawało. Wyczuła, że coś się zmieniło, a mama nie dawała żadnego ze znaków. W bitwie należało jednak szukać słabych punktów wroga, a potem dotknąć go do żywego. Matka okazała się twarda.

— Czyli to jest twój chłopak — oznajmiła z uśmieszkiem triumfu.

Ginny poczuła się wystrychnięta na dudka.

— Na litość boską, mamo — jęknęła.

Właśnie wtedy kłótnia przerodziła się w coś zupełnie innego.

— Po prostu zastanawiałam się, czy po egzaminach nie pojechałabyś ze mną na Sycylię — powiedziała matka. — Na wakacje. — Wydawała się rozpromieniona, uśmiechała się od ucha do ucha. — Miałybyśmy szansę...

Ginny zaczęła uważniej słuchać. Sycylia? O czym ona gada?

— Przecież dopiero wróciłaś — zauważyła.

Czy chciała jechać na Sycylię? Raczej nie, a już na pewno nie z matką. Wcale nie o to jej chodziło.

— Znowu tam jadę — powiedziała matka.

Ginny zaczęła się zastanawiać, czy pierwsza wizyta nie poprzestawiała klepek w głowie mamy. Tess wróciła do kraju w dziwnym nastroju, natychmiast zrezygnowała z pracy, a potem najprawdopodobniej zrezygnowała z Robina. Tym razem postanowiła wrócić na Sycylię, i to w dodatku z nią. Ale dlaczego?

— Muszę zdecydować, co zrobić z willą — wyjaśniła matka. — I pomyśleć o różnych rzeczach. — Znowu miała ten dziwny, nieobecny wyraz twarzy.

Ginny patrzyła na nią tępym wzrokiem. Dlaczego matka musiała pomyśleć o różnych rzeczach i właściwie co to miało z nią wspólnego? Ginny przełknęła ślinę, żeby tylko wypchnąć Gulę z gardła.

— Być może zrobię sobie wolny rok przed studiami — zaryzykowała. — I nie pójdę na uniwersytet we wrześniu. — Ani w ogóle, dodała w duchu.

Słyszała, jak matka wstrzymuje oddech, i wyczuła, że liczy do dziesięciu.

— Chyba mogłabyś wziąć sobie wolne — powiedziała Tess. — Tylko...

— Tylko co?

— Czasem trudno jest iść na studia po roku wolnego. Trudno jest... bo ja wiem, zabrać się znowu do nauki.

Tak, pomyślała Ginny. Ponieważ przerwa między college'em a studiami daje człowiekowi czas i szansę, by uświadomił sobie, że wcale nie chce studiować. W końcu wszędzie byli absolwenci uniwersytetów, zbyt wykwalifikowani na zwykłą pracę i zbyt niedoświadczeni na przyzwoitą, i na dodatek mieli koszmarne długi. Znała to wszystko z wiedzy o społeczeństwie. O ironio, właściwie można by powiedzieć, że WOS odpowiadała za to, że odechciało się jej iść na studia. Dostrzegała mnóstwo takich paradoksów.

— Myślałam o podróży. — Ginny umilkła.

Podróżowanie zapewne mogło nauczyć człowieka znacznie więcej niż uniwersytet, przynajmniej o życiu. A może gdyby rzeczywiście stąd wyjechała, może udałoby się jej uwolnić od Guli?

— Możesz jechać ze mną na Sycylię. — Matka znowu wydawała się rozentuzjazmowana.

— Chryste, mamo! — Ginny tak mocno trzasnęła kubkiem, że trochę herbaty rozlało się na stół.

Oczywiście, zanim zdążyła zareagować, matka już biegła po ścierkę. Ginny westchnęła ciężko.

— Przepraszam — powiedziała.

— A co jest nie tak z Sycylią?

— Mamo, przerwa przed studiami oznacza, że chce się uciec od różnych rzeczy. — Jak mogła tego nie rozumieć? — A nie ucieka się z rodzicami!

— No fakt. — Matka cisnęła ściereczkę do zlewu. — Pewnie nie. Ale nie będziesz podróżowała całkiem sama, prawda, skarbie? Nie byłabym zbyt zachwycona...

— Nie wiem — odparła Ginny, chociaż dobrze wiedziała, że w razie konieczności by to zrobiła.

— A dokąd pojedziesz? — drążyła matka.

— Nie mam pojęcia, po prostu chcę się stąd wyrwać. Ku swojemu zdumieniu powiedziała to z goryczą, niemal wysyczała. Czy naprawdę aż tak nienawidziła Pridehaven? Swojego życia i tutejszych przyjaciół? Czy nienawidziła wszystkiego?

— Czy to z powodu tego... Bena? — Matka wydawała się raczej smutna niż zła.

— Nie, mamo! Nie słuchasz. Z powodu mnie! — Po tych słowach wstała i wyszła, trzaskając drzwiami.

Potem pojawiła się pod domem Bena i zaczęła się dobijać do środka. Dlaczego rodzice (czy też matki, jak w jej wypadku) nigdy niczego nie rozumieją?

Następnego ranka obudziła się z dziwnym uczuciem, że nie wie, gdzie jest. Potem nagle sobie przypomniała. Cholera jasna, była w łóżku Bena, w domu matki Bena, a on spał obok niej. Tyle że zapomniała powiedzieć swojej matce, że nie wróci na noc.

Obok łóżka stało sześć pustych butelek po piwie, dwa talerzyki z tłustymi resztkami hamburgera, frytek i wyschniętej fasoli oraz dwie płyty DVD. Ubrania Ginny i Bena były porozrzucane po całym pokoju, zupełnie jakby podczas snu właściciele postanowiły urządzić sobie dyskotekę i padły w trakcie bez życia.

Ginny też się tak trochę czuła. Zmieniło się wszystko i nic. Zastanawiała się, czy powinna wstać. Tego popołudnia musiała iść do college'u, mogła więc zwinąć się do domu, żeby „pouczyć się" do egzaminów. Oczywiście tak naprawdę wcale by się nie uczyła. Nie po tym.

Nie budząc Bena, wyśliznęła się z łóżka i poszła do toalety. Na półpiętrze zatrzymała się i nadstawiła uszu, ale wyglądało na to, że mama Bena już wyszła z domu. I dobrze, Ginny nie chciała zostawać tu dłużej niż to konieczne, nawet na kanapkę z bekonem.

Wróciła do sypialni Bena i pozbierała swoje ubranie. Włożyła je w milczeniu, co chwila zerkając na nieruchomą sylwetkę chłopaka w łóżku. Spał jak zabity i Ginny była pewna, że nie obudzi się jeszcze przez jakąś godzinę.

Nie nocowała u Bena od powrotu matki z Sycylii, ale wczoraj nie napisała esemesa, a na dodatek specjalnie wyłączyła telefon. Czasem zastanawiała się, czy zachowuje się tak okropnie przez Gulę, czy to może jej wredne zachowanie tę Gulę stworzyło. Nieraz po prostu pragnęła uścisnąć matkę i wybuchnąć płaczem, tyle że Gula (albo coś innego) ją powstrzymywała.

Ubrana, podeszła do łóżka i popatrzyła na Bena. Nawet we śnie był prawdziwym ciachem. W nocy coś sobie jednak postanowiła.

Wyszła z sypialni i zakradła się po schodach na dół. Po chwili stała już na zewnątrz, przed frontowymi drzwiami, i czuła się zupełnie inaczej niż wczoraj, kiedy tutaj przyszła. Zmieniło się wszystko i nic. Teoretycznie nadal była tą samą osobą, ale wiedziała, że już nigdy nie będzie taka sama.

Kłótnia z matką była katalizatorem. I po co te gierki, dlaczego nie mogła powiedzieć, co czuła? To przypominało jej trochę rozmowę z Bekką dzień po spotkaniu, które przekształciło się w imprezę. Przez to z kolei posmutniała, ponieważ widywały się teraz niezwykle rzadko. Becca całkowicie utknęła w swoim związku z Harrym, jednak wcześniej nie wahała się mówić głośno, co myśli, więc Ginny postanowiła zrobić to samo.

— Lubię cię, Ben — powiedziała, kiedy jak zwykle poszli na górę do jego pokoju. — Bardzo cię lubię.

Popatrzył na nią.

— Tak, ja ciebie też lubię — zaśmiał się. — To chyba jasne. — Usiadł na łóżku. — Siadaj.

Ona jednak stała.

— Wcale nie — oznajmiła.

— Co?

— Nie jest jasne.

— Och.

Opuścił wzrok i nagle to ją uderzyło. Poczuła się niewiarygodnie silna, gdyż uświadomiła sobie — choć wydawało się to absolutnie niewiarygodne — że nie dobierał się do niej, bo się bał. Nie dlatego, że mu się nie podobała, że pragnął dać jej więcej czasu czy jakieś inne bzdety. Po prostu się bał.

Dlatego usiadła na łóżku obok niego i pokazała mu, że nie musi się już bać.

A teraz? Gdy Ginny wracała do domu, myślała o swoich nocnych wnioskach i o tym, że seks jest koszmarnie przereklamowany. Czuła się lekka, wyzwolona i... smutna.

ROZDZIAŁ DWUDZIESTY SZÓSTY

Powiedz mi, skarbie, jak tam twój tydzień na Sycylii?

Ojciec uścisnął ją mocno i w jego ramionach Tess poczuła, że po raz pierwszy od powrotu może się zrelaksować. Miała wrażenie, jakby była na Sycylii w poprzednim życiu, teraz przecież musiała stawić czoło pracy, Robinowi i Ginny.

Wdychała przyjazny, znajomy zapach ojca i jego swetra, kremu do golenia, starej wełny. Jeszcze głębiej zanurzyła w nią nos. W dzieciństwie walczyła o uwagę matki. Biegając w tę i z powrotem z mieszkania nad restauracją, zawsze przygotowując jedzenie, zmywając czy prasując, przystając tylko na chwilę, by coś poradzić lub kogoś ofuknąć, Flavia przypominała huragan. Nawet w jej spojrzeniu krył się ognisty temperament. Jak ktokolwiek mógłby się do niej zbliżyć?

Tata jednak... Choć dobrze po siedemdziesiątce, nadal był sprawnym, szczupłym mężczyzną z mnóstwem energii. Sprawiał, że mamma śmiała się i płakała. Drażnił się z nią, pocieszał ją i razem tańczyli. Był spokojem po burzy, opoką. Solidny, tak jak mamma była nieprzewidywalna. Gdy Tess dorosła, zaczęła doceniać to, co kiedyś było dla niej codziennością. Dzisiaj opoka była jej potrzebna najbardziej.

— Interesujący — odparła, wstrzymując oddech, i niechętnie puściła ojca.

Matka obejrzała się przez ramię i rzuciła jej ostre spojrzenie. Rozmawiały przez telefon po powrocie Tess, ale krótko, i żadna z nich tak naprawdę niczego nie powiedziała.

— Nigdy nie mówiłaś, że to taka cudowna okolica. — Pochyliła się, by ucałować matkę w oba policzki.

Flavia wydawała się zmęczona i chyba podenerwowana, ale nie było w tym nic dziwnego. W takich chwilach po prostu więcej gotowała.

— Mówisz tak, jakby to był plan filmowy — mruknęła. — Miejsce jak każde inne.

Mocno chwyciła ramię córki swoją kościstą dłonią, co skojarzyło się Tess z Santiną Sciarrą.

— Bardzo piękne miejsce. — Tess uśmiechnęła się do ojca, który za plecami mammy kręcił głową.

Zaczęła się zastanawiać, dlaczego jej na tyle pozwalał, dlaczego nigdy nie chciał zobaczyć miasteczka, w którym dorastała jego żona. Czy nie czuł się czasem odtrącony przez tę jej tajemniczość?

Flavia puściła Tess i pogroziła jej cukinią. Szykowała coś skomplikowanego, z kilkoma warstwami: ryba, pomidory i cukinia. Tess nie wątpiła, że danie będzie przepyszne.

— Piękno jest powierzchowne — powiedziała ponuro. — Trzeba uważać, żeby cię nie oczarowało i nie uwięziło.

Tess wybuchnęła śmiechem.

— Czy tak właśnie było z tobą, tato? — zażartowała. — Czy mama cię oczarowała i uwięziła?

— Naturalnie. — Zaczął układać na stole widelce i serwetki, postawił talerzyk z parmezanem. — Wykorzystała wszystkie swoje moce. Naprawdę była piękna. Miała ciemne, gniewne oczy, czarne, kręcone włosy...

Flavia trzepnęła go w ramię ściereczką, a Tess znów zachichotała. Włosy matki nadal były gęste i falujące, ale białe jak śnieg i spięte do tyłu, żeby nie przeszkadzały w gotowaniu.

— Twoja matka zawsze była bardzo przekonująca, skarbie — dodał tata.

— Ha. — Flavia odwróciła się do niego plecami, ale Tess zauważyła jej uśmiech.

Ojciec z kolei był bardzo wysoki, smukły i miał ciemnoniebieskie oczy. To właśnie po nim Tess odziedziczyła kolor tęczówki, który tak fascynował Santinę. Kiedy Tess była dzieckiem i w letnie niedziele tata brał ją na barana, wyobrażała sobie, że lada chwila uderzy głową w niebo. A teraz? Nie chciała, żeby rodzice się starzeli, nie mogła znieść myśli, że kiedyś ich utraci.

— A co z tobą, skarbie? — mrugnął do niej. — Spotkałaś na Sycylii kogoś miłego?

— Hmm — prychnęła Flavia i wymamrotała coś niezrozumiałego do ściereczki, którą przewiesiła przez ramię.

Tess postanowiła zignorować matkę.

— Szczerze mówiąc, poznałam dwóch bardzo interesujących panów — odparła.

— Samotnych? — zaciekawił się ojciec.

— Bez wątpienia.

— Pewnie Sycylijczyków — powiedziała matka lekceważąco. — Sycylijczycy ciągną do atrakcyjnych kobiet jak pszczoły do miodu. A jeśli na dodatek kobieta ma jakąś własność... Możesz mi wierzyć, że wszyscy tamtejsi są tacy sami. Za dużo oczekują i żyją przeszłością.

— Niekoniecznie. — Tess poczęstowała się plasterkiem pomidora.

Gdy jednak zaczęła się zastanawiać nad długotrwałym sporem między rodzinami Sciarra a Amato, sporem, który teraz wiedli Giovanni i Tonino, doszła do wniosku, że być może mamma ma rację.

— Zabieraj się stąd — powiedziała ze śmiechem Flavia.

Podjadanie składników, zanim trafiły do rondla, było rodzinną tradycją.

Tess powoli obgryzała pomidora. Była pewna, że matka zaraz zacznie pytać.

— Mów — zażądała Flavia.

— Co?

Flavia niecierpliwie cmoknęła.

— Jak się nazywali?

Tess z trudem ukryła triumfalny uśmieszek.

— Giovanni Sciarra. To stryjeczny wnuk twojej przyjaciółki Santiny. I... — zawahała się. — Tonino Amato.

— Hm. — Matka znowu prychnęła.

— Pewnie znasz też rodzinę Tonina — Tess starała się, żeby brzmiało to zupełnie obojętnie.

Flavia otworzyła drzwi piekarnika, po czym płynnym ruchem przełożyła główne danie ze stołu na środkową półkę.

— Znam — przytaknęła. — Alberto Amato był najbliższym przyjacielem mojego ojca.

Tess próbowała nie pokazać po sobie, jak bardzo ją to zainteresowało. Mamma mówiła o Sycylii.

— Czy Alberto nie był rybakiem? — Harpunnikiem, jak wspominał Tonino.

Przypomniała sobie dumę w jego głosie.

— Owszem. — Flavia usiadła ciężko, a Tess zauważyła, że ojciec rzucił jej pełne troski spojrzenie.

— Był dziadkiem Tonina. — Tess rozlała wino, które z sobą przyniosła, do trzech kieliszków. Rodzice zawsze twierdzili, że nie piją, a potem i tak osuszali całą butelkę. — Ojciec Tonina też był rybakiem, pracował w tuńczykarni w Cetarii.

Flavia znowu skinęła głową. Jej ciemne oczy nieco wyblakły z wiekiem, ale pozostały czujne. Tess pomyślała sobie, że jej matka jest niezwykłą kobietą.

— Pamiętam go — oznajmiła. — Był chyba dzieckiem, kiedy...

— Kiedy?... — Starała się nie okazywać po sobie podniecenia.

— Kiedy wyjechałam.

Jej matka jeszcze nigdy nie mówiła tyle o Sycylii i o ludziach, których znała. Tess wręcz obawiała się oddychać, żeby tylko czar nie prysł.

— Alberto i papa spędzali wiele godzin w miejscowym barze, pijąc grappę i naprawiając świat. — Flavia zachichotała na to wspomnienie. — A ja często pętałam się pod barem i podsłuchiwałam, aż... aż... — marzycielska nuta w jej głosie nagle zniknęła. — Aż wszystko się zmieniło — dodała.

Ojciec Tess podszedł do żony, po czym pogłaskał ją po dłoni. Skóra Flavii była pomarszczona i usiana brązowymi plamkami. To była ręka, która zawsze pracowała, nawet teraz, pomimo artretyzmu w palcach.

A ty? — chciała krzyknąć Tess. Co ty zrobiłaś? Nie odważyła się jednak. Mamma tylko by się zamknęła.

— Te dwie rodziny chyba się nienawidzą — powiedziała neutralnym tonem. — Chodzi mi o Amatów i Sciarrów.

Liczyła na to, że matka opowie więcej. Może wiedziała coś o kradzieży i zdradzie, długu i morderstwie, czy też tym sekretnym czymś, czego zdawał się szukać Giovanni.

— Zawsze się nienawidzili — odparła Flavia. — Podobnie jak ich ojcowie i dziadkowie. — Odwróciła się i popatrzyła na Tess niemal oskarżycielsko. — Tak właśnie jest na Sycylii. Kto chciałby takiego życia?

Wstała od stołu i zajęła się wkładaniem rondli do gorącej wody, żeby odmokły.

O rany, pomyślała Tess. Znowu zakaz wstępu.

— A jak tam z tym domem? — zapytał dyplomatycznie ojciec. — Mam na myśli willę, twój niespodziewany spadek. Podobała ci się?

— O tak. — Wypiła łyk wina. Nie kłamała, dom naprawdę przypadł jej do gustu. — Zrobiłam mnóstwo zdjęć. — Patrzyła na matkę w oczekiwaniu na jej reakcję. — Przyniosę je, kiedy tylko zgram.

Flavia zerknęła na nią lekceważąco.

— Byłaś u agenta nieruchomości? — zapytała. — Tam nic się nie dzieje, ale chyba jest wystarczająco ładnie dla turystów.

Tess przejechała palcem po krawędzi kieliszka.

— Szczerze mówiąc... — zaczęła.

— Tess! — Jej matka ponownie usiadła, tym razem gwałtowniej.

Po sekundzie ojciec znów stał przy jej boku.

— Flavia? Skarbie?

— Nic mi nie jest. — Machnęła ręką, żeby się odsunął, i spiorunowała wzrokiem Tess.

— Pomyślałam, że na jakiś czas zatrzymam willę. — Tess postawiła na szczerość.

Dlaczego pozwalała im wpędzać się w poczucie winy? Co z nią było nie tak, co było nie tak z jej rodziną? Wstała i odkręciła kurek, żeby zabrać się do zmywania naczyń. Naprawdę nie chciała przygnębiać matki, ale dom zostawiono jej nie bez powodu. W tym wszystkim musiał być jakiś cel.

— Po co? — spytała Flavia słabo. — Po co chcesz go zatrzymać?

— Na wakacje — Tess nie ośmieliła się wyznać, na co miała nadzieję: że ona, Ginny i rodzice pojadą tam wszyscy razem.

Szczęśliwa rodzina, pomyślała ponuro. Dobrymi chęciami piekło jest wybrukowane, zwłaszcza po wczorajszym wieczorze. Wlała do miski trochę płynu do zmywania i zaczekała, aż woda się spieni.

Ojciec wyraźnie z sobą walczył.

— To niezły pomysł, skarbie — powiedział.

— Fatalny — burknęła Flavia i wstała. — Wiedziałam, że niczego dobrego z tego nie będzie.

Córka i ojciec jednocześnie wzruszyli ramionami. W tej samej chwili zadzwonił telefon i Lenny z nieskrywaną ulgą ruszył do wyjścia, żeby odebrać.

— To na pewno Joe — powiedział na odchodnym.

— Chciałby — Flavia uśmiechnęła się pojednawczo.

— No jasne. — Tess odpowiedziała jej uśmiechem, wkładając wszystkie naczynia do zlewu. Zawarły rozejm.

Pomyślała o wycieczce do Segesty i wystrzale. — Mamma, znałaś na Sycylii kogokolwiek, kto miał związki z mafią?

Flavia właśnie otwierała szafkę, żeby wyjąć talerze na kolację. Zamknęła drzwiczki z większą siłą, niż to było konieczne.

— Związki z mafią — prychnęła. — Och, Tess. Mnóstwo ludzi płaciło mafii za ochronę. — Zaczęła przenosić naczynia na stół. — Tak to już było na Sycylii. System się sprawdzał, ludzie płacili haracz jak podatki, w zamian o nich dbano. Wielu uważało, że to wcale nie jest takie złe.

Tess zmarszczyła brwi.

— Ale czy ten system działał też podczas wojny?

Wtedy mamma była zaledwie nastolatką, ale na pewno świetnie się orientowała, co się dzieje, nawet jeśli wolałaby się do tego nie przyznawać.

— Częściowo. — Flavia wzruszyła ramionami. — Mafia jako organizacja zeszła do podziemia za czasów Mussoliniego, ale pod koniec wojny odzyskała wpływy. — Westchnęła, rozstawiając talerze na blacie. — Bądź pewna, Tess, oni zawsze będą mieli władzę.

A teraz? Tess czyściła patelnię. Czy nadal mieli władzę?

Flavia chodziła po kuchni, biorąc do ręki to filiżankę, to serwetkę, jakby nie mogła ustać w miejscu.

— Naturalnie odzyskali całą władzę, kiedy upadł faszystowski rząd — zauważyła.

— Jak to?

— Siły aliantów powierzyły kontrolę administracyjną na Sycylii miejscowym, o których wiedzieli, że są antyfaszystami. — Flavia wybuchnęła śmiechem.

— A ci ludzie byli...? — Tess miała nadzieję usłyszeć jakieś nazwiska.

— Członkami mafii, która położyła uszy po sobie za czasów Mussoliniego. Wielu z nich uważano za ludzi honoru.

Wyprostowała się, ale nie patrzyła córce w oczy. Tess była sceptyczna. Matka chyba nie wierzyła we własne słowa.

— Kim oni byli, mamma? — zapytała. — Czy to jakieś konkretne rodziny w Cetarii?

Wytarła ręce w ściereczkę, po czym zaczęła wycierać rondle i patelnie.

Flavia pokręciła głową.

— Takich rzeczy lepiej nie wiedzieć. — Zajęła się czyszczeniem kuchennej lady.

Tess nie mogła pogodzić się z tym, że temat został zamknięty.

— Czy to nie jest chowanie głowy w piasek? — Powoli odstawiała naczynia. W kuchni matki wszystko miało swoje miejsce.

— Czasami ten piasek to najbezpieczniejsze miejsce dla głowy — odparła jej matka.

— Ale...

Flavia odwróciła się ku niej, wyjątkowo szybko jak na staruszkę.

— Nie mieszaj się w to, Tess — warknęła. — Nie interesuj się Sycylią i nie miej takich myśli. Sycylia to ponure miejsce, nie tylko dla mnie. Ale to już przeszłość, wyrwałam się stamtąd lata temu i jestem tutaj. Tu jest moje życie, nie chcę dłużej oglądać się za siebie.

Tess odetchnęła głęboko.

— Ale może ja chcę — zaryzykowała.

— To cię nie powinno obchodzić — odparła Flavia natychmiast.

— Ale mamma... — zaprotestowała Tess, myśląc o tym, co się wydarzyło na przyjęciu i jak się czuła. To był przełomowy moment. — Właśnie, że tak. I muszę tam wrócić.

— Musisz? — Z ciemnych oczu matki nie dało się nic wyczytać.

— Chcę. I muszę. — Tess przeszła przez kuchnię i chwyciła Flavię za ręce. Wydawały się bardzo cienkie i kruche. — Naprawdę nie miałam zamiaru cię zmartwić, ale myślałam o tym i wracam na Sycylię.

— Dlaczego?

Tess spodziewała się złości lub łez, ale z twarzy mammy wyzierał wyłącznie smutek.

— Tak po prostu czuję — wzruszyła ramionami. — Myślę, że właśnie dlatego Edward Westerman zostawił mi willę. No i w końcu jestem pół-Sycylijką. Może ja też mam Sycylię we krwi.

Flavia nie wyrwała rąk z jej uścisku, tylko patrzyła w przestrzeń, a Tess bardzo nie spodobała się rezygnacja na jej twarzy.

— Powiedz mi, mamma — poprosiła.

Flavia pokręciła głową.

— Sama musisz odnaleźć swoją drogę — wymamrotała. — Nikt tego za ciebie nie zrobi, moja kochana Tess.

Ale mogłabyś mi pomóc, pomyślała Tess. Gdybyś tylko zechciała nieco oświetlić drogę.

— Kiedy pojedziesz? — spytała Flavia. — I co z pracą?

— W czwartek złożyłam wypowiedzenie — odparła Tess.

To nadal wydawało się nieco nierealne, jakby zdarzyło się komuś innemu. Może po prostu jeszcze się z tym nie oswoiła.

Flavia szeroko otworzyła oczy.

— Przez Sycylię?

— Dlatego że byli bardzo niesprawiedliwi.

Usiadły razem przy stole, a Tess wyjaśniła jej, co zaszło.

— I może też trochę przez Sycylię — przyznała w końcu.

Nagle odniosła wrażenie, że wszystko po prostu musiało się wydarzyć.

— A Robin? — matka ledwie wycedziła to imię. Najwyraźniej nie chciało przejść jej przez gardło.

— Robin to już przeszłość — odparła Tess. — Definitywnie.

Zastanawiała się, ile razy będzie musiała to powtórzyć, zanim ktokolwiek jej uwierzy.

— Czyli jesteś zdecydowana? — Wyraz twarzy Flavii się zmienił. — Koniecznie chcesz wrócić na Sycylię?

— Tak. — Tess czuła, że musi to zrobić. — Z twoją pomocą albo bez niej — dodała. — Chociaż wolałabym usłyszeć, że rozumiesz.

Flavia pokiwała głową. Po krótkim wahaniu najwyraźniej podjęła decyzję.

— Poczekaj tutaj — oznajmiła konspiracyjnie, po czym wstała i obejrzała się przez ramię, jakby nagle mógł się tu zjawić Urząd Kontroli Myśli i ją aresztować.

— Co?...

Dwie minuty później wróciła do kuchni. Złapała Tess za rękę i rozwarła dłoń, pokazując, co w niej trzyma.

Tess spojrzała na dłoń matki. To były pieniądze, zwitek banknotów. Nie wiedziała ile, ale wyglądało na to, że całkiem sporo.

— Co to ma być?

— To moje — burknęła Flavia niechętnie. — Nie twojego ojca. Oszczędzałam.

— Na co? — Tess wpatrywała się w nią.

— Na coś takiego — odparła Flavia. — Weź je, są twoje. Spróbuję zrozumieć.

— Ale nie mogłabym...

Przez głowę Tess przelatywało milion myśli. Pieniądze rzeczywiście pomogłyby jej wrócić na Sycylię i nawet zatrzymać się tam na jakiś czas. Ale skąd ta nagła zmiana? I czy na pewno dobrze robiła? Co z Ginny?

— Ginny... — bąknęła.

Flavia uniosła brew.

— Coś jest nie tak — zasugerowała, jakby potrafiła czytać w myślach.

Tess opowiedziała jej o kłótni, po której nie mogła dojść do siebie. Zastanawiała się, gdzie popełniła błąd. Jej wesoła córka nagle zmieniła się w agresywną nastolatkę. Najgorsza była jednak świadomość, że jej ukochana towarzyszka nie chciała spędzać z nią czasu, a już zdecydowanie nie chciała jechać na Sycylię.

Tess nagle znalazła się w ramionach matki, co nie zdarzało się często. Obawiała się odetchnąć, żeby tylko mamma jej nie puściła.

— To minie — powiedziała Flavia. — To naturalne i minie. — Głaskała Tess po włosach jak dziecko. —

Niech Ginny zamieszka u nas na kilka tygodni. Jedź na Sycylię, skoro musisz. Może ta rozłąka dobrze zrobi wam obu.

Tess przełknęła łzy. W ostatnich kilku tygodniach czuła tyle nowych emocji, że miała mętlik w głowie. W głębi duszy desperacko pragnęła powrócić na Sycylię, nie tylko po to, żeby rozwiązać zagadkę, ale i przeżyć przygodę, cieszyć się pobytem w willi, po prostu żyć. Teraz jednak, gdy dostała zgodę od matki i miała środki na wyjazd, to właśnie matka w niej samej ją wstrzymywała. W końcu podjęła się wychowania Ginny i powinna jej pilnować.

Tess westchnęła ciężko. Ginny zdarzało się już nocować poza domem, chociaż przed egzaminami kazała córce spać w domu. Nastolatki lubiły sypiać u znajomych i to wcale nie znaczyło, że uprawiały dziki seks. Po prostu nie chciało im się wracać do domu. A nawet jeśli Ginny uprawiała dziki seks, to przecież skończyła osiemnaście lat, powtarzała sobie Tess. Jeśli tylko używała prezerwatyw, czy miało to jakiekolwiek znaczenie? (Szczerze mówiąc, miało. Oczywiście, że miało). Zawsze jednak wysyłała Tess esemesa z informacją, gdzie przenocuje. Taka była zasada.

Kiedy rano Tess w końcu skontaktowała się z nią przez telefon, Ginny nawet nie przeprosiła. Tess dobrze wiedziała, że nie ma sensu się wściekać, zresztą wściekanie się nie było w jej stylu. W takich chwilach żałowała, że David zupełnie zniknął z jej życia. Nie miała pojęcia, co robić.

Może mamma się nie myliła, może rzeczywiście ona i Ginny powinny spędzić trochę czasu osobno. Ginny kochała i szanowała oboje dziadków. Z całą pewnością nie było mowy o złym zachowaniu w domu. Być może mimo wszystko Tess nie potrafiła wychować córki. Pomyślała o pieniądzach od Flavii. Z pewnością wystarczą na kilka tygodni życia na Sycylii, podczas których zdecyduje, co robić dalej. Ale... nie chciała jeszcze bardziej oddalić się od Ginny.

— Nie jestem pewna, czy słusznie postępujemy — wyznała.

— Nie zrozum mnie źle, Tess. — Matka patrzyła jej prosto w oczy. — Nie chcę, żebyś jechała, ale widzę, że musisz i że potrzebujesz przerwy. — Pokiwała głową i położyła rękę na ramieniu córki. — Nie jesteś superkobietą, skarbie. Sama wychowałaś to dziecko i zawsze bardzo ciężko pracowałaś. Teraz jesteś bez pracy, za to masz willę w Cetarii. Jedź tam i przemyśl wszystko, cokolwiek jest do przemyślenia.

Po raz drugi w czasie tej wizyty Tess uświadomiła sobie, jak niezwykła jest jej matka — silna, bezinteresowna i rozumiejąca innych. Mimo to czuła, że powinna zaprotestować. Z drugiej strony...

— Nie martw się — powiedziała Flavia. — Po prostu jedź. Uporządkuj myśli, wtedy to się skończy. — Otworzyła drzwi piekarnika, w którym przyjemnie bulgotała ich kolacja. — No, a teraz zawołaj ojca na kolację.

Na jej twarzy pojawił się pierwszy tego wieczoru, radosny uśmiech.

ROZDZIAŁ DWUDZIESTY SIÓDMY

Z atem stało się, pomyślała Flavia. Tess pragnęła wrócić na Sycylię. Musiała wrócić na Sycylię, to mogło być jej przeznaczenie.

Siedziała w pokoju, w którym najbardziej lubiła pisać. Miała stąd widok na ogród, w dodatku wpadające przez okno promienie słońca czerwcowego popołudnia przyjemnie ją ogrzewały. Obserwowała Lenny'ego, który krzątał się po ogrodzie, przycinając żywopłot. Od chwili gdy usłyszała o śmierci Edwarda Westermana i o jego darowiźnie dla Tess, czuła, że to dopiero początek. Jak taka staruszka jak ona miałaby zwalczyć zew Sycylii?

Musiała pozwolić Tess tam pojechać, nawet to ułatwiła. Dlaczego? Tess była jej córką, do tego tak upartą, że nic nie powstrzymałoby jej przed rozwiązaniem zagadki. Niech więc i tak będzie, postara się zrozumieć.

Podniosła długopis, wyprostowała obolałe palce i jak każdego dnia postanowiła, że zrobi to, co do niej należy. Po trochu, aż w końcu dotrze do celu.

Sycylijski ser: *il frutto* — owoc mleka. Na początku Flavia tęskniła za nim bardziej niż za czymkolwiek innym na Sycylii. Pamiętała miejscowego pasterza z gór, jego pooraną bruzdami twarz i drewnianą laskę, a także buty na grubej podeszwie.

Pecorino — owczy ser, *caciocavallo* — krowi, ser kozi i ricotta, ser z serwatki po innych serach. Tak naprawdę to nie był ser, tylko po prostu ricotta.

Miała zwyczaj obserwować, jak w miasteczku przyrządzano ricottę. Stawała z mamą w chatce o poczerniałych ścianach i patrzyła, jak miesza się mleko w kotle i podgrzewa je aż do wytrącenia serwatki. Do dziś czuła słodki, kremowy zapach wilgotnego twarożku, ostrą woń dymu z drewna oliwnego płonącego pod naczyniem.

Było wiele przepisów na ricottę, które mogłaby zamieścić w notesie. Ricotta świetnie pasowała do *dolce*, do szpinaku albo czerwonej papryki. Można ją było kroić w kostki i podawać z oliwkami, suszonymi na słońcu pomidorami i z liśćmi sałaty. Można ją było spryskać oliwą z oliwek i posypać natką pietruszki, miętą albo czarnym pieprzem. Najważniejsze, że był to smak gór, smak historii. Smak korzeni ludzkości. Chciała przekazać to Tess.

Flavia usłyszała jego krzyk, zupełnie jakby czuwała przy nim nawet we śnie.

Cichutko niczym kot wyśliznęła się z łóżka, narzuciła szlafrok i boso pobiegła po kamiennej posadzce do jego pokoju.

— Cicho, cicho — wyszeptała, żeby go uspokoić.

— Jest tak cholernie gorąco — mamrotał. — Płonę.

Tak, strasznie się pocił. Flavia przyniosła zimną flanelową ściereczkę i położyła na jego czole, a on nakrył oczy dłońmi.

— To przez te światła, oślepiają mnie...

Czasem to były światła, czasem hałas, często jedno i drugie. Flavia przesłoniła lampę obok łóżka. Zostawiali ją zapaloną, bo ciemność też stanowiła problem. Wiedziała, że coś mu się śniło.

Odkąd zamieszkał razem z nimi, wiele razy miał ten sen. To było wspomnienie chwil tuż przed katastrofą samolotu, rozpoznawała już symptomy.

— Jesteś bezpieczny — szepnęła po angielsku, jak zawsze, żeby zrozumiał. — Jesteś u nas w domu, w Cetarii, razem ze mną.

Nadal było ciemno i w zupełnie cichym domu dało się słyszeć wyłącznie jej szept.

W ostatnich tygodniach dzięki Peterowi Flavia nauczyła się lepiej mówić po angielsku. Ona z kolei uczyła go zwrotów w swoim ojczystym języku, żeby mógł zamienić kilka zdań z jej ojcem. To wydawało się ważne.

Peter zaczął wychodzić na zewnątrz, ale trzymał się blisko domu. Dzięki spacerom po tarasach i *orto* jego chód się poprawiał, a noga stawała się coraz silniejsza. Codziennie przed kolacją papa przychodził się z nim zobaczyć. Przynosił z sobą kieliszek wina i z bardzo poważną miną pytał pilota, jak się miewa.

— *Bene* — mówił Peter. — *Grazie, signor*.

— Ale nadal jest bardzo słaby — dodawała Flavia.

Oczywiście pragnęła, by wydobrzał, ale nie chciała, żeby zniknął z jej życia. Rana się zagoiła, odłamek został usunięty, zdrowie Petera się poprawiało. Mimo to jeszcze nie był gotów odejść, a ona nie była gotowa mu na to pozwolić. Nie mogła znieść myśli o rozstaniu.

Z jego snów i z tego, co jej mówił, Flavia wywnioskowała, że w lipcu angielscy piloci mieli za zadanie dotrzeć szybowcami w okolice Syrakuz i dokonać zrzutu, aby można było zająć tamtejszy most i utrzymać go do czasu przybycia desantu morskiego, który odbije miasto. Wiedziała, że miał z sobą broń i sporo amunicji. (Założyła, że papa i jego kumple się tym zajęli — na Sycylii nie można było przewidzieć, kiedy coś takiego się przyda). Wiedziała też, że przyleciał tamtej nocy z Mascary w górach Atlas i że nie był w stanie utrzymać kierunku lotu, gdyż oślepiły go reflektory. Stracił też z oczu wybrzeże.

— Spokojnie, staruszku — mamrotał teraz coraz głośniej. — Za szybko lecimy. Zaraz się...

Flavia chwyciła go za rękę. Wiedziała, co się za chwilę stanie. Katastrofa, ciemność, niebyt...

— Peter — wyszeptała.

Złapał ją za dłoń i mocno uścisnął. Nawet nie mrugnęła.

— Do łóżka, Flavia — rozległ się od progu inny męski głos, głos ojca.

— Ależ papa... — zaprotestowała.

Nikt nie potrafił uspokoić Petera tak jak ona. Nikt inny nie czuł tego, co ona.

— Idź. — Ojciec miał taki wyraz twarzy, że dalszy sprzeciw nie wchodził w grę.

I choć Flavia ledwie mogła znieść myśl o pozostawieniu Petera, popatrzyła na niego po raz ostatni i pobiegła do pokoju.

Głosy wznosiły się i opadały jeszcze długo w nocy. Raz Flavia zakradła się pod drzwi, po czym zaczęła nasłuchiwać.

— Opuścisz ten dom. — Ojciec mówił po sycylijsku.

Wzdrygnęła się i oparła o kamienną ścianę, żeby nie upaść. To jednak nie pomogło. Zbliżała się zima. Flavia czuła, że prędzej czy później Peter odejdzie, ale... Nie wiedziała, czy Peter zrozumiał.

— Ofiaruję ci pomoc, ale córki nie oddam — ciągnął ojciec.

Po twarzy Flavii spływały łzy. Chciała otworzyć szeroko drzwi, pogrozić pięściami i zacząć wrzeszczeć, jednak zabrakło jej odwagi. Zakazaliby jej spotkań z Peterem. Nie chciała dać się zamknąć jak zwierzę, któremu nie można ufać.

— Kocham ją — usłyszała głos Petera. — Kocham Flavię.

Jej serce na chwilę zamarło w piersi. Peter ją kochał.

— Nie — oznajmił papa.

To „nie" papy miało ją prześladować do końca życia. „Nie", które nie dopuszczało sprzeciwu.

W swoim pokoju zalała się łzami bezradnej wściekłości. Przed poznaniem Petera jej życie pozbawione było sensu. Nie miała na co się cieszyć, czego pragnąć, nie miała nadziei na zmianę. Jedyne, czego mogła oczekiwać, to tego, że wyjdzie za miłego mężczyznę, który się nią zajmie. Będzie służyła mu w łóżku, wychowywała dzieci, utknie w *la cucina* jak jej matka. On będzie wychodził z przyjaciółmi do baru Gaviota na grappę albo do corso, żeby obejrzeć tańce, ona zaś utkwi w domu jak w pułapce. Kościół, targ, *la casa*.

Wolałaby umrzeć.

— Czy to wszystko, czego można chcieć od życia? — pytała Santinę, ale ona zamierzała spełnić oczekiwania rodziny i nie potrafiła udzielić Flavii odpowiedzi.

A potem pojawił się Peter.

Flavia położyła się na plecach i wbiła wzrok w sufit. Struga bladoróżowego światła przenikała przez niedomknięte okiennice. Nadchodził świt. Peter dosłownie spadł z nieba w jej życie jak gwiazda i wszystko się zmieniło.

Podciągnęła kolana do piersi i szeroko rozłożyła ramiona. Peter ją kochał.

Nie chodziło o to, że był obcy, nieznany, podniecający, chociaż rzeczywiście taki był. Nie chodziło też o to, że mógłby ją zabrać do innego, nowego miejsca, o którym już opowiadał jej signor Westerman, gdzie jej życie pewnie byłoby inne. Oczywiście miało to znaczenie, ale najważniejszy był sam Peter, dotyk jego skóry, bicie jego pulsu. Flavia go kochała. Kochała go z całego serca.

ROZDZIAŁ DWUDZIESTY ÓSMY

Ginny z westchnieniem ulgi otworzyła drzwi do domu. Ostatni egzamin dobiegł końca, już po całej tej farsie. A niech to...

— Skarbie? — Matka była w kuchni.

Ginny zupełnie nie mogła zrozumieć, dlaczego Tess nie szuka nowej pracy. Co zamierzała zrobić? Przecież rodzice pracują, bo skądś trzeba brać pieniądze.

— Cześć.

Od tamtej kłótni sytuacja właściwie nie wróciła do normy. Ginny nie bardzo wiedziała, jak się teraz zachować. Czy powinna udawać, że nic się nie stało, przeprosić, czy może przez jakiś czas się boczyć, by dowieść swoich racji? Czasem marzyła jedynie o tym, żeby zbliżyć się do matki. Wcześniej było to niezwykle proste, a teraz Gula to utrudniała.

— Jak poszło? — Matka najwyraźniej postanowiła w ogóle nie rozmawiać o kłótni.

Siedziała przy kuchennym stole, na którym rozłożona była mapa.

— W porządku.

Właściwie Ginny prawie nic nie napisała. Doszła do wniosku, że jedynym sposobem na uniknięcie studiów jest odmowa udziału w rywalizacji. Siedzenie na egzaminie i bazgranie z wyłączonym mózgiem okazało się banalnie łatwe. To było surrealistyczne doznanie, jakby nie z tego świata, jakby znalazła się w innym miejscu. Jakie to miało znaczenie? Gdzieś w środku niej Gula mruknęła zgodnie: no właśnie, jakie to wszystko ma znaczenie?

— Napijesz się herbaty? — Matka wstała.

— Okej.

Poza niedyskutowaniem o kłótni matka ostatnio robiła jeszcze coś innego. Ostrożnie krążyła dookoła niej, jakby Ginny była zbyt delikatna, żeby jej dotknąć, i zbyt wybuchowa, aby się do niej odezwać. Ginny nienawidziła tego, miała ochotę natychmiast wszcząć awanturę.

— To co, zamierzasz to jakoś uczcić? — zapytała matka nieszczerze radosnym tonem. — Koniec egzaminów... Nareszcie wolna!

— Może.

Ginny nie była pewna, czy w ogóle jej się chce, choć rzeczywiście zamierzała gdzieś wyjść z przyjaciółmi. Becca też obiecała się pojawić, oczywiście z Harrym, więc Ginny była pewna, że znowu nie pogadają.

Nie mogła zaprzeczyć, że czuła się totalnie wyprowadzona z równowagi obsesją Bekki na punkcie tego chłopaka. Kiedyś miała najlepszą przyjaciółkę na świecie, aż nagle ta przyjaciółka stała się zupełnie niedostępna. A co do Guli... Olanie egzaminów w żaden sposób jej nie skurczyło. Właściwie Gula rozrosła się jeszcze bardziej i szalała przez dwadzieścia cztery godziny na dobę jak opętana. Dosyć paradoksalna sytuacja, jeśliby się nad tym zastanowić.

Matka postawiła kubek z herbatą na blacie.

— Co u Bena? — zapytała ostrożnie.

O w mordę.

— W porządku. — I jeszcze to...

Czy we wszystkich związkach chodziło o utrzymanie równowagi siły?

Weźmy takiego Bena. Na początku to on miał przewagę, Ginny nie wiedziała, jak się zachować. Ale kiedy zaczęli uprawiać seks, było oczywiste, że ona tu rządzi. Ben pragnął jej przez cały czas. To było wspaniałe, radosne — nie sam seks, ale poczucie, że jest tak pożądana. Nawet Gula milczała w trakcie seksu, dopiero potem zaczynała się wydzierać.

— Skoro już po egzaminach, pewnie pomyślisz, co dalej — ciągnęła matka tym swoim dziarskim tonem.

Ginny zmarszczyła brwi.

— Znaczy dzisiaj? — zapytała.

Matka odetchnęła głęboko.

— Nie — odparła. — Ale już niedługo.

Ginny gwałtownie usiadła.

— Mówiłam ci przecież — burknęła. — Chcę podróżować.

— W takim razie będziesz potrzebowała pieniędzy. — Głos matki też brzmiał ostrzej niż zwykle, całkiem jakby znienacka uznała, że dosyć tych uprzejmości.

W odpowiedzi Ginny tylko jęknęła.

— Musisz znaleźć sobie pracę — dodała matka.

Ginny skrzywiła się niechętnie. Dlaczego rodzice zawsze są tak negatywnie nastawieni? Jakoś nigdy nie mogli po prostu powiedzieć: Ciesz się!

— Wiem — odparła. — Nie jestem głupia.

Praca na bank była lepsza od studiowania psychologii.

— Jesteś pewna, że nie zmienisz zdania w kwestii wyjazdu na Sycylię? — matka postukała palcem w mapę. — Świetnie byś się bawiła.

Ginny nawet nie raczyła na nią spojrzeć.

— Sorry.

— W porządku. — Matka wzruszyła ramionami i złożyła mapę. — Jadę tylko na kilka tygodni, najwyżej miesiąc. Albo dwa.

— Na miesiąc albo dwa?! — Ginny wpatrywała się w nią z osłupieniem.

A więc stać ją było na to, żeby pojechać na Sycylię na miesiąc albo dwa, ale truła Ginny o tym, że powinna znaleźć sobie pracę. Bezczelność. A co z nią? Co niby miała robić, kiedy matka po raz drugi pojedzie na Sycylię? Przełknęła ślinę.

— Wszystko w porządku, skarbie? — matka niepewnie wyciągnęła rękę. — Ben?...

Ben nieustannie chciał seksu — kochali się prawie non stop — ale nie był już taki niecierpliwy jak na początku i Ginny zaczęła się obawiać utraty przewagi. Właściwie Ben traktował jej obecność w swoim życiu jak coś oczywistego. Co gorsza, uświadomiła sobie, że nie tylko jest wytrącona z równowagi, z powodu Bekki i całej tej sprawy z egzaminami, uniwersytetem i psychologią, ale też znudzona. Nudziła się jak mops i nienawidziła wszystkich, w tym siebie.

— W porządku — odparła. — Wszystko w porządku.

— Jeśli nie chcesz, żebym jechała, to nie pojadę — oznajmiła matka.

Było oczywiste, że chce jechać.

— Jedź na tę Sycylię — powiedziała Ginny. — Nic mi nie będzie.

Czuła się porzucona, wpuszczona w kanał, odtrącona. A ja? — miała ochotę zawyć. Znowu przełknęła ślinę. To było bolesne.

— Nonna chce, żebyś zamieszkała z nią i z dziadkiem — dodała matka. — To będzie trochę jak wakacje.

Ginny prychnęła. Dziadkowie mieszkali tylko trzy ulice dalej, ale...

— Okej — oznajmiła, po czym wstała i poszła do swojego pokoju, bo przez Gulę znowu rozbolała ją głowa i chciało jej się płakać.

Już u siebie nałożyła słuchawki iPoda i zacisnęła powieki. Pod nimi zobaczyła tort urodzinowy ze świeczkami i usłyszała śmiech.

To było przyjęcie z okazji jej trzynastych urodzin, z trójką gości: oprócz Ginny była jeszcze mama i dziadkowie. Jej cała rodzina. Nonna upiekła tort jak zawsze, ale poprzedniego wieczoru mama przygotowała lukier i ozdobiła tort czekoladowymi guziczkami oraz kolorowymi kuleczkami z cukru, o które Ginny prosiła co roku.

Dziadek wyciągnął z lodówki butelkę szampana.

— Ta dam! — Uśmiechnął się i potrząsnął butelką.

Mama i nonna natychmiast się cofnęły, wrzeszcząc unisono, a Ginny zachichotała. Dziadek złapał za korek i mama, Ginny i nonna chwyciły się za ręce w oczekiwaniu na eksplozję.

Łup! Korek wystrzelił ze świstem i uderzył o sufit. Mama i nonna znów zaczęły krzyczeć.

— Kieliszki! — zawołał dziadek, gdy z butelki wypłynęła piana.

Mama chwyciła kieliszki i przytrzymała je pewną dłonią, żeby mógł nalewać. Uniosła brew do Ginny.

— Wszystkiego najlepszego — wyszeptała.

— Trzynastka — mruknął dziadek. — Teraz dopiero zaczyna się twoje życie, moja śliczna.

Ginny patrzyła, jak szampan buzuje w kieliszku niczym obietnica.

— Za Ginny. — Matka wręczyła jej kieliszek i uniosła własny.

— Za Ginny — powtórzyła cała rodzina.

— Jesteś już nastolatką. — Włosy mamy były potargane jak zawsze, ale usta miała pociągnięte nową, różową szminką. Krążyła wokół stołu, zapalając cienkie woskowe świece, niebieskie, różowe, białe i żółte, aż czekoladowy tort z kremowym lukrem zapłonął niczym pochodnia.

Ginny patrzyła na czekoladowe guziczki, wielobarwne kuleczki cukru i trzynaście zapalonych świeczek. Poczuła dziwny ucisk w sercu. Pomyślała o życiu, które ją czeka, o szkole, uniwersytecie, karierze, a także o najważniejszej sprawie: Prawdziwej Miłości. Wszystko to było fascynujące, ale straszne. Przenosiła wzrok z jednej twarzy na drugą. Dziadek był rozpromieniony, nonna uśmiechała się zachęcająco, mama rumieniła się z dumą. Ginny pomyślała, że zostawia za sobą dzieciństwo i poczucie bezpieczeństwa. Przełknęła szampana, który smakował wytrawnie i obco.

— Teraz świat stoi przed tobą roztworem — oznajmiła nonna.

Ginny zerknęła na matkę, której usta drżały, i poczuła, że chichot wzbiera w niej niczym bąbelki szampana.

Gdy mama popatrzyła na nią, obie zaniosły się głośnym śmiechem, zgięte wpół. Mama niemal się popłakała i była zmuszona odstawić kieliszek na stół.

— A was co tak śmieszy? — zapytała nonna oburzonym tonem i położyła ręce na biodrach. Jej oczy miotały gniewne błyski.

— Nic, mamma — powiedziała Tess.

— Nic, nonna — zawtórowała jej Ginny, ale obie znowu zaczęły ryczeć ze śmiechu, aż w końcu nonna westchnęła głośno.

— Otworem, kochana — powiedział dziadek. — Świat stoi przed tobą otworem.

Teraz Ginny nawet nie wiedziała, co ją tak rozbawiło, niemniej umierała ze śmiechu.

— Grupowy uścisk — zarządziła mama, zapędzając je w kółko i próbując się opanować. — Pora na śpiewy.

Świeczki już się dopalały, a wosk rozpływał po lukrze.

— Sto lat, sto lat, niech żyje, żyje nam — rozległy się głosy: lekko zachrypnięty i melodyjny nonny, głęboki tenor dziadka, czysty i pewny siebie głos mamy. — Niech żyje nam droga Ginny...

Mama wyciągnęła rękę.

— Zdmuchnij świeczki, kochanie — powiedziała. — I pomyśl życzenie.

Ginny wzięła głęboki oddech i dmuchnęła. Życzyła sobie, żeby wkrótce zdołała się dowiedzieć, na czym polega życie, i żeby nic się nie zmieniło. Wszyscy zaczęli klaskać i wiwatować. Nonna wyciągnęła nóż, żeby pokroić tort, dziadek rozlał jeszcze więcej szampana, a mama lekko poprawiła włosy.

Rodzina była wszystkim, co się liczyło.

I właśnie to straciłam, pomyślała Ginny, wybierając następną melodię. Pomyślała o dziadkach, o potrawach gotowanych przez nonnę i o tym, że ich dom był zawsze ciepły i przyjazny, czuła się tam bezpiecznie. Może jednak nie będzie tak źle, poza tym kiedy matka wyjedzie, ona sama znacznie łatwiej uniknie tematu pracy i uniwersytetu. Już nie wspominając o tym, co się zdarzy po przyjściu wyników...

ROZDZIAŁ DWUDZIESTY DZIEWIĄTY

Kiedy Tess dotarła z powrotem do Cetarii, na Sycylii zaczął się już sezon turystyczny. Hotele wydawały się pełne, bary i restauracje pękały w szwach od przyjezdnych, a *strada* była całkowicie zablokowana przez auta. Sama Cetaria jednak leżała na tyle daleko od uczęszczanych szlaków, że udało się jej uniknąć masowej turystyki.

Baglio i zatoka wydawały się Tess zupełnie niezmienione, gdy wczesnym środowym wieczorem wjeżdżała wynajętym samochodem do miasteczka. Słońce chyliło się ku zachodowi, ale wciąż mocno grzało, rzucając miodowy poblysk na wodę w zatoce. W oddali, na wzgórzach, pomiędzy wieżyczkami cyprysów Tess dostrzegała inny różowawy blask.

Wjechała na via Margherita, boczną drogę prowadzącą do Villa Sirena. Otworzyła okno auta, by wdychać zapachy wieczornego gotowania unoszące się na wąskich uliczkach: słodkie karmelizowane cebule i pomidory, aromatyczne oregano i bazylię, pieczone mięso. Od razu poczuła przypływ entuzjazmu.

Podjechała pod czarną bramę z kutego żelaza. Wyskoczyła z samochodu, żeby otworzyć ją szeroko, a potem znowu wsiadła do auta i skręciła ostro na prawo, między wiekową *ape* i niebiesko-żółtego fiata pandę.

Ukryta za oleandrami i starym kamiennym murem, willa wydawała się na nią czekać. Przykurzony róż połyskiwał w słońcu, a syrena na płaskorzeźbie uśmiechała się łagodnie, gdy Tess włożyła klucz do zamka, żeby otworzyć frontowe drzwi. Nie bardzo podobał się jej pomysł wynajęcia willi, ale i tak był lepszy niż sprzedaż. Gdyby wynajmowała ją na wakacje, willa wciąż należałaby do niej i Tess mogłaby tu przyjeżdżać przy każdej nadarzającej się okazji. Musiała tylko znaleźć pieniądze, żeby ją nieco (no cóż, bardzo) zmodernizować i... gotowe. Będzie miała własny letniskowy dom na Sycylii.

Wróciła do samochodu, żeby przenieść swoje rzeczy. Kto nie chciałby spędzać jak najwięcej czasu w tak uwodzicielskim miejscu? Wdychała zapach jaśminu rosnącego z boku willi, ciężki i już znajomy, i nagle poczuła się tak, jakby nigdy stąd nie wyjeżdżała.

Właśnie dlatego wróciła. Chciała tutaj być, dom wiązał ją z Sycylią i z dziewczyną, którą niegdyś była Flavia. Jak mogłaby się go pozbyć?

Tym razem zapakowała sporo rzeczy, między innymi sprzęt do nurkowania — musiała obrócić aż trzy razy, zanim wszystko udało jej się przenieść. Obok bramy przechodziła jakaś staruszka.

— *Buona sera!* — krzyknęła Tess radośnie, zachwycona swoją odwagą.

Na brązowej, pomarszczonej twarzy starszej pani pojawił się uśmiech.

— *Sera* — odparła.

Tess zamknęła drzwi frontowe i poszła prosto na tył willi. Oparła się o poręcz tarasu i wyjrzała na *baglio*. Drzwi do pracowni Tonina były zamknięte, nie widziała go przed budynkiem. Uśmiechnęła się do siebie. Czuła się, jakby wróciła do domu.

Następnego ranka otworzyła okiennice, w pośpiechu zjadła śniadanie i zabrała swój sprzęt do nurkowania nad zatokę. Miała na sobie kombinezon nurka, a w drodze z lotniska do Cetarii wystarczyło jej przytomności umysłu, żeby zatrzymać się przy centrum nurkowania nieopodal Palermo, skąd wypożyczyła butlę ze sprężonym powietrzem.

Na *baglio* panowała cisza, spacerowało tam tylko kilka osób, inne popijały espresso w barze. Tess czuła bogaty aromat świeżo zmielonej kawy, wymieszany z kuszącym zapachem śniadaniowych *cornetti*. Wciąż był ranek, na *baglio* zdawał się panować nastrój oczekiwania. Teraz drzwi do pracowni Tonina stały otworem, ale nadal nie było ani śladu właściciela.

Zauważyła, że wąż wciąż znajdował się w witrynie. Jego zielone łuski były gładkie i błyszczące, na łbie widniała żółta korona. Zaraz, zaraz. Tess przystanęła. Korona? Tak, nie miała co do tego wątpliwości. Wytrzeszczyła oczy. Krańce korony z żółtego szkła ozdobione były bursztynowymi perłami, wzdłuż podstawy ciągnęły się brązowe pasma. Przyjrzała się uważniej. Stworzenie miało zielone oczy, a do tego krzaczaste brwi, wąsiki i brodę z perłowobiałego szkła. Dostrzegła też wysunięty, rozdwojony język, kruczoczarny i połyskliwy.

Nie miała pojęcia, nad czym Tonino obecnie pracował, a on wciąż uparcie się nie pojawiał. Tess stłumiła rozczarowanie i powlokła się ze swoim sprzętem na brzeg morza. Formacje skalne nie przestawały jej fascynować. Wybrzeże pełne było poszarpanych urwisk, a kamienie przypominały granitowe wieże, wypiętrzające się z wody.

Dotarła do kamiennego pomostu. Nie mogła się doczekać, kiedy w końcu się zanurzy. Tak bardzo pragnęła się dowiedzieć, co jest pod powierzchnią morza, w jego sercu, na dnie.

— Hej!

Rozpoznała ten głos, zanim jeszcze zdążyła się obejrzeć. Ton był raczej napastliwy, ale i tak pomachała.

— Cześć!

Szedł ku niej, ale kiedy się zbliżył, zobaczyła, że miał ponurą i zaciętą minę.

— Co ty wyprawiasz? — Wskazał na sprzęt: zbiornik z powietrzem, pas z obciążnikami, maskę.

— Nurkuję. — Wzruszyła ramionami.

Ciebie też miło zobaczyć, pomyślała. Tamta chwila w Segeście, ten prawie pocałunek, wydawał się teraz należeć do zupełnie innego świata.

— Sama? — Wyglądał tak, jakby lada chwila miał zacząć zionąć ogniem.

Tess demonstracyjnie rozejrzała się dookoła. Nieco dalej, na murze, siedziało dwoje ludzi, kobieta i mężczyzna, i z ciekawością obserwowało tę konfrontację. Po drugiej stronie stał jakiś staruszek. Żadna z tych osób raczej nie zamierzała z nią wypływać.

— A dlaczego nie? — spytała. — Nie wypłynę daleko.

Jedna z żelaznych zasad nurkowania głosiła, że nie należy wypływać w pojedynkę, na wypadek ewentualnych kłopotów. Wtedy przydawał się kumpel, który mógł pomóc. Naturalnie Tess nie zamierzała robić nic głupiego ani podejmować ryzyka. Do cholery, pragnęła tylko przyjrzeć się okolicy. I niby skąd miała wytrzasnąć sobie partnera do nurkowania, na litość boską?

— Nieważne. — Spiorunował ją wzrokiem i oparł ręce na biodrach. Znowu miał na sobie czarne szorty, a do nich niebieski podkoszulek w kolorze sycylijskiego nieba. Jego skóra wydawała się jeszcze bardziej śniada niż poprzednio, a oczy ciemniejsze. — To może być niebezpieczne. Nigdy nie powinnaś nurkować sama.

Tess wyprostowała się na całą wysokość, choć musiała przyznać, że nie czuła się zbyt pewnie w obcisłym kombinezonie. Trzeba było kupować kostium o jeden rozmiar za mały, gdyż rozciągał się w wodzie, a musiał pasować niczym druga skóra.

— Wiem — odparła. — Jestem wykwalifikowanym nurkiem.

Dlaczego wszyscy tutaj zdawali się jej rozkazywać? Nie potrzebowała nikogo do kontrolowania swojego życia, sama mogła to robić.

Chyba.

— No to powinnaś mieć więcej rozumu — syknął.

Tess wytrzeszczyła oczy. Bardzo, ale to bardzo pomyliła się co do tego człowieka. Powinna była słuchać Giovanniego Sciarry. Tonino niepotrzebnie histeryzował. Przypomniało się jej, jak się wkurzył z powodu sieci rybackich. Może był wariatem? Owszem, twórczym, ale mocno pokręconym.

— Uważasz, że to twoja sprawa?

Poprawiła maskę, przygotowując się do wejścia do wody. Gdy zanurzyła stopę, woda kusząco spieniła się wokół jej palców. Tess wciągnęła płetwy. Nie zawracała sobie głowy rękawicami do pływania, nie było zimno, zresztą to miała być jedynie wstępna eksploracja, na Boga.

Raz jeszcze Tonino skrzyżował ręce na piersi.

— To nieodpowiedzialne. Bardzo zły zwyczaj. — Ale nie odszedł.

No i co z tego? Zamierzał stać tutaj na brzegu i czekać, aż Tess wróci? Ciekawe, że zdawał się tyle wiedzieć o przepisach dotyczących nurkowania. Odwróciła się do niego.

— Nurkujesz? — zapytała.

Przez chwilę miała wrażenie, że nie powie.

— Nie — mruknął w końcu. — Już nie.

Już nie. Tess czuła, że nic nie mogłoby jej skłonić do rezygnacji z nurkowania. To była jej pasja.

— Jeśli tak się przejmujesz, to popłyń ze mną — zaryzykowała.

Bardzo powoli pokręcił głową. Tess wzruszyła ramionami.

— No dobra, idę. — Włożyła ustnik między wargi i pomachała do Tonina.

Popatrzył na nią przeciągle, ciężkim wzrokiem, potem odwrócił się i odszedł. Tess znów zaczęła się zastanawiać, co jest nie tak z tym facetem.

ROZDZIAŁ TRZYDZIESTY

K iedy fale sięgnęły jej do kolan, Tess pochyliła się i na brzuchu wślizgnęła do morza. Bardzo szybko zrobiło się głęboko i poczuła, jak chłód wnika w jej kombinezon, który natychmiast zaczął się rozgrzewać od jej ciepłego ciała, chroniąc ją przed zimnem. Dno morskie było pełne kamieni i ziarnistego piasku, na którym rosły wodorosty. Wydawało się, że w pobliżu nie ma meduz, ale zauważyła ławicę bladych, pasiastych, niemal opalizujących sprzągli, śliskich, a zarazem eleganckich.

Popłynęła ku podwójnej skale, której odbicie widziała w wodzie nad głową. Głaz był przeorany i pokruszony przez fale. Wydarzenia ostatnich tygodni, tych przejściowych — dziwna rozmowa z matką, nieustająca bitwa z Ginny (nie rozumiem nastolatków, pomyślała), rozstanie z Robinem — zdawały się blaknąć i tracić na znaczeniu teraz, gdy wróciła do Cetarii.

Pod powierzchnią słońce przenikało strużkami przez wodę, której kolor przechodził od najjaśniejszego błękitu do jaskrawej, pawiej zieleni i przybierał wszystkie pośrednie odcienie. Tess płynęła powoli, w spokojnym, płynnym rytmie.

Właściwie co chciała zyskać dzięki powrotowi na Sycylię, czego szukała? Czy to miało coś wspólnego z willą, samą Cetarią, zatoką i *baglio*, czy z dwoma poznanymi tutaj mężczyznami? A może poszukiwała przeszłości matki? Czy te wszystkie rzeczy były ze sobą powiązane? Może wystarczyło trochę uważniej spojrzeć, żeby znaleźć to nieuchwytne coś...

Zanurkowała głębiej, a gdy dotarła do skupiska skał, przejechała dłonią po ich szorstkiej, chropowatej powierzchni. Te kamienie były przeżarte i zerodowane po wielu stuleciach działalności morza i teraz tworzyły niespotykany nawis. Bańki dwutlenku węgla opuściły respirator i uniosły się ku powierzchni, przypominając rtęć. Skała mogła się wydawać niewzruszona, ale już było widać, że te kamienne wyspy poprzecinane są głębokimi szczelinami i pęknięciami, zarówno pod wodą, jak i nad jej powierzchnią, wszędzie tam, gdzie gniazdowały rybitwy i rosły agawy. Poszczególne fragmenty skały pochodziły z różnych epok i pozostawały w tym miejscu przez różny czas.

Bliżej dna, wśród jasnofioletowych wodorostów skalnych spoczywały warstwy jaskrawopomarańczowych gąbek oraz kolczaste, różowe jeżowce. Tess nie była geologiem, ale trochę znała się na ziemi, kamieniach i erozji. Ta formacja skalna tak naprawdę stanowiła żyjący, ruchliwy organizm. Sycylia naturalnie była podatna na wybuchy wulkanów i trzęsienia ziemi. Tu ziemia dosłownie ruszała się pod stopami. Teraz, gdy Tess zobaczyła świat pod wodą, dostrzegła niezliczone wysepki skalne z wyżłobionymi zatoczkami i maleńkimi podwodnymi grotami.

Powoli opływała głazy, takie jak te, które właśnie mijała. Były to dwie szare skalne kolumny i jeszcze jedna, podobna do nich, leżąca niczym nadproże za drugą wieżą, która wystawała ponad powierzchnię wody. Może kiedyś była to podwodna jaskinia... Podpłynęła bliżej. Inna, ciemniejsza, mniej skorodowana i podziurawiona skała tkwiła zaklinowana między kolumnami. Przez jej środek przebiegało pasemko żelaza, które Tess pogłaskała palcami. Wyglądało to tak, jakby Neptun czy inny bóg przytoczył głaz na to miejsce. Może doszło do zawalenia skał? Pęknięcia między kamieniami były dość głębokie, a momentami także szerokie. W innych miejscach skały wydawały się niemal złączone w jedną całość.

Opierając jedną rękę na drugiej, Tess opadła niżej, prosto do pokrytego żwirem dna morskiego. Rzeczywiście znajdowała się niżej niż zwykle, ale to nie były niebezpieczne wody, więc o co chodziło Tonino? Wcześniej zamierzała dowiedzieć się więcej o tych zwaśnionych, sycylijskich rodzinach, teraz jednak nie była pewna, czy w ogóle chce rozmawiać z tym facetem. A co do Segesty i smaku dojrzałych fig... Pomyślała niechętnie, że niektóre dziewczyny nigdy nie uczą się na błędach.

Pod małymi kamieniami na dnie odkryła ciemnoczerwoną rozgwiazdę, która szybko przemieściła się do innej skalnej rozpadliny. Zauważyła też skorpenę, która z godnością odpłynęła w dal. Z piasku wygrzebała muszlę o wnętrzu wyłożonym nieskazitelną macicą perłową i wepchnęła ją do zapinanej kieszeni. Podwodne koralowce, czyli żółte i czerwone gorgonie, falowały delikatnie w rytm podwodnego prądu, z którym Tess coraz lepiej się synchronizowała. Podpłynęła do następnej, monolitycznej wieży skalnej.

Wiedziała, że musi wykorzystać czas spędzony na Sycylii, by pomyśleć o tym, jak zamierza zarabiać na życie, skoro nie pracuje już w wodociągach. Po powrocie do willi mogła sporządzić listę i skontaktować się z Giovannim, żeby porozmawiać o budowlańcach. Postanowiła, że spróbuje też spotkać się z Santiną, o tym również nie wolno jej było zapomnieć. Ogarnie się i do diabła z Toninem, nie był jej do niczego potrzebny.

Następna skała była mocno porośnięta mchem, starsza i bledsza od pierwszej. Tess przyjrzała się jej z zainteresowaniem, a potem przepłynęła nad głazami i gęstymi wodorostami, żeby dostać się do grupki skał po drugiej stronie. Tam dostrzegła żółte kołonice i dużego węgorza o smutnym pyszczku.

Jedna część jej umysłu rejestrowała napotkane widoki, druga nie przestawała się zastanawiać nad ostatnimi wydarzeniami. Podczas nurkowania należy się koncentrować, skupienie to podstawa. Na szczęście Tess nieźle radziła sobie z wykonywaniem wielu czynności naraz, do tego ten nieprzerwany czas na myślenie stanowił dla niej jedną z zalet nurkowania.

Dwadzieścia minut później, kiedy wynurzała się na powierzchnię przy pomoście nad zatoką, minęła ją ławica sardeli.

Dobrnęła do brzegu i zdjęła maskę oraz płetwy. Tonino układał mozaikę przed drzwiami pracowni i musiała przejść obok niego, żeby dostać się na prowadzące do willi schodki. Postanowiła minąć go bez słowa, ale coś w jego posturze i ta wysunięta szczęka, kiedy zerknął na nią i skinął jej głową, sprawiło, że się zatrzymała i popatrzyła na mozaikę.

— Nad czym teraz pracujesz? — zapytała.

Minęły całe wieki, nim raczył się odezwać.

— Słyszałaś legendę o Cola Pesce? — odpowiedział pytaniem.

Tess pokręciła głową. Pytanie wydawało się jej zaskakujące, ale w końcu Tonino był zaskakującym facetem. Wziął do ręki zielony kamyk, być może malachit, i uniósł go ku słońcu.

— Cola Pesce spędzał całe dnie pod wodą, badając dno morskie — zaczął. — Ogłosił, że Sycylia jest wsparta na trzech wielkich kolumnach, ale pojawił się problem.

— Czyli? — Tess już była zafascynowana, nie tyle opowieścią, ile jego spokojnym głosem.

— Jedna z kolumn pękła — oświadczył Tonino z powagą.

Tess czekała. Czy to miało znaczyć, że Sycylia ma jakieś straszliwe, fundamentalne wady?

— Król jednak w ogóle nie był zainteresowany, chciał tylko wiedzieć, jak głęboko Cola Pesce potrafi się zanurzyć. Dlatego poprosił go, żeby przyniósł kulę armatnią, wystrzeloną z latarni morskiej.

— I przyniósł?

Ten głos działał na nią wręcz hipnotycznie. Tonino nie przestawał układać kamyków. Przerzucał je z ręki do ręki, czyścił, unosił ku światłu, selekcjonował.

— Próbował. — Znowu umilkł. Najwyraźniej cisza była mu niestraszna. — Kiedy jednak dotarł do kuli armatniej, spojrzał w górę i zobaczył, że morze jest zamknięte, nieruchome i twarde niczym marmur.

Tonino zamknął oczy, po czym otworzył je szybko jak jaszczurka.

— I co zrobił?

— Nic. Uwiązł tam na zawsze. — Strzelił palcami i nagle czar prysł.

— Och. — Tess się wzdrygnęła.

Co to niby miało oznaczać? Żeby nie przekraczać swoich możliwości? Że pasja może się stać przyczyną śmierci? Że wygórowane nadzieje bywają niebezpieczne?

Czuła, że od Tonina się tego nie dowie.

— Dlaczego tak cię zdenerwowało moje nurkowanie? — spytała go wprost.

Nie patrzył na nią, lecz na wodę.

— Morze jest piękne, ale bywa okrutne — odparł.

Tess wytarła włosy ręcznikiem i przerzuciła go przez ramię. Jak zwykle nie odpowiedział na jej pytanie.

— Masz rację — powiedziała. — Ale ja nie podejmowałam ryzyka. Postanowiłam tylko przyjrzeć się skałom.

— Czego szukasz, kiedy nurkujesz? — zapytał, nadal na nią nie patrząc.

— No wiesz, tego, co wszyscy... Życia w morzu, roślin i korali. — Zaśmiała się. — Może pereł.

— Pereł... — powtórzył, układając kamyk w mozaice. — Miałem przyjaciela, bliskiego przyjaciela, też był nurkiem. Nurkowaliśmy razem dla sportu, aż pewnego dnia zaczęliśmy przeszukiwać wraki. Można by powiedzieć, że też szukaliśmy pereł.

— Wraki? — Pomógł jej zdjąć butlę z powietrzem, a Tess przysiadła na murku.

— Odzyskiwaliśmy zatopione przedmioty. — Tonino powrócił do układania elementów mozaiki i znów zaczął je sortować. — Nurek może dobrze zarobić na odzysku. Mosiądz, srebro, kto wie, co jeszcze.

Tess pokiwała głową. Nauczyła się już, że w tym kraju zarabiano, na czym się dało. Rozpięła kombinezon, bo zaczynała się lepić od potu.

— Tam na zachód, pod wodą leży wrak. Umówiliśmy się, że popłyniemy razem, ale ja... — wydawał się zawstydzony. — Miałem wcześniejsze zobowiązania. Nie zaczekał na mnie. — Zamilkł. — Mój przyjaciel tam zginął.

Tess bez słowa wpatrywała się w niego. Boże, znowu śmierć i zniszczenie. Sycylia wydała się podszyta mrokiem.

— Kiedy? — szepnęła w końcu.

— Dwa lata temu.

Mimo upału Tess zadrżała.

— Co tam się stało?

— Jest prawie pewne, że zaplątał się w jakieś stare rybackie sieci. Znaleziono go z siecią oplątaną wokół kombinezonu. — Jego oczy wydawały się ciemniejsze niż zwykle, nie patrzył na nią. Co jeszcze się wydarzyło? — Był doświadczonym rybakiem. Czasem, kiedy sieci się podrą, ludzie wyrzucają je do morza. Mają to gdzieś.

— Myślisz, że nie zdołał się uwolnić? — zapytała.

Tonino pokręcił głową.

— Musiał się wyplątać na tyle, żeby dotrzeć na powierzchnię, ale pewnie zabrakło mu powietrza — odrzekł. — Nie było czasu na dekompresję. Umarł samotnie na łódce.

Tess milczała. Rozumiała, o czym mówił, chodziło o chorobę kesonową. To się zdarza, kiedy brakuje czasu, aby gazy we krwi dostosowały się do zmiany ciśnienia.

Przy zbyt szybkim wynurzaniu się w krwiobiegu pojawiają się pęcherzyki powietrza i dlatego właśnie, kiedy człowiek opuszcza się głębiej, musi pozostawić sobie nieco czasu na przystanki dekompresyjne w drodze na powierzchnię.

Sieci rybackie, samotne nurkowanie w morzu... Teraz rozumiała, skąd wziął się gniew Tonina na rybaków podczas jej poprzedniej wizyty. Rozumiała też jego poczucie winy — zabrakło go przy przyjacielu wtedy, gdy było to najważniejsze.

— Tak mi przykro — westchnęła.

— Miałem nóż, którym mógłbym go uwolnić. Ot, tak. — Przeciął powietrze niewidzialnym ostrzem.

— Nie możesz się o to obwiniać — powiedziała szybko. — To on postanowił wypłynąć samotnie.

Już miała dodać, że wypadki chodzą po ludziach, ale zabrzmiałoby to wyjątkowo banalnie, poza tym Tonino i tak by się z nią nie zgodził.

Popatrzył na nią i pokręcił głową.

— Mówią, że to złe miejsce.

— Cetaria? — Rozejrzała się wokół siebie.

Jej matka twierdziła mniej więcej to samo, a jednak dla Tess to był raj. Stare kamienne *baglio* i *piazza*, kamienny wodotrysk, poskręcany, srebrzysty eukaliptus. Turkusowa zatoka z *il faraglione*, skalistymi, wypiętrzonymi kolumnami, które sterczały z wody. Labirynt wąskich uliczek i pastelowych domów, Villa Sirena. Podwodna grota, będąca pomnikiem przyrody. Jakim cudem miało to być złe miejsce? Złe rzeczy zdarzały się przecież wszędzie.

Tonino pokiwał głową.

— Tak, tu jest pięknie — powiedział. — Ale to nie jest szczęśliwe miasteczko.

— Nie. — Sama wyczuwała smutek tych okolic. Popatrzyła na pracownię. — Co z wężem? — zapytała.

— Z wężem?

— Z tym, który ma na sobie koronę.

— Ach, książę Scursini — powiedział.

— Pewnie tak.

Tess częściowo ściągnęła kombinezon. Słońce ogrzewało jej twarz i ramiona. Postanowiła, że zaraz wróci do domu i się przebierze.

— Królowa pragnie syna — mruknął Tonino. — Nawet jeśli miałby się urodzić jako *scursini*.

— Co to znaczy? — Patrzyła na niego.

Odnosiła wrażenie, że Tonino potrafił się wślizgiwać do innych światów, co trochę przypominało nurkowanie. Pomyślała, że to dobry sposób na zapomnienie.

— Wąż — powiedział. — W sycylijskich mitach wąż jest niebezpieczny. Jeśli spojrzysz mu w oczy, zostaniesz sparaliżowana.

Popatrzył na nią, a Tess szybko odwróciła wzrok. Nie zamierzała ryzykować.

— I oczywiście syn rodzi się jako *scursini* — ciągnął. — Za dnia jest księciem, nocą zmienia się w węża. W swoim czasie wąż zaczyna pragnąć żony. Odrzuca i zabija dwie kobiety z niższych sfer, które mu przyprowadzają.

— Tak jak ty — wymamrotała Tess.

— Ale trzecia kobieta wykorzystuje nie tylko swoją urodę, ale i rozum. Zdejmuje z niego zaklęcie i dostaje swoją nagrodę.

— Niech zgadnę — westchnęła. — Poślubia księcia i żyją długo i szczęśliwie?

— Oczywiście — odparł.

Tess zmarszczyła brwi.

— Nie wydaje ci się to trochę archaiczne jak na dzisiejsze czasy?

Tonino zerknął na nią chytrze.

— Uważasz, że historia o narzeczonym zaklętym w ciele bestii nie ma zastosowania w dzisiejszych czasach?

— No... cóż... — Zaśmiała się.

— I nie uważasz, że kobieta jest uzdrowicielką i że oprócz urody może mieć także rozum?

Najwyraźniej sądził, że pozjadał wszystkie rozumy.

— No dobrze, może masz rację — przyznała niechętnie.

Ten człowiek stanowił dla niej zagadkę. Wciąż nie była pewna, czy mu ufać, czy nie.

Tonino wzruszył ramionami.

— Te historie są symboliczne — mruknął.

— Rozumiem. — Pokiwała głową. Te symbole przemawiały do wyobraźni. Tess zeskoczyła z murka. — Muszę zdjąć z siebie mokre rzeczy — powiedziała.

— Tak, powinnaś.

Znowu zapadła ta dziwna cisza. Jakby nic się nie działo, a jednak jakby te chwile znaczyły więcej, niż może się wydawać na pierwszy rzut oka, zupełnie jak jego opowieści.

ROZDZIAŁ TRZYDZIESTY PIERWSZY

Ginny leżała na łóżku, z rękami pod głową, i gapiła
się na sufit. W tej pozycji Gula tkwiła nisko, niemal
niewidoczna, i przez chwilę Ginny mogła udawać, że
w ogóle jej nie ma.

Ten sufit był inny niż brudnobiały sufit jej sypialni
w domu. Tamten miał głębokie dekoracyjne gzymsy
i zwisały z niego pajęczyny (sprzątanie nie znajdowało się na szczycie listy priorytetów mamy) oraz lampa
w stylu Tiffany. Abażur kupiły na targu w Pridehaven
milion lat temu. Mama pierwsza go zauważyła, pokazała Ginny, a potem obie krążyły wokół stołu, udając, że
interesują je zupełnie inne rzeczy, rzecz jasna, żeby zbić
cenę.

Właściwie kiedy przestały robić razem takie rzeczy?
Oczyma duszy Ginny wpatrywała się w abażur, jakby
on mógł odpowiedzieć na to pytanie. Prawdę mówiąc,
to z pewnością nie była świadoma decyzja. Czerwony,
niebieski, żółty... We własnym pokoju, podczas przygotowań do egzaminów, mogła i lubiła wpatrywać się
w niego całymi godzinami.

Sufit u dziadków był jednak inny — zwyczajny,
matowy i śnieżnobiały. Żaden pająk nie odważyłby się
utkać tu pajęczyny ze strachu przed zmiotką z piór,
którą nonna codziennie omiatała ściany i sufity. Ginny

pomyślała, że babcia robi to bardziej dla zasady, niż żeby usunąć kurz, który miałby czelność osiąść tutaj w ciągu jednej doby.

Ten abażur miał kolor czekolady, identyczny jak zasłony. Wykładzina była w kolorze „owsianki", jak twierdziła nonna, czyli takim, na którym nie widać brudu. Tyle że żadnego brudu tu nie było. Z jakiegoś dziwnego powodu (Ginny również nie zawracała sobie głowy sprzątaniem) wydało się jej to krzepiące.

Kiedy matka po raz drugi wyjechała na Sycylię, Ginny poczuła się jeszcze bardziej obco. Aby temu zapobiec, podzieliła swoje życie na kolorowe szuflady. Jedną z nich był college, który dla Ginny należał już do przeszłości, ale pozostawił po sobie większą pustkę, niż się spodziewała. Zamknęła oczy. Ta szuflada była brudnoszara, z pomarańczowymi detalami — ambitna dyskusja w stołówce między kolegami, kapela Prickly Pairs, grająca w sali gimnastycznej, gwiazdkowa noc w klubie w Dorchester... Wszystkie te rzeczy nie miały zupełnie nic wspólnego z nauką. Najbardziej tęskniła za życiem towarzyskim w college'u.

W szufladzie obok znajdowali się Becca i znajomi. Część z nich wyjechała na Ibizę świętować po egzaminach, ale z większością Ginny nie czuła się szczególnie związana. Wszyscy zdawali się wiedzieć, dokąd zmierzają (na uniwersytet) i co będą tam robić (poznawać ludzi i zdobywać wykształcenie). Tymczasem przygotowywali się do Drugiego Etapu Życia bez refleksji, bez zastanowienia, nigdy się nawet nie dziwili: dlaczego? Co ja do cholery robię? Dokąd zmierzam? Albo wreszcie: kim, do cholery, jestem? A takie pytania regularnie prześladowały Ginny. Jej przyjaźnie miały barwę srebrzystobłękitną. Te, które już na wpół znikły, były prawie matowe, Becca pozostawała granatowa.

Ginny otworzyła oczy, by obserwować muchę, która ośmieliła się usiąść na suficie. Pomyślała, że nonna dostałaby ataku serca.

Becca była jedyną kumpelą Ginny, która odbierała na tych samych falach. Chyba właśnie dlatego tak się do siebie zbliżyły i dlatego... Zacisnęła dłoń w pięść. Dlatego było tak do dupy, że teraz Becca miała Harry'ego. Nie chodziło o sam fakt, tylko że dostała na jego punkcie fioła.

Becca rozumiała wątpliwości Ginny dotyczące uniwersytetu, być może dlatego, że jej samej tam nie ciągnęło.

— Nie musisz studiować — oznajmiła. — Nie mogą ci kazać.

Ci bezimienni „oni" pojawiali się w wielu ich wspólnych rozmowach. Mogli oznaczać matkę Ginny, rodziców Bekki, przyjaciół i krewnych po trzydziestce, nauczycieli i personel college'u, ekspedientki w sklepie, każdego, kto miał jakąkolwiek władzę, albo mieszankę tego wszystkiego, co zostało wymienione.

— No i po co? — zapytała też Becca. — Równie dobrze możemy zacząć już pracować i oszczędzić trochę kasy. Masz ochotę mieć dwadzieścia trzy lata i dwadzieścia tysięcy długu?

Mówiła też inne tego typu rzeczy, które tylko utwierdziły Ginny w postanowieniu, żeby olać egzaminy i dzięki temu uniknąć całej tej niekończącej się farsy z uniwersytetem.

Ułożyła się wygodniej. Teraz, kiedy już oblała egzaminy, czuła się bardziej przerażona niż kiedykolwiek. Nie była pewna, co powiedzą mama i dziadkowie, kiedy poznają wyniki testów, i jak da sobie radę z tym, że rozczarowała rodzinę, która była dla niej ważna.

Co właściwie miała robić?

Westchnęła ciężko. To jeszcze nie wszystko. Dziewczyna nie powinna być zazdrosna, kiedy jej najlepsza przyjaciółka znajdzie sobie chłopaka, a jednak Ginny była zazdrosna i nic nie mogła na to poradzić. W granacie pojawiało się coraz więcej zielonych akcentów.

Co do Bena... Jego szuflada była czerwona i niepokojąca. Ginny nie chciała się z nim widywać, ale musiała, bo pragnęła, żeby było inaczej, żeby on był inny, nawet żeby ona sama była inna — pewna siebie, błyskotliwa, zabawna. Chciała, żeby ją kochał, a przynajmniej szanował i za nią szalał, tyle że jakoś nic z tego nie wychodziło.

Szuflada numer cztery to było życie w domu. Nawet kiedy w jej umyśle pojawił się uspokajający jasny odcień liliowego (szuflada z matką zawsze była żółta), usłyszała, jak babcia woła ją z dołu:

— Wstawaj, Ginny, kochanie, już ósma!

Ginny uśmiechnęła się do siebie. Nonna była niczym dobrze naoliwiona maszyna. Codziennie powtarzała to samo, jak mantrę.

— Dobrze, nonna! — odkrzyknęła, odrzucając kołdrę.

Szuflada z domem była spokojna, a nie pełna konfliktów i goryczy. Teraz Ginny nie tkwiła już na cytrynowym urwisku, tylko leżała na wrzosowej równinie.

Poszła do łazienki, żeby wziąć prysznic. Wszystko tu było zupełnie białe — białe kafelki, biała umywalka, wanna i biały sedes, a także biały sufit i podłoga. Ginny czuła się w tej łazience jak w igloo. Zaciągnęła białe zasłony prysznica. Zdaniem nonny biel oznaczała czystość, a babcia bardzo lubiła czystość.

Kiedy gorąca woda spływała po jej ramionach, Ginny doszła do wniosku, że nonna jest gorącą zwolenniczką rutyny. Dlatego właśnie, jeśli Ginny chciała tutaj funkcjonować, musiała wstawać o ósmej rano, pomagać w obowiązkach i wracać do domu przed jedenastą.

Każdy dzień dziadków był taki sam jak inne. Obowiązki domowe do przerwy na kawę (jedenasta), potem nonna brała się do gotowania, aż do lunchu (trzynasta). Po lunchu dziadek odpoczywał, a nonna ukrywała się w swoim pokoju wypoczynkowym, żeby poczytać. Zawsze zabierała tam z sobą książkę, ale wcale jej nie czytała. Ginny przeszła się kiedyś pod oknem i zauważyła, że babcia pisze coś w notesie, szybko i gorączkowo, jak to ona. To wydawało się ją wyczerpywać i pochłaniać bez reszty. Ciekawe, co to było...

O piętnastej pili herbatę, a następnie szli na zakupy, spacer albo do miasta. O siedemnastej wracali na kawę i siedzieli tak do osiemnastej, kiedy nonna zaczynała przygotowywać kolację, podawaną o dziewiętnastej. O dwudziestej pierwszej zasiadali w fotelach przed telewizorem, o dwudziestej drugiej trzydzieści nadchodziła pora na kakao, a potem na sen.

Ginny cała się namydliła. Wcześniej myślała, że rutyna doprowadzi ją do szaleństwa, ale tak naprawdę można było na niej polegać. Schemat wyznaczał granice, w których człowiek czuł się bezpiecznie, i zapewne mógł znowu wrócić na właściwe tory.

Po spłukaniu piany z ciała Ginny wyszła spod prysznica i owinęła się jednym z puszystych białych ręczników nonny. Miło czuć się bezpiecznie, zwłaszcza kiedy wszystkie te inne szuflady wydawały się trząść, były rozchwiane, a kolory nachodziły na siebie. Martwiła się, że pewnego dnia Gula znów się potoczy i wszystkie zmieszają się w jedną błotnistą, nieokreśloną breję.

Na dole babcia zmywała. Jej pomarszczone dłonie były głęboko zanurzone w mydlinach.

— Grzeczna dziewczynka — powiedziała na widok Ginny. — Co będziesz dzisiaj robić?

Ginny nie była pewna. Zamierzała przejść się do Bena, jak codziennie, ale czuła, że nonna może mieć inne plany.

— Nie wiem. — Poczęstowała się płatkami. („Jak to, nie jadasz śniadań? Jak można zaczynać dzień bez śniadania? Co twoja matka sobie myśli? Ech").

— Rok przerwy — oznajmiła babcia ni z tego, ni z owego, powoli i wyraźnie, jakby mówiła w obcym języku. — Rok przerwy w nauce to dobry pomysł.

Ginny wyraźnie ulżyło.

— Tak — przytaknęła. — Dzięki temu człowiek ma czas zdecydować, co zrobi ze swoim życiem — wyrecytowała przygotowany wcześniej tekst.

Wyraz ciemnych oczu nonny świadczył o tym, że nie jest przekonana.

— Zgadzam się z tobą, że doświadczanie innych kultur jest bardzo ważne — powiedziała. — Przyjemnie jest mieć długie wakacje, bez konieczności mieszkania na stałe w jednym miejscu.

Ginny patrzyła na nią uważnie. Czy babcia była sarkastyczna? A może...

— Czy właśnie tak zrobiłaś, nonna, kiedy wyjechałaś z Sycylii do Anglii? — zapytała.

Jeśli oczywiście wtedy już istniało pojęcie roku przerwy w nauce.

Flavia zamarła, opłukując talerz. Stała tak długo, że Ginny zaczęła się zastanawiać, czy nonna cokolwiek słyszy.

— Nie — odparła w końcu babcia. — Chciałam zobowiązania bardziej niż czegokolwiek.

Znowu zajęła się zmywaniem, a Ginny wytrząsnęła jeszcze kilka ryżowych chrupek. Bardziej niż czegokolwiek? To sporo.

— Ale — ciągnęła babcia — rok przerwy to także luksus, za który trzeba płacić.

Oho, pomyślała Ginny. Czuła, że zbliża się coś nieprzyjemnego, a w dodatku na nonnę nie działał żaden szantaż emocjonalny, który tak dobrze sprawdzał się w przypadku matki.

Babcia osuszyła ręce fartuszkiem i spojrzała na Ginny.

— Musisz sobie znaleźć pracę — oznajmiła stanowczo.

— Jaką pracę? — Nagle trudno jej było przełknąć ryżowe chrupki, a Gula już rosła.

Oczywiście, że szukała pracy, ale trudno było znaleźć cokolwiek w Pridehaven.

— Jakąkolwiek — odparła nonna. Miała życzliwy, lecz surowy wyraz twarzy. — I powinnaś to zrobić już dzisiaj.

ROZDZIAŁ TRZYDZIESTY DRUGI

Kiedy Tess osuszyła się po nurkowaniu, kupiła *cornetti* z kremem i kawę latte na *piazza baglio*. Smakowały przepysznie. Tonino gdzieś zniknął. Jak większość Sycylijczyków, których poznała, ustalał swoje godziny pracy w zależności od kaprysu. Wgryzła się w miękki, polukrowany *cornetto* i rozkoszowała słodkim, gęstym, waniliowym kremem. Pomyślała o Ginny. W Cetarii nie brakowało atrakcji, które spodobałyby się jej córce.

Z drugiej strony kamiennego łuku dobiegały ją odgłosy targu i krzyki. Sycylijczycy często wydawali się rozgniewani, a przynajmniej rozdrażnieni, nawet wtedy, gdy zapewne uprzejmie rozmawiali o pogodzie. Za *baglio* dostrzegała feerię barw, czuła też zapach świeżych ryb, przypraw i owoców. Przechodząc pod łukiem prosto na środek placu, pomyślała, że nic nie może się równać z sycylijskim bazarem.

Dzień targowy najwyraźniej był wydarzeniem towarzyskim, gdyż mężczyźni i kobiety zbili się w grupki, by z sobą pogawędzić. Mężczyźni palili i pili espresso z kafejek na kółkach, kobiety miały torby z zakupami i zdeterminowane miny. Przy straganach sprzedawcy wyciągali bochny chleba albo fioletowe kalafiory, by każdy chętny mógł je dokładnie obejrzeć. Kobiety marszczyły brwi, wypytywały, kłóciły się i targowały, zanim w końcu postanowiły, czy i na co wydać część pieniędzy. Słyszała krzyki: *carciofio fresci... funghi bella... tutto economico...* Tak sprzedawcy rywalizowali o klientelę.

Przy straganie z rybami ustawiło się coś w rodzaju kolejki. Tess zauważyła już wcześniej, że na Sycylii stanie w kolejce oznaczało, iż trzeba przepychać się na sam początek, nieustannie przepraszając, i bardzo donośnym głosem starać się zwrócić na siebie uwagę sprzedawcy, nim zrobi to osoba obok. Potem następowały jeszcze bardziej wylewne przeprosiny i dyskusja o tym, kto był pierwszy, przy akompaniamencie głosów innych, że to właśnie oni powinni zostać obsłużeni na samym początku. Przynajmniej tak to odbierała Tess. Cóż, etykieta towarzyska rzadko miewa swoje korzenie w logice.

Tess chodziła po placu, żeby nacieszyć się tym widowiskiem i oglądać białe, wiotkie kalmary (choć i tak nie wiedziałaby, co z nimi zrobić), pulchne, nakrapiane mątwy (jak wyżej) oraz wielkie plastry tuńczyka, ułożone na pokrytym lodem marmurze.

Postanowiła odwiedzić Santinę i Giovanniego, żeby po pierwsze, dorwać staruszkę samą, a po drugie, poprosić Giovanniego o pomoc w kwestii remontu willi. Brzmiało to bardzo sensownie, gdyż potrzebny był jej ktoś, kto mówił płynnie zarówno po sycylijsku, jak i po angielsku. Giovanni był biznesmenem, wydawało się, że dysponuje mnóstwem wolnego czasu i już wcześniej przypadło mu do gustu stanowisko klucznika Villa Sirena. Wybór był oczywisty. Tess zdecydowała jednak jasno dać mu do zrozumienia, że to ona kontroluje sytuację i nie da się zmusić do sprzedaży domu. Jeśli Giovanni zdoła to przełknąć, jego pomoc mogłaby się okazać niezwykle przydatna.

Przystanęła przy straganie pełnym ziół oraz przypraw i odetchnęła zapachem zakurzonych, schnących kęp oregano, tymianku i dzikiego kopru. Za straganem stały worki z ciecierzycą i soczewicą, z metalowymi łyżkami do nabierania, dostrzegła także starą wagę. Pod względem obyczajów i pewnych tradycji na Sycylii zapewne nic się nie zmieniło od czasów, kiedy żyła tu matka Tess. Cetaria nie wkroczyła w nowe milenium, a już na pewno nie w drugą dekadę dwudziestego pierwszego wieku.

Tess schyliła głowę, żeby uniknąć zderzenia z poobijanym, fioletowym czosnkiem, zwisającym w warkoczach z markizy straganu. Podeszła do owoców i warzyw, gdzie zapatrzyła się na złociste kwiaty cukinii, błyszczące papryki o barwach słońca i strażackiej czerwieni, wyglądające jak polakierowane papryczki chilli oraz na pokryte aksamitnym meszkiem żółte brzoskwinie. Wzięła do ręki *melanzane* i kciukiem pogłaskała lśniącą skórkę. Bakłażan był smukły, ciemny, a jednak opalizujący. Taki jest kolor Sycylii, pomyślała z uśmiechem.

Nagle postanowiła zjeść dzisiaj w domu, więc kupiła pół arbuza, który wręcz ociekał sokiem, aromatyczny ser, niewielki bochenek pysznego, sycylijskiego żółciutkiego chleba, pomidory i czarne oliwki. Urządzi sobie prawdziwą ucztę.

Płacąc za oliwki, dostrzegła, że kobieta po drugiej stronie straganu uśmiecha się do niej. Tess odruchowo odpowiedziała uśmiechem. Kobieta była drobna, o twarzy chochlika, okolonej ciemnymi włosami, obciętymi na idealnego pazia. Usta umalowała krwistoczerwoną szminką i z jakiegoś powodu zupełnie nie wyglądała na Włoszkę. Tess zaczęła się zastanawiać, czy się znają i czy do niej podejść, kiedy nagle, kilka metrów dalej, dostrzegła znajome oblicze. Natychmiast przecisnęła się przez grupkę ludzi stłoczonych wokół straganu.

— Santina?

Co za szczęście. Właściwie mogła się domyślić, że staruszka będzie tutaj w dniu targowym.

Santina odwróciła się, wymamrotała coś po sycylijsku i szybko rozejrzała się wokół siebie. Po chwili chwyciła Tess za ramię i pociągnęła na bok, gdzie mogły przynajmniej częściowo skryć się pod markizą. Tam objęła jej twarz dłońmi.

— Wróciłaś — powiedziała, rozciągając usta w bezzębnym uśmiechu radości.

Tess także uśmiechnęła się do niej.

— Nie mogłam długo trzymać się od was z daleka — wyznała. — Chciałam się dowiedzieć więcej o matce i o tym, dlaczego opuściła Sycylię. — Pochyliła się bliżej. — Ty wiesz, prawda? Powiesz mi?

Raz jeszcze oczy Santiny miały nieobecny wyraz.

— Zakochana — oznajmiła staruszka po angielsku, z mocnym sycylijskim akcentem. — Flavia zakochuje się szybko, ot, tak. — Udała, że omdlewa.

— Naprawdę? — Tess uśmiechnęła się jeszcze szerzej.

— A tak. — Santina energicznie pokiwała głową. — Była... — policzyła na kościstych palcach i spojrzała na Tess uważnie. — Miała siedemnaście.

— Tylko siedemnaście? — To mniej niż Ginny. — Czy to był jakiś Sycylijczyk? — dopytywała się Tess. — I co na to jej ojciec?

Mogła sobie tylko wyobrazić. Santina już dała jej do zrozumienia, jak wyglądało życie kobiet na Sycylii w czasach jej młodości. Przyszłość na pewno nie malowała się różowo.

Santina pokręciła głową.

— Englik — syknęła.

— Anglik? — Rzeczywiście, Santina wspominała wcześniej jakiegoś Anglika. — Poznała Anglika tutaj, w Cetarii, kiedy miała siedemnaście lat?

Santina rozejrzała się trwożliwie, a Tess odruchowo poszła w jej ślady. Kogo się jednak spodziewały i kto miałby się tym interesować po tylu latach?

— Flavia znaleźć pilota. — Santina zaczęła wymachiwać rękami i łopotać nimi w powietrzu. — Znaleźć go i zabrać do domu, ocalić mu życie. Tak. Oni się kochać, lotnik obiecywać wszystko. — Dramatycznym gestem przycisnęła ręce do piersi.

Tess wpatrywała się w nią w osłupieniu. Mimo łamanej angielszczyzny Santiny fragmenty układanki już zaczęły tworzyć całość. Jakiś angielski pilot, pewnie ranny, został znaleziony przez młodą Sycylijkę. Sycylijkę, która nie zgadzała się na życie, jakie jej zaplanowano, która chciała zwiedzać świat i zakosztować wolności. Teraz wystarczyło poukładać to chronologicznie, co nie wymagało szczególnej inteligencji.

— Co się wydarzyło? — szepnęła Tess.

Przestała słyszeć gwar dochodzący z targu. Cofnęła się w czasie i trafiła do ogarniętej wojną Cetarii, w której Flavia zakochała się po raz pierwszy w życiu.

— Ojciec Flavii, on go odesłać — ciągnęła Santina ściszonym głosem. — On mieć inne plany dla córka. Inny mężczyzna. — Przeżegnała się. — W Sycylii żenimy się, żeby przyjaźń kwitła. Rozumie?

Tess skinęła głową. Rozumiała. Chodziło o rodzinne alianse i równowagę sił.

— Kogo miała poślubić?

Santina znienacka zachichotała.

— Mój kuzyn, Rodrigo Sciarra — odparła. — Mój ojciec zawsze chce związek z twoja rodzina. Potrzeba mu była pomoc ojca przeciwko wrogi, *si*?

— Czy twój kuzyn Rodrigo...?

— Ojciec Giovanni, *si*.

Przez głowę Tess przelatywały tysiące myśli. Intryga się komplikowała. Wśród wrogów, o których mówiła Santina, bez wątpienia znajdowała się również rodzina Amato.

— Ach, ale tak nie miało być. — Na twarzy Santiny pojawił się smutek.

— A Flavia? — spytała Tess.

— Flavia? Złamane serce. Tak, to prawda. Myślę, że ma złamane serce na zawsze.

ROZDZIAŁ TRZYDZIESTY TRZECI

Dwa dni później Peter wyruszył na wzgórza. Flavia błagała ojca, żeby go nie wyrzucał.

— Kocham go, papa — mówiła. — Jeśli chociaż trochę ci na mnie zależy, okaż litość.

— A co my o nim wiemy, córko? — odpowiedział ojciec. — Nic. Zrozum, że twoje miejsce jest tutaj, a nie z nim. A to uczucie, które sobie wyobraziłaś... To minie, możesz mi wierzyć.

Nic, co mówiła, żadne łzy nie były w stanie skłonić go do zmiany zdania.

Na odchodnym Peter ujął Flavię za ręce. Bardzo starała się nie płakać.

— Napiszę do ciebie — powiedział. — Masz adres mojej rodziny, prawda?

Skinęła głową. Miała ten adres wypisany na kartce papieru, a także wyryty w sercu.

— Wrócę po ciebie, najdroższa — ciągnął. — Zaczekasz na mnie?

Stał przy drzwiach, skąpany w ciepłym, wieczornym świetle. Za nim jednak, całkiem niedaleko, czaiły się cienie nocy.

— *Si*. — Znowu pokiwała głową.

— Nawet jeśli to bardzo, bardzo długo potrwa? — Wpatrywał się w nią uważnie.

— Nawet jeśli to potrwa całe wieki — odparła.

Zauważyła, że na progu domu stał papa z surowym wyrazem twarzy. Miała to w nosie. Czuła, że znajdą jakiś sposób.

— Całe wieki — powtórzyła. — Będę czekała całe wieki.

Na wzgórzach roiło się od bandyckich gangów, zajmujących się przemytem zboża i innych dóbr. Flavia obawiała się o bezpieczeństwo Petera.

Papa dotrzymał słowa, podarował mu prowiant i adres kontaktu w Palermo, gdzie Peter mógł bezpiecznie przeczekać do następnego etapu swojej podróży. Słyszeli, że dotarł do miasta, ale Flavia nadal się niepokoiła. Choć część mężczyzn, jak jej ojciec, sympatyzowała z Anglikami, od 1940 roku, kiedy to Mussolini ostatecznie poparł Niemcy, wielu uważało Anglię za wroga kraju. Wszędzie czaili się szpiedzy. Skąd człowiek miał wiedzieć, komu ufać? Separatyści, faszyści, mafia... Flavia nie interesowała się polityką, ale przy każdej nadarzającej się okazji słuchała, o czym rozmawiają mężczyźni, jak zawsze. Tylko tak mogła się dowiedzieć czegokolwiek o bieżącej sytuacji. Nikt by jej niczego nie powiedział.

Flavia westchnęła, ponownie czytając napisane tego popołudnia słowa. Czy udało się jej oddać istotę tego, co się wówczas działo? Strach, rozpacz, tęsknotę i miłość?

Raz jeszcze podniosła długopis. Gdyby wiedziała, jakie to będzie trudne, pewnie w ogóle by nie zaczynała.

Ale — czekała na Petera, czyż nie?

Wojna dobiegła końca. Signor Westerman wrócił do Cetarii w 1946 roku, tuż po tym, jak zniknął Ettore, brat Enza, i po strasznej kłótni między papą i Albertem Amato. Waśń poruszyła całą wieś, rozdarła obie rodziny.

— Nie mogę w to uwierzyć! — krzyczał papa bliski łez. — Nie mogę uwierzyć, że zrobił mi coś takiego!

A jednak uwierzył.

Flavia czekała. Nie było żadnych listów, mówiono, że na poczcie nadal nie można polegać. Ale Peter przecież już by przyjechał?

Mijały miesiące i wyglądało na to, że życie powoli wraca do normalności. Maria i Lorenzo ponownie byli parą, Flavia jednak odrzucała wszystkich zalotników podsyłanych przez rodziców. Mimo braku wiadomości od Petera nadal czekała. Słuchała złorzeczeń i przekleństw ojca i czekała. Po napisaniu wielu listów do Petera nie pozostało jej nic innego, jak tylko czekać.

Większość ludzi wciąż tkwiła w biedzie, ale rodzina Farro radziła sobie lepiej niż inni, pod opieką signora Westermana i pod opieką Enza, ojca Santiny. Flavia nigdy nie lubiła Enza ani mu nie ufała, a on nie ukrywał, że nie aprobuje jej nieposłuszeństwa i wpływu, jaki mogła mieć na jego córkę Santinę. Enzo był coraz ważniejszy dla papy, to nie ulegało wątpliwości jeszcze nawet przed kłótnią papy z Albertem. Enzo był przebiegły. Pewnego dnia Flavia zobaczyła jego i Alberta na miejscowym placu, jak wrzeszczeli i prawie się pobili na oczach tłumu. Słyszała, co mówią ludzie o walkach tych dwóch rodzin — o ziemię, o kobietę, nawet o miejsce na cmentarzu. Tym razem rozdzielił ich zamiatacz ulic Nico. Flavia wzruszyła ramionami i poszła swoją drogą. Martwiło ją, że Alberto już ich nie odwiedza, ale to nie była jej sprawa.

Nauczyła się gotować. W *la cucina* ubijała i mieszała, ugniatała i wałkowała — w tym odnalazła pociechę i niezbędną cierpliwość, a nawet odrobinę zadowolenia. Patrzyła, jak Maria wychodzi za mąż i staje się kobietą, którą ona, Flavia, jeszcze nie była. I nadal czekała.

Aż w końcu nie mogła dłużej czekać.

W sycylijskiej kuchni jest zarówno humor, jak i cierpkość, napisała. Podobnie jak w życiu. Weźmy taką *Pasta du Maltempo*, makaron na niepogodę, który ma swoje korzenie w czasach, gdy rybacy nie mogli wypłynąć w łodziach na morze. To było smutne, ale również skłaniało do uśmiechu. Gorzko-słodkie...

Makaron od zawsze był najważniejszy. Na Sycylii robiło się go z mąki z grysiku, wytwarzanego z żółtej pszenicy durum, jednak tutaj, w Anglii, jadało się też inne jego rodzaje. Flavia była dumna z tego, że do dzisiaj sama wyrabiała makaron. Suszony oczywiście mu nie dorównywał.

Usyp wzgórek z mąki, pośrodku zrób dołek, jak w wulkanie. Wlej lawę z jajek i wymieszaj palcami. Gdy osiągniesz odpowiednią konsystencję, ugniataj ciasto palcami oraz nasadą dłoni.

Tess często obserwowała matkę przy tej czynności, więc powinna wiedzieć, jak to zrobić.

Pracuj spokojnie. Niech reszta twojego ciała będzie nieruchoma, pracują tylko ręce. Składaj, ugniataj i wykręcaj ciasto w elastyczną, jędrną kulę. Teraz do akcji wkraczają plecy. Rzuć ciasto na blat, dla rozluźnienia napięcia.

Flavia zachichotała. Równie dobrze mogło chodzić o napięcie ciasta, jak i kucharza.

Powtarzaj to przez co najmniej piętnaście minut, potem niech ciasto odpocznie. Odpoczynek jest równie ważny jak praca. Rozwałkuj ciasto na arkusze, obracając i posypując mąką, żeby zabezpieczyć przed sklejaniem. Wałkuj, rozciągaj i znowu wałkuj tak długo, aż będzie cienkie jak pergamin. Wysusz i pokrój. Gotuj przez dwie lub trzy minuty w dużym rondlu, wypełnionym wodą. Makaron musi swobodnie pływać w garnku. Wylej wodę, kiedy makaron będzie *al dente*. Dodaj pomidory...

ROZDZIAŁ TRZYDZIESTY CZWARTY

Złamane serce na zawsze?...

Zanim Tess zdążyła zapytać o coś jeszcze, Santina zerknęła za nią, a w jej oczach pojawił się nagły strach. Ukradkowo dotknęła ramienia Tess, po czym odeszła w pośpiechu.

Sfrustrowana Tess odwróciła się, żeby sprawdzić, co ją tak przeraziło. W tej samej chwili dostrzegła kobietę o twarzy chochlika i poczuła czyjąś rękę na swoim ramieniu.

— Tess?

Wzdrygnęła się lekko i odwróciła.

— Witaj, Giovanni. — Pomyślała, że miał naprawdę dziwny zwyczaj wyrastania jak spod ziemi.

Ucałowali się w oba policzki. Giovanni pachniał limonkami, świeżo i trochę ostro. Miał na sobie elegancki, ciemny garnitur, ale nie wydawał się zgrzany. To pewnie przez tę zimną krew, pomyślała, albo był po prostu przyzwyczajony do sycylijskiej pogody.

— Słyszałem, że wróciłaś — powiedział, prowadząc ją w drugą stronę, z dala od targu i od kobiety o ciemnych włosach i twarzy chochlika.

Ciekawe, od kogo słyszał, pomyślała. Najwyraźniej nic nie umykało jego uwagi.

— Właśnie zamierzałam się z tobą zobaczyć.

Starała się nie myśleć o jego dłoni na swojej ręce. Zauważyła, że z szacunkiem odnosił się do miasteczkowych pań, gdy przeciskał się między nimi i straganami, rzucając *„Prego, signora"* i *„Grazie, signora"*. Nigdzie nie było śladu po Santinie.

— O, świetnie. Kawy? — zapytał.

Zanim się zorientowała, opuścili targ i weszli na inną *piazza*, której wcześniej nie widziała, może nawet na *piazzetta*, tak maleńki był ten plac. Znajdował się tu kościół, a właściwie kapliczka ze spiżowym dzwonem i starymi drewnianymi wrotami. Przed nią rosło drzewo oliwkowe i stała kamienna ławka.

— Chętnie, czemu nie? — Kawa zawsze była mile widziana.

Giovanni wszedł do baru, a ona podreptała za nim. W przeciwieństwie do kościoła i *piazzetta* bar był pełen chromowanych elementów i luster, urządzony bardzo nowocześnie. Tess zamrugała, nieco zdumiona tym nagłym wtargnięciem nowoczesności do tradycyjnej Sycylii.

Usiedli przy stoliku obok drzwi i Giovanni zamówił dwa espresso oraz mikroskopijny dzbanek gorącego mleka.

— Nie możesz bez nas wytrzymać, co? — zapytał.

Tess nalała trochę mleka do kawy.

— Cetaria to piękne miejsce — odparła.

Giovanni uniósł brew.

— To prawda — przyznał. — Rozmawiałaś z matką po powrocie do domu?

— Chyba ci już wspominałam, Giovanni, że moja matka nie lubi rozmawiać o Sycylii — westchnęła Tess. — Więc jeśli coś jest tutaj ukryte, to ja nic o tym nie wiem.

Na dodatek wcale nie chciała wiedzieć, i tak miała dosyć tajemnic.

Giovanni wzruszył ramionami. Nie wydawał się ani odrobinę przekonany. Zirytowana Tess pochyliła się ku niemu.

— Tonino Amato zdradził mi przyczynę waszych rodzinnych waśni — powiedziała. — Nic dziwnego, że tak się nienawidzicie.

Giovanni powoli sączył kawę. Jej słowa najwyraźniej w ogóle go nie poruszyły.

— A ta przyczyna to? — zapytał.

Tess odetchnęła głęboko. Było już za późno, żeby się wycofać, zresztą chciała się z nim podrażnić.

— Twoja rodzina zamordowała jego stryja. — Dla niej to był całkiem solidny powód.

— Luigiego Amato? — Udało się jej wyprowadzić go z równowagi, teraz wydawał się autentycznie wściekły. Poluzował kołnierzyk. — Powinnaś znać fakty, Tess. Ten człowiek zmarł na atak serca i dobrze mu tak. To był tchórz, złodziej i nie spłacał długów. A waśń... — niemal wypluł to słowo — o której mówisz, zaczęła się na długo przed śmiercią Luigiego.

Co miała na to odpowiedzieć? Nie była pewna, któremu z tych dwóch mężczyzn wierzyć.

— Czy teraz ma to jakiekolwiek znaczenie? — zapytała. — Przecież to przeszłość. Nie pora już, żeby wasze rodziny zostawiły to za sobą?

— To Sycylia, Tess — zaśmiał się Giovanni. — Tu wszystko ma znaczenie.

No tak, słyszała to nie po raz pierwszy.

Giovanni bardzo szybko się opanował.

— Ale co z willą? — zapytał. — Zdecydowałaś, co zrobisz?

Tess wyraźnie się zawahała.

— Nadal niechętnie myślę o sprzedaży.

— Rozumiem. — Pokiwał głową.

To dobrze. Ulżyło jej i zaczęła się zastanawiać, czy przypadkiem nie nazbyt pochopnie go osądziła.

— Jestem ciekawa, czy znasz jakąś godną polecenia ekipę budowlaną — powiedziała. — Kogoś, komu mogłabym zaufać.

Z naciskiem wypowiedziała ostatnie słowo.

— Naturalnie. — Miał urażoną minę. — Mogę się wszystkim zająć w twoim imieniu. — Strzelił palcami. — Wystarczy poprosić, moja droga Tess.

— Tak, ale... — Tess żałowała, że nie może go przekonać, żeby był nieco mniej wszechstronny. — Chciałabym sama się tym zająć — powiedziała stanowczo. — Tylko wcześniej potrzebuję kosztorysu.

— Niby po co? — uniósł brew.

Tess popijała kawę. Była smaczna, z orzechowym posmakiem, ale nie tak subtelnym jak w kawie Tonina. Miała jednak nad nią przewagę, gdyż zaparzono ją w profesjonalnym ekspresie do kawy, wielkim, lśniącym chromem urządzeniu za ladą.

— Zależy mi na tym, żeby z grubsza poprawić stan budynku — odparła. — Pewnie trzeba zrobić nową elektrykę i wystrój wnętrz. Nie jestem pewna, co jeszcze. — Musiała się zastanowić. — Potrzebuję rady kogoś, kto się na tym zna i kto mówi trochę po angielsku, żebyśmy się mogli jakoś dogadać.

— Jasne, jasne, *no preoccuparti*. O nic się nie martw. — Zamachał ręką w powietrzu, a ona ponownie zwróciła uwagę na jego złoty sygnet. — *Allora*. Coś poradzimy, zrobimy plany i ruszymy z robotą. Dopilnuję ekipy...

— Hola, Giovanni. — Uniosła rękę. — Muszę najpierw poznać koszty.

— Koszty? — Lekko wykrzywił usta, całkiem jakby nie widział powodu, żeby zniżać się do rozmowy o pieniądzach.

— Mam ograniczony budżet — wyjaśniła cierpliwie. — A właściwie w ogóle nic nie mam, dopóki nie zaciągnę kredytu hipotecznego albo nie zdobędę pożyczki z banku.

— Potrzebujesz pożyczki? — Giovanni jednym łykiem opróżnił filiżankę, odetchnął głęboko i otarł usta białą, papierową serwetką.

Był bardzo starannie ogolony, nawet jego brwi tworzyły idealne półkola, z których nie wystawał ani jeden włosek. Ręce, którymi zmiął i rzucił na stół serwetkę, były gładkie, a paznokcie doskonale przycięte. Od razu rzucało się w oczy, że te dłonie nie przywykły do fizycznej pracy.

— Mhm. — Potrzebowała pieniędzy.

— To nie jest żaden problem — oznajmił.

— Nie? — Tess była zdezorientowana. — Myślisz, że mogłabym dostać pożyczkę z sycylijskiego banku?

Ten aspekt mocno ją niepokoił, w końcu była samotną matką, bez pracy i bez konkretnego majątku. Jej dom w Pridehaven nadal był obciążony niewielką hipoteką. Osiemnaście lat wcześniej rodzice pomogli jej go kupić, ale w tej chwili nawet spłata rat stanowiła dla Tess nie lada wyzwanie. Minie trochę czasu, nim Villa Sirena zacznie przynosić zyski albo chociaż zwróci się to, co się w nią zainwestuje. Jak więc mogła mieć nadzieję na kolejny kredyt czy pożyczkę?

— Bank? — Giovanni roześmiał się głośno i przyłożył palce do ust. — Pst, tutaj robimy wszystko w mniej bezosobowy sposób.

Co on sugerował? Zanim Tess zdążyła odpowiedzieć, podniósł wzrok, położył palce na jej policzku, jakby chciał pogłaskać ją po twarzy, a kciukiem dotknął jej ust niczym kochanek. Wzdrygnęła się.

— Giovanni?

Co on wyprawiał? Zamrugała, kiedy na stolik padł jakiś cień, i odruchowo uniosła wzrok. W drzwiach otwartych na wąską ulicę okalającą *piazzetta* zauważyła sylwetkę Tonina.

Tess powoli wróciła do *baglio*. Giovanni zaproponował, że ją odprowadzi, ale doszła do wniosku, że jak na jeden dzień wyrządził dostatecznie wiele szkód. Nie mogła się pozbyć wrażenia, że wszystko zostało ukartowane — nie tyle propozycja pomocy Giovanniego, jeśli faktycznie tak powinna rozumieć jego ofertę, ile ta niespodziewana pieszczota.

Dotknęła twarzy opuszkami palców. Przecież w żaden sposób go nie zachęcała ani nie nosiła się z takim zamiarem. Giovanni Sciarra był atrakcyjny, temu nie mogła zaprzeczyć, ale nigdy w żaden sposób nie dał jej do zrozumienia, że chciałby...

Targ właśnie się kończył, wszystkie furgonetki i małe *ape* zostały załadowane i wróciły tam, skąd przyjechały, pozostawiając po sobie kłęby spalin i sterty śmieci, głównie gnijących warzyw.

Czy Giovanni dostrzegł, że Tonino idzie ulicą? Czy wiedział (bo zdawał się wiedzieć wszystko), że Tess i Tonino spędzili razem sporo czasu? Nienawidził Tonina i pewnie zrobiłby wszystko, żeby go zdenerwować, ale czy akurat to by go rozgniewało? Dotyk Giovanniego był na tyle poufały, by Tonino pomyślał sobie, że łączy ją z Giovannim jakiś związek, a ona nie zrobiła nic, aby rozwiać to wrażenie. Jednak...

Wzruszyła ramionami. Co właściwie obchodziły ją ich kłótnie? To nie była jej sprawa. Na razie miała ich obu po dziurki w nosie.

Po drugiej stronie placu targowego, w wąskiej uliczce, którą jeszcze nigdy nie szła, Tess zauważyła hotel o nazwie Faraglione, czyli Hotel na Skałach. Był niewielki, w kolorze jasnego fioletu, ozdobiony miętowozielonymi okiennicami. Prezentował się po prostu rozkosznie. A z jego balkonów musiał roztaczać się znakomity widok na skały.

Ogród również wyglądał uroczo, z palmą i bugenwillą, obsypaną fioletowymi i pomarańczowymi kwiatami. Wymachując torbą z zakupami z targu, Tess podeszła bliżej, żeby się przyjrzeć.

Jakie to miało znaczenie, że Tonino ich widział? Na pewno ich widział, szeptał jakiś głosik w jej głowie. I owszem, w gruncie rzeczy miało to znaczenie.

Drzwi wejściowe do hotelu były szeroko otwarte, białe muślinowe firanki powiewały w oknach, a w środku przy biurku w recepcji ktoś siedział i pisał. To była kobieta z targu, ta o twarzy chochlika, przyjacielskim uśmiechu i ustach pomalowanych czerwoną szminką.

Tess patrzyła na nią przez chwilę. Spodziewała się, że prędzej czy później na siebie wpadną — Cetaria była zbyt mała, żeby tego uniknąć.

Kiedy tak stała, rozkoszując się zapachami z ogrodu, nagle poczuła, że jest bardzo głodna i powinna coś zjeść, zwłaszcza że pora lunchu już dawno minęła. W tym samym momencie kobieta podniosła wzrok. Na jej twarzy pojawiło się zdumienie, po czym machnęła lekko ręką, odwróciła się do kogoś za sobą, wstała i podeszła do drzwi.

— Tess, prawda? — zapytała doskonałą angielszczyzną.

— Tak. — Najwyraźniej Cetaria była jeszcze mniejsza, niż Tess myślała. Wszyscy znali tu każdego, kto tylko postawił nogę w miasteczku. — Jesteś Angielką?

Kobieta zbliżyła się do niej.

— Tak, z Londynu. Teraz staram się być Sycylijką, rzecz jasna. — Zaśmiała się. — Jestem Millie, Millie Zambito. Mój mąż Pierro i ja prowadzimy ten hotel.

— To Sycylijczyk?

Tess uścisnęła jej rękę, drobną i kruchą. Także paznokcie Millie miała pomalowane na jaskrawoczerwony kolor. Tess nieco się odprężyła i odetchnęła z ulgą na myśl o tym, że wreszcie będzie mogła porozmawiać z kimś ze swojego kraju. Giovanni i Tonino dobrze mówili w jej języku, ale to nie było to samo, poza tym dochodziły rozmaite komplikacje natury osobistej.

— Tak, Sycylijczyk. — Millie zerknęła w stronę recepcji. — Napijesz się może wina albo jakiegoś soku? Większość ludzi ma teraz sjestę. Też przyda mi się przerwa.

Zanim Tess zdążyła się zorientować, już siedziała na płóciennym leżaku w prywatnym ogródku Millie, jadła owoce i skropione oliwą z oliwek cieniutkie jak wafle biskwity. Millie wstawiła jej torbę do hotelowej spiżarki i w tej chwili zabawiała ją opowieścią o tym, jak ona i Pierro poznali się na przyjęciu w Londynie. Podobno potknął się o nią, gdy siedziała na poduszce na podłodze. Najpierw zaczął strasznie przepraszać, a potem zabrał ją na kolację.

— Typowy Sycylijczyk — zauważyła Millie, zapalając papierosa. — Nigdy dość przeprosin, zawsze przesadzają.

Tess roześmiała się szczerze.

— Nie powinnam tego mówić... — zaczęła, w końcu mąż Millie był Sycylijczykiem, podobnie jak jej własna matka — ale czasami trudno mi ich zrozumieć.

Millie popatrzyła na nią uważnie.

— Poznałaś Tonina Amata? — zapytała. — Tego gościa, który układa mozaiki w *baglio*?

— Tak. — Tess skinęła głową. — Jest trochę... hm... ponury. — Dyplomatycznie ujmując, pomyślała.

Millie z enigmatycznym uśmiechem zaciągnęła się papierosem.

— To taka sycylijska spuścizna — powiedziała. — Ponury, mroczny, ale bardzo interesujący.

No cóż, nie dało się zaprzeczyć.

— Podoba ci się? — Millie pochyliła się ku niej, a w jej oczach pojawił się ciekawski błysk.

Tess się zawahała. Słabo się znały, a poza tym trudno to było wytłumaczyć. Tak to już bywa z uczuciami.

— Chciałabym go lepiej poznać — odparła wymijająco.

Millie zacisnęła usta.

— Jak my wszyscy — mruknęła, popijając sok. — A poznałaś Giovanniego Sciarrę?

— Mhm.

Millie najwyraźniej czekała na więcej, ale Tess postanowiła unikać szczegółów. Wyglądało na to, że w miasteczku doskonale funkcjonował głuchy telefon, a nie chciała dokładać się do plotek.

— Startował do ciebie? — Millie nalała jej więcej soku. — Niektórzy ludzie uważają, że lubi rozrabiać.

Tess nie zamierzała się w to zagłębiać.

— Jego rodzina trzymała klucz do mojej willi — oznajmiła. — Nie znam go dobrze, ale jak dotąd był bardzo pomocny.

— O, nie wątpię — zaśmiała się Millie. — Bardzo słusznie zachowujesz dyplomatyczne milczenie. Rodzina Giovanniego mieszka w Cetarii od zawsze, podobnie jak rodzina Tonina. Pierro jest nowy w miasteczku, mieszka tutaj dopiero od dwudziestu lat. — Przewróciła oczami. — A ja jestem oczywiście zbyt cudzoziemska, żeby mnie tu zaakceptowali. — Ale... — Znowu spojrzała uważnie na Tess. — Kiedy nauczysz się języka i tu zamieszkasz, powoli zaczniesz sobie uświadamiać, o co im wszystkim chodzi. — Zdusiła niedopałek w popielniczce.

— A skąd pochodzi Pierro? — zapytała Tess, biorąc jeszcze jeden słony biskwit. Pomyślała, że rozgryzienie, o co im wszystkim chodzi, zapewne zajęłoby jej całe życie.

— Z Katanii. — Millie wyciągnęła się na leżaku i zdjęła buty. Była bardzo drobna, jak laleczka, i wyglądała na

turystkę, a nie na właścicielkę hotelu. — Sycylię pod-
bijano tyle razy... — westchnęła. — Przekonasz się, że na
wschodzie dominują wpływy greckie, demokracja i har-
monia, za to tutaj ludzie są raczej namiętni i ponurzy.

— Hm. — Tess pomyślała o Tonino.

Namiętny i ponury, w rzeczy samej.

— Mówią, że to cień Afryki. — Millie chwyciła wino-
grono z talerza.

Słońce i cień, ucisk. Tess pomyślała o *baglio*.

— To miejsce jest bardzo arabskie — zauważyła. — Czuć tutaj wpływy Maurów, i to pod niejednym
względem.

— Właśnie tak. — Millie skrzyżowała nogi. — Ara-
bowie sprowadzili na Sycylię nie tylko kuskus i owoce
cytrusowe, ale także spaghetti. — Zaśmiała się. — Przed-
tem wszyscy jedli kluski z ziemniaków!

— Poważnie?

Tess wiele razy obserwowała matkę, jak tworzyła gór-
kę z mąki na kuchennym stole, po czym dodawała jajka,
oliwę z oliwek oraz wodę, żeby następnie wyrobić z tego
gładkie ciasto. Nigdy nie odmierzała składników, zawsze
kierowała się wyczuciem.

Uświadomiła sobie, że wspomnienie mammy w kuchni to integralna część jej dzieciństwa. Może właśnie dlatego zapachy Sycylii wydawały się tak znajome. Ciasto,
pomidory, zioła i przyprawy, wśród których dorastała,
były wdrukowane zarówno w jej zmysły, jak i niewątpliwie w zmysły mammy. Równie dobrze mogłaby dora-
stać na Sycylii, przecież jadały to samo. Zaczęła żałować,
że nie zwracała większej uwagi na to, co gotowała mamma, i że sama potrafiła zrobić w kuchni tak niewiele.

— To jest miasteczko, w którym dorastała moja mama — wyznała, po czym zaczęła opowiadać Millie o niechęci mammy do Sycylii i o tym, że nigdy wcześniej tu nie była. Postanowiła nie wspominać o Santinie Sciarra.

— I nigdy ci nie mówiła o tamtych czasach? — Na twarzy Millie malowało się powątpiewanie. — Ale dlaczego?

Tess pokręciła głową.

— Nie mam pojęcia.

Mamma nie wróciła tu nawet po śmierci swoich sycylijskich rodziców — najpierw ojca, a pół roku później matki. Dwunastoletnia Tess na zawsze zapamiętała jej kroki w kuchni, szloch, kłótnie między rodzicami, słowa ojca: „Zawsze będziesz żałowała, jeśli nie pojedziesz", i uniesiony w rozpaczy głos matki: „Nie pojadę, Lenny, nie mogę". Potem ojciec zaszył się w szopie, żeby zapalić fajkę, a następnie wrócił, wziął mammę w ramiona i przytulił.

— Spokojnie, kochanie. Nie przejmuj się teraz — powtarzał.

Sytuacja stopniowo wróciła do normalności. Z każdym mijającym dniem oczy mammy były coraz mniej czerwone.

Tess rzadko myślała o dziadkach. Właściwie byli jej kompletnie obojętni, do tego interesowało ją tyle innych spraw — pływanie, muzyka, chłopcy...

— Przyjdź do nas na kolację w piątek — zaproponowała Millie, kiedy Tess umilkła. — Pierro będzie zachwycony. A poza tym to taka ulga porozmawiać po angielsku. — Zerknęła na zegarek, a Tess od razu zrozumiała aluzję.

— Będzie mi bardzo miło — powiedziała. — Dziękuję.

Gdy wracała do willi, kręciło się jej w głowie. Millie była taka pewna siebie, piękna i zabawna. Być może zdołają się zaprzyjaźnić, bo dlaczego właściwie nie? Perspektywa znalezienia przyjaciółki w Cetarii zdecydowanie poprawiła jej humor.

Idąc przez *baglio*, zastanawiała się nad historią Santiny o rannym Angliku i złamanym sercu Flavii. Zapatrzyła się na granatowe morze, które już zdążyła pokochać. Bardzo pragnęła poznać historię matki, ale czy była gotowa ją usłyszeć?

ROZDZIAŁ TRZYDZIESTY PIĄTY

To był koniec ciągnącego się do października lata, którego koszmarny upał solidnie dał Flavii w kość.

Przygotowały tradycyjną salsę, do jedzenia zimą na pamiątkę lata, jak mawiała mama. Pół miasteczka zebrało się na tarasach otaczających Villa Sirena, by jeść i tańczyć przez całą noc. To był dobry rok dla pomidorów, szczególnie dla *pizzutelli*, ciemnoczerwonych, koktajlowych pomidorków o grubej skórce, z których powstawał najlepszy sos. Kocioł z salsą stał na ogniu przez dwa dni bez przerwy, bulgocząc niczym czerwona lawa. Sąsiedzi oraz krewni mieszali i rozcierali pomidory z bazylią, by na końcu przelać wrzący sos do wysterylizowanych butelek po piwie. A teraz? Teraz wszyscy czekali na deszcz, żeby przerwał nieznośną falę upałów.

Któregoś ranka papa i mama szeptali coś do siebie, ale umilkli raptownie, kiedy Flavia weszła do *la cucina*.

— Co? — zapytała.

— Planujemy lunch — powiedział papa. — Na Zaduszki. Ugotujesz, *si*?

— Dla ilu osób?

Flavia nie miała nic przeciwko temu. Lubiła przygotowywać jedzenie, a im częściej się tym zajmowała, tym bardziej jej się to podobało. Planowanie menu przy ograniczonych zasobach pomagało jej oderwać się od codzienności. Mycie, obieranie i krojenie warzyw oraz rytmiczne wałkowanie ciasta na makaron wprowadzało ją w hipnotyczny stan, który pozwalał jej marzyć. A bardzo to lubiła.

Postawiła kawiarkę na piecu. Nie przestawała rozmyślać o Peterze. Coś jej podpowiadało, że wróci, mimo że minęło już sześć lat od jego wyjazdu i nie dawał znaku życia. Czuła, że jest jej jedyną nadzieją na ucieczkę, a skoro nie przybywał, z pewnością miał ważny powód. Tylko jak mogła się dowiedzieć, co to za powód, i zadecydować, co dalej?

— Będzie nas pięcioro — oznajmił papa z dziwnym błyskiem w oku.

— Tylko pięcioro? — Flavia poczuła się rozczarowana.

Dzień Zaduszny, *il giorno dei morti*, był bardzo ważny na Sycylii. Zgodnie z tradycją to podniosłe święto należało spędzić na modlitwie, wizytach na cmentarzu i wspominaniu zmarłych bliskich oraz przyjaciół. Flavia jednak zamierzała powracać myślami tylko do jednego mężczyzny. Czuła, że nigdy o nim nie zapomni.

— Ugotuj coś wyjątkowego — ciągnął papa.

Flavia zastrzygła uszami.

— A kto ma się zjawić?

Już zaczynała planować, że na początek poda *melanzane* i paprykę. Miała własny sposób przyrządzania tych warzyw, z odrobiną balsamicznego octu i oliwy z oliwek, aromatycznej i uwydatniającej smak *melanzane*. Pod koniec lata nie brakowało jednego ani drugiego. Oszczędność matki Flavii udzieliła się córce. Nie mogło być inaczej — czasy wciąż były ciężkie, a większość jedzenia nieosiągalna.

— Enzo — oznajmił papa. — Przyjdzie ze swoim bratankiem Rodrigiem, synem Ettore.

— Enzo? — Flavia była zdumiona.

Wyciągnęła małe białe filiżanki do espresso. Enzo wcale nie był wyjątkowym gościem, papa widywał się z nim niemal codziennie. Od czasu wielkiej kłótni z Albertem Amato Enzo Sciarra stał się najbliższym kumplem papy, ale Flavia nadal go nie lubiła ani mu nie ufała. A co do Alberta... Miasteczko chyba nigdy nie otrząsnęło się z szoku. Biedny Alberto. Flavia nie mogła uwierzyć, że zrobił to, o co go oskarżano. Zawsze był taki miły i dobry dla niej, za to Enzo rzadko przychodził do domu. On i Flavia czuli się niezręcznie w swoim towarzystwie, mimo jej przyjaźni z Santiną.

Mama pokiwała głową.

— Mamy za co dziękować Enzo — oznajmiła.

— Czyżby? — Tak naprawdę Flavia rozumiała, o co chodzi mamie. Każda rodzina musiała mieć sprzymierzeńców i ochronę. Martwiło ją to, ale przecież papa tylko dbał o najbliższych. — A Santina nie przyjdzie na lunch?

Tata wydawał się nieco zakłopotany.

— Santina ma inne rodzinne zobowiązania — odparł. — Niestety, nie dołączy do nas.

Szkoda, pomyślała Flavia. Nadal darzyła uczuciem przyjaciółkę z dzieciństwa. Problem polegał na tym, że Santinie odpowiadały obowiązujące tradycje, Flavii zaś nie.

Potem może poda *pasta con le sarde*, z orzeszkami piniowymi i rodzynkami — słodko-kwaśny smak morza. Sardynek nigdy tu nie brakowało. Zaledwie wczoraj papa dostał paczkę od jednego ze swoich kontaktów, z mnóstwem pyszności do kuchni: suszonymi owocami, cieciorzycą, soczewicą i orzechami. Czy musiał dać coś w zamian? Flavia miała nadzieję, że nie. Były też oliwki, już zerwane z drzew, uginających się pod ciężarem owoców.

Na *dolce* goście zapewne dostaną kassatę, gęstą od kandyzowanych owoców i najlżejszej ricotty. Na tarasie rosło trochę dojrzałych winogron *zibibbo*, bardzo jasnozielonych i słodkich niczym miód. Postanowiła, że poda je z kawą i z likierem papy. Tradycyjnie robiło się też *biscotti*, przyprawiane goździkami i zwane kośćmi zmarłych. Dzieci dostawały te smakołyki, przygotowywane specjalnie dla nich przez I *morti* w nocy. Flavia uśmiechnęła się do siebie. Bezpretensjonalny lunch, ale wyjątkowy.

Z wolna pokiwała głową. Wyjątkowy.

Na targu Flavia kupiła sobie lody cytrynowe, żeby ugasić pragnienie. Przyszła tu po składniki na kolację; ostatnio można było dostać więcej jedzenia. W powietrzu unosił się zapach smażeniny: mięsa mlecznego koźlątka i ciecierzycy. Wielkookie koty owijały ogony wokół stołowych nóg, plącząc się między ludźmi w nadziei na resztki. Flavia skończyła wyjadać lody z miseczki. Nadal było ciepło, jednak wkrótce miała nadejść zima. Jeszcze jedna.

Skinęła głową sprzedawcy ryb, który głośno zachwalał świeżość swojego miecznika, barweny i ośmiornicy. Zaczęła wybierać błękitne sardynki, wyłożone na marmurowym kontuarze. Uśmiechała się, witając znajomych, przygarbione kobiety w czarnych sukniach i szalach, mężczyzn w czarnych beretach i workowatych spodniach. Po wojnie wszyscy byli chudzi, wydawali się bardzo zmęczeni i ociężali.

Podczas przygotowywania lunchu Flavia zaczęła układać plan. Od jakiegoś czasu usługiwała signorowi Westermanowi. Zwykle wypełniała obowiązki sekretarki, pisząc i wysyłając listy, ale także przynosiła jedzenie i często gotowała mu, gdy podejmował gości. Zawsze dobrze jej płacił, a ona sumiennie oszczędzała.

— Będzie na posag — cieszyła się mama, ale Flavia miała inny pomysł.

Postanowiła, że jeśli Peter Rutherford nie przyjedzie po nią, to ona, Flavia Farro, uda się do niego.

Nadal pamiętała jego twarz, zwłaszcza to, jak wyglądał w dniu, kiedy odnalazła go w dolinie. Wszędzie dookoła leżały fragmenty jego szybowca, kawałki tkaniny wisiały na powyginanym szkielecie z metalu, powiewając na lekkim wietrze od gór. Pamiętała jego bladą twarz, to, jak przygryzał wargę, jego oczy... Wciąż widziała jego oczy, miała je w głowie, w sercu, na zawsze.

Rytmicznie kroiła bakłażany swoim ulubionym nożem. Ząbkowane ostrze doskonale radziło sobie z lśniącą fioletową skórką i sprawnie pokonywało gąbczasty miąższ.

Podczas pracy rozmyślała o tym, co Peter opowiadał jej o swoim życiu w Anglii. Dla Flavii była to swoista litania, sposób na pamiętanie. Wiedziała, że dzięki temu nie utraci tych okruchów szczęścia, niezależnie od tego, co się wydarzy i ile czasu upłynie.

Peter opowiadał jej o miejscu, w którym mieszkała jego rodzina — Exeter na południowym zachodzie Wielkiej Brytanii. Zapewne było bardzo ładne, z rzeką, katedrą i drzewami, a także mnóstwem małych, krytych strzechą domków. W dodatku Exeter znajdowało się nad morzem.

Skupiła uwagę na czerwonych paprykach.

Jego rodzina z pewnością miała mniej pieniędzy niż signor Westerman, ale nie była biedna. Flavia nie wątpiła, że Anglia jest bogatsza od Sycylii, poza tym wygrała wojnę. Niby dlaczego ona, Flavia, nie miałaby opuścić Sycylii i poszukać tam pracy? Umiała czytać i pisać, również po angielsku, potrafiła gotować „niczym anioł", jak twierdził signor Westerman, i była bystra, zbyt bystra, żeby mogło jej to wyjść na dobre, jak często powtarzał papa.

Flavia zebrała składniki i zaczęła przygotowywać ocet.

Ojciec Petera pracował w banku, co robiło wrażenie, a matka zajmowała się domem. Peter wyznał jej z uśmiechem, że nie mają żadnych służących, tylko kobietę, która codziennie przychodzi sprzątać. Czy ona właśnie nie była służącą? Peter miał jedną siostrę, o imieniu Lynette, i jednego brata, Williama. Był beniaminkiem, najmłodszym w rodzinie.

Flavia umyła nóż i ręce. Jak dotąd wszystko szło gładko.

Zdumiewające, że tak dobrze pamiętała odległą przeszłość, nawet lepiej niż to, co zdarzyło się wczoraj. Na chwilę odłożyła długopis i westchnęła. Kiedy przerywała pisanie, była niemal zaskoczona widokiem Lenny'ego i Ginny, jak rozmawiali albo pochylali się nad komputerem. Powrót do rzeczywistości zajmował jej dłuższą chwilę. Musiała sobie przypominać, kim oni są i kim jest ona sama, zupełnie jakby w młodości wiodła życie tak bogate i intensywne, że wryło się w jej duszę, a ojczyste potrawy były tego odzwierciedleniem.

Zrywanie pomidorów i robienie z nich przetworów zabarwiło i naznaczyło dzieciństwo i dorastanie Flavii. Bogaty aromat świeżych owoców dojrzewających w słońcu, kocioł bulgoczącej masy na butelkowaną salsę... Jak jednak miała przelać to na papier i tchnąć w te słowa życie?

Na Sycylii po salsie najważniejsza jest *strattu* — pasta, którą wykłada się na drewnianych deskach, żeby w palącym słońcu stężała i pociemniała niczym krew. To koncentrat, produkt powstały po przerobieniu salsy, purée o konsystencji kitu. Ugniecione *strattu* wkładano do szklanych słojów i zalewano oliwą z oliwek.

To nie przypadek, że czerwień to kolor krwi, a także barwa namiętności. Na Sycylii jest to także kolor ziemi i zachodzącego słońca. Salsa to życiodajna krew Sycylii.

Do salsy potrzebne są dojrzałe pomidory, świeża bazylia i słońce. Ogrzej butelki na słońcu. Umyj pomidory i zostaw je na zewnątrz, do wyschnięcia. Rozpal pod kotłem. Usuń nasiona i ugotuj pomidory na masę, przez cały czas mieszając i rozgniatając owoce. Pamiętaj, że potrzeba do tego ciepła i namiętności. Dodaj bazylię i gotuj, aż masa zgęstnieje. Napełnij butelki i zostaw je w słońcu, pod kocem, żeby się jeszcze pogotowały. Nie zapomnij o rodzinie, sąsiadach, muzyce, tańcach i uczcie ani o winie.

To właśnie podstawa każdego sosu z pomidorów. Dodaj czosnek i cebulę, gotowaną w oliwie, i odrobinę cukru, żeby sos był jeszcze słodszy.

Pranzo, lunch, okazał się większym sukcesem, niż oczekiwała Flavia. Nie wątpiła, że jedzenie się uda, bardziej przejmowało ją towarzystwo. Enzo był jednak milszy niż zazwyczaj, kilka razy komplementował jej wygląd i dania.

— Ta pasta przypomina mi o mojej biednej żonie, niech spoczywa w spokoju — wzdychał.

Flavia pamiętała jego żonę, matkę Santiny, zmarłą kilka lat wcześniej. Była to chuda, zaniedbana kobieta, przedwcześnie postarzała i zgarbiona, wyczerpana okrutnym traktowaniem przez męża i jego ciągłymi żądaniami.

Bratanek Enza pochodził z sąsiedniego miasteczka, ale Flavia często go widywała. Jego ojciec Ettore, brat Enza, spędzał w Cetarii mnóstwo czasu aż do swojego tajemniczego zniknięcia kilka lat temu. Do dziś nikt nie był pewien, czy żył, czy też zmarł. Enzo nigdy nie próbował rozwikłać tej zagadki. Może wiedział coś więcej? Tak czy owak wcześniej byli nierozłączni jak bliźnięta syjamskie, więc po zniknięciu Ettore Enzo częściowo przejął rodzicielskie obowiązki brata i teraz to Rodrigo spędzał dużo czasu w Cetarii. Zdaniem Flavii miał również coś z buty swojego stryja. Większość Sycylijczyków była nieznośnie arogancka, ale ci z pewnego typu koneksjami przebijali wszystkich pozostałych. Mieli zbyt dużo władzy i nie znosili sprzeciwu.

Rozmawiali wyłącznie mężczyźni, jak zwykle o polityce. Tym razem chodziło o artykuł opublikowany w gazecie „Sicilia del Popolo". Napisano w nim, że wszędzie panuje klimat powojennego rozczarowania i niezadowolenia, a w Palermo oraz w jego okolicach odbyły się demonstracje wieśniaków i młodych komunistów, z orkiestrą dętą, pod hasłem „Ziemia dla robotników!".

— Idioci! — Enzo najwyraźniej tego nie pochwalał. — Nie wiedzą, co dla nich dobre.

Ojciec Flavii pokiwał głową. Oznajmił, że wszędzie są bandyci i gangi, a wielu ludzi chce, żeby wreszcie usłyszano, jak coraz głośniej kwestionują dawne zwyczaje właścicieli ziemskich.

Flavia rzuciła ukradkowe spojrzenie na Rodriga Sciarrę. Była ciekawa, czy chciał, żeby go wreszcie usłyszano, czy też tylko powtarzał słowa wpływowego stryja.

Przy *dolce* zauważyła, że Rodrigo zwraca na nią większą uwagę niż zazwyczaj. Pod niebiosa wychwalał jej kulinarne umiejętności, podczas gdy papa siedział i z zadowoleniem głaskał się po brodzie, zupełnie jakby to on nauczył Flavię tego wszystkiego. W pewnym momencie, kiedy Rodrigo nalał Flavii trochę słodkiego deserowego wina, położył trzy palce na jej nadgarstku w poufałym geście, który natychmiast wzbudził jej niepokój.

Zauważyła, że papa też to dostrzegł, ale nadal się uśmiechał... O nie. Odsunęła krzesło i zaczęła zbierać talerze.

— Siedź, ja się tym zajmę — oznajmiła mama, kładąc ręce na ramionach Flavii i niezbyt delikatnie popychając ją z powrotem na krzesło.

Flavia rzuciła matce spojrzenie pełne desperacji, ale mama nie zwróciła na to najmniejszej uwagi. Najwyraźniej ostateczna decyzja już zapadła i nic nie można było zrobić.

Papa i Enzo powoli wstali pod pretekstem przyniesienia trunków, a mama zniknęła w *la cucina*, rzekomo by zaparzyć kawę.

— Flavia. — Rodrigo chwycił jej dłoń. Pachniał wodą kolońską.

— Proszę, nic już nie mów — szepnęła.

— Już od dawna cię obserwowałem — wyznał jednak.

Flavia westchnęła. Była pewna, że to nieprawda, Enzo i papa coś wymyślili. Najwyraźniej chcieli, żeby obie rodziny się zjednoczyły, co spowodowałoby ostateczny rozłam w przyjaźni papy z Albertem Amato i pokazałoby wszystkim, kto jest lojalny wobec kogo. Stąd oczywisty pomysł na związek Rodriga i Flavii. Dlatego właśnie Santina oraz matka Rodriga, Francesca, nie zostały zaproszone na lunch. To wcale nie był rodzinny lunch, tylko spisek.

— Nie — oznajmiła.

— Podziwiałem cię — upierał się.

— Nie.

— Miałem nadzieję...

— Proszę, przestań. — Flavia usiłowała zabrać rękę, ale trzymał ją w żelaznym uścisku.

— Mogę zapewnić ci dobre życie.

Flavia popatrzyła w jego ciemne oczy. Może rzeczywiście był w stanie to zrobić, ale nie takiego życia pragnęła.

— Nie zachęcałam cię — powiedziała ostrożnie. — Nie dałam ci żadnego powodu, abyś myślał, że darzę cię wyjątkowymi względami.

— Nieważne. Myślę, że mogłabyś mnie pokochać, prawda? Flavia nie chciała go ranić.

— To nie takie proste — zaczęła.

— Nasze rodziny są blisko — ciągnął. — Są *simpaticu*. Dlaczego nie mielibyśmy się związać, ty i ja? To naturalne. W ten sposób scementujemy związek.

Wszystko bardzo pięknie, pomyślała Flavia, ale co z miłością? Rodrigo głaskał ją po ręce. Był uparty jak osioł.

— Jest ktoś inny — powiedziała szybko. — Mój ojciec powinien był cię uprzedzić.

— Ktoś inny? — Rodrigo gapił się na nią. — *Veramenti?* Czy to prawda?

Najwyraźniej w myślach robił przegląd wszystkich kawalerów z sąsiedztwa. Długo to nie potrwa, pomyślała ze smutkiem.

— *Veru*. To prawda — odparła.

— Chyba jednak nie. — Zmarszczył brwi.

— Ojciec powinien był cię uprzedzić — powtórzyła. — Nie miał prawa...

— Ach. — Na twarzy Rodriga pojawił się wyraz triumfu, jakby właśnie udało mu się rozwiązać bardzo trudną zagadkę. — Myślisz o Angliku, tak? Twój ojciec mówił, że to był problem.

— Problem? — Flavia zazgrzytała zębami. — Jedyny problem jest taki, że go kocham.

Rodrigo odsunął się, najwyraźniej urażony.

— Ale chyba nie... Z tym Anglikiem, chyba nie?...

— Nie!

Flavia czuła, że się czerwieni aż po czubki uszu, chociaż nie miałaby nic przeciwko temu, gdyby Peter... Gdyby tylko chciał, zrobiłaby to. Co ją obchodziła jej reputacja?

— Ach. — Pogroził jej palcem. — Jesteś głupiutka, ale jesteś też Sycylijką, więc musisz wyjść za Sycylijczyka. — Wyprostował się. — Rodrigo Sciarra sprawi, że zapomnisz o Angliku.

Flavia usłyszała pochrząkiwania i pokasływanie w korytarzu. Dzień Zaduszny był dniem zaręczyn i nowych początków, powinna się była domyślić.

— Przykro mi, Rodrigo, ale moja odpowiedź brzmi: nie — powiedziała szybko. — Proszę, nie nalegaj.

Wrócili pozostali: mama z dzbankiem kawy i talerzem *biscotti* zmarłych, a także z wyrazem nadziei na twarzy; papa z butelką grappy. Uniósł brew na widok nadąsanego Rodriga, który smętnie pokręcił głową. W ułamku sekundy wyraz twarzy Enza zmienił się z serdecznego na wściekły.

Flavia postanowiła jak najszybciej zniknąć. Przeprosiła i schowała się w *la cucina*, dopóki nie zjedzono ostatnich herbatników i goście sobie nie poszli.

Kłótnia z papą ciągnęła się przez resztę popołudnia, aż do późnego wieczora. Flavia nigdy nie widziała, żeby był aż tak wściekły. Wrzeszczał, klął i wyzywał ją od najgorszych.

— Na litość boską, po co mi taka niewdzięczna córka? — krzyknął w końcu do mamy. — Jaki z niej pożytek, skoro nie potrafi uszczęśliwić mężczyzny i nie umie stworzyć związku z rodziną najbliższego przyjaciela ojca?

Flavia słuchała go, wiedząc, że nie chodzi tylko o przyjaźń. Ojciec stąpał po grząskim gruncie i sporo ryzykował. Dlaczego nie miałby poświęcić swojej córki? Nie bez powodu nazywali tę organizację *La Piovra*, ośmiornica. Macki mafii sięgały bardzo daleko. Jeśli mafiosi postanowili kogoś dopaść, ofiara nie miała gdzie się ukryć.

W pewnym momencie Flavia ośmieliła się wspomnieć o Peterze.

— Nadal go kocham — powiedziała. — Obiecałam mu coś. Nie jestem wolna, nie mogę wyjść za innego.

— Ten drań! — wrzasnął ojciec.

— Pomogłeś mu — przypomniała Flavia. — Ocaliłeś mu życie.

— I bardzo żałuję. — Jego twarz była wykrzywiona wściekłością. — A gdzie jest teraz ten chłopiec, którego tak bardzo kochasz, który miał po ciebie wrócić? Obietnice? Phi! Obietnice tego Anglika nic nie znaczą. Głupia jesteś, jeśli tego nie rozumiesz.

Flavia zamrugała.

— Wojna dawno się skończyła. — Rozejrzał się wokół siebie. — I niby gdzie on jest? Dlaczego nie wrócił? Dlaczego nie napisał ani jednego słowa? Powiesz mi?

Sięgnął po laskę, jakby chciał ją zbić. W tym samym momencie mama położyła dłoń na jego ręce, żeby go powstrzymać, a Flavia rzuciła się do ucieczki.

Wybiegła w balsamiczną, kobaltową ciemność i ruszyła przez tak dobrze znane sobie pola, ku dolinie, gdzie siedziała przez wiele godzin, myśląc o tym, co się wydarzyło. Nocne powietrze spowijało ją niczym gruba kołdra, czuła, że ledwo oddycha. Wiedziała jednak, co musi zrobić.

Kiedy wróciła, poszła prosto do Villa Sirena. Zerknęła przelotnie na płaskorzeźbę nad frontowymi drzwiami. Flavia znała historię syreny, ona też była uwięziona. Rozumiała, co czuła. Cicho zapukała do drzwi i weszła, nie czekając na zaproszenie. *L'inglese* na pewno jeszcze nie spał, nigdy nie kładł się przed północą.

W rzeczy samej, Edward Westerman siedział tam gdzie zawsze, a na stole obok niego stał kieliszek z czerwonym winem. Edward jak zwykle miał na sobie pognieciony, lniany garnitur, na poręczy fotela leżała jego stara panama. Był niespełna piętnaście lat starszy od niej, jednak Flavia wiedziała, że to człowiek światowy i doświadczony. Nawet przed wojną, gdy była dzieckiem, signor Westerman nie wydawał się jej młody. Ktoś taki musiał wiedzieć, co powinna zrobić.

— Flavia — odezwał się na jej widok.

Nie wydawał się szczególnie zaskoczony.

— Muszę jechać do Anglii — wyrzuciła z siebie.

— Czyżby? — Uniósł kieliszek i upił nieco wina. — A to dlaczego?

— Muszę się stąd wydostać.

Zacinając się, opowiedziała mu o Peterze, o swoim ojcu i o Rodrigu. Papa pracował dla signora Westermana od bardzo dawna i nie chciała być nielojalna, ale potrzebowała pomocy.

— Chcę żyć własnym życiem — oznajmiła na koniec. — Po swojemu.

Signor Westerman pokiwał głową. Oczywiście, że ją rozumiał. Sam chciał żyć po swojemu i dlatego przyjechał na Sycylię.

— Jak mogę ci pomóc, moja droga? — zapytał.

— Mam odłożone pieniądze. — Powiedziała mu ile.

— To długa droga. Dwa dni pociągiem.

— Dam sobie radę. Potrzebuję tylko pożyczyć trochę pieniędzy. Odeślę je panu, obiecuję.

Edward Westerman wydawał się zamyślony.

— Mam pomysł — powiedział. — Jeśli jesteś zdecydowana jechać do Anglii, miałbym dla ciebie zlecenie. To paczka z moim rękopisem — musi zostać doręczony mojej starszej siostrze Beatrice, która mieszka w Londynie. Oddałabyś mi wielką przysługę.

— Paczka? — powtórzyła.

Londyn. Ledwie mogła w to uwierzyć.

Signor Westerman skromnie opuścił wzrok.

— Taka tam moja poezja. Mam nadzieję, że Bea odegra rolę pośrednika pomiędzy mną a wydawcami. Ale... — zawahał się i westchnął. — Czasy są ciężkie. Zobaczymy. Może tylko marnuję czas, pisząc to wszystko.

— O nie, signor — zaprotestowała Flavia.

Uwielbiała jego wiersze, jej zdaniem zasłużyły na publikację. Poza tym był dobrym człowiekiem i powinien odnieść sukces. Ogromnie chciała mu pomóc, choćby odrobinę...

— Jesteś bardzo miła. — Uśmiechnął się.

— Bardzo chętnie zabiorę pana wiersze do Londynu.

— Doskonale. — Wypił jeszcze jeden łyk wina. — Nie ufam tej cholernej poczcie. — Poklepał Flavię po dłoni. — Ale ufam tobie, moja droga. Bea pomoże ci, kiedy dotrzesz na miejsce. Dopilnuję tego.

— Jestem wdzięczna — oznajmiła Flavia dumnie.

— I oczywiście ci zapłacę. — Pokiwał głową. — Dzięki temu będzie cię stać na podróż. — Zapatrzył się na kieliszek. — Musisz być jednak przygotowana na rozczarowanie, moja droga. Sam się przekonałem, że ludzie mają zwyczaj nie dotrzymywać obietnic.

— Wiem. — Flavia wbiła wzrok w swoje ręce.

— Ale... — Chwycił ją za nadgarstek tak mocno, aż się wzdrygnęła. — Masz tylko jedno życie, Flavia, i musisz je przeżyć po swojemu. W nowym miejscu człowiek może stać się tym, kim tylko zechce.

— Papa... — zaczęła, chociaż wyczuła, że mówił o sobie, nie tylko o niej.

Wyjechał z Anglii, zostawił przyjaciół i rodzinę, określił się na nowo. To była podobna historia. Czuł się wyrzutkiem we własnym kraju, tak jak ona.

— Twój papa ma swoje metody. Nie bój się, wszystko mu wytłumaczę.

Flavia pochyliła głowę.

— Dziękuję — szepnęła.

— Przyjdź jutro — powiedział. — Przygotujemy plan.

Słyszała szum deszczu na zewnątrz. Strumienie wody dudniły w dach i spływały na taras, zupełnie jakby niebo się zawaliło. Odgłosy ulewy zdawały się przewalać przez wzgórza i doliny, gdy woda zalewała wyschniętą, czerwoną ziemię. Wiszące w powietrzu napięcie częściowo ustąpiło i Flavia też trochę się odprężyła. Nareszcie czuła zadowolenie.

ROZDZIAŁ TRZYDZIESTY SZÓSTY

Ginny nie była pewna, co kazało jej tu wstąpić. Pub Pod Bykiem i Niedźwiedziem był trochę obskurny, a ona nigdy nie chciała pracować za barem. Nie miała ochoty być barmanką, jak jakaś bohaterka opery mydlanej... A niech to... Jednak praca to praca.

Po śniadaniowej bombie nonny Ginny napisała na komputerze swoje CV. Na szczęście dziadek zawsze był na bieżąco z techniką, nawet chciał sobie kupić iPod, chociaż Ginny nie mogła go sobie wyobrazić ze słuchawkami w uszach. Po lunchu obeszła sklepy i restauracje w Pridehaven, wciskając kopie życiorysu zdumionym ekspedientkom i kelnerom. To ja. Oto, co zrobiłam ze swoim życiem...

Pewnie uznali, że niewiele. Roznoszenie gazet, potem opieka nad dziećmi, college. Dziewczyna bez ustalonego celu i planów życiowych. Toczący się kamień, jak nazywali takie osoby w starych hipisowskich piosenkach mamy. Taki właśnie był jej ojciec.

Sytuacja wydawała się beznadziejna, bo nikt nie był zainteresowany. Może weszła do pubu tylko dlatego, że była już osiemnasta, a nie chciała wracać do dziadków i przyznać się do porażki? Z matką dałaby sobie radę (najlepiej działały złość i defensywna postawa), ale nonna miała wygórowane oczekiwania. Ginny bardzo się bała ją rozczarować. Jej drobna, siwowłosa babcia miała w sobie cichą godność, której wnuczka jej zazdrościła.

— Zastanawiałam się, czy nie macie jakichś etatów dla personelu — zwróciła się do stojącego za barem faceta przed czterdziestką.

— A kto pyta? — burknął.

To chyba jasne, do cholery.

— Ja — odparła Ginny.

Uśmiechnął się szeroko.

— Jak się nazywasz, skarbie?

— Ginny Angel.

— Pełnoletnia?

— Tak.

— Doświadczenie?

— Nie.

Wydawał się zdumiony.

— Dlaczego chcesz pracować za barem? — zapytał.

Ginny wysiliła umysł. Dlaczego ktokolwiek mógłby chcieć?

— Lubię ludzi — odparła, co było kłamstwem. — A poza tym rozbudzam się dopiero wieczorami. — Następne kłamstwo.

Facet uniósł brwi. Lokal pewnie był otwarty przez cały dzień.

— Jestem szybka — powiedziała. — Łatwo się uczę.

— Okej — oświadczył.

— Okej?

— Dam ci szansę — wyjaśnił. — Ostatnia dziewczyna odeszła tydzień temu, a ja nie zdążyłem jeszcze napisać ogłoszenia, że szukam kogoś na jej miejsce. Zaczynasz jutro o osiemnastej.

— Eee... Super — zgodziła się Ginny.

— Nie interesuje cię, ile płacę? — spytał. — Ani w jakich godzinach masz pracować?

— Interesuje. — Czekała, ale milczał. — Ile pan płaci?

Powiedział jej. Nie było to wiele, ale zawsze coś.

— W porządku — zgodziła się.

— Godziny są do negocjacji — ciągnął. — Porozmawiamy o tym jutro.

Gdy tylko wyszła z pubu, od razu wysłała esemesa do matki. „Zgadnij, co się stało! Dostałam pracę!"

Matka natychmiast zadzwoniła.

— Tak trzymać, skarbie — powiedziała. — Ja też kiedyś pracowałam jako barmanka. — W jej głosie dało się słyszeć rozrzewnienie.

— Przynajmniej zarobię trochę kasy. — Ginny żałowała, że głos matki wzbudza w niej taki smutek. Przypomniał jej, jak bardzo tęskniła. — I mogę zacząć oszczędzać — dodała. — Na wyjazd.

To Gula zmusiła ją do brutalnej szczerości.

— Tak. — Głos matki stał się jeszcze smutniejszy i cichszy. — A jak tam w domu. Wszystko gra?

— Spoko i bez zgrzytu.

Ginny skręciła w ulicę, przy której mieszkali dziadkowie, w ślepą uliczkę, która prowadziła donikąd. Bramble Close, Pridehaven. Co to za adres? Bezpieczne domki na bezpiecznych ulicach w mieście, które już dawno straciło charakter... Prawdziwy ślepy zaułek, miasteczko bez przyszłości.

— A nonna? Dziadek?

— Bez obaw, dają radę.

Ginny zastanawiała się, co teraz robi matka i dlaczego to było takie ważne, żeby nagle wszystko rzucić i lecieć na Sycylię. Może chodziło o jakiś kryzys wieku średniego, wczesną menopauzę czy coś. Może...

— Czyli?

— Muszę spadać, mamo — powiedziała.

— Oczywiście, kochanie. Za...

— Cześć. — Ginny skończyła rozmowę, zanim Tess zdołała cokolwiek dodać.

To była jedna z niewygodnych, słodko-gorzkich sytuacji, w których nie wiadomo, co z sobą zrobić. Jak zawsze.

Nonna nie wydawała się zdumiona, że Ginny tak szybko znalazła pracę.

— Mądre dziecko — oznajmiła, po czym położyła na talerz cannelloni z mięsem i białym sosem *parmigiano* oraz gałką muszkatołową. Mniam.

— Chyba skoczę do Bena — oznajmiła Ginny, gdy już zjadła kolację. — Tylko najpierw pozmywam.

Babcia zabrała się do zbierania talerzy.

— Będziecie robili coś fajnego? — spytała. — Coś specjalnego?

Nie sądzę, pomyślała Ginny.

— Nie wiem — odparła.

— No cóż, bylebyś tylko dobrze się bawiła, moja droga — powiedziała nonna.

Rzuciła Ginny wymowne spojrzenie, tak jakby się zastanawiała, dlaczego Ginny zadaje się z kimś takim jak Ben. Ginny zaczęła się zastanawiać, po co właściwie spotyka się z Benem.

U Bena obejrzeli film, a potem przyszło dwóch jego kumpli i wszyscy razem wybrali się na drinka. (Ten sam scenariusz jak niemal za każdym razem, gdy chodziła do Bena).

Rozmawiali o rzeczach, które kompletnie nie interesowały Ginny (motocykle, samochody, futbol) i opowiadali (seksistowskie) dowcipy, które ani trochę jej nie bawiły. O wpół do jedenastej przypomniała sobie spojrzenie babci i podniosła się, żeby wrócić do domu. Gula usiłowała ją powstrzymać, ale ku swojemu zaskoczeniu Ginny znalazła w sobie dość siły, by ją pokonać.

Wróciła sama. Nie chodziło o to, że nic już nie czuła do Bena. Czuła, ale... Nie bawiła się dobrze. Znowu pomyślała o spojrzeniu nonny. To było proste. Nie robiła nic specjalnego, więc po co tam w ogóle siedziała?

Ulice były dobrze oświetlone i wcale się nie bała. Było jej najzwyczajniej w świecie trochę smutno z powodu Bena. Czuła się też lekko zaniepokojona, bo jutro miała zacząć nową pracę. Pytanie, czy Gula zamierzała jej towarzyszyć.

Specjalnie dla Ginny dziadkowie zostawili w jej sypialni i na werandzie zapalone światło.

— Pamiętaj, żeby zgasić lampę, kiedy wejdziesz — powtarzała nonna, a Ginny posłusznie gasiła lampę, chociaż w domu miała zwyczaj obwieszczać swoje przybycie pozapalanymi wszędzie światłami.

Teraz otworzyła sobie drzwi własnym kluczem, zgasiła światło na tarasie i weszła cicho się na górę, chociaż dziadkowie jeszcze nie spali. Słyszała ich mamrotanie, kiedy wchodziła do łazienki.

— Musi robić to, co uważa za najlepsze — usłyszała głos dziadka. — To jej życie.

— Tak — przytaknęła nonna. — To jej życie. Ale teraz weszła także w moje.

Ginny wiedziała, że mówią o jej matce i tajemniczym domu na Sycylii. Znowu zaczęła się zastanawiać, dlaczego ten starzec zostawił jej spadek, co ona z nim zrobi i dlaczego nonnie tak to przeszkadza.

Tej nocy zasnęła, myśląc o mamie, która w jej snach straciła kwaśnocytrynowy kolor i zyskała miodową poświatę. Wiedziała, że jutro rano się obudzi i może nie będzie już żadnego Bena, a Gula pewnie zacznie zadzierać nosa. Ale...

Będzie nowa praca, a jeśli zacznie oszczędzać, może zyska jakieś poczucie celu. Było tak, jakby nagle udało jej się dostrzec ledwie widoczny blask tego, dokąd zmierza.

ROZDZIAŁ TRZYDZIESTY SIÓDMY

Dwa dni później Tess wspinała się na wzgórze pod Cetarią. Według kupionego w Palermo przewodnika szlak miał być skalisty i rzeczywiście, było tu mnóstwo skał, za to niewiele szlaku. Nagle ujrzała Tonina Amata, pracował przy skale na małej polance tuż przed nią. W ostatnich dniach widywała go jedynie z daleka: przedwczoraj była w Palermo, wczoraj nawet nie wyszła z willi. Rzeczy Edwarda Westermana należało rozdać albo sprzedać, część mebli była do odratowania, część zdecydowanie nie. Do tego Tess musiała zdecydować, co zrobi z innymi przedmiotami, które z nich zachowa, a których się pozbędzie.

Tonino ze skupieniem pochylał głowę. Używał małego młotka i jakiegoś metalowego dłuta, którym stukał w skałę.

— Ciao — odezwała się Tess, choć jakaś część jej pragnęła odwrócić się i uciec w przeciwnym kierunku.

— Ciao. — Nawet nie podniósł wzroku.

— Na Cola Pesce? — zapytała.

— Może. — Cały czas stukał młotkiem.

Teraz dostrzegła, że odkruszał cienkie płytki łupkowe, pewnie do tła jednej ze swoich mozaik. Widziała takie płytki w jego pracowni. Usiadła pod drzewem oliwnym, na skałce nieopodal, i wyciągnęła nogi. Było bardzo ciepło, bezwietrznie, a w rzadkiej trawie rosła koniczyna. Tess słyszała brzęczenie owadów, od czasu do czasu dzwoniący w oddali kozi dzwonek oraz stukanie młotka Tonina. Zastanawiała się, co powiedzieć. Czy spytać, jak często tu przychodzi? Z drugiej strony równie dobrze mogła od razu przejść do rzeczy.

— Chyba mnie nie unikasz? — zapytała w końcu.

Popatrzył na nią pytająco, ale szybko odwrócił wzrok.

— Niby dlaczego? — Chyba nie zależało mu na odpowiedzi.

No właśnie, dlaczego? W końcu miał w tym miejscu wszystko, czego potrzebował — kamienie i mozaiki, morze i swój smutek. Strata przyjaciela to rzecz straszna, ale chyba każdy powinien wcześniej czy później ruszyć przed siebie. Przypomniało jej się, co jej nowa znajoma Millie mówiła o cieniach. Ten człowiek składał się z cienia, a jednak jego prace aż krzyczały o światło. Mozaiki zawsze najlepiej prezentowały się w słońcu.

— Nie jestem związana z Giovannim Sciarrą — oznajmiła, na wypadek gdyby go to interesowało, i objęła kolana rękami.

— To nie moja sprawa. — Nie przestawał stukać.

— Może i nie, ale nie jestem. Chciałam, żebyś wiedział.

— Widziałem, jak się kręcił koło Villa Sirena — Tonino wykrzywił usta. — Powinnaś być ostrożna.

Raz jeszcze Tess się wkurzyła.

— Bardzo mi pomagał — odparła. — Tę willę zostawił mi Edward Westerman i...

Tonino wzruszył ramionami.

— I Giovanni poradził mi, co z nią zrobić.

— I co z nią zrobisz? — Znowu na nią spojrzał.

— Jeszcze nie wiem, ale chodzi o to, że... — westchnęła ciężko. — Nie jestem uczuciowo związana z Giovannim, jasne?

Tonino znowu wzruszył ramionami.

No cóż, próbowała. Tess podniosła się i poczuła we włosach miękkie, srebrzyste liście drzewka oliwnego.

Rzeczywiście, Giovanni wczoraj przyszedł do Tess i zaproponował jej osobistą pożyczkę, czy też inwestycję, jak to nazwał. Warunki wydawały się uczciwe, wręcz idealne, gdyż nie musiała płacić przez pierwszych dziewięć miesięcy, co dawało jej czas na uporządkowanie willi. Potem naturalnie musiałaby spłacać odsetki, ale nie były przesadnie wysokie. Przyniósł z sobą dokumenty do przejrzenia, chciał, żeby podpisała tu i tam, ale ona zachowała pewną rozwagę.

— Pomyślę o tym — oznajmiła.

Najpierw pragnęła porozmawiać z ojcem, a może nawet zasięgnąć porady prawnej w Anglii.

Ruszyła przed siebie.

— Dlaczego wróciłaś do Cetarii? — zapytał nieoczekiwanie Tonino.

Tess przystanęła. Tonino najwyraźniej zapomniał o ich rozmowie w Segeście i o prawie pocałunku. Oczywiście, łatwiej byłoby nie wracać, zatrudnić agenta, który wystawiłby willę na rynek, albo nawet pozwolić Giovanniemu nadzorować remont i dać mu wolną rękę. Chodziło jednak o coś więcej, na przykład o historię Flavii. Tess myślała o tym, co mówiła jej Santina, próbowała wyobrazić sobie rozpaczliwe pragnienie wolności matki, młodą Flavię zakochaną w angielskim pilocie, który znajdował się tysiące kilometrów dalej, podczas gdy rodzina usiłowała narzucić jej małżeństwo z Rodrigiem Sciarrą. Co mogła zrobić siedemnastolatka w kraju ogarniętym wojną? Nawet nie była w stanie wyruszyć za swoim pilotem do Anglii, a już na pewno nie w tamtym czasie.

Tess spojrzała na krajobraz za karłowatymi palmami, drzewami oliwnymi i winnicami na tarasach pokrywających wzgórza. Był stąd dobry widok na miasteczko, góry i otwarte morze. Tego popołudnia woda pobłyskiwała niczym stal. Ale przecież poza historią matki były jeszcze inne powody, dla których Tess wróciła na wyspę.

— Coś w tym miejscu... — zaczęła.

— Przecież masz życie w Anglii — zauważył. — Rodzinę.

Miała rodziców. No właśnie, to też było ważne. Zawsze uważała, że mamma i tata to była wielka wzajemna i niekwestionowana miłość na całe życie. Skąd więc w tym wszystkim wziął się nagle angielski pilot?

— Nie jestem mężatką. — Sądziła, że domyślił się tego, przecież nie nosiła obrączki. — Ale mam córkę.

Tonino uniósł głowę i wbił w Tess spojrzenie ciemnych oczu.

— Skończyła osiemnaście lat, teraz mieszka z moimi rodzicami.

Pomyślała o Ginny. Czy jakakolwiek matka mogła być przygotowana na chwilę, gdy dziecko odejdzie z jej życia i wkroczy w świat, przerażający świat, nad którym nie miało się kontroli? Jak można się było przygotowywać na towarzyszące temu emocje? Tess czuła, że powinna przynajmniej zacząć te przygotowania, być może wkrótce to ją czekało. Ginny dostała pracę i zamierzała oszczędzać, żeby wyjechać, kto wie na jak długo. Kiedyś były sobie takie bliskie, a teraz... Teraz Tess wątpiła, czy jest potrzebna swojej córce. Z pewnością Ginny nie okazywała, że brak jej matki. Za każdym razem, kiedy Tess dzwoniła, Ginny nie mogła się doczekać końca rozmowy.

— Nigdy nie byłam mężatką — dodała Tess, ponieważ Tonino najwyraźniej czekał na ciąg dalszy. — Odszedł, zanim moja córka się urodziła. Nie był skłonny do zobowiązań.

Tonino pokiwał głową. Nie wydawał się poruszony, ani nawet zdumiony.

— Ale od tamtego czasu byłaś zakochana, tak?

— Tak.

Tess znowu usiadła na skale i wyciągnęła z torebki butelkę z wodą. Wypiła duży łyk i podała ją Toninowi, który podziękował skinieniem głowy. Owszem, bywała zakochana, ale niezbyt często jak na kobietę tuż przed czterdziestką. Zdarzało się jej sporadyczne zauroczenie, może coś więcej niż zauroczenie, czasem nawet myślała, że to ten jedyny.

A potem zjawił się Robin.

Zmrużyła oczy i spojrzała na Tonina.

— A ty? — spytała.

Uśmiechnął się do niej półgębkiem.

— Żonaty nie — oznajmił. — Bywały kobiety, oczywiście.

Oczywiście.

— Raz kogoś kochałem.

Patrzyła na niego i czekała, ciekawa, ile jej powie i czy jej zaufa.

— Nie wyszło? — odważyła się zapytać.

— Była z kimś innym — odparł. — Z kimś, kto... — Umilkł.

Tess intuicyjnie domyśliła się, o kim mówił.

— Czy chodzi o twojego przyjaciela? — zapytała. Wystarczyło jedno spojrzenie, żeby zrozumiała, że zgadła. — Tego, który zginął?

— Tak. — Odłożył narzędzia. — Wtedy byli razem. To było nie do zniesienia.

Czubkiem buta Tess rysowała bazgroły na suchej ziemi.

— Ale ona wiedziała, co czujesz?

— Naturalnie. — Podważył i oderwał skalną płytkę, a następnie znowu na nią spojrzał. — Kobiety zawsze wiedzą.

Tess wcale nie była tego pewna, ale nie zamierzała oponować.

— A po jego śmierci? — spytała, choć mogła się domyślić.

— Wtedy to byłoby jeszcze bardziej nie do zniesienia. — Wydawał się zły. — Helena tak nie myślała, ale to prawda, byłoby to nie do zniesienia.

Zaczął wkładać narzędzia i kamienie do płóciennego worka u swoich stóp.

Tess domyślała się, że nie powinno się zabierać fragmentów skał z rezerwatów przyrody, ale osoby pokroju Tonina zapewne miały w nosie takie przepisy. Dla nich ziemia i ląd istniały po to, żeby pomóc człowiekowi przeżyć. Ci ludzie wykorzystywali to, co miały one do zaoferowania, i robili wszystko, żeby nie przysporzyć sobie kłopotów.

Tonino wstał, zarzucił worek na ramię i wyciągnął rękę do Tess, która bez wahania ją przyjęła.

— Czy ta kobieta wyjechała z Sycylii? — spytała.

— Tak, wyjechała. — Umilkł, jakby chciał coś dodać. — W dniu śmierci mojego przyjaciela... — Zamyślił się na chwilę.

— Co się stało? — Właściwie mogła to wywnioskować z wyrazu jego twarzy.

— Piłem kawę z Heleną. — Popatrzył na nią, po czym wbił wzrok w przestrzeń nad wzgórzami. — To nie tak, jak myślisz.

Tess pokręciła głową.

— A więc jak?

— Rozmawialiśmy o nas. O tym, że nie możemy być razem, że nie powinniśmy go ranić. Nic więcej nie zrobiliśmy. — Zacisnął pięści, aż jego kostki pobielały. — A wtedy on...

Nie był w stanie dokończyć. Tess położyła dłoń na jego ramieniu.

— Przecież to nie twoja wina — powiedziała. — Zachowałeś się właściwie.

— Helena nigdy nie zrozumiała — wyznał. — Nie rozumiała, dlaczego potem nie mogliśmy być razem.

Tess wyobrażała sobie, jak to było. Helena, ze złamanym sercem, zwróciła się do drugiego mężczyzny, który ją kochał, tego, który miał zrozumieć, bo przecież także kochał swojego przyjaciela. Tonino jednak czuł się winny, zupełnie jakby zabił przyjaciela, żeby ją zdobyć. Tess wiedziała, że niektórzy mężczyźni skorzystaliby z okazji,

ale nie on. Był zbyt wrażliwy, żeby machnąć ręką na wyrzuty sumienia. Zagryzłyby go i czułby się nieszczęśliwy
przez resztę życia.

— A od tamtego czasu? — zapytała.

Ścisnął mocniej jej rękę.

— Kobiety tak — powiedział. — Ale miłość nie.

Tym razem jego pocałunek okazał się zupełnie inny.
Wcześniej było to zaledwie muśnięcie warg, ostrożne,
niemal przypadkowe. Teraz jednak, gdy się odwracał,
ujmował jej twarz w dłonie, pochylał głowę i przyci-
skał wargi do jej ust, wiedziała, że tego pragnął. Słońce ogrzewało jej twarz, gdy bez wahania odwzajemniła
pocałunek. Pragnęła tego, musiała to zrobić. Być może
Giovanni Sciarra nie mylił się co do Tonina, ale w tym
momencie ani trochę jej to nie obchodziło.

Tego wieczoru w willi Tess nadal przeżywała niespodziewane emocje popołudnia. Nie sądziła, że po Robinie
tak szybko wskoczy w następny związek, a jednak...

Postanowiła przygotować dla siebie makaron z łat-
wym sosem gorgonzola i sałatkę. Nie była pewna, czy
zdoła cokolwiek przełknąć. Uznała też, że wcześniej się
położy, żeby porozmyślać, a może nawet pozwolić sobie
na niecierpliwe oczekiwanie jutrzejszego dnia.

Zakręciło się jej w głowie na myśl o pocałunku, po
którym mniej więcej przez godzinę spacerowali po oliwnym gaju. Tonino wyznał jej, że ma ogromny szacunek
dla drzew oliwnych. Dotykał poskręcanej, sękatej kory
w taki sposób, że Tess czuła coś pomiędzy zazdrością
a pożądaniem.

— Jest twarda, a jednak wrażliwa — powiedział.

— Wrażliwa? — Głos uwiązł jej w gardle.

— Na wodę, jedzenie. Na miłość.

Pomyślała, że powinien przestać, zanim dojdzie do wrzenia.

— Rzeźbiona i nasączona olejem, ma wspaniałe słoje — oświadczył. — Szybko się pali, a zapach...

— O tak. — Znała ten zapach. Poczuła go, gdy za pierwszym razem przybyła do Cetarii.

— Drzewo oliwne jest mądre. A gaj oliwny to spokojne i bezpieczne miejsce.

Położył palce na głowie Tess, zupełnie jakby była posągiem, nad którym pracował. Ich czubki dotykały podstawy jej czaszki i szyi. Zamknęła oczy, przypominając sobie to doznanie, zdumiona, że dotyk może być aż tak zmysłowy. Nawet dotyk rzemieślnika, który każdego dnia używał rąk, by tworzyć.

Pokruszyła trochę sera na talerz i zabrała się do przygotowania sosu. Najpierw masło i mąka, zmieszane na jednolitą masę, a potem dodawane stopniowo gorące mleko.

Podczas spaceru opowiedział jej więcej o swojej rodzinie i przeszłości. O ojcu, rybaku łowiącym tuńczyki, i o matce, drobnej, gwałtownej i niesłychanie lojalnej. Oboje zmarli młodo, ojciec na atak serca. Pewnie przez to, jak twierdził Tonino, że ojciec pracował bez względu na pogodę, desperacko próbując wykarmić rodzinę.

Tess przypomniała sobie, co Giovanni mówił o śmiertelnym ataku serca stryjka Tonina, Luigiego. Nie chciała wierzyć, że Tonino skłamał, ale postanowiła teraz o tym nie wspominać. To nie był właściwy czas ani miejsce.

— A matka? — zapytała łagodnie. — Jak umarła?

— Był miłością jej życia — odparł. — Kiedy odszedł, nie miała już po co żyć.

— Miała ciebie — przypomniała mu Tess.

W jej uszach ponownie zabrzmiał głos Santiny: Flavia ma złamane serce, na zawsze...

Roześmiał się, ale w jego oczach nie było wesołości.

— Mnie tu nie było, wyjechałem — odparł. — Studiowałem w Palermo, a potem przez jakiś czas żyłem z dala od wyspy, w Neapolu. Tam zacząłem nurkować.

Tess była zdumiona. Dotąd myślała, że zawsze tkwił tutaj, w Cetarii. Wydawał się zżyty z tym miejscem.

— Co studiowałeś?

— Historię.

Pomyślała o bajkach i mitach, o jego obsesji na punkcie przeszłości. Historia miała sens.

— Zajmowałem się też stolarką i rzeźbiarstwem. — Wzruszył ramionami. — Potem zainteresowały mnie mozaiki i po śmierci ojca wróciłem do Cetarii.

Pomyślała, że pewnie chciał się zająć matką.

— Po powrocie podjąłem pracę przy odzyskiwaniu rzeczy z wraków. A kiedy zmarła mama... — znowu zamilkł.

— Zostałeś — dopowiedziała za niego Tess.

— *Si*.

Powiedział jej, że wykorzystał pieniądze ze spadku na założenie pracowni mozaikowej w *baglio*. Wkrótce zaczął przyzwoicie zarabiać.

— Potrzebuję w życiu wysokiej jakości — ciągnął. — Ale to nie musi być jakość związana z posiadaniem rzeczy materialnych.

Tess jednak wątpiła, czy był naprawdę szczęśliwy, pracując tu, w *baglio*, i spędzając długie godziny na gapieniu się na morze.

Dolała więcej mleka, aż sos osiągnął właściwą konsystencję. Potem wyłączyła gaz i dodała przyprawy, a także aromatyczny ser pleśniowy. Odcedziła makaron i wymieszała go z sosem. Pomyślała, że tego popołudnia udało się jej sporo dowiedzieć o Toninie. Była ciekawa, co będzie jutro.

Kiedy w końcu zeszli z górskiego szlaku i powędrowali do miasteczka, Tonino nie puścił jej ręki. Czuła się dość dziwnie, ale dobrze.

Zaniosła na taras makaron oraz sałatkę, a także kieliszek schłodzonego białego wina. Było już niemal ciemno, choć nadal ciepło. Ustawiła zapaloną świecę na środku stolika z kutego żelaza. Nie czuła się samotna, tylko spokojna i pogodzona ze światem. Czyżby to dzięki popołudniu spędzonemu z atrakcyjnym mężczyzną?

Zawędrowali na główną *piazza*, mijając po drodze hotel Faraglione. Tess odniosła wrażenie, że z okna na piętrze ktoś obserwuje ich zza firanki. Pewnie tak było, ale niewykluczone, że zdążyła się już zarazić syndromem paranoi sycylijskiej i przez to czuła na sobie spojrzenia wszystkich mieszkańców.

W każdym razie Tonino zdawał się mieć to w nosie. Gdy szli po starym *baglio*, obok kamiennego wodotrysku i drzewa eukaliptusowego, nie przestawał mówić. Dotarli w końcu do podnóża schodków prowadzących do willi. Tess czekała, aż Tonino zapyta, czy może wejść, choć prawdę mówiąc, wcale nie była pewna swojej reakcji.

— Muszę jeszcze popracować — oznajmił nagle. Było bardzo cicho, powietrze zdawało się pulsować. — Ale jutro się zobaczymy, prawda?

— Tak. — Nie wiedziała, czy czuje rozczarowanie, czy ulgę.

— Po południu?

Skinęła głową.

— Moglibyśmy wypłynąć łodzią. — Wskazał brodą małą żółtą łódkę rybacką, zacumowaną przy kamiennym pomoście. — Do rezerwatu. Tam jest przepięknie.

— Brzmi nieźle.

— Popływamy sobie w rezerwacie i zjemy późny lunch.

Puścił jej rękę. Nie pocałował Tess, tylko na nią patrzył, a ona czuła się tak, jakby składał jej niewypowiedzianą obietnicę.

Tess zjadła cały makaron, wypiła wino i patrzyła na ciemniejące niebo. Gwiazdy wyraźnie odcinały się od niego, a księżyc, prawie w pełni, otoczony był lśniącym halo. Pomyślała o Toninie w jego pracowni, blisko, a jednak daleko. Zastanawiała się, czy przypadkiem nie dał jej czasu na przemyślenie, czy jest pewna, czego chce. A czego chciała? Nieskomplikowanego życia, powrotu do Anglii i nudnej pracy, czy też przygody, która mogła się skończyć finansową katastrofą i złamanym sercem?

Podniosła się z miejsca i spojrzała na nieziemskie kształty skał w zatoce, na ciemne morze, połyskujące oleiście w blasku księżyca, i na niebo w kolorze indygo. Ginny chyba już jej nie potrzebowała, więc odpowiedź wydawała się oczywista.

ROZDZIAŁ TRZYDZIESTY ÓSMY

W tumanach kurzu, na wyboistej przybrzeżnej drodze do Castellammare, w wozie sprokurowanym przez signora Westermana Flavia usiłowała przygotować się do czekającej ją wyprawy.

— Podróż będzie długa i wyczerpująca — zapowiedział wcześniej Edward Westerman.

Sam pokonał tę trasę już kilka razy w życiu, raz podczas wojny. To rzeczywiście musiało być męczące doświadczenie, tym trudniejsze dla młodej dziewczyny z Sycylii. Dziewczyny, która nie wiedziała, dokąd zmierza, a jechała zupełnie sama.

Nie wolno jej było zapomnieć o Peterze. Musiała wierzyć w to, że na nią czekał.

Poranek był mglisty, zapowiadał się suchy i wietrzny dzień. Po jednej stronie drogi piętrzyły się upstrzone zielenią rdzawe góry. W bladym świetle wydawały się wyjątkowo spokojne. Po drugiej stronie Flavia dostrzegła kuszące morze. To był krajobraz, do którego przywykła i który teraz zostawiała za sobą. Ile czasu upłynie, nim znowu zobaczy wyspę, na której dorastała, jedyny znany sobie dom?

A rodzina... Po raz pierwszy Flavia poczuła ukłucie tęsknoty, zapowiedź tego, co dopiero miało przyjść. Maria, owszem, irytująca na typowy dla starszych sióstr sposób, ale jednocześnie znajoma i kochana. Mama i jej cicha, lekko przygaszona energia; ujęta w karby miłość do dzieci, by nie przeszkadzała w zajmowaniu się mężem. I papa, który chciał kontrolować życie córki. Nie interesowało go, co czuła Flavia, czego potrzebowała i pragnęła. Papa, który utkwił w tradycji. Byli z tej samej krwi i kości, ale nie mogła z nimi zostać, już nie.

Łup, łup, łup... Flavia podskakiwała na swoim miejscu, gdy wóz pokonywał koleiny. Woźnica gwizdał, a koń parskał, jakby w odpowiedzi. Droga wydawała się całkiem pusta, jednak było jeszcze wcześnie. Tak wcześnie, że w domu jeszcze nikt nie zdążył się zorientować, że zniknęła.

Flavia trzymała się krawędzi wozu, myśląc o tym, że papa nie był taki zły, kiedy przyjaźnił się z Albertem Amato, a Enzo Sciarra był tylko jego kumplem z baru Gaviota. Popijali tam razem grappę, gadali, grali w domino. W tamtych dniach papa potrafił samodzielnie myśleć. Wystarczyło wspomnieć, jak zareagował, kiedy znalazła Petera...

Flavia na moment zamknęła oczy, przypominając sobie chwilę, gdy ujrzała go po raz pierwszy. *O dio Beddramadre...* Upał tamtego dnia... Jego błękitne spojrzenie, wwiercające się w nią niczym zimny ogień...

Koń mozolnie ciągnął wóz. Woźnica nie zadawał żadnych pytań. Bez wątpienia dostał takie polecenie, na Sycylii nie było to nic niezwykłego.

Podczas wojny papa był proangielski, wspierał ofiary reżimu i z całej duszy nienawidził tego, jak wojna zmieniła jego ukochaną wyspę. Robił to, w co wierzył, w innym wypadku nie przyjąłby Petera pod swój dach. Ale w ostatnich latach... Bez wątpienia papa się zmienił. Zmieniła go ta cała sprawa z Albertem i rosnące wpływy Enza. Owszem, był jej ojcem, ale nie mogła z nim zostać, nie ośmieliłaby się. Teraz przyprowadził Rodriga Sciarrę, ale za kogo zechce ją wydać następnym razem? Flavia zadrżała, choć nie było jej zimno w płaszczu i pod wełnianym kocem. Signor Westerman kazał jej włożyć na siebie mnóstwo ubrań.

— Opatul się porządnie, moja droga — powiedział. — W Anglii nadal będzie zimno.

Anglia...

Gdyby Flavia została, mama robiłaby wszystko, żeby ją przekonać do zmiany zdania w kwestii ślubu z Rodrigiem. Nie zrozumiałaby. „Będzie cię dobrze traktował — powtarzałaby. — Mogło być znacznie gorzej". Taka była filozofia Sycylijek, ich przekleństwo. Dlatego nie walczyły o zmianę. „Naprawdę chcesz zostać starą panną? Tak?"

Nie! — krzyknęła Flavia w duchu. Oczywiście, że nie chciała, ale nie chciała też wychodzić za człowieka, do którego nic nie czuła. Nie chciała, żeby ten człowiek jej dotykał i ją pieścił, nie chciała dbać o jego dom i rodzić mu dzieci. To nie byłoby życie. Tyle razy powtarzała to Santinie. „Tak się nie da żyć".

Kochana Santina tylko patrzyła na nią ze smutkiem i szeptała: „Ale Flavio, nie da się inaczej".

Bardzo się myliła. Flavia zamrugała, żeby powstrzymać napływające do oczu łzy. Da się inaczej.

Gdy wyprzedzili zmierzający na targ stary wózek wyładowany warzywami, Flavia uświadomiła sobie, że dojeżdżają do Castellammare. Droga wiła się do szerokiej zatoki i morza, do stacji kolejowej, gdzie Flavia miała złapać pociąg do Palermo, a potem do Mesyny. To był pierwszy i najkrótszy etap podróży — i niemal dobiegał końca.

Flavia wiedziała, że Santina się myli. Na pewno się myli, życie musiało mieć znacznie więcej do zaoferowania. Dostrzegła pierwszy przebłysk innego życia, usłyszała jego szept, więcej niż szept. Miała Petera i nie mogła o tym zapominać.

Flavia jeszcze nigdy nie jechała pociągiem. Próbowała się na to przygotować, ale oszołomiły ją rozmiary tego zgrzytającego, parskającego potwora. Naliczyła dziesięć wagonów.

Mamma mia... Signor Westerman tłumaczył jej, że pociąg zawiezie ją do Mesyny, a stamtąd wjedzie na gigantyczną barkę i przetransportuje przez cieśninę do Włoch. Mogło się od tego zakręcić w głowie. „Zarezerwujemy ci miejsce do spania — powiedział. — Będziesz go potrzebowała".

Flavia skończyła jeść brioszkę, którą kupiła na śniadanie, i postanowiła zebrać się na odwagę. Odetchnęła głęboko, chwyciła zniszczoną podróżną torbę od signora Westermana, niemal pustą, choć wsadziła do niej wszystkie swoje rzeczy, i wsiadła do pociągu. Czuła się tak, jakby weszła w paszczę lwa.

Syczący, grzechoczący pociąg wił się po wyspie w drodze do Palermo. Flavia wyglądała przez okno. Mówili, że centrum miasta znalazło się w ruinie, wszędzie walają się sterty gruzu, a pałace bez dachów przypominają skorupy. Ona jednak widziała tylko zatłoczony peron, ludzi wsiadających do pociągu i z niego wysiadających. Potem trzasnęły drzwi, rozległ się gwizd i lokomotywa pociągnęła wagony do Mesyny. Flavia pomyślała, że pociąg to potężna siła, z którą należy się liczyć. Czuła jego moc, energię, rytm, gdy wytrwale wiózł ich w dal.

Potem, tak jak uprzedzał signor Westerman, pociąg został hałaśliwie wessany przez wielki statek (tak przynajmniej wydawało się Flavii, kiedy w pośpiechu czyniła znak krzyża) i ruszył przez wodę. To nie było daleko, jakieś osiem kilometrów, i zajęło tylko pół godziny, ale mogła wyjść z przedziału na pokład, by zaczerpnąć odrobinę tak upragnionego, świeżego powietrza. Dziwna była ta podróż, raz statkiem, raz pociągiem. Pomyślała, że kto wie, czy w przyszłości nie czeka jej więcej takich dziwnych doświadczeń.

Spojrzała na białą pianę na wodzie, gdy prom pruł przed siebie. Głęboko odetchnęła morskim powietrzem. Wiatr muskał skórę Flavii i bawił się jej ciemnymi lokami, gdy stała przy barierce. Czuła się tak, jakby jej dawne życie po prostu odfrunęło. Prom nosił nazwę Scilla i zrobił ogromne wrażenie na Flavii, gdy majestatycznie przemierzał Cieśninę Mesyńską. Czuła się zaszczycona, że dostała szansę na tę podróż dzięki signorowi Westermanowi. Nie udałoby się jej bez niego. Papa będzie się wściekał i pomstował, kiedy odkryje, że znikła (może już odkrył? Może właśnie w tej chwili walił do drzwi Villa Sirena, żeby spytać, gdzie się podziała jego córka). Flavia jednak się tym nie martwiła. Signor Westerman potrafił uspokoić papę zaledwie kilkoma słowami. Taki miał dar.

Oczywiście czuła się winna, jej ślub z Rodrigiem Sciarrą poprawiłby status papy w miasteczku. Miałby więcej przywilejów, więcej jedzenia i pomocy dla rodziny. Życie na powojennej Sycylii nie było łatwe. Każdy człowiek potrzebował pomocy, ale Flavia nie zamierzała się w tym celu prostytuować. Nie mogłaby tego zrobić.

— Wybacz, papo — szepnęła.

A może nie będzie jej winił za to, że wykorzystała okazję, podobnie jak on, kiedy ten sam człowiek proponował mu wyjście z biedy.

Tak czy inaczej popatrzyła na wybrzeże Sycylii, swojej wyspy, i dotknęła serca.

— *Arrivederci* — wyszeptała. — Do widzenia.

* * *

Gdy zbliżali się do lądu, pasażerów poproszono o zajęcie miejsc.

Dotarli do Villa San Giovanni. Mężczyzna w pociągu (pozwoliła sobie porozmawiać z nim, gdyż towarzyszył mu syn, mniej więcej dwunastoletni chłopiec, który nie odrywał oczu od Flavii) powiedział jej, że to najbardziej ruchliwy port pasażerski we Włoszech. Flavia wpatrywała się w tłumy ludzi, pospiesznie wędrujących to tu, to tam. Słychać było jednostajny głośny hałas niezliczonych rozmów, okrzyków, bieganiny, powitań, pożegnań i płaczu. Dostojnie wyglądający mężczyźni w marynarskich mundurach przechadzali się z miejsca na miejsce, dokerzy ładowali towary, dźwigi unosiły z pokładów skrzynie z produktami, samochody trąbiły. W powietrzu wyczuwało się oczekiwanie i poruszenie, panowała atmosfera podróży i zmiany.

Stacja morska nie nosiła śladów wojennych zniszczeń czy zaniedbania. Towarzysz podróży Flavii okazał się skarbnicą wiedzy („Zbudowano to w faszystowskim stylu, w hali odjazdów znajduje się imponujący fresk Cascelli, przedstawiający wielkiego człowieka, Mussoliniego, *il Duce*, zainstalowany przez robotników rolnych... Koniecznie musisz go zobaczyć, skarbie, każdy powinien..."), lecz choć Flavia usiłowała okazać zainteresowanie, tak naprawdę skończyła już z polityką. Bała się tego, co się działo na Sycylii: nie biedy, ale ucisku, korupcji i mroku. Na całym świecie ludzie to tylko ludzie, pomyślała. Jedni są dobrzy, a inni źli.

Flavia nie mogła uwierzyć, że ten rozklekotany pociąg dowiezie ją aż do Rzymu, tak się jednak stało. Podróż wydawała się ciągnąć w nieskończoność. Potem Flavia przesiadła się do pociągu z Rzymu do Paryża, wyposażonego w wagony sypialne. Cała droga zlała się jej w jedno pasmo spania i budzenia się, stukotu i łomotania pociągu na niekończących się torach. Wyglądała przez brudne okno, najpierw za dnia, potem w nocy, na zmieniający się pejzaż: pola, wzgórza, wioski, miasta. Słyszała gwizdki, zatrzaskiwane drzwi, żegnających się ludzi. Nikt nie żegnał się z Flavią i jeszcze nigdy nie czuła się równie samotna. Bagażowi uwijali się z wózkami, a jeden peron przechodził w drugi, rozciągając się daleko w przyszłość. Jej przyszłość...

Była wyczerpana. Kto by pomyślał, że podróżowanie okaże się tak męczące? Wzięła z sobą jedzenie na drogę: pajdy żółtego sycylijskiego chleba — chleba mamy, pomyślała i poczuła ucisk w gardle — a także dojrzałe winogrona z winnicy oraz kozi ser, i skubała to wszystko, gdy głód dawał się jej we znaki. Miała też butelkę z wodą i gdy zaschło jej w gardle, upijała z niej łyk lub dwa.

Zaczął się następny dzień. Paryż... Flavia nie mogła uwierzyć, że znalazła się w Paryżu. Nie widziała miasta, lecz mimo to... Zadrżała. Było tu chyba znacznie chłodniej.

Pobiegła po peronie. Ludzie wydawali się inni, kobiety elegantsze i bardziej kolorowe. Tu i tam widać było ślady wojennej szarzyzny, ale te kobiety zdawały się dokądś zmierzać, całkiem jakby wiodły jakieś życie, miały w nim cel inny niż prowadzenie domu. Pomyślała o matce i o reszcie kobiet w miasteczku, o ich czarnych sukniach i szalach, o ciemności. Już znalazła się w innym świecie.

Ona sama też dokądś zmierzała. Zaczęła miarowo oddychać, zdusiła niepokój, który mimo jej wysiłków wciąż w niej narastał. Nie wolno jej było myśleć o złych rzeczach, musiała się skupić na pozytywach, na miłości. Przecież dlatego udała się w drogę, z miłości. Była pewna, że drugiej takiej nie znajdzie. Tego rodzaju uczucie zdarzało się raz w życiu i warte było niepokoju, strachu i całej tej wyczerpującej podróży. To było jej przeznaczenie.

Teraz zmierzała do Anglii, do Londynu, na stację Victoria. Czekała ją jeszcze jedna podróż promem, tym razem już bez pociągu. Tylko pasażerowie pierwszej klasy mieli kuszetki. Flavia w ogóle się tym nie przejęła. Marzyła tylko o jednym — żeby dotrzeć do Anglii.

ROZDZIAŁ TRZYDZIESTY DZIEWIĄTY

I co myślisz? — zapytał Brian, menedżer pubu. Ginny zmrużyła oczy i uważnie przyjrzała się gitarzyście.

— Starawy — przyznała.

Miał co najmniej czterdziestkę, a do tego grube okulary i przylepiony do ust głupi uśmiech. Charyzma była ostatnim słowem, które przychodziło jej na myśl na jego widok.

— Ale umie grać. — Brian zastukał palcami o bar. — I śpiewać.

— Mhm — odparła niezobowiązująco Ginny.

Nie zdawała sobie wcześniej sprawy, że w pracy będzie musiała wykazać się dobrym słuchem muzycznym. Gula była trochę nerwowa, jakby coś ją niepokoiło.

— Ale? — dopytywał się Brian.

Gitarzysta przeszedł płynnie od *It's Not Unusual* do *Leaving on a Jet Plane*.

— Ja też wkrótce będę leciał — zapowiedział do mikrofonu. — Może nie odrzutowcem, ale starym volvo, ha, ha.

O w mordę, pomyślała Ginny.

— Jakoś mi się nie widzi, żeby trafił do kogokolwiek przed czterdziestką — oceniła. — Potrafi grać coś jeszcze poza starymi coverami?

— Surowy z ciebie krytyk — zachichotał Brian. — Ale masz rację.

— Chcę tu ściągnąć młodszych — powiedział jej, kiedy tego wieczoru przyszła o osiemnastej do pracy. — Chcę, żeby to miejsce tętniło życiem i emocjami. Ma być lokalem, do którego się chodzi, najjaśniejszym nocnym punktem miasta.

— W porządku. — Może Ginny przybyła w samą porę, choć nie mogła przestać myśleć o tym, że Brian jest trochę zbyt ambitny.

— Dziś mam trzy przesłuchania z kilkoma numerami. Pomożesz mi zdecydować, kogo wybrać.

Ginny pomyślała, że to spora odpowiedzialność.

— Tylko że ja nawet nie wiem, jak nalać piwo — oznajmiła.

— Nieważne, zajmiemy się tym później — odparł. — Okej, Ryan — zwrócił się do starszawego gitarzysty. Właściwie mógł mieć pięćdziesiątkę, albo nawet sześćdziesiątkę, bo na klacie, porośniętej siwymi, wystającymi spod koszuli włosami, nosił medalion. — Dzięki, ale nie. Interesuje mnie bardziej zespół.

Na drugie przesłuchanie w ogóle nikt nie przyszedł.

Kiedy chętni do trzeciego przesłuchania (zespół młodych ludzi) rozstawiali sprzęt, Brian pokazał Ginny, jak obsługiwać kasę.

— Dodawanie to już przeszłość. — Roześmiał się głośno. — Musisz tylko zapamiętać, co im podałaś, kasa zrobi za ciebie resztę. — Zapalił papierosa, chociaż nad drzwiami wisiał wielki znak „Palenie zabronione". — Dasz sobie radę?

— Mhm. — Mądrala.

— Dobra, chłopaki. Jazda z tym koksem.

Jazda z tym koksem? Ktoś mu powinien przypomnieć, że skończył trzydziestkę, pomyślała Ginny.

Byli nieźli. Nie świetni, nie profesjonalni, nie efektowni, ale znośni, głośni i świeży. Wiedzieli, jak rozbujać publikę. Nawet Gula siedziała cicho.

— No i co? — zapytał Brian po *Sex on Fire*, coverze utworu Kings of Leon.

— Super — odparła Ginny.

Brian skinął głową.

— Wiedziałem, że to powiesz.

Zagrali kilka coverów z lat dziewięćdziesiątych i osiemdziesiątych, ale i tych nagranych już w dwudziestym pierwszym wieku oraz kilka własnych kawałków. Mix podobał się i Brianowi, i Ginny. Grupa składała się z czterech chłopaków: wysokiego, chudego faceta z tatuażami i ogoloną głową, który grał na keyboardzie, superprzystojnego frontmana z burzą blond włosów i niebieskimi oczami, gitarzysty o szerokich ramionach i nastroszonych włosach oraz ciemnowłosego, trochę nieprzytomnego basisty. Wydawał się interesujący na swój ponury sposób, a kiedy podczas trzeciej piosenki ich spojrzenia się skrzyżowały, Ginny poczuła, że się rumieni.

— Dałam sobie spokój z facetami — oznajmiła dziadkom tego ranka przy śniadaniu. — Postanowiłam rozciągnąć wokół siebie strefę antymęską. Nie zaspokajają żadnych moich potrzeb. Przez jakiś czas będę bardzo starannie unikała rodzaju męskiego. Zostałam wrednym automatem do zwalczania facetów.

— Urocze — mruknął dziadek.

— Oczywiście poza tobą — zapewniła go natychmiast Ginny.

Od tamtego czasu dostała trzy esemesy od Bena, począwszy od: „Hej, gdzie jesteś?", przez: „Co to za znikanie, mała?", aż do: „Poleciałaś w kosmos czy co?".

Zastanawiała się, jak je interpretować. Czy to znaczyło, że mu zależy? Ginny dotknęła palcami komórki w kieszeni. Cieszyło ją, że się przejął, ale napisała: „Szukam czegoś wyjątkowego. Do zobaczenia".

Mógł to rozumieć, jak tylko chciał. Postanowiła znaleźć nowego fryzjera.

— Jakiś szczególny powód? — zapytała nonna, zaciekawiona tą nagłą niechęcią Ginny do rodzaju męskiego.

— Wolą kumpli od dziewczyn — odparła Ginny. — Są nudni i nie wiedzą, jak się bawić.

Babcia tylko się uśmiechnęła.

— Chłopców obowiązują jedne zasady, a dziewczyny inne — narzekała Ginny. — To niesprawiedliwe.

— Zawsze tak było, skarbie — odparła jej babka. — Zawsze.

— No dobra, chłopaki, zatrudniam was — powiedział Brian, kiedy ustało klaskanie kilku klientów baru. — Może być co druga sobota?

Ginny uniosła wzrok akurat w chwili gdy Mroczny i Nieprzytomny obdarzył ją szczególnie czarującym uśmiechem.

ROZDZIAŁ CZTERDZIESTY

S puścili łódź na turkusowe wody rezerwatu, a po wyłączeniu motoru ciszę przerywał wyłącznie plusk morza i co jakiś czas okrzyk mewy. Było wpół do trzeciej po południu, słońce odbijało się w falach i górach białym, niemal oślepiającym światłem.

Tess leniwie wodziła dłonią po chłodnej powierzchni wody, tak czystej, że mogła zobaczyć ławicę małych morleszów płynących tuż pod powierzchnią i płaskie, rozległe dno, pełne odłamków skalnych oraz kamyków. Czuła, że coraz lepiej zna to miejsce, nad poziomem morza i pod nim.

Tonino wydawał się zrelaksowany. Po raz pierwszy, odkąd go poznała. Z jego czoła znikła zmarszczka, usta nie były zaciśnięte, lecz rozluźnione, a kiedy nasunął okulary na czoło, w jego oczach przeglądało się słońce.

Popatrzył na Tess, uśmiechnął się i położył dłoń na jej dłoni. Jego palce były suche, a uścisk stanowczy. Pomyślała, że przypomina kamienie, które wykorzystywał do pracy. Tak jak one, wrósł w ten sycylijski krajobraz i tkwił w nim niczym w skale.

Nagle woda dotknęła ich rąk, pieszcząc je wilgocią. Skóra Tonina zmiękła, a palce Tess wsunęły się głębiej w jego dłoń.

— Oto zatoczka — oznajmił.

Tess popatrzyła we wskazanym przez Tonina kierunku. Łódź dryfowała wokół cypla, aż dotarła do białego, piaszczystego półkola, upstrzonego rdzawymi i kremowymi skałami, a także pasmami wyrzuconych na brzeg wodorostów. Gdy tak się przyglądała, motyl rusałka admirał zamachał fantastycznymi skrzydłami i musnął płytką akwamarynową wodę.

Tess wstrzymała oddech.

— To wyjątkowe miejsce — powiedziała.

Tak naprawdę chodziło jej jednak o to, że to chwila była wyjątkowa, to doświadczenie z nim w łodzi, w zatoczce. Kimkolwiek był Tonino — a nadal tego nie wiedziała — czuła, że lgnie do niego niczym pszczoła do miodu. Nawet gdyby chciała, prawdopodobnie nie znalazłaby w sobie siły, by mu się oprzeć.

Tonino ściągnął z grzbietu T-shirt, wstał i płynnym ruchem skoczył do wody na główkę. Łódź rozkołysała się, a Tess, przytrzymując się obu burt, wybuchnęła śmiechem. Patrzyła, jak jego ciemne włosy nikną pod powierzchnią wody, a za nimi podąża reszta ciała. Przypominał jej bardziej fokę niż rekina. Nagle pomyślała o Robinie i uświadomiła sobie, że zdarza się jej to zdecydowanie coraz rzadziej.

Tam gdzie skoczył, wynurzyła się mała różowa meduza, po chwili z wody wyłonił się również Tonino, odświeżony, mokry i uśmiechnięty.

Tess znowu się roześmiała. Też zapragnęła znaleźć się w wodzie. Miała na sobie bikini i sarong, który natychmiast zdjęła. Była gotowa. Tonino wciągnął łódź w głąb zatoczki i przycumował, obwiązując sznurem sterczącą skałę. Łódź cicho skrzypnęła, zazgrzytała o kamyki i znieruchomiała. Mężczyzna podał jej rękę.

— *Grazie.* — Uśmiechnęła się Tess.

— *Prego.* — Żartobliwie się ukłonił, a potem ramię w ramię zaczęli brnąć przez wodę w kierunku otwartego morza.

— Możemy? — zapytał.

Skinęła głową, wyciągnęła przed siebie ręce i powoli popłynęła żabką. Woda była przyjemnie chłodna na jej rozgrzanej skórze, jedwabista i oszałamiająca. Tess przewróciła się na plecy i popłynęła dalej. Promienie słońca wwiercały się jej przez zamknięte powieki, pod którymi widziała kalejdoskop czerwonych i złotych obrazów... kolory Sycylii. Rdzawa ziemia, złote słońce... Czerwone pomidory, żółta pszenica durum...

— Tu jest jak w raju! — zawołała do niego.

Z dala od rodzinnych waśni, kradzieży, zdrad i morderstwa... Już nie wspominając o mafii.

— Mała poprawka. — Wstał i przeczesał dłonią ociekające wodą, czarne włosy. — To jest raj.

Tess zmrużyła oczy i wpatrywała się w skałę, odcinającą się od lazurowego nieba bez jednej chmurki.

— Czy da się dotrzeć do tej zatoki ścieżką w rezerwacie? — Widziała ją z daleka, pasmo rdzawej ziemi między palmowcami, tamaryszkami i opuncjami.

Tonino pokręcił głową.

— Nie, tylko łodzią. — Znów się uśmiechnął. — Szczęściarze z nas, prawda?

— Szczęściarze — powtórzyła.

Woda albo coś innego sprawiało, że Tess cała się trzęsła, wyszła więc na plażę i opadła na biały piasek.

Czerwone góry wznosiły się wokół niecki zatoczki, a ich niższe zbocza usiane były krzewami posłonków, kolczastymi rozmarynami i atrakcyjnie żółtymi żarnowcami. Tonino dołączył do niej kilka minut później. Przyniósł z łodzi plecak i olbrzymi niebieski ręcznik, na którym usiadł, kiedy rozpakowywał rzeczy. Miał butelkę wody gazowanej i butelkę *prosecco*, zapakowane w torby termiczne, a także szynkę z Serrano, ricottę, sałatkę pomidorową, ciężki, żółty sycylijski chleb oraz pomarańcze.

— Wygląda przepysznie — zauważyła Tess.

Smakowało tak samo. Jedli łapczywie i pili *prosecco* z kieliszków, o których Tonino także nie zapomniał.

— Nie wolno pić dobrego wina z plastikowych kubków — oświadczył. — Tak się po prostu nie robi.

Powoli obierał pomarańcze, a spirale skórki owijały się wokół jego brązowych palców. Oderwał cząstkę owocu i podał go Tess.

— Słodkie i ciepłe — powiedziała. — Jak słońce.

Tonino skinął głową.

— Pomarańcza to owoc dnia — oznajmił. — A cytryna to owoc nocy, księżyca.

— Lunarny — mruknęła Tess.

Ma kolor księżycowego blasku i zapach wieczoru.

W końcu, syci, położyli się na ręczniku, a Tess omal nie zasnęła.

— Jesteś zupełnie inna — wymamrotał po kilku minutach. — Inna, niż to sobie wyobrażałem.

Czyżby? Nagle nadstawiła uszu.

— A co sobie dokładnie wyobrażałeś? — Podparła się na łokciu, patrząc na jego opalone ciało i ciemne kosmyki włosów na płaskim brzuchu. Nie ośmieliła się spojrzeć niżej.

Tonino nie otworzył oczu.

— Jeszcze jedną turystkę.

Usłyszała pogardę w jego głosie, ale nie zamierzała się obrażać. W końcu wcale nie była jeszcze jedną turystką, tylko pół-Sycylijką. Nic dziwnego, że nie lubił turystów, którzy przyjeżdżali i plądrowali plaże, miasta i świątynie Sycylii swoim hałaśliwym natręctwem oraz zostawiali góry śmieci. Choć z drugiej strony to dzięki turystom miał co jeść. Gdyby nie Niemcy, Anglicy i bogaci Włosi z północy, którzy kupowali jego błyszczące mozaikowe ozdoby na stół, inkrustowane meble, lustra i kafelki, niby z czego żyliby ludzie pokroju Tonina?

Mimo to... Próżność zwyciężyła.

— W jaki sposób jestem inna? — zainteresowała się Tess.

Ogromnie ją korciło, żeby dotknąć wgłębienia w jego szyi, pod jabłkiem Adama. Bardzo pragnęła przesunąć opuszkiem palca po mostku, klatce piersiowej, aż do pępka i jeszcze niżej... Jej spojrzenie powędrowało do gumki jego czarnych kąpielówek, które obciskały go niczym druga skóra. I...

— Jesteś piękną kobietą. — Miał niski, chrapliwy głos, a wtedy uświadomiła sobie, że widział, jak mu się przygląda.

Poczuła falę gorąca na ramionach i piersiach. Tym razem ze środka, nie od słońca.

— Mnóstwo turystek to piękne kobiety — zauważyła nieco drżącym głosem.

Stąpała po grząskim gruncie. Widziała te kobiety, pozujące w białych bikini na pokładach ekskluzywnych jachtów i łodzi, ich nieprawdopodobnie ciemnozłotą opaleniznę i platynowe włosy. Były też znacznie młodsze od niej, pomyślała, patrząc na swój brzuch i nogi, wprawdzie dzięki pływaniu i nurkowaniu nieźle umięśnione, ale już nie tak smukłe jak wtedy, gdy miała dwadzieścia, czy nawet trzydzieści lat.

— Twoje włosy... — przejechał po nich rękami i przytrzymał kosmyk między palcem wskazującym a kciukiem. — Są jak wodorosty w morzu.

Tess wybuchnęła śmiechem. Słyszała już zręczniejsze komplementy. A jednak...

— Wodorosty? — powtórzyła.

Skinął głową.

— Jak u syreny — wyjaśnił. — Złote, brązowe, rude i bursztynowe jednocześnie. Jak jaspis.

Widziała te nakrapiane kamienie w jego pracowni. Wyglądały jak odłamki skał, które można dostrzec na dnie oceanu, pokryte piaskiem i omszałe.

— Jeszcze nie opowiedziałeś mi historii syreny — zauważyła. — Historii Villa Sirena.

— Musisz być cierpliwa — odparł. — Opowiem ci, kiedy przyjdzie pora.

Zastanawiała się, kiedy to będzie.

— Masz niebieskofiołkowe oczy — ciągnął. — Bardzo rzadkie na Sycylii. Bardzo rzadkie w szkle z morza.

— W szkle z morza? — Znowu opadła na piasek obok niego i pomyślała, że zagadywał ją w dość oryginalny sposób.

Nie przestawał dotykać jej włosów.

— Zielony, bursztynowy, brązowy, to zwyczajne kolory. Ale znaleźć idealnie wypolerowany przez morze niebieskawy fiolet... — ze smutkiem pokręcił głową.

— No to szczęściarz z ciebie, że masz je na żywo — odparła.

Uśmiechnął się.

— Jesteś też prowokująca. — Zbliżył się do niej. — Interesująca, zabawna. I wkurzająca.

— Ach, rozumiem. — Zaśmiała się. Kombinacja nie do odparcia. — Sam też nie jesteś najgorszy.

— I... — uważne spojrzenie jego ciemnych oczu przewiercało ją na wylot.

Jak płynna lawa, pomyślała. Czarny, płynny olej.

— I? — Jej głos znowu zadrżał.

Co się z nią działo? Można by pomyśleć, że jeszcze nigdy nie znalazła się w raju z cudownym i seksownym mężczyzną.

Tonino położył palec na jej ustach.

— I chcę cię pocałować. Znowu.

Nie miała czasu się zastanowić, czy odpowiada jej ta perspektywa, gdyż jego usta natychmiast dotknęły jej warg. Smakował miodem, ricottą i *prosecco*. To było takie przyjemne, a jego ciało znalazło się bliżej, dotykał jej ramion i ud, całował jej szyję, gardło, piersi i...

Tonęła. Tonęła, całkiem zatraciła się w burzy zmysłów, ale uwielbiała każdą cudowną sekundę bliskości Tonina.

Po kilku minutach, kiedy wciąż całował ją po szyi, a wolną ręką próbował zdjąć jej figi, poczuła, że nagle zamarł z ręką na jej udzie. Uniósł głowę i popatrzył na morze, po czym zaklął cicho.

— O co chodzi? — Z trudem usiadła.

— Morze się złości — wymamrotał.

Tess przejechała palcem po bliźnie na jego twarzy, głaszcząc kontury policzka i zatrzymując się na jego ustach. Nie zwracał na nią najmniejszej uwagi. Podążyła spojrzeniem za jego wzrokiem, próbując uspokoić oddech, i obserwowała, jak fale w oddali zmieniają się w białe grzywacze.

— Rzeczywiście, wydaje się trochę niespokojne — przytaknęła.

Bliżej brzegu woda była pomarszczona niczym folia, już nie łagodna i niewzruszona, jak zaledwie godzinę wcześniej.

Tonino zerwał się z ręcznika.

— Wiatr jest bardzo silny — powiedział. — Musimy wrócić łodzią do przystani, inaczej tu utkwimy. Chodź.

Wziął ją za rękę i pociągnął.

Tess zastanawiała się, czy byłoby to takie okropne, ale nie traciła czasu. Pozbierała rzeczy i wrzuciła je na powrót do kosza, zabrała ręcznik i pobiegła przez plażę ku łodzi. Nagle zrobiło się jej zimno.

— Ile mamy czasu? — zapytała.

Pomógł jej wsiąść.

— Dziesięć, góra piętnaście minut. — Już odcumowywał łódź, popchnął ją i wskoczył na pokład.

Uruchomił silnik i na pełnym gazie pomknęli ku Zatoce Cetaryjskiej, przeskakując coraz wyższe fale. Z wiatrem w zawody, pomyślała Tess i odgarnęła włosy z twarzy. Nie patrzyła na Tonina. Nie czuła się zaniepokojona, raczej rozentuzjazmowana. Powiedział, że mają dziesięć minut, innymi słowy, za dziesięć minut będą bezpieczni.

Morze się burzyło, a małą łódką bardzo kołysało, jednak nie miała wątpliwości, że dotrą do celu.

— *Mi dispiace.* — Złapał ją za rękę. — Tess, przepraszam.

Uśmiechnęła się i pokręciła głową. Lepiej znajdować się tak blisko morza, by widzieć tego typu zmiany, niż być na nie ślepym. Nie mogła jednak zignorować słodkiego bólu pożądania.

Zrobiliby to, gdyby nie pogoda. Może powinni byli to zrobić, jednak do tego nie doszło. Jeszcze nie.

Dopłynęli do przystani, ścigani przez ryk wiatru. Za nimi bałwany wypiętrzały się wysoko, a otwarte morze zmieniło się z turkusowego na ciemnoszare. Zmiana nastąpiła bardzo szybko. Dotąd Tess nie uświadamiała sobie, że Morze Śródziemne bywa aż tak dzikie. Wciągnęła na siebie sweter, jednak nadal drżała. Jej włosy zmatowiały od słonej wody i zmierzwiły się na wietrze.

— W samą porę — powiedział Tonino, podpływając do nabrzeża i pomagając Tess wysiąść.

Właśnie kończył cumować, kiedy zapiszczała jego komórka. Tonino zerknął ze skruchą na Tess, po czym wyjął telefon i odczytał esemesa. Zmarszczył brwi.

— Jakiś problem? — Tess zastanawiała się, czy zaprosić go na kawę.

Nie był to zbyt oryginalny pomysł na zwabienie mężczyzny, a jego kawa była sto razy lepsza niż jej, ale nie chciała, żeby to popołudnie już się skończyło.

Jego oczy zalśniły.

— Muszę się z kimś zobaczyć — oznajmił. — Dostałem wiadomość. Podobno to nie może zaczekać.

— W porządku. — Poczuła się tak, jakby ktoś uderzył ją pięścią w brzuch. No cóż. Można by powiedzieć, że mieli sprawę do dokończenia, ale z drugiej strony to wszystko działo się tak szybko. Może rzeczywiście warto nieco zwolnić. — W porządku — powtórzyła dziarsko. — Idź, zobaczymy się...

— Później — dokończył i delikatnie dotknął jej twarzy. — O siódmej?

— O siódmej.

Wiedziała, co to znaczy. Nie będzie odwrotu.

ROZDZIAŁ CZTERDZIESTY PIERWSZY

Tess naprawdę nie chciała, żeby popołudnie się skończyło, więc zamiast zaszyć się w willi, chwyciła płaszcz przeciwdeszczowy z wieszaka w holu i zbiegła po schodkach do *baglio*.

Postanowiła odwiedzić Santinę.

Z postawionym kołnierzem przeskakiwała przez kałuże w *baglio*, a kiedy deszcz przybierał na sile, chowała się na progach domów. Mimo to była całkiem przemoczona, kiedy już dotarła pod piętnastkę i zapukała do drzwi z obłażącą zieloną farbą oraz zardzewiałą kratownicą. Trzymała kciuki, żeby Giovanniego nie było w domu.

Santina lekko uchyliła drzwi, a potem otworzyła je na całą szerokość.

— Tess! — Z jej ust wylał się potok sycylijskich słów, a potem wciągnęła Tess do zapuszczonej sieni koloru krwi. — Wchodź, wchodź, moje dziecko.

Bogu dzięki, pomyślała Tess. Giovanni najwyraźniej gdzieś się ulotnił. Staruszka przeprowadziła ją przez wąski korytarz, pełen fotografii, dyplomów i dewocjonaliów, do kuchni, gdzie Santina najwyraźniej przygotowywała warzywa. Na drewnianej desce, przy emaliowanym zlewie, leżały szpinak oraz fasolka, a także niewielki, ostry nóż. Jeszcze więcej warzyw wypełniało metalowy durszlak.

— Przepraszam, że przeszkadzam — zaczęła Tess.

— Nie, nie, nie. — Santina gestem pokazała jej, żeby zdjęła mokre rzeczy, co Tess niezwłocznie uczyniła.

Staruszka wzięła od niej płaszcz i powiesiła go na wieszaku obok kuchenki, cmokając i kręcąc głową.

— Kawy? — Wskazała na kawiarkę. — Może *dolce*?

— Cudownie. — Tess skinęła głową. Nie mogła się doczekać, kiedy zacznie zadawać pytania. — Giovanni?

Santina wzruszyła ramionami.

— Kto wie? — odparła. — Mężczyźni z klanu Sciarra zawsze chodzą swoimi drogami.

To zainteresowało Tess.

— Przecież ty też jesteś z rodziny Sciarrów — zauważyła.

Zdążyła się już przekonać, że na Sycylii rodziny trzymają się razem.

Santina dotknęła czoła.

— Ja inna — oznajmiła i gwałtownie pokręciła głową. — Ja inna.

Tess doszła do wniosku, że nie zgadzać się z rodziną i jej sposobem życia to jedno, ale odwrócić się do niej plecami to całkiem co innego.

— Nigdy nie wyszłaś za mąż? — zainteresowała się.

Santina napełniała mały ekspres wodą przy zlewie, więc Tess widziała tylko jej plecy.

— Nigdy — odparła. — Zwykle ja opiekuję rodzinni mężczyźni. — Odwróciła się z dziwnym, krnąbrnym wyrazem ciemnych oczu. — Ja też mam ogień w brzuchu. — Poklepała się po nim. — Robię coś, co się da.

Tess skinęła głową. Całkiem jak moja matka, pomyślała. Patrzyła, jak Santina stawia kawiarkę na ogniu i napełnia ją kawą z małego pojemnika.

— Skąd wiedziałaś? — zapytała. — O złamanym sercu mojej matki?

Santina postawiła ekspres na gazie.

— My pisać listy — oznajmiła. — Lata całe. Pisać listy, Flavia i ja.

Tess zamyśliła się na chwilę.

— A teraz?

— Nie. — Santina stanowczo pokręciła głową. — Teraz nie. Nie, przez dużo lat.

Niezależnie od uczucia, którym darzyła przyjaciółkę, Flavia nie chciała utrzymywać kontaktu z nikim na Sycylii. Tess zdążyła się już o tym przekonać.

— Ale dlaczego? — spytała. — Czemu ona tak bardzo nienawidziła Sycylii, Santina?

Niemożliwe, aby doszło do tego tylko dlatego, że jej ojciec pragnął, aby wyszła za Rodriga Sciarrę.

Santina znowu pokręciła głową.

— Nie mówić, nie do mnie.

Tess zaczęła przeliczać. Dlaczego jej matka tak długo zwlekała z wyjazdem do Anglii? Na pewno nie tylko z powodu wojny.

— Mama miała dwadzieścia trzy lata, kiedy opuściła Sycylię i wyjechała do Anglii — oznajmiła. — To sześć lat po spotkaniu z tym angielskim pilotem, o którym opowiadałaś. Bardzo długo.

Santina wyciągnęła maleńkie białe filiżanki, spodeczki i talerzyki zza zasłaniającej kuchenny kredens tkaniny.

— Czekać — mruknęła, wzruszając ramionami.

Tess pomyślała, że matka musiała być bardzo cierpliwa. Musiała bardzo kochać tego Anglika.

— Pomógł jej, kiedy znalazła się w Anglii?

Mogła sobie wyobrazić, jakie to było przerażające dla młodej, nieobeznanej ze światem Sycylijki z prowincji, która przyjechała sama do obcego kraju. Jej matka była bardzo dzielna.

Santina po raz kolejny pokręciła głową.

— *No, no* — odparła. — Signor Westerman z Villa Sirena, on pomóc. Jego siostra w Londynie pomóc. Flavia gotować, tak! — Zaśmiała się.

— Och. — Tess zaczynała rozumieć. Przyjęła maleńką filiżankę z kawą i ciasteczko od Santiny. — *Grazie*.

A więc jej matka czekała na niego na Sycylii, ale nie przyjechał. Co zatem zrobiła? Pojechała do Anglii, żeby go odszukać, naturalnie. Pomógł jej Edward Westerman, tak jak pomógł teraz Tess przybyć na Sycylię. Powoli popijała kawę. Elementy układanki stopniowo zaczęły tworzyć całość.

— Pewnie chciała odszukać tego angielskiego pilota i to było jak szukanie igły w stogu siana — zauważyła.

— Igła? — Santina zmarszczyła brwi.

— Nie mogła go znaleźć? — zapytała Tess. — I w końcu o nim zapomniała? — Znów napiła się kawy, mocnej i rozgrzewającej, po czym ugryzła *cornetto*, a lukier przywarł do jej ust. — A potem poznała mojego ojca?

— Ach, nie — zaprzeczyła Santina ze współczującym wyrazem twarzy. — Ona go znaleźć, moje dziecko. Nigdy nie zapomnieć tamten człowiek.

— Ale?...

Zanim Tess zdążyła powiedzieć coś więcej, usłyszała, jak drzwi się otwierają i dobiega z nich sycylijski dialekt, który oznajmił przybycie Giovanniego.

Na widok Tess w kuchni zamarł.

— Ty — powiedział.

— Co? — była zdezorientowana.

Giovanni wydawał się wściekły. Znów powiedział coś po sycylijsku, Tess usłyszała imię Tonino. Santina spoglądała to na jedno, to na drugie, mnąc fartuszek w dłoniach. Co się działo? Czy Giovanni dowiedział się o Tess i Toninie?

Przecież do niczego jeszcze nie doszło.

— Co? — powtórzyła.

Giovanni odwrócił się ku niej.

— Ostrzegałem cię, Tess — powiedział. — Mówiłem ci, żebyś trzymała się z dala od Tonina Amata.

Skąd wiedział? Tess uświadomiła sobie, że odpowiedź na to pytanie jest jasna — Tonino musiał mu powiedzieć.

— To wasza kłótnia, Giovanni. — Starała się mówić jak najspokojniej. — Nie moja.

Podszedł bliżej i złapał ją za rękę, nieco zbyt mocno. Miał zaciśnięte, wykrzywione usta, a jego wzrok zdawał się wypalać jej oczy.

— I tu się właśnie mylisz, Tess — wycedził. — Twoja rodzina ma tyle samo powodów, żeby nienawidzić klanu Amato, co moja.

— Nie bądź śmieszny. — Nagle poczuła, że strach chwyta ją za gardło. Przecież właściwie nie znała Tonina.

— *Il Tesoro* — wymamrotał Giovanni. — Skarb.

Oho, pomyślała Tess. Tajemnicze „coś". Nareszcie zmierzali do sedna sprawy.

— Twój dziadek odpowiadał za *il Tesoro* — dodał Giovanni grobowym głosem. — Dziadek Amata go ukradł. Był najlepszym przyjacielem twojego dziadka, więc to nie tylko kradzież, ale i zdrada. Rozumiesz?

Powinna mu wierzyć? Tess popatrzyła na jego dłoń, wciąż zaciśniętą na jej ręce.

— Przepraszam, Tess.

Natychmiast ją puścił. Najwyraźniej odzyskiwał równowagę.

— Tak czy owak to był dziadek Tonina, nie sam Tonino — powiedziała, świadoma, że rozpaczliwie próbuje znaleźć usprawiedliwienie.

W przeciwieństwie do Sycylijczyków nie winiła ludzi za postępowanie członków ich rodzin.

— To jedno i to samo — warknął Giovanni. — Amato to Amato. A ten mężczyzna zwodzi tyle kobiet...

Zaraz, zaraz. Co takiego?

— Tyle kobiet? — powtórzyła.

Giovanni wzruszył ramionami.

— Sama się przekonasz, Tess — oznajmił.

Dość już usłyszała. Perspektywa przyjemnego popołudnia nagle stanęła pod znakiem zapytania.

— Muszę już iść. — Wstała.

Postanowiła zapytać Tonina o jego wersję wydarzeń i go nie oceniać. Przynajmniej jeszcze nie.

Giovanni z powagą skinął głową.

— Uważaj na siebie, Tess — powiedział.

Kiedy Tess szła z powrotem do Villa Sirena, przestało padać i słońce na powrót wyłoniło się zza chmur. Zastanawiała się, czy po drodze nie wpaść do Millie, która mogła rzucić nieco światła na sytuację. Skręciła w stronę hotelu Faraglione i udała się prosto do recepcji.

— Czy zastałam Millie? — spytała siedzącą tam dziewczynę.

— Niestety. — Dziewczyna mówiła doskonałą angielszczyzną, ale z silnym włoskim akcentem. — Nie jest sama, nie wolno jej przeszkadzać.

— Oczywiście, przyjdę kiedy indziej.

Wychodząc, Tess pomyślała, że widzi Millie z kimś w oknie na górze. Sylwetka tej drugiej osoby wyglądała znajomo, ale... Ach, pewnie tylko to sobie wyobraziła, zresztą i tak miała o czym myśleć. Jej rodzina, rodzina Tonina, *il Tesoro*... I jeszcze historia matki.

Matki, która nie tylko nie zapomniała o angielskim pilocie, ale przybyła do Anglii i go odnalazła.

ROZDZIAŁ CZTERDZIESTY DRUGI

I tak oto Flavia pojawiła się w Anglii, Bogu niech będą dzięki. Jej życie na Sycylii dobiegło końca.

Trzęsąc się z zimna, Flavia stała na peronie stacji Victoria, ze starą torbą podróżną signora Westermana u stóp, wilgotną i ciężką niczym kamień.

Londyn w listopadzie. Pierwsze, na co Flavia zwróciła uwagę, to wszechobecna szarość i wilgoć, a także chłód.

Dookoła niej ludzie z torbami i walizkami zbili się w grupki. Mieli puste twarze, jakby nie chcieli wiedzieć, gdzie są ani skąd przybyli. Inni szli po peronie, część biegła, jak do wypadku. Flavia słyszała gwizdki, donośny hałas maszyn, syk lokomotyw. Musiała się stąd wydostać.

Kręciło jej się w głowie, gdy szła za rzeką ludzi. Na pewno chociaż część z nich miała jasno wytyczony cel, do którego zmierzała.

Po opuszczeniu stacji Flavia przystanęła. Święta Madonno... Zimny, wilgotny wiatr smagał ją po twarzy. Wzdrygnęła się i postawiła kołnierz płaszcza. Wysokie czerwone autobusy, czarne taksówki, ludzie, ludzie, ludzie... Co teraz? Przycisnęła do siebie torbę podróżną niczym ostatnią deskę ratunku. Nic więcej nie miała.

Ruszaj się, dziewczyno, przykazała sobie w duchu i zrobiła krok naprzód. Powinna wsiąść do autobusu, zapytać kogoś o drogę. Pieniądze, które zabrała, musiały jej wystarczyć przynajmniej do czasu spotkania z Peterem, a może nawet do znalezienia pracy. Tylko jak się odezwać do kogokolwiek z tych obcych ludzi? To był Londyn i najwyraźniej wszyscy się tu strasznie spieszyli. Do tego mgła zdawała się gęstnieć, wilgotna, kwaśna i dusząca.

Flavia była coraz bardziej zdenerwowana. Nikt się nie uśmiechał, większość ludzi nawet nie spoglądała w jej kierunku. Kto mógł ich za to winić, skoro było tak zimno i mokro? Cienkie buty Flavii już nabrały wody i jej samej trudno było cokolwiek dostrzec nawet z odległości kilkudziesięciu metrów.

— Weź taksówkę ze stacji — przykazał jej signor Westerman. — Żadnego błąkania się po mieście, dziewczyno, rozumiesz?

Pokiwała wtedy głową.

— Daj kierowcy adres Beatrice i przekaż jej ten list.

Wcisnął jej w rękę grubą białą kopertę, a także rękopis poezji, który obiecała dostarczyć jego siostrze. Adres był wyraźnie napisany na jednym i na drugim.

— *Si*, tak zrobię — obiecała Flavia, myśląc o tym, że i tak zrobi po swojemu.

To była jej przygoda.

Signor Westerman miał jednak rację, Londyn ją przerósł, zwłaszcza w tym zimnie i mgle. Poza tym była wyczerpana po podróży. Krew odpłynęła jej z palców, szczypały ją oczy. Udając pewność siebie, której nie czuła, uniosła rękę, by przywołać czarną taksówkę. Ku zdumieniu Flavii kierowca natychmiast się zatrzymał, a wtedy wręczyła mu adres.

Usiadła z tyłu z torbą na kolanach i odetchnęła z ulgą. Podróż do Anglii się zakończyła, chociaż wędrówka Flavii w pewnym sensie dopiero się zaczynała. Wyjrzała przez okno. Tyle budynków było opuszczonych albo zrujnowanych, pewnie po bombardowaniach, obok nich wznoszono nowe budowle. Widziała, jak zmienia się horyzont. Słyszała, że Londyn ucierpiał podczas wojny, ale rozmiar zniszczeń ją przeraził.

Patrzyła na jaskrawo oświetlone sklepy i kawiarnie, salony fryzjerskie i olbrzymie kina. Gigantyczne neony błyszczały w ciemności. Wytężyła wzrok, żeby odczytać napisy, ponieważ postanowiła od razu ćwiczyć angielski. Kremowe krakersy Jacob's, prochowce Swallow, Brylcreem dla twoich włosów. Mój Boże, jakie to wszystko było dziwne! Poczuła przypływ entuzjazmu. Oto wolność, oto inny świat.

Jechali powoli, ulice były pełne czarnych aut, czerwonych autobusów, trolejbusów, a także koni i wozów. Na chodnikach roiło się od mężczyzn w prochowcach z paskami i w kapeluszach oraz od eleganckich kobiet w wełnianych płaszczach. Ich szaliki od czasu do czasu rozjaśniały szarzyznę plamą koloru. Jakiś mężczyzna w kasku i z białą opaską na ręce — policjant, jak się zdaje — uniósł dłoń, żeby zatrzymać pojazdy. Na jego sygnał ludzie przeszli przez ulicę, spiesząc się w sprawach niecierpiących zwłoki. Miasto tętniło życiem, a jednak jego głos wydawał się przytłumiony w tej osłabiającej mgle, która wszystko spowijała.

Londyn. Był nowy i śmiertelnie ją przerażał, ale, Boże dopomóż, tak bardzo pragnęła tu zostać...

Zatrzymali się przed wielkim, trzypiętrowym domem przy eleganckiej ulicy, pełnej ceglanych budynków o wykuszowych oknach. Flavia ze zdumieniem rozejrzała się wokół. To musiało być West Dulwich. Mgła chyba się podniosła, można było dostrzec drzewa, z których liści spływały krople wody, tworząc kałuże na chodniku. Pomyślała, że gdyby zaświeciło słońce, byłoby tu ślicznie.

— No już, panienko. — Taksówkarz najwyraźniej chciał jak najszybciej odjechać.

Dlaczego wszyscy tutaj tak pędzili?

Gdy szukała pieniędzy w portmonetce, kierowca cisnął jej torbę na mokry chodnik. Na Sycylii zaniósłby jej bagaż przynajmniej pod drzwi. Nie jesteś na Sycylii, przypomniała sobie, właśnie stamtąd uciekłaś. Poczuła wyrzuty sumienia na myśl o rodzicach. Czy będą źli, smutni? Zostawiła krótki list z wyjaśnieniami i miała nadzieję, że signor Westerman naprawi sytuację i wszystko im wytłumaczy. Sama by to zrobiła, gdyby mogła, ale była pewna, że papa nie pozwoliłby jej wyjechać.

Nie miała wyboru, a to właśnie wybór był tym, czego potrzebowała i pragnęła. Był, jak twierdził signor Westerman, jej podstawowym prawem.

— Dziękuję bardzo — powiedziała wyraźnie do kierowcy. — Miłego dnia.

Popatrzył na nią ze zdumieniem.

— Bardzo proszę. — Roześmiał się, pokręcił głową i zniknął.

Flavia sprawdziła numer na kartce papieru i na domu. Wszystko się zgadzało, to było Thurlow Park Road i właściwy budynek. Powoli weszła po schodkach. Dom wydał się jej niezwykle dostojny. A może signor Westerman popełnił błąd? Może Beatrice Westerman wcale tu nie mieszkała albo postanowiła się przeprowadzić?

Odwagi. Uniosła brodę i zadzwoniła do drzwi.

W tak wspaniałej budowli spodziewała się służby, ale kobieta, która otworzyła drzwi, nie wyglądała jak służąca. Była szczupła, wysoka i miała jasne, kręcone włosy. Nosiła okulary w metalowych oprawkach i wydawała się parę lat starsza od signora Westermana. Widok Flavii z podróżną torbą bardzo ją zdumiał.

— Dzień dobry — powiedziała uprzejmie. — W czym mogę pomóc?

— Panna Beatrice Westerman? — zapytała Flavia swoją najlepszą angielszczyzną.

Ta kobieta miała niemal taki sam nos i brodę jak signor Westerman.

— Owszem, to ja. — Skinęła głową.

— Mam list od pani brata Edwarda. — Flavia wyciągnęła grubą kopertę z zewnętrznej kieszeni torby. Była nieco pomięta i wilgotna po podróży, ale poza tym nienaruszona. — I jeszcze paczkę w torbie — dodała. — Jego wiersze.

— Od Edwarda? — Oczy Beatrice zalśniły. Wzięła kopertę i zaczęła obracać ją w dłoniach. — Przyjechałaś tutaj aż z Sycylii? — Popatrzyła na Flavię.

— Tak, pociągiem.

Beatrice Westerman przechyliła głowę na bok, jak ptaszek.

— Naprawdę? I rozumiesz, co do ciebie mówię?

— Tak — pokiwała głową Flavia. — Mówię trochę po angielsku. Pani brat... — zawahała się — i inni mnie uczą.

— Rozumiem. — Beatrice uśmiechnęła się do niej, chociaż nadal wydawała się zdumiona.

Flavia doszła do wniosku, że nie każdego dnia nieznajoma cudzoziemka pojawia się na jej progu z wiadomością od dawno niewidzianego brata. Chciała powiedzieć jej, żeby przeczytała list, gdyż pragnęła wejść do domu, gdzie pewnie było ciepło i wygodnie. Takie zachowanie byłoby jednak niegrzeczne, więc tylko przestępowała z nogi na nogę na progu, podczas gdy Beatrice patrzyła na nią, obracając list w dłoniach.

— Moja rodzina pracuje dla pani brata w Cetarii — wyjaśniła Flavia.

— Ach, tak. — Beatrice powróciła do rzeczywistości i się cofnęła. — Proszę wejść, napijemy się herbaty. Albo kawy — dodała. — Chociaż mam tylko rozpuszczalną.

Flavia nie miała pojęcia, co to jest rozpuszczalna kawa, ale zupełnie się tym nie przejęła. Nareszcie było jej ciepło.

Bea Westerman zaparzyła kawę i przyniosła eleganckie ogórkowe kanapki z odciętymi skórkami, przywiędłymi liśćmi sałaty i spłowiałymi kawałkami pomidora. Podała również kostkę różowej szynki w galarecie z puszki otwieranej kluczykiem. Ostrym nożem pokroiła mięso na cienkie plastry i wyjęła jeszcze puszkę łososia o różowym mięsie. Różowym?... Na koniec wyłożyła wyglądające na sztuczne ciastka ze sztywną śmietanką, które wyłożyła na małym, nakrytym koronkowym obrusem stoliku.

— To niewiele — powiedziała ze skruchą. — Teraz mamy dużo jedzenia w puszkach, naturalnie, ale za mało herbaty i szynki. — Ze smutkiem pokręciła głową. — Wszystko jest na kartki, sama rozumiesz.

Flavia była zdumiona. Słyszała o kartkach i na własnej skórze doświadczyła niedoboru żywności. Jej bliscy też musieli zaciskać pasa i poszukiwać dodatkowych źródeł jedzenia. Sądziła jednak, że w Anglii ciężkie czasy już minęły...

Usiadły na obitych tapicerką krzesłach w pomalowanym na jasny błękit pokoju z kremowym sufitem. Poza krzesłami i stołem znajdowały się tutaj także regał z książkami, który od razu skojarzył się Flavii z signorem Westermanem, przeszklona szafka pełna porcelany oraz imponujący marmurowy kominek. Na ścianie wisiały obrazy przedstawiające angielskie pejzaże, tak przynajmniej wydawało się Flavii. Były bardzo zielone i blade i tak jak mówił Peter, dominowały na nich pola, drzewa i żywopłoty.

Patrzyła, jak siostra signora Westermana dwukrotnie czyta list od brata. Gdy skończyły jeść, Beatrice położyła dłonie na kolanach i z powagą spojrzała na Flavię.

— Zostaniesz tu dzisiaj, moja droga — oznajmiła.

To nie zabrzmiało jak pytanie.

— Dziękuję — odparła Flavia.

Nie była pewna, czy dałaby radę poszukać innego miejsca na nocleg w to mokre, listopadowe popołudnie.

— Na jak długo zechcesz — dodała Bea. — Twoja rodzina na Sycylii była dobra dla Edwarda. Teraz kolej na nas, tu, w Anglii, żeby ci pomóc.

Flavia poczuła, że na te słowa jej oczy zachodzą łzami, i stanowczo zacisnęła powieki. To było niedorzeczne, nie pora na słabość. Potrzebowała całej swojej siły, żeby zadomowić się w tym obcym miejscu i przygotować na to, co miało nadejść.

— Mój brat mówi, że będziesz szukała pracy. Podobno jesteś wspaniałą kucharką.

Flavia usiłowała zrobić skromną minę, ale czuła, że na jej ustach wykwita szeroki uśmiech.

— Zasugerował, żebyś pracowała dla mnie, dopóki nie znajdziesz zatrudnienia — oznajmiła Bea z ożywieniem. — Będziesz dla mnie gotowała i co jakiś czas pomożesz pani Saunders przy sprzątaniu. Starzeje się i nie może się schylać tak jak kiedyś. Od czasu do czasu poproszę cię też o jakieś drobne przysługi. W zamian za to będziesz mogła liczyć na wikt i dach nad głową.

Flavia usiłowała zrozumieć, co to znaczy, i nie robić głupiej miny.

— Jedzenie i łóżko — wyjaśniła Bea. — A także niewielkie kieszonkowe. — Urwała. — Co ty na to?

Flavia doszła do wniosku, że rozumie, co jej zaproponowano.

— Tak — odparła. — Dziękuję, ale... — Na początek musiała zrobić coś znacznie ważniejszego.

— A tak, ta twoja misja. — Bea pokiwała głową. — Edward wspomniał o tym w liście, nie opisał jednak szczegółów. — Uśmiechnęła się zachęcająco. — Opowiedz mi o tym, moja droga.

I tak oto Flavia, która przez tyle czasu utrzymywała istnienie Petera w sekrecie, opowiedziała jej całą historię. O tym, jak go znalazła wśród szczątków szybowca (zdumiały ją łzy lśniące w oczach Bei Westerman). O tym, jak go przywróciła do zdrowia, i jak niewiele brakowało, żeby umarł. Jak się w sobie zakochali i jak do niego pisała. Tyle listów, tyle miłości...

— Muszę go znaleźć — oznajmiła na zakończenie. — Muszę go znaleźć i odkryć, co się z nim stało.

Bea z powagą pokiwała głową. Wyglądało na to, że rozważa słowa Flavii.

— Minęło strasznie dużo czasu — powiedziała po długiej chwili. — Przez sześć lat...

— Wiem.

Flavia nie potrafiła znaleźć odpowiednich słów na wyjaśnienie tego, co myślała. Tak, przez sześć lat Peter mógł umrzeć, mógł nawet nie dotrzeć do Anglii, ale w sercu czuła, że żył. Jaśniało tam światło, a gdyby zginął, na pewno by zgasło.

— Jego sytuacja również mogła się zmienić — dodała Bea.

— Mogła. — I z tego Flavia zdawała sobie sprawę. — Ale przysięgaliśmy. Obiecywaliśmy. Przecież nie złamałby słowa.

— Może i nie, jednak wojna... — Bea westchnęła ciężko i wstała. — Wojna zmienia nas wszystkich.

Flavia zastanawiała się, jak wojna zmieniła Beę. Może miała ukochanego, który poszedł walczyć? Nie była stara, chociaż starsza od Edwarda, i zdecydowanie poważniejsza.

— Pomogę ci w twoich poszukiwaniach — zadeklarowała Bea. — Jutro porozmawiamy. Tymczasem pani Saunders zaraz się tu zjawi. Zaprowadzi cię do twojego pokoju i pokaże ci łazienkę, żebyś mogła się umyć. Na pewno chciałabyś odpocząć. Pracę zaczniesz od jutra. Co ty na to, moja droga?

Flavia skinęła głową.

— Dziękuję — oznajmiła.

Musiała wypakować rękopis, który leżał na dnie torby, i przekazać Bei Westerman wiersze jej brata. Czuła, że wszystko poszło dobrze. Bea była przyjazna, a Flavia cieszyła się, że przez pewien czas będzie dla niej pracować. Najważniejsze, że obiecała jej pomoc w poszukiwaniach Petera.

Peter... Nagle ogarnęło ją straszliwe zmęczenie. Znajdowała się w Anglii, odrobinę bliżej ukochanego mężczyzny. Teraz jej podróż naprawdę się rozpoczęła.

Biancolilla... Cerasuola... Nocellara del Belice... Uniwersalna sycylijska oliwka, mądra, wiekowa, piękna, gorzka... Używana w medycynie, do produkcji mydła, w kuchni, do oświetlania i jedzenia... Jej drewno jest niebywale wonne, a oliwa ma korzenie w tradycji i rytuałach. Drzewo zapewnia cień i chroni przed gorącym, letnim słońcem, drewno płonie w ciepłych, zimowych ogniskach. Esencja życia.

Flavia przypomniała sobie papę i innych mężczyzn przenoszących brązowe worki pełne oliwek do prasy na miejscowym placu. Najpierw ważyli owoce, a potem szli do wielkiej stodoły i wędrowali od maszyny do maszyny, żeby patrzeć, co się dzieje dalej z oliwkami, dopóki mętna, zielona oliwa nie zostanie rozlana do dzbanów gotowych do szczelnego zamknięcia. Na koniec wracali do domu jeść świeżo upieczony chleb mammy ze świeżą oliwą.

Pieczona papryka, postanowiła. Z ryżem, orzeszkami piniowymi, sokiem z cytryny i z posiekanymi zielonymi oliwkami, podawana ze świeżą, młodą sałatą, rosnącą przy drogach lub na polach.

ROZDZIAŁ CZTERDZIESTY TRZECI

Tess długo stała pod prysznicem, usiłując na nowo poczuć euforię, która ogarnęła ją na plaży, gdy była razem z Toninem. Wiedziała, że kiedy wyjdzie spod wody, znowu dopadnie ją rzeczywistość.

Łazienka była jedyną częścią willi, która nie pozostawiała nic do życzenia. Wyłożona biało-niebieskimi kafelkami, z solidną, dużą umywalką i bidetem oraz z wielkim, ciężkim prysznicem, który działał dokładnie tak, jak powinien. Wanna na nóżkach z pazurami w kącie oraz ozdobne lustro nad umywalką — niewprawne oko Tess uznało, że to szkło weneckie — nie tylko stanowiły dekadencki akcent, ale też przypominały jej, gdzie się znajduje: w swojej pięknej, zbudowanej w latach trzydziestych dwudziestego wieku sycylijskiej willi. Obiecała sobie, że będzie o tym pamiętać przy remoncie, i niechętnie zakręciła gorącą wodę. Taki dom potrzebował klasy, w końcu powstał, by błyszczeć.

Owinęła się jednym z ogromnych czarnych ręczników, znalezionych tuż po przyjeździe w przestronnej szafie Edwarda Westermana, przyjrzała się swojemu odbiciu w zaparowanym lustrze, po czym przetarła szkło. Była zaczerwieniona, nie tylko od gorącej wody. Wyglądała jak kobieta, która chce się kochać. Na litość boską, powinna się otrząsnąć, i to szybko! To była Sycylia, a ona była Angielką... tak jakby. Ostatnie, czego jej trzeba, to przygoda z Sycylijczykiem, który miał Historię Rodzinną i przynosił Złe Wieści. Nie daj się ponieść, przykazała sobie stanowczo.

Problem polegał na tym, że go pragnęła. Tego popołudnia, leżąc na piaszczystej plaży nad zatoczką, doświadczyła sytuacji, w której logika wyskakuje przez okno, a jej miejsce zajmuje niepohamowane pożądanie.

Zerknęła na zegarek, który leżał na szklanej półce. Była punkt osiemnasta, wkrótce zjawi się Tonino. Miała jeszcze czas, żeby zadzwonić do Ginny. Ginny... Co teraz robiła jej córka w Anglii? A mamma? Tess czuła się tak, jakby obie znajdowały się w zupełnie innym świecie, z dala od tego, co się działo tutaj. Przypomniała sobie minę Ginny na wieść o tym, że jej matka wraca na Sycylię, nagłą bezbronność, która niemal zachwiała postanowieniem Tess. Tylko czy rzeczywiście to była bezbronność? Czasem trudno jej było w to uwierzyć. Ginny wydawała się taka pewna siebie, niezależna, pełna niechęci do matki i wszystkiego, co sobą reprezentowała. Tess westchnęła ciężko. Człowiek nie myśli o takich rzeczach, kiedy postanawia mieć dziecko, albo — jak Tess — zostaje wprzęgnięty w macierzyństwo i w ogóle nie ma szansy na jakiekolwiek przemyślenia. Nikt cię nie uprzedza, że twoja córka może się pewnego dnia zmienić w zupełnie inną istotę, w nastolatkę, którą będziesz denerwowała za każdym razem, gdy otworzysz usta.

Tess uśmiechnęła się do siebie. To minie. Mamma obiecała, że to minie.

Na kolację postanowiła przyrządzić makaron i zgrillować trochę sardynek. Miała białe wino *frizzante*, świeże nektarynki, krakersy i ser pecorino. To musi im wystarczyć. Tonino... Nie była pewna, co mu powie, ale...

Przez czterdzieści pięć minut suszyła włosy, robiła makijaż i zastanawiała się, co na siebie włożyć (luźne spodnie z białego lnu i jedwabny miodowy top). Zadzwoniła do Ginny, ale ta jak zwykle nie była w nastroju do rozmowy. Potem zabrała się do przygotowywania jedzenia. Myśli kłębiły się jej w głowie i nawet nie wiedziała, od czego zacząć.

Kwadrans po siódmej przypomniała sobie, że Sycylijczycy nigdy nie zjawiają się punktualnie. O wpół do ósmej otworzyła wino, a o ósmej ugotowała spaghetti. O wpół do dziewiątej wyglądała z tarasu na *baglio*, ale pracownia była pogrążona w ciemnościach.

Cóż, ją także ogarnęły wątpliwości, ale przynajmniej chciała o tym porozmawiać. Do dziewiątej zdążyła wypić całą butelkę wina, zjeść spaghetti, sardynki i miała w nosie, czy Tonino przyjdzie, czy nie. Zawsze wiedziała, że faceci to kompletna strata czasu, przestrzeni i energii. A Giovanni Sciarra, niech go szlag trafi, niewątpliwie się nie mylił.

O wpół do jedenastej, kiedy rozległo się pukanie do drzwi, była już po pięciu kieliszkach *limoncello*, jedynego alkoholu, który zdołała znaleźć w domu i wypić na okrasę do wina, i drzemała na brązowej skórzanej sofie Edwarda Westermana. Zastanawiała się, czy otworzyć. Nie chciało się jej, ale...

* * *

Tess otworzyła drzwi. Tonino stał na progu, ponury, rozczochrany i nietrzeźwy. Rzucał jej spojrzenia spode łba (znowu), jakby był wściekły (znowu).

Zaraz, zaraz... Czy to nie ona powinna się wkurzać?

— Co się stało? — zapytała.

Oparł się ciężko o framugę.

— To twoja willa, tak?

— Mówiłam ci przecież. — To chyba nie była pora ani miejsce na dyskusje o prawach do nieruchomości.

— Ale nie jesteś krewną signora Westermana?

— Nie.

Tess zaczynała rozumieć, dokąd prowadzi ta rozmowa. Może nie tylko ją ostrzeżono. Może jego rodzina nienawidziła jej rodziny tak samo, jak jej krewni (zdaniem Giovanniego) powinni nienawidzić jego bliskich.

— Wejdziesz?

Nie wydawał się groźny, ale wyglądał tak, jakby lada chwila miał się przewrócić.

— Nie jestem trzeźwy. — Popatrzył na nią mętnym wzrokiem.

— Domyśliłam się. — Cofnęła się, żeby mógł ją minąć. — Szczerze mówiąc, ja też nie. Wypiłam całą naszą butelkę wina. — Nie tylko, dodała w myślach.

Tonino stanął w drzwiach do salonu, odetchnął głęboko i ruszył do środka, jakby wędrował po cienkiej linie.

Tess z rozpaczą pokręciła głową i doszła do wniosku, że zaparzy kawę. Wskazała mu ręką skórzaną sofę, po czym ruszyła do kuchni.

— No i... — Tonino chyba stracił wątek.

— No i? — powtórzyła.

— No i... Ty nawet nie znałaś Westermana, tak?

— Nigdy go nie spotkałam — przytaknęła. — Ale co to ma do rzeczy?

Tonino rozwalił się na sofie.

— Założyłem... — mówił powoli i ostrożnie, prawie nie bełkotał. I to w obcym języku, pomyślała Tess z podziwem — że jesteś jego krewną.

— Nie jestem.

W kuchni nastawiła kawę i próbowała analizować tę sytuację, co byłoby o niebo łatwiejsze, gdyby wypiła choć trochę mniej alkoholu. Doszła do wniosku, że po ostrzeżeniu Tonino najwyraźniej ruszył do najbliższego baru.

Zaniosła kawę do salonu.

— Mów, co się stało — poprosiła, stawiając tacę na stole.

Tonino siedział z twarzą ukrytą w dłoniach. Miała ochotę go przytulić, ale się powstrzymała.

— To kim jesteś? — wyszeptał.

A więc się nie myliła.

— Jestem córką Flavii Farro — odparła. — Moja matka mieszkała w Cetarii, jej rodzina pracowała dla Edwarda Westermana. Dlatego zostawił mi willę. Ale... — zerknęła na niego. Miał szklisty wzrok, lecz nie wiedziała, czy to od alkoholu, czy po jej słowach. — Ale to już wiedziałeś, prawda?

— Okłamałaś mnie — oznajmił.

— Wcale nie! — oburzyła się Tess. — Powiedziałam ci, jak się nazywam, powiedziałam, że willa należy do mnie. Wszyscy w miasteczku zdawali się wiedzieć, kim jestem, zanim jeszcze tu przybyłam.

— Zwiodłaś mnie — upierał się.

— Bzdura. — Usiadła obok niego i uświadomiła sobie, że jest zła. W końcu przecież czekała, przyrządziła mu posiłek, a on ją wystawił... no, prawie. To ona powinna go nienawidzić. — Nigdy cię nie zwodziłam. To nie moja wina, że uznałeś mnie za krewną Edwarda Westermana. Oczywiście po tym, jak doszedłeś do wniosku, że nie jestem jeszcze jedną cholerną turystką.

Tonino popatrzył na nią ze smutkiem.

— Ale ty nigdy nie wyprowadziłaś mnie z błędu. Co z uczciwością, Tess? Co z zaufaniem? Myślałem...

— Ja też dużo myślałam.

Nagle Tess zebrało się na płacz. To prawda, mogła mu powiedzieć, kim jest, tyle że nie chciała dać się wciągać w jakieś dawne, idiotyczne kłótnie rodzinne, które nic dla niej nie znaczyły. Dlaczego miałyby cokolwiek znaczyć po tylu latach? A jednak tylko się oszukiwała. Dla ludzi pokroju Tonina Amata czy Giovanniego Sciarry wciąż odgrywały one niebagatelną rolę. Wyglądało na to, że mogli żywić urazę w nieskończoność. Pewnie właśnie dlatego mu nie powiedziała. Pragnęła, by lubił ją za to, kim była, a nie żeby już na starcie uprzedził się do niej ze względu na jej pochodzenie.

— Wiesz, co się wydarzyło między naszymi rodzinami? — zapytał.

Nagle odniosła wrażenie, że jest trzeźwiejszy.

— Niezupełnie. — Pokręciła głową.

Znała tylko wersję Giovanniego i Santiny, a i tak zostało mnóstwo luk.

— Ale wiesz o kłótni?

Tym razem przytaknęła. Czuła się naprawdę okropnie. Co za rozczarowanie po tym popołudniowym iskrzeniu.

Tonino chwycił ją za ręce.

— Dlaczego mi nie powiedziałaś? Czemu musiałem się dowiedzieć od... — urwał.

— Od kogo? — Ściskał ją tak mocno, że bolało. Podobnie jak wcześniej Giovanni Sciarra. — Kto ci to powiedział? — Wyrwała mu ręce.

— To bez znaczenia.

Pewnie rzeczywiście tak było. Każdy mógł to zrobić. Gdyby Tonino był nieco bardziej towarzyski, wiedziałby już wcześniej. Zapewne poinformował go Giovanni, w końcu uwielbiał jątrzyć.

— Okej. — Nalała im kawy. Postanowiła, że oboje wypiją czarną. — Przepraszam, że nie powiedziałam ci wcześniej, powinnam była, ale spójrzmy na to z dystansu...

Tonino milczał. Na Sycylii najwyraźniej niełatwo było nabrać dystansu do pewnych spraw.

— Nasi dziadkowie się pokłócili — ciągnęła. — W tysiąc dziewięćset czterdziestym czy jakoś tak.

— W czterdziestym piątym — poprawił ją. — Piątego września.

— No tak. — Ta precyzja nie wróżyła nic dobrego.

Tym razem to Tess ujęła jego dłonie.

— Ale co to ma wspólnego z nami? To było... — starała się policzyć, ale w obecnym stanie nie bardzo jej to szło. — Ponad pół wieku temu — dokończyła. — I przecież kiedyś nasi dziadkowie bardzo się przyjaźnili.

Niepewnie i ze skupieniem przyjął od niej kawę.

— Ty, Tess, jesteś bardziej Angielką niż Sycylijką — zauważył. — Inaczej byś zrozumiała.

— Być może mógłbyś mi to wyjaśnić — zasugerowała.

— Opowiedzieć ci całą historię? — Przełknął odrobinę gorącego, czarnego naparu. — Naprawdę jej nie znasz?

Doszła do wniosku, że wspominanie o kradzieży i zdradzie nie byłoby chyba najlepszym pomysłem.

— Naprawdę jej nie znam — oznajmiła. Chciała usłyszeć jego wersję. — Opowiedz.

Tonino odetchnął głęboko.

— No więc... — zaczął.

Jak zawsze, pomyślała Tess. Jak zawsze opowiadał jej tutejszą historię.

— Istnieje pewien skarb, *il Tesoro*, który należy do Anglika, Edwarda Westermana. Tak?

— Tak. — Skinęła głową. Dotąd wszystko było jasne. — Ale co to takiego?

— Ach — westchnął. — Chyba nikt tego nie wie. Tyle że jest bardzo cenne.

Jeszcze jedna tajemnica. Nic nowego.

Tonino pochylił się i rozejrzał po pomieszczeniu, z ciekawością, nie z goryczą.

— Twój dobroczyńca był zmuszony wrócić do Anglii na czas wojny — powiedział.

Tess pokiwała głową. Na wzmiankę o wojnie zaczęła myśleć o matce i uratowanym przez nią angielskim pilocie. Zamknąwszy oczy, usiłowała wyobrazić sobie swój dom, Villa Sirena, zamknięty i pusty w latach wojny. Jaka szkoda.

Głos Tonina wdarł się w jej myśli.

— Twój dziadek dopilnował, żeby w Villa Sirena nie pozostało nic, co przedstawiało jakąś wartość, na wypadek gdyby miała zostać złupiona.

— Ale przez kogo?

Teraz, po wypiciu kawy, Tonino wydawał się znacznie trzeźwiejszy, podobnie jak ona sama, jednak Tess nie odniosła wrażenia, że zmienił zdanie.

— Chyba przez Niemców albo mafię. — Wzruszył ramionami. — Na Sycylii, czy to podczas wojny, czy w czasie pokoju, nie brakowało ludzi pozbawionych skrupułów.

Nie tylko na Sycylii, pomyślała.

— Poprosił mojego dziadka, Alberta Amata — Tess wyraźnie słyszała dumę w jego głosie — swojego najbardziej zaufanego przyjaciela, o pomoc w ukryciu jednej z najcenniejszych rzeczy Edwarda Westermana. *Il Tesoro*.

— Dlaczego?

Czy skarb był tak wielki, że nie mógł go przenieść samodzielnie? Jej umysł pracował na najwyższych obrotach.

Tonino pochylił głowę.

— Nie wiem — westchnął.

— A skąd się wziął ten skarb?

— Tego też nie wiem. — Rozłożył ręce. — Może robotnicy Edwarda Westermana znaleźli go podczas kopania dołu pod fundamenty willi? Kto wie?

Giovanni może wiedzieć, pomyślała. Zdawał się przecież wiedzieć wszystko. Tyle że z pewnością nie podzieliłby się z nią tą informacją. Może wiedziała jego matka? Mało prawdopodobne, by znała sekrety ojca Giovanniego. Santina? Także mało prawdopodobne. Wyglądało na to, że chodzi o coś, co ma wartość historyczną. Może

jakiś odpowiednik rzymskiej urny, znalezionej na polu
w Anglii.

— Co oznaczało, że prawnie to do niego nie należało — dodał Tonino.

To miało sens. Jeśli Edward wszedł w posiadanie jakiegoś greckiego albo rzymskiego znaleziska, było bez
znaczenia, że wykopano je na jego polu. Liczyło się tylko
to, że miało wartość zabytkową i powinno zostać prze-
kazane władzom.

— Ludziom zdarza się czasem znajdować tutaj takie
rzeczy — ciągnął Tonino. — Podczas budowy lub remontu domu zwykle obserwuje go ten czy inny mafio-
so. Przez lornetkę... — przyłożył do oczu niewidzialną
lornetkę.

— Naprawdę? — Tess zamrugała ze zdumieniem.

— Ależ tak. W grę wchodzą olbrzymie sumy.

— Nikt nie wie, co to takiego — mruknęła. — Ani
gdzie to jest.

Tonino patrzył na nią. Zastanawiała się, czy widzi żal
w jego oczach.

— Czasem lepiej jest nie wiedzieć — oznajmił ponuro.

Pomyślała z irytacją, że ten facet świetnie dogadywał-
by się z jej mammą.

— Zakładano, że po wojnie *il Tesoro* pozostał w ukryciu — odezwał się znowu Tonino. — Problemy zaczęły
się, kiedy mój dziadek miał go odzyskać. Wojna się skończyła i signor Westerman zamierzał wrócić na Sycylię.

— Co się stało? — zapytała Tess, choć już się domyśliła.

Kradzież i zdrada, jak twierdził Giovanni.

— Dziadek nie mógł znaleźć *il Tesoro* — odparł Tonino. Po raz pierwszy wydawał się zaniepokojony, jakby martwił go ten aspekt opowieści. — Był pewien problem.

— Problem? — powtórzyła Tess. — To znaczy, że skarbu nie było tam, gdzie twój dziadek go zostawił?

Wzruszył ramionami.

— Coś w tym rodzaju — przytaknął.

Tess wpatrywała się w niego.

— Więc ktoś wcześniej go dorwał?

— Nie. To znaczy tak. A może nie.

Proste jak sznurek w kieszeni.

— Nie wiem — przyznał. — Bo nie wiem, gdzie go schował. Powiedział tylko, że jest tak dobrze ukryty, jak sama opoka Sycylii. Ważne jest jednak to, co się wydarzyło później.

— Czyli?

— Ludzie gadali z twoim dziadkiem, zwłaszcza rodzina Sciarro. Enzo jakoś wkradł się w jego łaski, na pewno wiedział o *il Tesoro*. Sciarrowie nienawidzili mojej rodziny, byli podejrzliwi. Na Sycylii...

— Tak, tak, wiem, wszyscy są podejrzliwi — przerwała mu.

— Mówili, że mój dziadek... jak to się mówi? Wyprzedał.

— Wyprzedał? Że sprzedał *il Tesoro*?

Ale po co? Przecież wszyscy by wiedzieli, co zrobił. Jeśli jednak *il Tesoro* wart był dużo pieniędzy, to kto wie? Chciwość potrafi zmącić umysł. W latach czterdziestych takie pieniądze były w stanie zupełnie odmienić życie Sycylijczyka. A skoro Edward Westerman w zasadzie nie był właścicielem *il Tesoro*, nie mógł zgłosić jego zaginię-

cia. Do tego dochodziła wojna i ogólny szaber... *Il Tesoro*
z łatwością mógł zmienić właściciela. To niewątpliwie
stanowiło ogromną pokusę.

Tess była jednak pewna, że żadne z tych wyjaśnień
nie przekonałoby Tonina, który nie wątpił w uczciwość
dziadka.

— Sprzedał, tak. — Tonino westchnął ciężko. — Albo
sprzedał informacje o miejscu ukrycia skarbu. Nie wiem.

Wydawał się bardzo przygnębiony. Tess uświadomiła
sobie, że jej gniew wyparował. Chciała się pogodzić, tylko nie wiedziała, jak się do tego zabrać.

— Mój dziadek uwierzył Enzo i tym innym, tak? —
zapytała. — Uznał, że twój dziadek musi być winny?

Tonino pokiwał głową.

— Enzo Sciarra był złym człowiekiem — powiedział. — Nie wystarczyło mu doprowadzenie do śmierci
mojego stryja Luigiego, zaraz potem oskarżył mojego
dziadka, Alberta Amata, o nielojalność i złodziejstwo. —
Wyprostował się.

Kradzież i zdrada, pomyślała Tess. O rany.

— Ale w jaki sposób Enzo Sciarra spowodował śmierć
Luigiego, Tonino? — spytała.

— Torturami. — Kiedy patrzył na nią, nie widziała
emocji w jego ciemnych oczach. Potarł bliznę na twarzy, a ona natychmiast zrobiła się bardziej wyrazista,
czerwonawa i zaogniona. — Sciarrowie żądali mnóstwa
pieniędzy za ochronę nowego lokalu stryja, restauracji
z barem. — Nie spuszczał z niej wzroku.

Napięcie było niemal namacalne, Tess ledwie mogła
oddychać.

— Pieniędzy za ochronę? — powtórzyła.

— Kiedy stryj nie mógł albo nie chciał zapłacić, Enzo złożył mu wizytę. Tak to się tutaj robi. Może posunął się dalej, niż zamierzał, trudno powiedzieć. Może chciał go tylko przestraszyć, ale po tej wizycie... — głos uwiązł mu w gardle.

— Luigi zmarł — wyszeptała Tess.

Tonino skinął głową.

— Mówią, że na atak serca. Tylko że wiele rzeczy może taki atak spowodować.

Zaczynała rozumieć, jak niebezpieczni bywają niektórzy z tych ludzi. Mamma nie przesadzała, mówiąc, że Sycylia to ponure miejsce. Piękne, owszem, ale rzucające długi, ciemny cień.

Tonino wstał.

— Rodzina Sciarra ma za co odpowiadać — dodał cicho.

— Czy oni zawsze się nienawidzili? Klany Amato i Sciarra? — zapytała Tess.

Nie chciała, żeby wychodził, nie teraz i nie tak.

— Kiedyś byli sąsiadami. — Umilkł na chwilę. — Wiele pokoleń temu. Mieli wspólną ziemię, dzielili się zbiorami. Przyjaźnili się i byli od siebie zależni. — Zawahał się. — Ale Sciarrowie wżenili się w rodzinę miejscowego posiadacza ziemskiego i stali się bogatsi, bardziej wpływowi. I chciwi, zapragnęli więcej. — Wzruszył ramionami. — Tak to bywa na Sycylii.

— W rezultacie pokłócili się o ziemię, która kiedyś należała do obu rodzin? — Tess chciała znać wszystkie fakty.

— *Si.* — Popatrzył na nią ze smutkiem. — Walczyli i Sciarrowie wygrali, zabrali wszystko, całą ziemię Amatów, ich środki do życia. Wtedy już mieli potężnych przyjaciół. *La Piovra*, Tess. Rozumiesz?

Oczywiście, że rozumiała.

— Co się stało z twoim dziadkiem?

Podniosła się i podeszła do niego. Położyła rękę na jego ramieniu, ale nie zareagował.

— Oskarżenie o nielojalność i kradzież, brak zaufania najlepszego przyjaciela... To go zniszczyło. Alberto Amato nie był już tym samym człowiekiem. — Cofnął się i spojrzał na nią zimno. — I właśnie dlatego nie mogę przebaczyć waszej rodzinie — oświadczył dobitnie. — Utrata zaufania, Tess, pohańbienie naszego rodzinnego nazwiska.

— Rozumiem.

Fakt, że ta kłótnia nie miała z nią nic wspólnego, dla Tonina był bez znaczenia. Czuła się tak, jakby powinna przeprosić w imieniu swojego nieznanego dziadka, który wierzył w to, co mówili mu wszyscy dookoła, a nie zaufał najbliższemu przyjacielowi.

— A zatem... — Tonino machnął ręką, jakby chciał powiedzieć, że Tess zna już całą historię i wszystko powinna rozumieć.

Tess odetchnęła głęboko.

— Uważasz, że powinieneś żywić urazę do mojej rodziny, choć minęło tyle czasu? — zapytała. — Zwłaszcza do konkretnego członka tej rodziny, czyli do mnie, choć nawet nie było mnie wtedy na świecie?

— Ty tego nie zrozumiesz — odparł. — Ale nasze rodziny były tak blisko. — Połączył dwa małe palce. Tess przypomniała sobie, że identycznym gestem posłużył się kiedyś Giovanni. — Dlatego to niewybaczalne. — Odwrócił się.

Chyba że to, w co wszyscy wierzyli, było prawdą i Alberto Amato naprawdę uległ pokusie, a jej dziadek i inni mieli rację. Ale mówienie tego jego wnukowi nie byłoby zbyt mądre.

Tonino już szedł do drzwi i Tess uświadomiła sobie, że zamierzał zniknąć z jej życia. Odwrócił się w progu.

— Znałem mojego dziadka — oznajmił. — To był dobry człowiek.

Ze skruchą zwiesiła głowę. Nie wiedziała, co powiedzieć.

— Widzisz, dlaczego miłość między nami jest niemożliwa? — zapytał i otworzył drzwi, nawet nie czekając na odpowiedź.

Miłość, pomyślała Tess. Miłość? Co za wielkie słowo.

A kto mówił cokolwiek o miłości?

ROZDZIAŁ CZTERDZIESTY PIĄTY

Kapela pojawiła się o wpół do ósmej wieczorem. Miała grać od ósmej piętnaście do wpół do dziesiątej, a potem, po krótkiej przerwie, do jedenastej. Brian porozwieszał plakaty, w barze już zebrał się z tuzin osób. Podczas gdy zespół sprawdzał dźwięk, Mroczny i Nieprzytomny zerknął na Ginny, a ona uśmiechnęła się do niego. Mimo wysiłków malkontenckiej Guli czekała na ten wieczór. Nic nie mogła na to poradzić.

— Wygląda obiecująco — mruknął Brian, zacierając ręce. — Dawać czadu!

Zespół nosił nazwę Magic Fingers. Tak jest, dawać czadu, pomyślała Ginny.

Do piętnaście po ósmej liczba ludzi w pubie się podwoiła, o dziewiątej panował już ścisk. Dziewczyna Briana, Chantal, też pracowała dziś jako barmanka. Miała blond włosy upięte w stylu lat sześćdziesiątych, śmiała się piskliwie i bez ustanku paplała, ale jednocześnie była miła i zaradna.

— Przez piętnaście lat stałam za barem, złotko — powiedziała do Ginny. — Nic mnie już nie zdziwi.

Ginny była zajęta, rozpraszały ją jedynie rzadkie, nieśmiałe spojrzenia Mrocznego i Nieprzytomnego basisty. Nie bardzo miała szansę pomyśleć o sprawie, która ją niepokoiła. Gula przez cały tydzień dawała się jej we znaki, ale dzisiaj Ginny postanowiła schować głowę w piasek. Szkoda, że nie mogła w ten sposób rozprawić się z Gulą.

Magic Fingers zaczęli od piosenki zatytułowanej *Blue*, „napisanej przez Albiego", jak powiedział blond frontman. Dopiero po kilku sekundach Ginny uświadomiła sobie, że Albie to Mroczny i Nieprzytomny. Albie... Piosenka była całkiem niezła, z duszą. Ginny chętnie posłuchałaby jej raz jeszcze, bez akompaniamentu zamówienia jakiegoś faceta przy barze, pobrzękiwania monet oraz wrzasku Briana „Głośniej, skarbie!" nad lewym ramieniem.

Zespół przeszedł płynnie do *Yellow* Coldplay. *Look at the stars...* Ginny zadrżała, mimo że robiło się tu strasznie gorąco. Szlag, pomyślała. To byłby koszmarny pech.

O wpół do dziesiątej, podczas przerwy, chłopcy zamówili piwa, a Brian wspaniałomyślnie oświadczył, że stawia kolejkę. Sukces wieczoru sprawił, że zrobił się niezwykle hojny, ale fakt, zespół odmienił pub Pod Bykiem i Niedźwiedziem wprost nie do poznania. Teraz roiło się tu od ludzi, a Ginny, kiedy już opanowała sztukę podawania drinków, obsługi kasy i nalewania piwa, była zachwycona. Tak jak mówiła Brianowi podczas rozmowy o pracę, szybko się uczyła i okazało się, że dobrze jej idą pogaduszki z klientami. Ale potrafiła też skutecznie ich usadzić.

— Ej, ślicznotko, jak ci się podobało? — zagadnął ją jasnowłosy frontman. — Jestem Matt, cześć.

Miał seksowny uśmiech i domyśliła się, że startował do większości dziewczyn, które widział, w dziewięćdziesięciu dziewięciu procentach skutecznie. Ona wolała należeć do tego jednego procenta. Nie był w jej typie.

— Całkiem nieźle — odparła, po czym uśmiechnęła się szeroko do Mrocznego i Nieprzytomnego. — Podobała mi się twoja piosenka — powiedziała. — *Blue*. Świetne słowa.

— Te ciche myszki zawsze wyrywają najlepsze laski — wymamrotał Matt z niezadowoleniem.

Nie musiał jednak długo czekać, już po chwili otoczyło go stadko dziewczyn, które stały w kolejce, żeby z nim pogadać, rzucając mu spojrzenia spod umalowanych rzęs i prezentując głębokie dekolty.

— Dzięki — odparł Mroczny i Nieprzytomny. — Jak masz na imię?

— Ginny. — Wymienili uścisk dłoni nad barem.

— Trzy duże jasne, złotko! — wrzasnął ktoś.

— Dwa *mojito* na kruszonym lodzie... — (Cholera, to było trochę zbyt luksusowe jak na pub, pomyślała Ginny, widząc niepewne spojrzenie Briana, kiedy męczył się z rumem).

— Wódka z żurawiną i duże mocne...

Rozjechane rozelle.

— Przepraszam — powiedziała do MiN-a. — Muszę...

— Może później — wyszeptał, a ona skinęła głową.

Odwróciła się i nagle stanęła twarzą w twarz z Bekką.

— Cześć! — Becca uśmiechnęła się szeroko. — Co ty tu robisz, Gins?

Ginny poczuła absurdalne zadowolenie na jej widok.

— To moja nowa praca — oznajmiła. — A gdzie Harry?

Becca pokazała palcem. Harry stał ze swoim kumplem i obaj żłopali piwo, jakby to była woda, rozchlapując je na ubrania i na podłogę.

— To jakiś pijacki maraton — mruknęła Becca, przewracając oczami. — Żałosne.

— Masz dziesięć minut przerwy, złotko — odezwał się za nią Brian. — Idź pogadać z kumpelą.

Zespół znowu grał i większość ludzi odeszła od baru. Ginny wyszła zza lady i uściskała Beccę. Chciała powiedzieć „tęskniłam za tobą", ale ugryzła się w język. To Becca ją zostawiła, kiedy zaczęła chodzić z Harrym. To Becca nie odpowiadała na esemesy ani nie chciała się spotykać.

— Tęskniłam za tobą — oświadczyła Becca. — Przepraszam, że byłam taka zajęta.

Zerknęła na Harry'ego, jakby sama się zastanawiała dlaczego. Raczej zakochana, pomyślała Ginny.

— Nie ma sprawy — odparła.

— Co tam słychać?

— Okej. Teraz mieszkam u nonny. Mama jest na Sycylii.

Skrzywiła się. Trudno było się nawet zorientować, że matki nie ma, bo co wieczór dzwoniła albo zalewała ją esemesami. Teraz kontaktują się chyba częściej niż przed jej wyjazdem.

— A Ben? — wrzasnęła Becca prosto do jej ucha.

Ależ głośno grali.

— To już historia! — odkrzyknęła Ginny. — Nic z tego nie wynikało.

Becca skinęła głową. Zawsze rozumiała. Ginny zaczęła się zastanawiać, czy chciała, żeby cokolwiek wynikło z jej związku z Benem. Niezbyt dobrze się bawiła, gdy z sobą chodzili. Nie dlatego, że potrzebne jej były deklaracje czy zobowiązania, chyba po prostu chciała mieć pewność, że nie marnuje czasu. Nieważne, że był jej pierwszym chłopakiem i poświęciła dla niego dziewictwo. Koniec końców Ben wyglądał jak trzeba, tyle że nie był zbyt interesujący.

Opowiedziała to Becce, która się zaśmiała i skinęła głową.

— Dziewczyny są znacznie zabawniejsze.

Trąciła Ginny w żebra, a Ginny poczuła lekki skurcz. Chyba się skrzywiła, bo Becca przysunęła się do niej.

— Co jest?

— Nic takiego, brzuch mnie trochę boli.

— Co się dzieje? Ale szczerze.

Właśnie tak kiedyś się porozumiewały. Nagle Ginny zapragnęła się komuś zwierzyć.

— Okres mi się spóźnia o parę tygodni — odparła. — I tyle.

I tyle, jakby ciąża nie była końcem świata. Czuła, że ucisk Guli lekko ustępuje, ale rzeczywiście bolał ją brzuch, jakby miała zatwardzenie czy coś. Czy tak czuje się kobieta w ciąży?

— Co?!

Ginny powtórzyła informację, wrzeszcząc w ucho Bekki. Może najlepiej od razu opowiem całemu pubowi, pomyślała.

— Ja pierdykam — mruknęła Becca. — Muszę zapalić. Wyjdźmy stąd.

— Pięć minut — pokazał Brian na palcach.

Ginny skinęła głową.

— Robiłaś test? — zapytała Becca, jak zawsze praktyczna, gdy tylko znalazły się na zewnątrz.

Było ciemno i chłodno, Ginny dzwoniło w uszach. Objęła się ramionami.

— Nie. — Nie odważyła się. Nagle zaczęła się zastanawiać, co by powiedziała na to matka. Szlag by to trafił! — Ale mam dziwne przeczucie. Jakbym była w ciąży.

Zaczęła gmerać po kieszeniach dżinsów i wyciągnęła papierosa, choć tak naprawdę nie miała ochoty zapalić.

— Ale gówno — oznajmiła Becca. Właśnie dlatego, że tak celnie dobierała słowa, była jej najlepszą przyjaciółką. — Musisz zrobić test. Nie ma co siedzieć i zamartwiać się tym, co zaszło.

— Mam nadzieję, że nic nie zaszło, a zwłaszcza nikt — mruknęła Ginny i obie zachichotały.

To było kretyńskie, ale nic nie mogła na to poradzić. Becca znów ją trąciła.

— I co ty teraz poczniesz? — dodała.

— Oby nic.

Znowu zaczęły się śmiać. Ginny musiała przytrzymać się ściany, tak ją skręcało ze śmiechu. Pomyślała, że wpadła w histerię.

Popatrzyła na zegarek.

— Muszę wracać — westchnęła niechętnie i zmiażdżyła niedopałek stopą.

Przepychając się przez tłum, myślała o tym, jakie to zdumiewające, że nawet perspektywa ciąży, tak okropna, tak niemożliwa do ogarnięcia, robiła się zabawna przy Becce, i że śmiech potrafił osłabić siłę Guli, jakby żywiła się ona nieszczęściem.

Po bisach, kiedy Brian zszedł do piwnicy, żeby po raz ostatni zmienić beczki z piwem, członkowie zespołu zaczęli się pakować, a publiczność niespiesznie dopiła drinki i zwinęła manatki. Ginny powycierała stoły, po czym odniosła szklanki do baru.

— Zrobiliście furorę, chłopaki — oznajmił Brian, wręczając im gotówkę. — Dzięki.

— No to do zobaczenia za dwa tygodnie, szefie — odparł Matt i mrugnął do Ginny.

Dwa tygodnie. Sporo czasu.

— A dlaczego nie w przyszłą sobotę? — spytał Brian. — Widzieliście, że było im mało. Moglibyście tu grać na stałe.

— No dobra, niech będzie. — Uśmiechnęli się do siebie. — Umowa stoi.

Mroczny i Nieprzytomny podszedł, żeby pożegnać się z Ginny.

— Może kiedyś umówimy się na kawę — powiedział.

— Chętnie — odparła.

To znaczy, jeśli nie była w ciąży z innym... Czy może się wdawać w nowy związek, zanim zyska pewność? W sumie kawa to tylko kawa, ale dla Ginny to wcale nie było takie oczywiste. Kiedy więc poprosił ją o numer, musiała szybko wymyślić jakąś wymówkę.

Becca i Harry wyszli ostatni.

— Zadzwonię do ciebie jutro — oznajmiła Becca i wyszeptała: „zrób test", z tak przerażającą miną i wytrzeszczonymi oczami, że Ginny mimowolnie cofnęła się o krok i wpadła na Briana, który niósł szklanki.

— Ostrożnie, skarbie — mruknął, ale kiedy wręczał jej pieniądze, dostała dziesięć funtów ekstra, więc był w dobrym humorze.

Schowała pieniądze do kieszeni, akurat wystarczą na test ciążowy.

Podniosła wzrok w chwili, gdy Mroczny i Nieprzytomny miał wychodzić. Psiakrew, od razu gorzej się poczuła. Gula stanowczo protestowała, ale niech spada.

Ginny pobiegła przez salę, żeby dać chłopakowi swój numer, na wypadek gdyby drugi raz nie poprosił.

ROZDZIAŁ CZTERDZIESTY SZÓSTY

N astępnego dnia Ginny trzy razy wchodziła do apteki, zanim zebrała się na odwagę i kupiła test ciążowy. Nawet wtedy, przerażona, że wpadnie na kogoś znajomego, starannie ukryła niebiesko-białą paczuszkę pod czerwoną flanelą w koszyku.

Co za głupota. Wróciła myślami do dnia, w którym to — jeśli to rzeczywiście było to — się wydarzyło.

— Kiedy miałaś okres? — zapytał Ben podczas jednego z ostatnich spotkań, kiedy jeszcze byli razem.

Skończyły mu się prezerwatywy i przypomniał sobie o tym fakcie dopiero w krytycznym momencie.

Ginny ledwo mogła oddychać. Od pierwszego razu seks się poprawił, ale tylko trochę. Postanowiła porozmawiać o tym z Bekką. Może powinna robić coś innego, może to Gula ją wstrzymywała, a może po prostu tak musiało być i nie należało liczyć na nic lepszego?

Usiłowała się skupić.

— Eee, dwa tygodnie temu — odparła. Nawet nie zwolnił. — Mniej więcej.

Odetchnął głęboko i doszedł.

— Czyli w porządku — oznajmił jej prosto do ucha. — Nie ma się czym przejmować.

Tak, to była jej własna wina. Kobiety powinny dbać o takie sprawy, przecież to one ponosiły konsekwencje. Jak można było polegać na facecie?

Pomyślała o swojej matce na Sycylii. Tess dzwoniła wczoraj wieczorem, przed pracą Ginny, i jak zwykle zadawała typowe matczyne pytania.

— No to... Opowiedz mi, co tam słychać. Czym się zajmujesz? Jak leci?

Nieznośne pytania. Nie była przecież prezenterką wiadomości z prompterem, nie zamierzała powiedzieć matce: „A tak, być może zaszłam w ciążę, nie jestem jeszcze pewna, ale dam ci znać, gdy tylko zrobię test", a poza tym to wszystko ją przerastało.

Ginny chciała zapytać o willę, naprawdę. Chciała spytać mamę, jak się czuje, i nawet powiedzieć, że za nią tęskni, ale nic takiego nie padło z jej ust. Po skończonej rozmowie zbierało się jej na płacz, bo wszystko szło nie tak, jak trzeba. Zwłaszcza jedno.

Wróciła do domu dziadków z niebiesko-białą paczuszką bezpiecznie upchniętą w torbie. Znowu zaczęło padać, zapowiadało się paskudne lato. Na Sycylii na pewno świeciło słońce...

Babcia robiła ciasto w kuchni, jego zapach, słodki, oleisty i dojrzały, wypełniał cały dom. Mniam. Ginny zatrzymała się i po drodze na górę chwyciła migdałowe ciastko. Czy w ciąży więcej się jadło? No, tak, za dwoje... Psiakrew.

Zostało pół godziny do rozpoczęcia pracy w pubie, gdzie miała pomagać przy lunchach. To wystarczająco dużo czasu.

W swoim pokoju wyciągnęła z paczuszki instrukcję, przeczytała, nie rozumiejąc ani słowa, a potem jeszcze raz, żeby cokolwiek do niej dotarło. Następnie poszła z testem do łazienki.

Teraz pozostało jej tylko czekanie.

To było najtrudniejsze. Umyła ręce i przyjrzała się swojej twarzy w lustrze. Dla odmiany nie było na niej żadnych pryszczy, i dobrze. Ale czy piękna skóra nie szła w parze z ciążą?

Nagle rozległ się dzwonek do drzwi. Ginny usłyszała, że nonna otwiera, potem dobiegły ją dźwięki rozmowy, zdumienie w głosie babci i jeszcze jeden głos, przeciągły, miękki, niski. Brzmiał jakoś dziwnie. Popatrzyła na zegarek i oparła się pokusie, żeby zerknąć na panel. Błagam, niech nie będzie tam kreski, modliła się w duchu.

Eksperymentalnie pomacała się po piersiach. Nie wydawały się specjalnie wrażliwe ani nabrzmiałe. To chyba dobry znak, prawda?

— Lepiej wejdź — dobiegł ją głos nonny. — Jest na górze.

Oho. Gula natychmiast się ożywiła. Kto przyszedł, Becca, Ben?

— Ginny, kochanie! — zawołała nonna.

— Tak, nonna? — odkrzyknęła Ginny, patrząc na niebieskie okienko. Musiała zyskać na czasie.

— Mogłabyś zejść?

Wspaniale. W samą porę.

— Za chwileczkę! — zawołała Ginny. — Możesz chwilę zaczekać, zanim...

No co? Zanim sprawdzę, czy jestem w ciąży?

Jeszcze raz popatrzyła na zegarek. Została jedna minuta, która ciągnęła się w nieskończoność. Ginny skrzywiła się do siebie w lustrze i spróbowała dotknąć czubka nosa językiem. Jak ludzie to robili i po co? W końcu wzięła głęboki oddech i popatrzyła na malutki panel.

— Ginny?

Psiakrew.

— Idę.

Zbiegła, pokonując po dwa stopnie naraz, i stanęła w drzwiach salonu. W pokoju, w najlepszym fotelu nonny, tym w róże, nakrytym koronkową narzutą, siedział jakiś czterdziestolatek. Wydawał się tu kompletnie nie na miejscu. Miał rozjaśnione słońcem włosy, potargane i siwiejące, i maleńki srebrny kolczyk w uchu. Ubrany był w spłowiałe dżinsy i T-shirt z kozą. Wydawał się dziwnie znajomy.

— Witam — powiedział i wstał. — Ty jesteś Ginny?

— Tak. — Popatrzyła na babcię.

— Moja droga. — Nonna miała bardzo poważny wyraz twarzy. — To będzie dla ciebie szok, dla mnie był. Bo widzisz...

Mężczyzna zrobił krok do przodu.

— Bo widzisz, jestem twoim tatą — wyjaśnił. — Miło cię wreszcie poznać, Ginny.

ROZDZIAŁ CZTERDZIESTY SIÓDMY

Gdy Ginny myślała o ojcu, w okresie miłości i nienawiści, tęsknoty i niechęci, rozpaczy i żalu, nigdy nie przeszło jej przez myśl, że mógłby się zjawić w Pridehaven. Wyobrażała sobie ich spotkanie, i to nieraz, ale zawsze myślała o tym, jak to ona go odnajduje, składa mu wizytę w Australii, zaskakuje go i zmusza do wyrażenia żalu, głębokiego żalu z powodu tego, co odrzucił. Nie żeby była specjalnie sentymentalna, jednak w grę wchodziło jej dzieciństwo, jej życie, jej miłość.

Teraz naprawdę ją zatkało.

— Cholera jasna — zdołała tylko wykrztusić.

Jej babcia natychmiast cmoknęła.

— To szok. — Spiorunowała wzrokiem gościa. — Taka wizyta ni z tego, ni z owego...

— Przepraszam. — Powiedział to do Ginny. — Miałem inny adres. Adres Tess, to znaczy twojej mamy.

— Skąd? — zapytała nonna.

— Wysłała mi go dawno temu, na adres mojej siostry w Newcastle. — Uśmiechnął się. — Poszedłem tam i rozmawiałem z kobietą mieszkającą obok.

— Z Lisą — powiedziała Ginny.

— Tak, z Lisą — przytaknął.

383

— I ona dała ci ten adres? — Nonna wydawała się zdumiona.

Ginny również się zdziwiła, Lisa zazwyczaj była bardzo podejrzliwa.

— Dała. — Wzruszył ramionami. — Chociaż wprowadziłem ją w błąd.

— A co właściwie jej powiedziałeś? — Nonna wzięła się pod boki.

— Że jestem starym przyjacielem. — Zerknął na Ginny, która nie mogła się nie uśmiechnąć, mimo że nadal była w szoku.

— Trzeba było zadzwonić — zauważyła.

Rozłożył ręce. Były brązowe i trochę zniszczone, wyglądały na dłonie nawykłe do ciężkiej pracy na świeżym powietrzu.

— Gdybym zadzwonił, pewnie byś mi powiedziała, gdzie mnie masz.

— Pewnie tak. — Ginny pokiwała głową.

Nie mówiła szczerze, ciekawość by zwyciężyła. Nic nie mogła na to poradzić, że chciałaby więcej o nim wiedzieć. Podobnie jak ona, był wysoki i szczupły, miał wystające kości policzkowe, szerokie usta i jasne włosy. Dziwnie się poczuła na widok tego mężczyzny, wiedząc, że...

— Dasz się zaprosić na lunch? — On również patrzył na nią badawczo. Domyśliła się, że próbował czegoś się o niej dowiedzieć, tak jak ona o nim. — Chciałbym tylko pogadać, a potem będziesz mi mogła powiedzieć, gdzie mnie masz.

Ginny zastanawiała się nad tym przez chwilę. Spodobał się jej sposób, w jaki się wysławiał, i to, że nie wy-

wierał na nią presji. Zerknęła na babcię, która miała nie-
odgadnioną minę. Doszła do wniosku, że gdyby kazała
facetowi się odpieprzyć, pewnie wzruszyłby ramionami
i poszedł swoją drogą. Nie chciała, żeby to zrobił, jeszcze
nie. Pragnęła usłyszeć, co miał do powiedzenia.

— Muszę iść do pracy — oznajmiła.

— Podwieźć cię?

Ginny znów się zawahała. Podwiezienie oznaczało
sam na sam w aucie, a nie była pewna, czy jest na to gotowa. Poczuła, że babcia robi krok w jej kierunku, i zrozumiała, że poprze każdą jej decyzję.

Nagle mężczyzna się uśmiechnął.

— Po drodze kupiłem coś fantastycznego — oznajmił. — Zerknij sobie.

— Na co? — Podeszła za nim do okna.

Odsunął firanki nonny, która przez cały czas miała
skrzyżowane ręce i podejrzliwy wyraz twarzy. Przed
domem stał klasyczny, jaskrawopomarańczowy volkswagen camper.

— O rany — wyrwało się Ginny. Facet miał rację,
auto było boskie. — Jadę. — Mogę, nonna?

Babcia pokiwała głową.

— Dobrze, kochanie — odparła. — Skoro tego chcesz.

Prowadził z niewymuszoną pewnością siebie. Ginny
zaczynała rozumieć, dlaczego matka się w nim zakochała.

— Mogę cię odebrać po pracy? — zapytał, kiedy dotarli do pubu. Znowu zarobił punkty za brak krytycz-
nych uwag na temat jej pracy w knajpie, niewspomi-

nanie o college'u i niekomentowanie pobytu matki na Sycylii. — Może poszlibyśmy na kawę czy coś?

— Okej — odparła. Otworzyła drzwi i wyskoczyła. — Kończę o trzeciej. Dzięki za podwózkę.

W ubikacji w pracy wysłała Becce esemesa: „Brak kreski, chwała Buddzie. Dziś zjawił się mój stary. Szok, nie?".

ROZDZIAŁ CZTERDZIESTY ÓSMY

Telefon Tess zadzwonił, gdy wybierała się nurkować. Najlepszym lekarstwem na kaca było pływanie. Może niekoniecznie nurkowanie, ale Tess już wcześniej postanowiła zbadać skalne wysepki i morskie życie nieco dalej na zachód od Zatoki Cetaryjskiej.

Dzwoniła matka. Tess natychmiast odebrała.

— Cześć, mamma.

— Tess. — Głos Flavii wydawał się nieco bardziej zdenerwowany niż zwykle.

— Wszystko dobrze?

Tess rozmawiała z Ginny zaledwie wczoraj wieczorem, ale poczuła przypływ paniki. Matką jest się przecież do końca życia.

— Dobrze, dobrze — zapewniła ją Flavia pośpiesznie. — Ale coś się wydarzyło, moja droga. Albo raczej ktoś.

Tess zmarszczyła brwi.

— Mówisz od rzeczy. Czy to ma coś wspólnego z Ginny? Nic jej nie jest?

Niemal usłyszała, jak jej matka bierze głęboki oddech.

— Nie wiem, jak ci to powiedzieć, moja droga — oznajmiła Flavia. — Chodzi o Davida.

— O Davida? — powtórzyła Tess.

— Tak. Pojawił się tutaj w porze lunchu, żeby zobaczyć się z Ginny.

David. Ginny. Osiemnaście lat, a przecież to mogło być wczoraj...

Kiedy Tess była w ciąży i wyobrażała sobie moment porodu, w tych marzeniach to zawsze David podawał jej dziecko. W rzeczywistości jednak podała je Flavia. Wręczyła Tess maleństwo i oświadczyła:

— To dziewczynka, kochanie. Dziewczynka.

Tess spojrzała na maleńką pomarszczoną twarz, owiniętą i otuloną białą bawełną. Dotknęła miękkiego puszku na główce, przyjrzała się nieco nieprzytomnym oczom córki.

— Jest piękna — powiedziała Flavia.

Tess przystawiła dziecko do piersi i poczuła pierwsze pociągnięcie, gdy Ginny znalazła sutek. Owszem, wyobrażała to sobie, jednak tak naprawdę nie miała pojęcia, jaki okaże się ten moment. Chciała przytulać córkę do piersi przez całą wieczność, chronić ją za cenę własnego życia. Zdała sobie sprawę z tego, że będzie ją kochać bez względu na wszystko.

— Tak.

Popatrzyła na własną matkę i ujrzała, że oczy Flavii wypełniły się łzami. Ona też znała to uczucie i przeżyła ten moment, oczywiście.

Tess sięgnęła po dłoń Flavii i ją uścisnęła. Splecione ręce, skrzyżowane spojrzenia matki i córki, które mogą na sobie polegać — pomyślała, że właśnie to jest najważniejsze.

— Dziękuję, mamma — szepnęła.

Po telefonie od matki Tess próbowała dodzwonić się do Ginny. Wiedziała, że jest w pracy, ale nie mogła się powstrzymać. Nie zamierzała jednak rezygnować z nurkowania. Musiała się zastanowić, dlaczego, na litość boską, David pojawił się po tylu latach. Czego od niej chciał i, co ważniejsze, czego chciał od Ginny?

Zgodnie z mapą dla nurków rezerwat zaczynał się na zachód od plaży. Oczywiście była już w rezerwacie, z Toninem, wtedy gdy razem popłynęli łodzią, jednak tamto idealne popołudnie, które zakończyło się katastrofą, nie mogło jej powstrzymać od powrotu. Swoje życie zamierzała kontrolować sama. Nie pozwoli spieprzyć go żadnym Robinom, Davidom ani Toninom. Postanowiła, że ponurkuje, następnie porozmawia z Ginny. A potem... Potem się zobaczy.

Zbierając rzeczy, pomyślała o tym, jak zareaguje Tonino, kiedy się zorientuje, że znowu poszła nurkować samotnie. Może powinna dać sobie spokój z nurkowaniem na plaży, pojechać nieco dalej wzdłuż wybrzeża i wypożyczyć łódź? Nie, nie zrobi tak, ma to gdzieś, to był jego problem. Chciała wejść do wody z plaży, to było bezpieczniejsze i mniej kłopotliwe niż samotne wypływanie łodzią. Mógł się wydzierać i narzekać, ile mu się żywnie podobało — jej decyzje to nie jego zmartwienie.

Świeciło słońce i po *baglio* kręciło się kilkoro turystów, kiedy Tess zmierzała do zatoki. Jakaś rodzina tłoczyła się wokół Tonina, który pochylał się nad mozaikowym blatem okrągłego stolika przed pracownią i za pomocą gąbki wciskał spoinę między płytki. Podziwiali mozaiki, w tym świeczniki zrobione z łupka i morskiego szkła, a także jeszcze dwa inne stoliki z mozaiką, które Tonino wyniósł przed pracownię. Pytali go o jeden z nich, a on całkowicie skupił się na klientach. Przynajmniej nie będzie musiała z nim rozmawiać. Miłość, pomyślała. Naprawdę to powiedział?

Tess wlokła się w swoim piankowym kombinezonie, z butlą na plecach i płetwami w rękach. Tonino popatrzył na nią ciężkim wzrokiem, po czym wrócił do niemieckich turystów.

A czego się spodziewała? Wyjaśnił jej, co się stało z jego przyjacielem, z dziewczyną, którą kochał, i z jego rodzicami. Potem opowiedział, co się wydarzyło między ich dziadkami. Sporo bagażu jak na jednego człowieka.

Do tego dochodził David...

Morze wydawało się cieplejsze niż wczoraj. Tess weszła do wody, poprawiła maskę, naciągnęła płetwy i wszystko posprawdzała, jak zawsze. Przy skałach dostrzegła dwóch pływaków. Ciekawe, czy Tonino przestrzegł ich przed meduzami.

Popłynęła ku skałom i zanurzyła się płynnie, kiedy woda zrobiła się głęboka. Była odprężona i zużywała minimum energii, żeby jak najdłużej wystarczyło jej powietrza. W pobliżu skał dostrzegła żerujące antiasy. Pływacy już zniknęli i Tess rozkoszowała się samotnością w morzu, gdzie za towarzystwo wystarczały jej tylko ryby.

Myśli krążyły swobodnie, gdy myszkowała po rozpadlinach skalnych, unosząc kamienie, pod którymi ukrywały się jeżowce i rozgwiazdy, a nawet kolorowe barweny. Na dnie było bardzo spokojnie, cicho.

A zatem z jakiegoś powodu David zjawił się w Pridehaven. Nagadał głupstw Lisie, dostał od niej adres Flavii, a Ginny zgodziła się na spotkanie.

Cóż, Tess nie mogła jej winić. W końcu David był jej ojcem, nawet jeśli nieobecnym. Ginny nie była już dzieckiem, nie była też zupełnie dorosła, ale mogła już dokonywać własnych wyborów. Mimo to...

Miejscami woda była jaskrawozielona, a wśród roślinności i gąbek dominowały rozmaite odcienie oranżu i fioletu. Tess głaskała palcami trawę morską. Było tu po prostu magicznie, jak w podwodnej krainie czarów. Pod wodą wszystko wydawało się takie proste. Nie istniały tu żadne problemy, ani dotyczące Tonina, ani starej rodzinnej rywalizacji. Pewnie również dlatego tak ją tu ciągnęło.

Ostrożnie przepłynęła przez szeroką szczelinę między skalistymi wysepkami. Po drugiej stronie woda stała się jaśniejsza i bardziej zielona, gąbki miały żywsze barwy, pojawiło się więcej ryb.

Dalej eksplorowała otoczenie, a jej niepokoje powoli odpływały wraz z prądem.

— Nie rób nic głupiego — przestrzegała ją matka. — Nie ma się czym przejmować.

Jednak gdy Tess sprawdziła wskaźniki i popłynęła ku brzegowi, dekompresując się powoli i naturalnie, zrozumiała, że musi wrócić do Anglii. Instynkt podpowiadał jej, by chroniła dziecko, na tym przecież polegało macierzyństwo.

Nawet jeśli miała chronić córkę przed jej własnym ojcem.

ROZDZIAŁ CZTERDZIESTY DZIEWIĄTY

Flavia powiedziała o Davidzie Lenny'emu, kiedy ten wrócił do domu po pracy w ogrodzie u jednej z sąsiadek. Edna była zdrowa i sprawna i zdaniem Flavii po prostu lubiła, gdy w pobliżu kręcił się mężczyzna. W porządku, raz na jakiś czas Flavia z radością pozbywała się Lenny'ego z domu, żeby pobyć sama przez godzinę czy dwie.

— Nie powinnaś była go wpuszczać — zaczął narzekać Lenny. — Ja bym nie wpuścił.

— Cokolwiek zrobił, to jej ojciec.

Flavia usiadła na fotelu na patio i patrzyła na męża. Miał w sobie tyle energii, nieustannie kopał. Teraz przekopywał klomb. Flavia nie do końca rozumiała Anglików i ich namiętność do ogrodów. Co innego, jeśli się uprawia owoce i warzywa, które wędrują do garnka, ale zadawać sobie tyle trudu dla wiosennych i letnich kwiatów? Musiała jednak przyznać, że ogród wyglądał wprost cudownie. Rosły w nim astry, lwie paszcze, fioletowe lobelie...

— Nigdy nie był jej ojcem. — Lenny wyrównał szpadel, przymierzając się do kopania brązowej, wilgotnej ziemi.

— Biologicznym, owszem.

Flavia wiedziała, o co chodzi mężowi. David opuścił Tess, kiedy ta spodziewała się Ginny, i Lenny nigdy mu nie wybaczył, że jego córka została samotną matką.

— Biologicznym, dupa Jasiu — wymamrotał Lenny. Mocno oparł but na szpadlu, wepchnął go w ziemię jak w masło, następnie podważył bryłę i obrócił. Zamierzał okopać tak całą rabatę, a potem widłami rozkruszyć ciężkie fragmenty gleby. To najwyraźniej również nie sprawiało mu trudności, za to Flavia zmęczyła się już od samego patrzenia.

— Wiem. Wiem, co czujesz. — Westchnęła. — Tylko że Ginny ma osiemnaście lat i własne zdanie. Nie przyszło ci do głowy, że może go potrzebować?

— A po jaką cholerę? — zdziwił się Lenny.

Oczywiście próbował być dziadkiem i ojcem dla córki Tess, ale nie mógł odegrać w jej życiu wszystkich ról.

— Może chciała go poznać? — zasugerowała Flavia. — Żeby mieć się z kim identyfikować? Żeby ktoś zwrócił na nią uwagę?

Lenny parsknął pogardliwie.

— Dla mnie to brzmi jak stek bzdur — powiedział.

Cóż, w kwestii Tess i Davida był ignorantem. Flavia często się jednak zastanawiała, jak na Ginny wpłynął fakt, że własny ojciec nie poświęcił jej nawet jednej chwili.

— Tak czy owak to zależy od Ginny, nie od nas — oznajmiła stanowczo.

Nigdy nie odebrałaby nikomu prawa stanowienia o sobie. Przecież nie była taka jak papa.

Lenny napotkał jej nieustępliwe spojrzenie.

— Lepiej powiedz o tym Tess — mruknął.

— Och, już to zrobiłam.

— I co ona na to?

— Na razie niewiele.

Flavia dobrze znała swoją córkę. To musiał być dla niej szok. Bóg wie, co jeszcze się działo na Sycylii. W głosie Tess słyszała całą prawdę o Cetarii, o jej pięknie i smutku, o przeszłości.

— Wraca do domu? — Lenny wydawał się zachwycony tą perspektywą.

Poczciwiec, był taki prostolinijny. Flavia także chciałaby chwycić córkę za kark i przywlec do Anglii, ale istniały dwa powody, dla których tego nie robiła. Po pierwsze, Tess z pewnością nie rozwiązała jeszcze problemów, z którymi musiała się uporać. Po drugie, chodziło o Ginny.

— Nie jestem pewna — odparła.

Może warto dać Davidowi szansę, w końcu nigdy nie był zły, tylko nieodpowiedzialny. Minęło wiele lat i Flavia czuła, że David nie zrobi krzywdy jej wnuczce.

Flavia przeszła do końcowych stron notesu. Można by powiedzieć, że sycylijskie przepisy są nieprecyzyjne, ponieważ rzadko pojawiają się w nich dokładne miary. Przywykła do myślenia w kategoriach: „kilka" (*alcuni*), „szczypta" (*un tocco di*) albo „dużo" (*assai*). To była kwestia wyczucia, a także, paradoksalnie, precyzji, choćby przy użyciu bazylii, oliwy bądź w ustalaniu proporcji między makaronem a sosem. Właśnie dzięki temu najzwyklejsze danie mogło się zmienić w wyborny smakołyk.

Starannie zapisała następny przepis na *melanzane alla parmigiana*, ulubione danie jej wnuczki, a także swoje, kiedy była młoda. I tak...

Flavia doskonale pamiętała podróż do Exeter. Usiadła wygodnie na krześle i wbiła niewidzący wzrok w ogród. Znowu przeżywała każdy szczegół. Powróciła do początku zeszytu i znalazła miejsce, w którym skończyła ostatnio pisać. Chwyciła długopis...

Tydzień później, w pociągu do Exeter, siedząc sztywno, jakby połknęła kij, z adresem Petera na kartce papieru, którą nadal ściskała w dłoni, choć nauczyła się go na pamięć, zdenerwowana Flavia rozmyślała o ostatnim, pełnym zdarzeń tygodniu.

W porównaniu z tymi na Sycylii jej obowiązki były lekkie i łatwe do wypełnienia, no i oczywiście rutynowe. Najpierw musiała rozpalić ogień, żeby ogrzać dom. Otrzymała bardzo precyzyjne wskazówki, więc to było proste. Należało ułożyć opał warstwami, w każdym piecu. Na dole powinno się znaleźć cienko porąbane drewno, na nim pognieciony papier, zanurzony w parafinie, na samej górze bryłki węgla. Dzięki temu szybko dało się rozpalić ogień. Zapach węglowego dymu na dobre utkał w nozdrzach, od poranka do ostatnich chwil przed snem. Nie był to suchy, słodki i aromatyczny zapach drzewa oliwnego, ale drażniący i siarkowaty, który zdawał się przenikać przez skórę. Musiała także posprzątać, ale przede wszystkim przygotować jedzenie. Ten obowiązek ceniła sobie najbardziej, choć brakowało odpowiednich składników. Przywykła do robienia czegoś z niczego, najtrudniej jednak było zdobyć świeże produkty.

Miała też czas wolny, w którym mogła porozmawiać z signoriną Westerman („Proszę, proszę, mów mi Bea") i dowiedzieć się czegoś o Anglii, a także pospacerować po Londynie, zorientować się w terenie i „przywyknąć do kraju", jak to ujęła Bea. Musiała się sporo nauczyć.

Flavia wyglądała przez brudne okno pociągu na równie brudne tarasy domków z ogródkami o kształcie kwadratu i z podłużnymi działkami do uprawy warzyw; na drogi i rzeki, drzewa i pasy zieleni. Doszła do wniosku, że Anglicy bardzo lubią wszystko dzielić na kawałki i układać. Byli zupełnie inni niż Sycylijczycy. Nie chodziło tylko o problemy z językiem i walutą, ale także o zwyczaje, o to, co do kogo mówić, jak się zachować.

Usiadła wygodnie, a w powietrze wzbił się kłąb kurzu. Uczyła się również, jak być wolna. Owszem, tutaj można było spacerować bez ograniczeń, ale Bea powiedziała jej: „Są miejsca, do których się nie chodzi, nieodpowiednie dla młodej dziewczyny, i ludzie, z którymi się nie rozmawia" (zdaniem Bei większość ludzi) oraz: „Nawet w Anglii istnieją zasady, których należy przestrzegać". W związku z tym Flavia nie zapędziła się zbyt daleko od West Dulwich, ale widziała już handlarza starzyzną i słyszała jego dziwaczne krzyki, rozmawiała z chłopakiem od rzeźnika, jeżdżącym na rowerze z małym kółkiem z przodu, gdzie kładł tacę z mięsem, przywykła też do tego, że każdego ranka budzą ją kojący stukot końskich kopyt i pobrzękiwanie butelek mleka, dowożonego do domów w sąsiedztwie. To rzeczywiście wydawało się jej bardzo nietypowe.

Flavia drżała, kołysząc się w rytm jazdy. Okno było zamknięte, ale i tak zrobił się przeciąg. Pociąg syczał i toczył się po torach, pachniało tu parą, węglem i rozgrzanym olejem. Mimo to dla Flavii był to pojazd jak z raju. Zabierał ją tam, gdzie najbardziej pragnęła się znaleźć.

Najgorsza w Anglii była pogoda. Panował przenikliwy chłód i w nocy często owijała się płaszczem, żeby się rozgrzać. Przez cały tydzień słońce nie pojawiło się ani razu, a Bea mówiła, że to typowe w listopadzie. Niech Madonna ma nas w swojej opiece... Ale... Był tutaj Peter. Peter, Peter, Peter, zdawał się powtarzać pociąg.

— Co właściwie planujesz, moja droga? — zapytała ją wcześniej Bea.

Radziła, żeby zadzwonić do rodziny Petera, jeśli mieli numer, który dałoby się znaleźć. Flavia jednak nie zamierzała tego robić.

— Muszę z nim porozmawiać w cztery oczy — oznajmiła. — Tylko tak będzie dobrze. Jadę do jego doma.

— Do domu — machinalnie poprawiła ją Bea. — Tak po prostu, bez żadnego ostrzeżenia? Naprawdę uważasz, że...

— Tak. — Flavia pokiwała głową.

Bea popatrzyła na nią z nieskrywanym podziwem.

— Trzeba przyznać, że dzielna z ciebie dziewczyna — westchnęła, a potem dodała: — Powinnam jechać z tobą?

— Nie. — Flavia pokręciła głową tak stanowczo, że jej ciemne loki się zakołysały.

To była jej podróż i musiała udać się w nią sama.

— A kiedy już znajdziesz się w tym domu, koniecznie do mnie zadzwoń — oznajmiła Bea. — Spodziewam się ciebie za trzy dni, dobrze?

— Si.

Kiedy jednak pociąg pozostawiał za sobą kolejne stacje, Flavia poczuła, że jej pewność siebie chwieje się w posadach. A jeśli już tam nie mieszkał? A jeśli po tym całym czasie okaże się, że Peter nigdy nie dotarł do Anglii? A jeśli jego rodzina będzie zimna, okrutna i nie zechce rozmawiać z dziewczyną z Sycylii? Peter, Peter, Peter, powtarzał pociąg.

W końcu wjechali na stację. Flavia podniosła torbę, nacisnęła dźwignię, żeby otworzyć ciężkie drzwi i po chwili znalazła się na peronie. Znowu złapała taksówkę (całkiem nieźle jej to szło, należało po prostu zdecydowanie pomachać) i znowu usiadła z tyłu, przyciskając torbę do piersi i patrząc na mijane ulice.

Exeter bardzo różniło się od stolicy. Panował w nim mniejszy ruch, było więcej zieleni, miasto nie wydawało się tak wielkie i przytłaczające. Tutaj również zniszczenia wojenne były widoczne. Minęli kilka osmalonych przez ogień ruin, a także zburzone domy i gruzowiska. Zauważyła też oznaki odbudowy. Bea Westerman powiedziała jej, że Anglia przebudowuje całą przyszłość, a Flavia zaczęła się zastanawiać, czy to możliwe — i rzeczywiście, dzięki tym nowym konstrukcjom po latach wojny w powietrzu dawało się wyczuć nadzieję, świeżą energię. Zobaczyła ciężarówkę z węglem, którą jechali mężczyźni w czapkach; mieli poczerniałe twarze i brudne ubrania. Dostrzegła również szeroki kanał pełen barek, wielki kościół, stację benzynową przy drodze, która przypominała główną ulicę, oraz kino ABC. Miasto wydawało się sympatyczne. Przeczuwała, że tak będzie.

Kiedy dotarła na miejsce, okazało się, że dom Petera nie jest tak okazały jak dom Beatrice Westerman. Był jednak świeżo odmalowany i miał ładny, frontowy ogródek z furtką oraz starannie utrzymaną ścieżką. Serce Flavii waliło jak młotem, oddychała głęboko. Nie przystanęła, żeby pomyśleć, tylko od razu podniosła ciężką, mosiężną kołatkę. Peter, powtarzała w duchu.

Dobiegł ją odgłos kroków, po czym zobaczyła, że ktoś zapala światło i usłyszała głosy. Dostrzegła kobiecą sylwetkę i kilka sekund potem dziewczyna, mniej więcej szesnastoletnia, otworzyła drzwi, nie na całą szerokość, tylko odrobinę. Pewnie po to, żeby nie ulatywało ciepło, pomyślała Flavia. Dziewczyna miała brązowe włosy i bardzo niebieskie oczy. Flavia zamrugała. Bynajmniej nie był to błękit oczu Petera.

— Możesz mi pomóc? — spytała grzecznie, gdyż wcześniej powtarzała sobie w myślach całą przemowę. — Szukam Petera Rutherforda. Jestem jego przyjaciółką z Sycylii.

Dziewczyna patrzyła na nią tak, jakby Flavia nie przybyła z Sycylii, tylko z innej planety.

— Petera Rutherforda? — powtórzyła.

— Tak. — Flavia za plecami ścisnęła kciuki w wełnianych rękawiczkach.

— Ach, Rutherford. — Dziewczyna zmarszczyła brwi, odwróciła się i krzyknęła: — Mamo? Jak się nazywali ci, którzy mieszkali tu przed nami? Rutherfordowie?

— Tak. — W sieni pojawiła się starsza kobieta z włosami na wałkach pod ciasną siatką. Miała na sobie fartuszek z falbankami, a w dłoni ściereczkę. Uważnie popatrzyła na Flavię. — Kogo pani szuka? — zapytała.

— Petera — odparła za nią dziewczyna.

— Młodszego syna? — Kobieta pokiwała głową. — Wysoki dwudziestokilkulatek, jasne włosy?

Flavia omal nie zemdlała z ulgi. A więc żył. Udało mu się.

— Si — odparła. — Tak. To Peter.

Kobieta pokiwała głową, z ciekawością mierząc Flavię wzrokiem.

— Może mi pani powiedzieć, proszę? Gdzie on jest teraz? — Flavia wstrzymała oddech.

— Mieszka chyba dwie ulice dalej. — Kobieta przewiesiła sobie ściereczkę przez ramię. — Czasami widuję go w sklepie.

— Dwie ulice dalej?

— Zapiszę nazwę ulicy. — Poszła po długopis i kartkę papieru.

— Dziękuję.

— Ale nie znam numeru.

— To nieważne. — Flavia była tak podekscytowana, że ledwie mogła mówić.

Peter znajdował się bardzo blisko. Kobieta zapisała jej nazwę ulicy.

— Silver Street — powiedziała głośno. — Widziałam, jak tam szedł.

— Dziękuję, dziękuję. — Flavia przyjęła od niej karteczkę. Miała ochotę ją pocałować, podobnie jak swoją rozmówczynię.

— To miła para — zauważyła kobieta. — Dziecko też jest miłe. Powodzenia, skarbie. Mam nadzieję, że ich pani znajdzie.

ROZDZIAŁ PIĘĆDZIESIĄTY

O trzeciej po południu mandarynkowy volkswagen czekał na nią przed pubem, przyciągając mnóstwo pełnych podziwu spojrzeń. Ojciec za kierownicą wydawał się bardzo spokojny.

Ginny wsiadła. Tata... Jeszcze do tego nie przywykła.

— Dokąd? — zapytał.

— Nad zatokę Pride — oznajmiła. — Tam robią najlepszą gorącą czekoladę.

W kawiarni zamówił latte dla siebie i gorącą czekoladę z bitą śmietaną dla Ginny.

— Pewnie interesuje cię sporo rzeczy — powiedział, siadając naprzeciwko niej. Mówił powoli, jakby starannie dobierał słowa. — Na przykład dlaczego tak nagle się zjawiłem. Wyskoczyłem jak diabeł z pudełka, jak chciała pewnie powiedzieć twoja babcia.

— Tak. — Ginny parsknęła śmiechem.

Podobał się jej jego akcent, charakterystyczny australijski zaśpiew, ale nie zamierzała ułatwiać mu sprawy. Nie było go przez całe jej życie. Przez osiemnaście lat przegapił wszystkie jej urodziny, święta i zwykłe dni. Sporo się tego zebrało. Gorąca czekolada nie mogła załatwić sprawy, nawet gorąca czekolada z bitą śmietaną.

Postukał się po nosie.

— Wpadło mi trochę kasy — oznajmił. — Twoja mama pewnie wspominała, że był ze mnie stary hipis.

Ginny wzruszyła ramionami, myśląc, że najprawdopodobniej oboje tacy byli, tyle że matka znienacka ugrzęzła w świecie dzieci i obowiązków, a on wybył do Australii i kontynuował swoją hipisowską egzystencję. Niektórzy to mają szczęście.

— Cóż, dotąd nie miałem pieniędzy, żeby przylecieć do Anglii.

Słaba wymówka, pomyślała Ginny. A Internet, zwykła poczta? Nawet telefon załatwiłby sprawę.

Ojciec zdawał się czytać w jej myślach.

— Łatwo jest przepuszczać okazje — zauważył. — W końcu przychodzi moment, w którym człowiek dostrzega, że jest już za późno. Chyba że...

— Chyba że? — powtórzyła.

Pomyślała, że wie, o co mu chodzi z tą okazją i tym, że jest za późno.

— Chyba że jeszcze można coś zrobić — dokończył. — Zmienić coś na lepsze.

Ginny była zdezorientowana. Niby co takiego chciał zrobić?

Zamieszał cukier w swojej latte.

— Pewnie się też zastanawiasz, dlaczego uciekłem? — zapytał.

To było prostsze.

— Bo nie chciałeś niańczyć dziecka? — zapytała.

To mogła zrozumieć. Bogu dzięki, nie była w ciąży. Bogu dzięki.

Popatrzył jej prosto w oczy.

— Prawdę mówiąc, umierałem ze strachu — wyznał. — Byłem jeszcze bardzo młody i naprawdę nie planowałem dziecka. Bez urazy.

Ginny pokiwała głową.

— Nie uraziłeś mnie. — Trzeba mu było przyznać, że nie owijał w bawełnę.

— Twoja matka wydawała się taka opanowana, taka ułożona. Tak jakby to w ogóle nie stanowiło dla niej problemu. — Pogrążył się w rozmyślaniach. — Ja byłem śmiertelnie przerażony.

— I co zrobiłeś? — Ginny popijała czekoladę.

Była gorąca, słodka, a śmietana rozpuszczała się dokładnie tak, jak to lubiła.

— Uciekłem do Australii. — Nie przestawał mieszać kawy. — Zbierałem owoce, pracowałem w barze, podróżowałem, paliłem za dużo zioła. Na upalaniu się trawą można stracić całe dziesięciolecia. Człowiek zapada w cholerny letarg.

Ginny była zdumiona, że się do tego przyznał, ale doszła do wniosku, że w sumie David nie jest typowym ojcem. Sama próbowała już trawy; na początku doprowadziło ją to do chichotów i nawet wyluzowało w przyjemny sposób, lecz po chwili zaczęła zachowywać się jak paranoiczka i mało nie puściła pawia.

— Dołączyłem do komuny newage'owskich podróżników po zachodniej Australii — dodał. — Chodziło nam głównie o rozwój duchowy. Było też twórczo, no wiesz, muzyka, poezja, malarstwo, takie tam.

Takie tam... Szurnięte szakale. To było naprawdę ekscytujące, mieć ojca, który robił takie tam. Najbardziej jednak podobało się jej to, że był taki wyluzowany, całkiem jakby nie uważał, że to coś niezwykłego. Gula podeszła do jego słów z sarkastycznym dystansem. A to ci dopiero, szydziła. Ginny jednak zapragnęła dać mu szansę.

— Jakiś czas temu poznałem parę Holendrów — ciągnął. — Zżyliśmy się z sobą. Wybierali się na pustynię, żeby pobawić się w poszukiwaczy, i spytali, czy nie mam ochoty na przejażdżkę. Zawsze nieźle radziłem sobie z silnikami. W końcu nikt nie chce, żeby jego środek transportu rozkraczył się na jakimś zadupiu, no nie?

Ho, ho, poszukiwacze.

— Poszukiwacze złota? — Ginny naprawdę była pod wrażeniem.

— W rzeczy samej — odparł i nabrał na łyżeczkę trochę piany z latte. — Mnóstwo ludzi tak robi. Nigdy nie wiadomo, prawda? — Zaśmiał się.

Ginny uświadomiła sobie, że też się śmieje.

— I?

Ojciec przestał się śmiać.

— Udało się nam.

W tym momencie wyglądał tak młodo i niepewnie, jak gdyby wcale tego nie chciał i teraz nie wiedział, co z tym zrobić. Mój Boże, najwyraźniej trafił się jej ojciec bogacz mimo woli. Być może nawet był bardzo bogaty.

— I wróciłeś do Anglii — zauważyła.

To wszystko jednak było zbyt oczywiste, zbyt proste. Ginny pomyślała o tym, jak jej matka z trudem wiązała koniec z końcem, i nagle nabrała ochoty, żeby rzucić się na niego z pazurami.

Najwyraźniej dostrzegł to w jej oczach.

— Zdaję sobie sprawę z tego, że nie masz powodu witać mnie z otwartymi ramionami — powiedział. —

Zawiodłem cię, zawiodłem twoją matkę, a siebie najbardziej. Dałem nogę, kiedy twoja mama naprawdę mnie potrzebowała. Nawet nie próbowałem skontaktować się z tobą, i to przez osiemnaście lat.

— No właśnie. — Patrzyła na niego znad krawędzi filiżanki.

Nieobecności ojca w jej życiu nie dało się tak po prostu wytłumaczyć jako straconej okazji.

— Chciałem — powiedział. — Więcej razy, niż myślisz. Bóg jeden wie, ile razy brałem do ręki długopis, żeby do ciebie napisać.

Ginny czekała.

— Ale to było kompletnie bez sensu — ciągnął. — Nie miałem pieniędzy, w żaden sposób nie przyłożyłem się do twojego wychowania, nic nie mogłem ci zaoferować. Jak Boga kocham, lepiej ci było beze mnie, Ginny.

Sposób, w jaki wypowiedział jej imię, sprawił, że nieco zmiękła.

— Mogłeś spróbować — odparła. — Mogłeś dać mi wybór.

— Tak. — Pokiwał głową. — Mogłem być inny i powinienem był być inny. Przede wszystkim niepotrzebnie sprowadziłem dziecko na ten świat. — Umilkł. — Niech to będzie dla ciebie lekcja.

Ginny zamrugała. Całkiem jakby wiedział, że ona i Ben omal nie wpadli, przecież tak łatwo było wpaść. Wzbudzał w niej coraz cieplejsze uczucia, chyba ze względu na swoją bezpośredniość.

— Pewnie całymi latami mnie nienawidziłaś — domyślił się.

— Przez jakiś czas.

— Wcale ci się nie dziwię. — Wzruszył ramionami.
Ginny dopiła czekoladę i odsunęła filiżankę.

— Więc czego teraz ode mnie chcesz? — zapytała.

— Niczego, czego nie chcesz mi dać. — Patrzył na
nią uważnie. — Chciałbym cię trochę poznać, dlatego
przyjechałem. Ale też chcę spróbować nie tyle wszystko
naprawić, ile poprawić. Dać coś od siebie.

— Pieniądze? — wycedziła najbardziej pogardliwym
tonem, na jaki mogła się zdobyć.

Pieniądze nie mogły niczego naprawić. Nic nie
mogło.

— Za pieniądze można kupić wolność — oznajmił. —
Zgadzam się, że pieniądze to nie wszystko. Chryste, sam
dawno temu zrezygnowałem z dóbr materialnych. Ale
dzięki pieniądzom ma się wybór i można wygodniej
żyć. Twojej mamie coś by się pewnie przydało po tych
wszystkich latach?

— Zapłacisz za swoje poczucie winy? — zapytała.

Nie chciała, żeby się tak łatwo wywinął.

— Nazywaj to, jak chcesz. — Pochylił się ku niej i wymownie poruszył brwiami. — Na przykład spóźnionymi
alimentami.

Ginny zachichotała. Najwyraźniej ktoś tam na górze
postanowił obsypać jej matkę złotem. Najpierw dom na
Sycylii, teraz to.

— Opowiedz mi o sobie. — Nie spuszczał z niej
wzroku. Jego twarz tak bardzo kojarzyła się Ginny
z jej własnym obliczem. To było dziwne, czuła się tak,
jakby spoglądała w lustro, które potrafiło podróżować w czasie. — Często się zastanawiałem... Myślałem
o tobie.

Minęła ponad godzina, zanim podnieśli się z miejsc. Ginny opowiedziała mu całe swoje życie. To okazało się proste, może dlatego, że sam był nieco na bakier z rzeczywistością i chyba ją rozumiał. Może też dlatego, że go nie znała, a zawsze łatwiej jest się zwierzać obcym ludziom. W każdym razie Gula już jej tak nie ściskała.

— A czego ty chcesz, Ginny? — zapytał, kiedy wychodzili z kawiarni.

Cóż, pytanie za milion dolarów.

— Chcę zrobić coś... nieodpowiedniego — odparła. — Coś zobaczyć. Sama nie wiem.

— W takim razie czego byś nie chciała robić?

To było prostsze.

— Iść na uniwersytet. Studiować psychologii. Zostać w Pridehaven.

— Coś jeszcze? — zaśmiał się.

— Nie chcę robić tego, co każą mi robić inni. — Poczuła się trochę winna w stosunku do matki. — Chcę być wolna.

Od Guli, naturalnie, i wszystkiego, co sobą reprezentowała.

Ojciec pokiwał głową.

— To chyba powinnaś wyjechać — powiedział.

Gdyby to było takie proste...

Otworzył drzwi campera. Ginny nie umiała sobie wyobrazić rodziców razem, nie teraz. Pomyślała o fotografii w salonie w domu. Gdyby byli z sobą dłużej, prędzej czy później by się rozstali, to oczywiste. Jeszcze jedna rodzina w rozsypce...

Jakie zatem miało znaczenie, że zniknął, zanim się urodziła?

Podwiózł ją do dziadków.

— No i jak się z nim dogadywałaś? — zapytała nonna, gdy tylko Ginny stanęła w progu.

Babcia nadal spoglądała na nią podejrzliwie, a w jej wzroku było coś jeszcze, czego Ginny nie potrafiła zidentyfikować.

— Polubiłam go — odparła Ginny i usłyszała zdumienie we własnym głosie. — Bardzo go polubiłam.

Nagle zadzwoniła jej komórka. Ginny pospiesznie wyciągnęła telefon z kieszeni i spojrzała na ekran. MAMA. A niech to...

ROZDZIAŁ PIĘĆDZIESIĄTY PIERWSZY

Kiedy kilka dni później Tess szła do hotelu Faraglione na kawę z Millie, uświadomiła sobie, że od dawna nie rozmawiała z Ginny równie szczerze jak ostatnim razem. Podejrzewała, że jakaś jej cząstka ta egoistyczna cząstka, pragnęła, by Ginny spławiła ojca. Gdzie byłeś przez całe moje życie? — powinna zapytać. Ginny jednak ją zaskoczyła swoją rozwagą i przemyśleniami.

— To dla mnie dobre, mamo — powiedziała.

— Dlaczego? — Czyżby była taką złą matką? Czy przez te wszystkie lata nie wystarczała córce?

— Bo on może odpowiedzieć na niektóre z moich pytań. Pytań, które chciałam zadać mu od wielu lat.

Słońce świeciło niemiłosiernie na błękitnym, sycylijskim niebie, gdy Tess pokonywała wąskie uliczki i przykurzone kocie łby. Zastanawiała się, jak mogła nie wpaść na to, że Ginny ma do Davida jakieś pytania i że pewnych rzeczy ona sama nie zdoła jej wytłumaczyć, przede wszystkim dlatego, że nie wie jak.

— Wracam do domu — oznajmiła do słuchawki. — Muszę się spotkać z Davidem. Nie powinnaś przechodzić przez to sama.

— Mamo, ale ja chcę przez to przejść sama — zaprotestowała Ginny. — Chcę spędzić z nim trochę czasu, nie rozumiesz?

Tess starała się zrozumieć, wiedziała jednak tylko tyle, że Ginny nie chce jej powrotu i pragnie być ze swoim ojcem. Całe ich wspólne życie wydawało się teraz wykreślone, jakby w ogóle nie miało znaczenia.

— Nie dlatego, że cię nie kocham, mamo — powiedziała Ginny, zupełnie jakby odgadła, o czym myśli Tess. — I nie dlatego, że za tobą nie tęsknię. Tęsknię.

Tess uświadomiła sobie, że córka od bardzo dawna nie powiedziała jej czegoś takiego. Poczuła pieczenie łez pod powiekami.

— Kochanie — szepnęła. — Jeśli mnie potrzebujesz, po prostu zadzwoń.

— Zadzwonię.

— Ginny?

— Tak?

— Ja też cię kocham.

Wchodząc do chłodnej, wyłożonej płytkami recepcji, Tess doszła do wniosku, że miłość do dziecka czasami polega również na odpuszczaniu. To było trudne, ale musiała spróbować.

Ponieważ Millie była zajęta prowadzeniem hotelu, a Pierro nieustannie wyjeżdżał w interesach, Tess nie widywała nowych przyjaciół tak często, jak na to liczyła. Tak czy owak miło było mieć przyjaciółkę do rozmów w ojczystym języku, do tego Pierro bardzo jej pomagał przy obmyślaniu planów związanych z Villa Sirena. Tess zdążyła się już przekonać, że niełatwo jest być samotną właścicielką zapuszczonego domu na Sycylii.

— Wszystko w porządku? — zapytała ją Millie, nalewając kawę dla całej trójki. — Wydajesz się nieco rozkojarzona.

Siedzieli na prywatnym patio, pełnym jaskrawych kwiatów w donicach, pachnącego jaśminu, fioletowej i pomarańczowej bugenwilli, pod osłoną lnianej markizy. Dziś Millie włożyła jaskrawożółtą letnią sukienkę. Tess przyszło do głowy, że z czerwoną szminką na ustach i czerwonym lakierem na paznokciach czarnowłosa Millie również wygląda jak egzotyczny kwiat — prześliczny, ale tak kruchy, jakby mógł się połamać od lekkiego dotknięcia.

— Jest parę spraw w domu — przyznała Tess.

Kusiło ją, żeby opowiedzieć całą historię, ale zbyt długo by to trwało.

— Nastolatki — uśmiechnęła się Millie. — Wyobrażam sobie.

— I rozmawiałam z Toninem — dodała Tess. — O tej idiotycznej rodzinnej vendetcie.

— Vendetta? — Millie uniosła idealnie wyregulowane brwi. — Brzmi obiecująco. Mów.

Tess się zawahała, ale trudno to było nazwać sekretem, skoro większość miasteczka najwyraźniej o wszystkim wiedziała. Nakreśliła zatem sytuację. Nawet Pierro wydawał się zainteresowany i został z nimi, żeby posłuchać.

— O rany. — Millie szeroko otworzyła oczy. — Co to za *il Tesoro*?

— A żebym ja to wiedziała. — Tess zaczynała marzyć, by żaden *il Tesoro* nie istniał.

— Jak myślisz, co się z nim stało?

— Nie mam bladego pojęcia. — Tess wzięła jeszcze jeden migdałowy *biscotto* z talerzyka podsuniętego przez Millie. Zamoczony w café latte, smakował przepysznie. Postanowiła, że dietą będzie się katować później, już w Anglii. — Giovanni chyba myślał, że skarb jest ukryty w willi. Kiedy się tutaj pojawiłam, wypytywał mnie o to.

— Coś takiego — wycedziła Millie. — Ciekawe, czy on wie, gdzie to jest.

Tess nie była pewna, ale wydawało się jej, że Pierro rzucił żonie ostre spojrzenie. Ich związek był nieco dziwny. Pierro zdawał się wielbić Millie, za to ona... Cóż, bywała dość oschła.

— Czy to nie byłoby niesamowite, gdybyś poznała prawdę? — Millie ugryzła *biscotto*. — Gdzie jest ten skarb i co to w ogóle jest? Matka nie dała ci żadnych wskazówek? W ogóle ją pytałaś?

— Nie, nie pytałam. — Tess nie mogła się nie roześmiać.

Millie pochyliła się ku niej konspiracyjnie i Tess poczuła zapach jej perfum, piżmowy i słodki.

— Może powinnaś — zasugerowała. — Gdybyś się więcej dowiedziała, sytuacja z Toninem mogłaby się zmienić. Kto to wie?

— Mamma nie chce rozmawiać o tamtych czasach — przypomniała jej Tess.

Niby dlaczego Tonino miałby zmienić zdanie? Według niego to, co się wydarzyło w przeszłości, nie dało się, ot tak, wymazać. Zresztą ona też miała swoją dumę. Skoro Tonino jej nie chciał z powodu głupiej zadawnionej kłótni, nie zamierzała się za nim uganiać.

— Dla Sycylijczyka przeszłość jest zawsze powiązana z teraźniejszością — oznajmił Pierro.

Millie tylko przewróciła oczami, Tess jednak wykazała więcej zrozumienia. Wszyscy Sycylijczycy aż za bardzo lubili opowiadać jej o swojej specyfice.

— To tak jak w wypadku Tonina i jego bajek oraz ludowych opowiastek — zauważyła.

Przeszłość i teraźniejszość były czasem tak splątane, że nie sposób było ich rozdzielić.

— Bardzo go lubisz — powiedziała Millie, patrząc na nią uważnie.

— Chyba tak — przyznała, choć w uszach Tess pobrzmiewał głos Giovanniego: „A ten mężczyzna zwodzi tyle kobiet...".

Ostatnie, czego jej było potrzeba, to związek z jeszcze jednym oszustem.

Pierro uśmiechnął się do niej.

— Pasujecie do siebie — powiedział. — Byłoby idealnie. Millie i ja nie bylibyśmy już jedyną angielsko-sycylijską parą w Cetarii.

Millie zmarszczyła brwi.

— Tess jest w połowie Sycylijką — przypomniała mu. — To nie to samo.

Przytknęła usta do filiżanki z kawą, a Tess ze zdumieniem dostrzegła, że ręka Millie drży. Już miała coś powiedzieć, ale nagle Millie uśmiechnęła się do niej szeroko i chwila minęła.

— No tak, oczywiście, że tak. — Pierro pacnął się w głowę dłonią. — Na moment zapomniałem.

Tak naprawdę, dorastając, Tess nie czuła się pół-Sycylijką. Owszem, Flavia nieco różniła się od angielskich matek, lecz poza kuchnią Tess otrzymała bardzo angielskie wychowanie. Teraz jednak, będąc tutaj, czuła się tak, jakby od zawsze miała Sycylię we krwi.

— W każdym razie nie ma szansy, żebyśmy się zeszli — powiedziała do Pierra, odsuwając filiżankę. —

Ja jestem wrogiem, a dla Tonina przeszłość jest najważniejsza.

— Więc jest idiotą — oznajmił Pierro spokojnie. — A czy wiedziałaś, droga Tess, że to miejsce należało niegdyś do jednego z przodków Tonina Amata?

— Naprawdę? — Tess rozejrzała się wokół siebie.

Pokryty fioletowym tynkiem hotel wraz z barwnym otoczeniem był bardzo elegancki i nowoczesny i jakoś jej nie pasował do tamtych czasów.

— Tyle że wówczas była to tylko restauracja z barem — dodał Pierro.

— Ach, Luigi Amato! — domyśliła się.

Brat dziadka Tonina, zmarły na atak serca, najprawdopodobniej po wizycie Enza Sciarry, chociaż Tess postanowiła o tym nie wspominać.

— Tak, prowadził go razem ze swoją siostrą — dodała Millie. — Był gejem, chociaż wtedy się o tym nie mówiło, jak sądzę.

— Coś takiego! — Tess pomyślała, że to jeszcze jeden fakt, o którym Tonino nie raczył jej wspomnieć. Nie żeby to było konieczne, ale...

— A jak tam Villa Sirena? — Ku uldze Tess Millie zmieniła temat. — Co się tam dzieje?

Zaproponowała więcej kawy, jednak Tess pokręciła głową. I tak piła jej za dużo, przez co później znajdowała się w stanie permanentnego kofeinowego pobudzenia.

Opowiedziała im o swoich planach. Pragnęła przerobić wszystkie sypialnie na cztery małe apartamenty, w tym prywatną kwaterę mieszkalną dla kogoś, kto zarządzałby całym domem. Kuchnia musi zostać kompletnie przebudowana, a wnętrze willi należałoby odrestaurować. Przydałoby się też trochę poprawić stan ogrodu. To było absolutne minimum, jeżeli zamierzała prowadzić pensjonat i zatrudnić menedżerkę.

— Dlaczego sama go nie poprowadzisz? — Pierro nalał sobie więcej kawy.

— Moja córka ma dopiero osiemnaście lat — przypomniała mu Tess.

Millie wzruszyła ramionami.

— Więc już prawie masz ją z głowy. — Od razu widać, że Millie i Pierro nie są rodzicami, pomyślała Tess. — Zanim się obejrzysz, pójdzie na studia albo znajdzie sobie męża. A co wtedy będzie z tobą?

— Pewnie utknę w Anglii — przyznała Tess.

Pierro popatrzył na zegarek i wstał.

— Czuję, że kiedyś tu wrócisz — oznajmił. — Wszystkie odpowiedzi są tutaj, na Sycylii.

— Może nie wszystkie — wtrąciła Millie. — To jednak wielki krok, od wakacji do przeprowadzki na stałe. Może Tess nigdy nie będzie na to gotowa. Nie zapominaj, że ma rodzinę w Anglii.

Pierro uśmiechnął się do niej.

— No to będą zachwyceni, mogąc przyjeżdżać z wizytą — zauważył.

Tess wcale nie była taka pewna.

— Moja matka nie mogła się doczekać, kiedy ucieknie z Cetarii — podkreśliła.

Byłoby cudem, gdyby udało się jej sprowadzić tutaj mammę, zwłaszcza teraz, w jej wieku. Zachwycającym cudem, uświadomiła sobie nagle.

— *Cu nesci arriniesci.* — Pierro odsunął się od stolika.

— Co takiego?

— Sycylijskie powiedzenie — wyjaśnił. — Musisz wyjechać z Sycylii, żeby odnieść sukces.

— Chyba że zajmiesz się biznesem turystycznym. — Millie pokiwała palcem.

Tess uśmiechnęła się do obojga. Oni rzeczywiście dobrze sobie poradzili. Millie miała jednak rację, to był naprawdę wielki krok, który nie tak łatwo było wykonać. Poza tym za żadne skarby nie zostawiłaby Ginny.

— A co do Tonina Amata... Na nim świat się nie kończy — zauważyła Millie.

Problem w tym, że Tess nie pragnęła nikogo innego.

Wkrótce pożegnała się i wyszła, bo Millie i Pierro musieli wracać do pracy. Millie nieco ją zaniepokoiła, ale Tess nie była pewna, o co konkretnie jej chodzi. Zastanawiała się, czy zapytać matkę o il Tesoro. Nie chciała angażować się jeszcze bardziej w tę sprawę, ale coś podpowiadało jej, że powinna. Edward Westerman postarał się, żeby przyjechała tu w pewnym celu, który być może obejmował także rozwikłanie tajemnicy.

Pomyślała o słowach Santiny, że Flavia odnalazła pilota i nigdy o nim nie zapomniała. Tess zmarszczyła brwi. Trudno jej było zaakceptować fakt, że tata nie był pierwszym i jedynym mężczyzną mammy. Co się jednak wydarzyło? Czy pilot ułożył sobie życie, zanim go znalazła? Czy Flavia się spóźniła?

ROZDZIAŁ PIĘĆDZIESIĄTY DRUGI

Miła para. Miłe dziecko...

Te słowa od godziny rozbrzmiewały w głowie Flavii, a jednak przybyła na Silver Street, jakby chciała przekonać się na własne oczy, czy to prawda. Jakby wciąż miała nadzieję, że nie. Usiadła w herbaciarni na rogu, patrzyła i czekała. Przyszło jej do głowy, że zawsze na niego czeka. Na murze naprzeciwko wisiał czerwono-złoty plakat reklamujący pantomimę. *Jaś i łodyga fasoli*, przeczytała Flavia, w Theatre Royal.

Za ladą stał młody człowiek i ją obserwował.

— Wszystko w porządku, złotko? — spytał parę razy.

Miał miłe niebieskie oczy, nie takie jak Peter, ale miłe... Nagle uświadomiła sobie, jak wiele osób w Anglii ma niebieskie oczy. Ale oczy Petera i tak były wyjątkowe.

— Tak, dziękuję — odparła, zziębniętymi dłońmi obejmując biały kubek z kakao.

Słyszała grzechotanie naczyń za kontuarem. Miła para, miłe dziecko...

— Za chwilę będę musiał zamykać — zauważył. — Masz dokąd iść?

— Iść? — powtórzyła.

Wydawał się zakłopotany. Stał nieruchomo, skubiąc mankiet koszuli, która wystawała spod fartucha baristy. Przesunął na bok solniczkę i pieprzniczkę ze szkła, a następnie przetarł blat ścierką.

417

— Na noc. Wyglądasz, jakbyś była z dala od domu.

Flavia wybuchnęła śmiechem. To histeria, pomyślała, w końcu się załamałam. Ale... z dala od domu? Owszem, o ile Sycylia była jej domem, jeśli nadal mogła nim być.

Młody człowiek zmarszczył brwi.

— Mogę ci w czymś pomóc? — spytał. — Tyle że...

Wtedy go zobaczyła przez okno herbaciarni. Szedł ulicą prosto ku niej. Był starszy, cięższy, lekko przygarbiony, inaczej niż kiedyś, ale nawet w słabym, żółtym świetle ulicznej latarni od razu go rozpoznała.

— Peter — szepnęła.

Zerwała się z krzesła i w sekundę wypadła z herbaciarni. Przystanęła na chodniku jakieś trzy metry od niego.

— Peter. — Wypowiedziała jego imię bardzo cicho, niemal niesłyszalnie.

Miał ściągniętą twarz. Pamiętała ten lekki grymas, wystające kości policzkowe i błysk w oku. I usta...

Raczej ją wyczuł, niż usłyszał. Obejrzał się za siebie, zmarszczył brwi, dostrzegł ją: wszystko w tym samym momencie. Zobaczyła na jego twarzy dezorientację, niedowierzanie i radość.

— Flavia? — Tylko Peter mógł sprawić, że jej imię brzmiało tak romantycznie. — Flavia?

Rzuciła mu się w ramiona, nic nie mogła na to poradzić. Minęło tyle czasu, a teraz był tutaj...

— Tak, to ja — odparła.

Tulił ją przez chwilę, która zdawała się trwać wiecznie, a zarazem bardzo krótko. Wtedy to poczuła, jego pragnienie, miłość, pożądanie, niczym bursztynowy blask wokół swojej duszy.

Nagle odsunął się od niej.

— Flavia, to naprawdę ty? Dobry Boże, co ty tutaj robisz? Na litość boską... — Nawet nie próbował ukrywać zdumienia. Odgarnął włosy z czoła. Flavia pamiętała ten gest. Rozejrzał się nerwowo po ulicy. Było zimno, ludzie w przewiązanych paskami płaszczach spieszyli się do domów, kryjąc twarze w szalikach. Jeszcze nie zapadł zmrok i oświetlenie uliczne nadawało niebu dziwną, pomarańczową poświatę. — Jak, na Boga, wiedziałaś, dokąd...? — Urwał.

— Poszłam do domu — odparła. — Pod adres, który mi wcześniej dałeś.

Wcześniej, w innym świecie.

— Przyjechałaś tutaj aż z Sycylii? — Patrzył na nią niemal tak, jakby nie chciał, żeby to była prawda.

— *Si* — przytaknęła. — Żeby cię znaleźć.

To była prawda, niemal cała prawda.

Zaklął pod nosem i znów rozejrzał się po ulicy. Zastanawiała się, w którym domu mieszkają. Miła para z miłym dzieckiem. Czy ona była w środku i czekała na niego?

— Ale ty na mnie nie czekałeś — zauważyła.

Tego się nie spodziewała. Nie sądziła, że Peter znajdzie sobie inną, a jednak to było oczywiste. Niby dlaczego nie pisał? Dlaczego po nią nie wrócił?

Peter chwycił ją za ręce. Gdy jej dotknął, poczuła, jak przeszywa ją tęsknota. Peter...

— Nie pisałaś do mnie — powiedział. — Nie odpowiedziałaś na żaden z moich listów.

Miał dzikie spojrzenie. Tak mocno ściskał jej dłonie, że ją rozbolały, ale była z tego zadowolona, bo dzięki temu mogła zapomnieć o innym bólu. Nagle dotarło do niej, co powiedział. Spojrzała na niego z niedowierzaniem.

— Nie dostałam żadnego listu — oznajmiła po chwili bezbarwnym głosem. — Ale pisałam do ciebie wiele razy.

Nagle uświadomiła sobie, co zaraz usłyszy.

— Nigdy niczego nie dostałem.

Flavia milczała, próbując zrozumieć.

— Sądziłem, że nie jesteś zainteresowana — dodał. — Myślałem, że byłem dla ciebie tylko miłą odmianą.

— Miłą odmianą?

Jej spojrzenie wędrowało od jego głowy, jasnych włosów, nadal krótkich i na pewno delikatnych w dotyku, do dolnej wargi, nieco wykrzywionej górnej, i lekko zarośniętej szczęki. Jego twarz była teraz pełniejsza niż podczas wojny, najwyraźniej całkiem wydobrzał.

— Miłą odmianą w postaci nieznajomego — odparł. — Przybysza z Anglii, który zjawił się niespodziewanie. — Zwiesił głowę. — Wiem, że to, jak się poznaliśmy, i w ogóle...

Zrozumiała, że nie jest w stanie powiedzieć „zakochaliśmy".

— ...nie tak to się załatwia na Sycylii.

Flavia wiedziała, że to nie są jego słowa. Wiedziała o tym równie dobrze jak to, że jest zimny, grudniowy wieczór i znajdują się w Exeter, w Anglii. Czuła się zagubiona.

— Nie wróciłeś po mnie — wyszeptała.

— Wróciłem.

To jedno słowo przeszyło ją jak sztylet.

— Kiedy?

Pytając, znała odpowiedź. To się mogło zdarzyć tylko w jednym momencie. Teraz już wszystko rozumiała.

— Cztery lata temu — odparł. — Widziałem się z twoim ojcem.

Powoli skinęła głową. Cztery lata temu, tak.

— Chyba wiedział, że się zjawię.

Jasne, że wiedział, pomyślała. Skoro przechwytywał listy... Papa miał przyjaciół, którzy też mieli przyjaciół w odpowiednich miejscach. Przyjaciół takich jak Enzo, a ten wiedział, co robić. Na Sycylii wszystko dało się kupić, każdego skorumpować.

— Powiedział, że wyszłaś za mąż, niech to szlag. — Peter zacisnął pięść. — I że wyjechałaś ze swoim nowym mężem. Że powinienem o tobie zapomnieć i poślubić jakąś Angielkę. „Nie tak to się załatwia na Sycylii", powiedział. Byłaś jego córką, musiałaś wyjść za Sycylijczyka, zaaprobowanego przez twoją rodzinę. Flavia raz jeszcze pokiwała głową. Wtedy wysłano ją z wizytą do ciotki Paoli w sąsiednim miasteczku, do pomocy, gdyż ciotka nie czuła się dobrze. Wówczas nie wydało jej się to dziwne, ale... Zamknęła oczy. Peter był w Cetarii, a ona się z nim nie spotkała. Ojciec zniszczył jej życie.

— Nigdy mu nie wybaczę — powiedziała Peterowi. — Bóg mi świadkiem, nigdy mu nie wybaczę.

Puścił jej ręce.

— Nie wyszłaś za mąż? — zapytał.

— Nie.

— Czekałaś na mnie?

— Tak.

Wsunął dłonie do kieszeni, jakby dzięki temu mógł się powstrzymać od dotykania jej. Zapadła długa cisza.

— Mam dziecko — powiedział w końcu. — Syna, Flavio. Ma na imię Daniel.

Skinęła głową, ale nie chciała słuchać o jego dziecku.

— Tak strasznie mi przykro — powiedział. — Co mogę zrobić?

Jego oczy były pełne bólu. Przypomniała sobie jego spojrzenie, kiedy znalazła go przy wraku szybowca.

— Proszę, nie martw się — powiedziała. — Dam sobie radę.

Jej głos brzmiał jak głos z automatu, ale Peter uchwycił się tych słów niczym tonący brzytwy.

— Jesteś pewna? — zapytał. — Możesz do nas przyjść. Molly...

— Nie. — Flavia pocałowała go w policzek. Jego skóra była chłodna i wilgotna. Dotknęła palcem jego ust. — Żegnaj, Peter.

Odwróciła się i odeszła, wyprostowana i silna — przynajmniej przez kilka pierwszych kroków, bo wiedziała, że będzie na nią patrzył, i widziała, jak cierpiał. Przecież po nią pojechał, pojechał aż na Sycylię, a ona była tego nieświadoma. Nie mógł się domyślić, jak jej było ciężko.

Załamała się tuż za rogiem, do jej oczu napłynęły gorące łzy.

— Papa, nienawidzę cię — wymamrotała. — Nienawidzę każdej kropli twojej krwi.

Nagle z cienia wyłonił się jakiś mężczyzna. Flavia cofnęła się odruchowo, unosząc ręce w geście samoobrony. Gdzieś nieopodal przejechał pociąg. Księżyc wychylił się zza chmury, okrągły, elegancki i gotowy na noc w mieście.

— Och — powiedziała Flavia, usiłując zapanować nad zaskoczeniem. — To ty.

Flavia wpatrywała się w słowa w zeszycie. Kiedy Tess je przeczyta, w końcu zrozumie, dlaczego jej matka nigdy nie powróciła na Sycylię, dlaczego nie lubiła nawet rozmawiać o wyspie. Nigdy nie przebaczyła ani ojcu, ani matce. Gorycz trawiła ją od środka przez długie lata.

Tyle że teraz... Teraz, mając córkę i wnuczkę, zaczynała rozumieć wiarę ojca w to, że postępuje słusznie, jego przekonanie, że najlepiej wie, jak zapewnić szczęście córce. Teraz, kiedy pisała te słowa, opowiadając swoją historię, której nigdy nie zamierzała wyjawić, teraz, kiedy zabrakło papy, po raz pierwszy poczuła, że nareszcie może wybaczyć jemu, mamie i Sycylii.

Młody człowiek z herbaciarni wziął ją stanowczo pod rękę i zaprowadził do swojego domu, w którym mieszkał razem z matką.

— Nie bój się — powiedział. — Nie zrobię ci krzywdy.

Flavia skinęła głową. Wcale się nie bała. W ogóle jej to nie obchodziło.

— Możesz tutaj zostać na noc — powiedział miłym, troskliwym głosem.

Więc została.

Ledwie mogła sobie przypomnieć tamtą noc, większość przepłakała. Rankiem wsiadła w pociąg do Londynu, z ich adresem wypisanym na kartce papieru i ukrytym w torbie. Po powrocie napisała uprzejmy liścik, żeby podziękować za ich dobroć. Jak sądziła, to był koniec tej znajomości.

Nadal pracowała dla Bei Westerman, chociaż minęło trochę czasu, zanim zdołała jej wyznać, co zaszło w Exeter.

Po niemal rocznym pobycie Flavii w Anglii Bea złożyła jej propozycję, która miała odmienić jej los i zapewnić nową pasję. Nareszcie znalazła cel w życiu.

Flavia uświadomiła sobie teraz, że naprawdę ma za co dziękować Bei Westerman.

* * *

Sycylia, wyspa otoczona morzem. W Cetarii zawsze czuło się zapach morza i smak ryb, które z niego pochodziły. Rybacy, którzy tak jak Alberto Amato wypływali codziennie, bez względu na pogodę, rzadko wracali z pustymi rękami. Potem objeżdżali wozem miasteczko, by sprzedać połów.

Flavia przypomniała sobie targ rybny w Trapani, posiwiałych rybaków i rozmaite ryby wyłożone na blatach, niektóre już odfiletowane, lśniące i połyskliwe, z łuskami niczym kolory tęczy. Tuńczyki, sardynki, sardele...

Skorpeny, węgorze, makrele i kalmary... Małże, sepie, barweny, mieczniki...

Każda ryba ma swój czas. Pytanie, które trzeba zadawać na targu, nie brzmi „po ile", tylko „jak świeża".

Tak dużo się zmieniło w przemyśle rybołówczym. Jest więcej łowienia, a mniej ryb. Sieci dryfujące, pławnice, za dużo odbierają morzu; krwawy dramat *mattanza*...

Było zbyt wiele przepisów na ryby, żeby je wszystkie spisać. Weźmy takie sardele, małe, ale niezwykle aromatyczne.

Pasta con le acciughe. Podgrzej delikatnie, bo łatwo gorzknieją.

Tuńczyk na słodko-kwaśno z octem, *sfinciuni* z sardelami i cebulą albo w potrawce z czosnkiem, miętą i goździkami. *Sarde a beccafico*: najsłynniejszy przepis z sardynkami, specjalność Palermo.

Nazwa pochodzi od małego ptaszka, gajówki, którego pióra w ogonie sterczą w powietrzu. Użyj orzeszków piniowych, tartej bułki i pietruszki na nadzienie. Sardynki są zwijane od głowy do ogona, ciasno upchnięte i podane tak, że łodyżki liści laurowych oraz ogonki sardynek wystają niczym ogon pokrzewki.

To rozbawi jej córkę.

Smak morza. Lekkości, ruchu, wody i słońca.

Sycylijskie jedzenie jest figlarne, ale przede wszystkim należy traktować je z szacunkiem. Sycylijczycy rozumieją, co to znaczy głód. Zawsze rozumieli.

ROZDZIAŁ PIĘĆDZIESIĄTY TRZECI

Ginny nadal miała problem z nazywaniem go tatą, chociaż odkąd się pojawił w jej życiu, widywali się niemal codziennie. („Trzymamy się razem — wyjaśniła Becce. — Ale to bardziej szkolny klej do papieru niż superglue"). Często jeździli gdzieś volkswagenem, zatrzymywali się na lunch w pubie albo na kawę i prowadzili Filozoficzne Dyskusje.

— Niezależnie od tego, co planujesz w życiu, pamiętaj, że zawsze możesz zmienić zdanie — mówił.

Dla Ginny brzmiało to trochę jak zwykłe głędzenie. Wyobraziła sobie, jak nonna bierze do ręki kuchenną łapkę i mówi: „Brak kierunku w życiu, moja droga" tą swoją charakterystyczną, stanowczą angielszczyzną z akcentem.

— Tak? — spytała powątpiewająco.

— To się nazywa płynąć z prądem — wyjaśnił.

Gula raz czy drugi sugerowała, że filozofia jej ojca jest filozofią tchórzliwego egoisty, ale Ginny musiała przyznać, że ma to swój urok.

— A jeśli rozczarujesz innych? — chciała wiedzieć.

— To twoje życie.

— A jeśli później będziesz żałować?

— Sama wybrałaś. — Wzruszył ramionami.

— No, ale skąd wiadomo — dociekała — czy to właściwa rzecz o właściwej porze, czy właściwa rzecz o niewłaściwej porze, czy niewłaściwa rzecz o właściwej porze, czy cokolwiek?

— Tego nigdy się nie wie. — Zamrugał.

— Ech.

Ginny nie była przyzwyczajona do niepewności i nie miała pojęcia, czy to dobrze, czy źle. Ojciec pewnie uznałby, że ani takie, ani takie, że po prostu jest jak jest.

— Chodzi o to, że kiedy zmuszamy się do robienia czegoś, czego nie chcemy, albo ktoś inny nas do tego zmusza, kiepsko na tym wychodzimy.

Było to aż nazbyt prawdziwe i Ginny wiedziała, że Gula nie ośmieli się tego kwestionować. Była pasożytem, żywiła się takimi rzeczami.

— Najprostsza odpowiedź to tego nie robić — dokończył.

— Najłatwiejsza — wymamrotała Ginny.

— Niekoniecznie. — Popatrzył na nią. Po wyrazie jego oczu domyśliła się, że wspominał czasy, gdy wrócił do Australii, bo nie chciał być ojcem. — Być może to najbardziej uczciwy i jedyny sposób na to, żeby pozostać wiernym sobie, ale wcale nie najłatwiejszy.

Ginny zastanowiła się nad jego słowami. To prawda, że jeśli odmówiłaby studiowania, nie byłoby jej łatwo. Zrobiłaby przykrość ludziom, zwłaszcza mamie i nonnie, ale przede wszystkim byłaby wierna sobie. Kiedy zaczęła o tym myśleć, uświadomiła sobie, że nikt ani nic nie może jej zmusić do studiowania. Jasne, matka pewnie zacznie biadolić z powodu utraconych możliwości, ale w ostatecznym rozrachunku i tak nic nie zrobi, bo w końcu matce najbardziej zależało na jej szczęściu.

— Kocham mamę — powiedziała do człowieka, który również kochał jej mamę i również ją zawiódł.

— Nie wątpię. — Pokiwał głową.

— Ale przez jakiś czas muszę od niej odpocząć — ciągnęła Ginny. — Za bardzo mnie chroni.

Ojciec uniósł brew.

— To chyba dobrze, że cię chroni — zauważył.

— Tak. — Roześmiała się, bo to była pierwsza normalna rzecz, jaką mógł powiedzieć do niej własny ojciec. — Ale muszę... — To się wydawało głupie.

— Odkryć siebie? — dokończył za nią.

— No tak. Tak jakby.

Odnaleźć siebie, chciała powiedzieć, znaleźć inną siebie. Taką, która umie żyć bez nadopiekuńczej matki, taką, która potrafi pokonać Gulę.

— Wiem, jak się czujesz — oznajmił jej ojciec. — Nie musisz tego kryć.

Wyciągnął rękę i dotknął jej ramienia, a ona mu uwierzyła i poczuła, jak Gula przestaje ją tak ściskać i teraz przypomina luźną mackę. Zupełnie jakby spodziewała się czegoś innego i była rozczarowana, po raz pierwszy w swoim gulim życiu.

ROZDZIAŁ PIĘĆDZIESIĄTY CZWARTY

Flavia musiała się skoncentrować, żeby przypomnieć sobie kolejność wydarzeń. To było ważne, zależało jej, by Tess przeczytała jak najwierniejszy opis tamtych chwil. Łatwiej było jednak przypomnieć sobie emocje niż fakty.

Kilka miesięcy po spotkaniu z Peterem w Exeter Flavia otrzymała list od młodego człowieka z herbaciarni, tego, który tamtej nocy zabrał ją do domu swojej matki.

„Przyjeżdżam do Londynu — napisał. — Czy możemy się spotkać?"

Flavia nie była pewna. Nie chciała żadnych wspomnień po tamtym dniu, ale Bea przekonała ją, że to zwykła uprzejmość.

— Pomyśl tylko, co byś zrobiła tamtego wieczoru, gdyby nie on, moja droga — zauważyła.

I tak oto Flavia spotkała się z młodym człowiekiem, a on kupił jej rybę z frytkami w barze w Shepherds Bush oraz małego guinnessa w pubie Royal Crown. Był mglisty, zimowy wieczór pod koniec lutego i trudno było sobie wyobrazić, że wiosna czai się tuż za rogiem. Najwyraźniej w Anglii wiośnie nigdy się nie spieszyło. A ta mgła nad Londynem... Nazywali ją smogiem. Flavia myślała o niej jak o tajemniczej szacie lub całunie, który okrywa całe miasto, podczas gdy samochody i autobusy przemykają z warkotem, a milczące trolejbusy suną przez ziarnistą, żółtawą poświatę. Wiedziała, że smog powoduje problemy ze zdrowiem, ale mimo to lubiła tę dziwną i ciężką ciszę.

— Minie, kiedy się ociepli — powiedziała Bea Westerman. — To zanieczyszczenie od dymu z węgla.

Flavia jej wierzyła. Było tak, jakby człowiek usiłował oddychać przez grubą warstwę muślinu, a na dodatek z powodu smogu wszyscy wydawali się skurczeni i poszarzali. On jednak nie. Był rumiany na twarzy, zdrowy i uśmiechnięty. Przypominał powiew świeżego powietrza.

Nie wspominał o tym, co się wydarzyło w Exeter, ale pytał, jak żyje się Flavii w Londynie.

— Inaczej — wyznała, rozglądając się po pubie.

To też było dla niej odkrycie. Zapach chmielu, obskurne wnętrze, wielkie lustra z reklamami piwa, plakaty wyborcze z ostatniej kampanii, poplamiona wykładzina, tłoczący się przy barze mężczyźni w garniturach... Nie przypominało to barów z jej ojczyzny.

Trochę tęskniła za ciepłem Sycylii, jednak tutaj była wolna. Zaczęła zwiedzać miasto. Przespacerowała się po targu przy Petticoat Lane, zerknęła do bengalskich sklepów na Brick Lane, pełnych ciemnych przypraw, jasnych jedwabiów i indyjskich słodkości. Kupowała kwiaty i warzywa w Covent Garden. Znalazła włoską dzielnicę nieopodal Holborn z kościołem Świętego Piotra i co niedzielę chodziła tam modlić się i rozmyślać. Bóg nie dał jej tego, czego pragnęła najbardziej na świecie, i wcale nie była pewna, czy w ogóle w niego wierzy, ale wrażenie, że jest przy niej, stanowiło jakąś pociechę. Zdawała się czerpać z tego siły.

Odkryła też Soho, labirynt wąskich uliczek, w których, o dziwo, czuła się jak w domu, może dlatego, że był to miszmasz europejskich i afrykańskich kawiarenek oraz klubów jazzowych.

Nie była głupia, słyszała o wątpliwej reputacji nocnych klubów i o prostytucji, jednak za dnia przyciągała ją energia tego miejsca. Znalazła tam nawet włoski bar z ekspresem do kawy, artystycznym wystrojem i szafą grającą. Raz, kiedy miała wolne, przesiedziała tam całą godzinę, popijając espresso, chłonąc atmosferę i zastanawiając się, co dalej.

— To co teraz zrobisz? — zapytał.

No właśnie.

— Nie wiem — odparła.

Nie mogła sobie wyobrazić, że do końca życia będzie pracować dla Bei Westerman. Najbardziej na świecie pragnęła otworzyć własną restaurację. Znała już angielskie restauracje i czuła, że stworzyłaby lepszą, tylko musiałaby zdobyć produkty dobrej jakości, z których mogłaby przygotowywać odpowiednie potrawy. W Londynie otworzyły się różne włoskie restauracje. Część z nich wydawała się raczej nieciekawa, ale przechodziła obok włoskiej trattorii przy Gerrard Street, która prezentowała się całkiem obiecująco. Flavia wiedziała, że w stolicy pojawili się inni imigranci, nie tylko z Indii, Jamajki i Pakistanu, ale również z Sycylii. Przyjechali do Anglii, żeby zarobić na życie. Nie bali się ciężkiej pracy i często stanowili personel przedszkoli oraz restauracji — w końcu kto wie o jedzeniu więcej niż Sycylijczycy? Poza tym coraz łatwiej było kupić ocet balsamiczny, parmezan czy dobrą oliwę z oliwek. Ale...

Flavia nadal nie była pewna, czy Anglia jest gotowa na to, co ma jej do zaoferowania.

Powiedziała mu to wszystko.

— Zrób to — odparł. — Spraw, żeby byli przygotowani. Daj im to, czego pragną, choć jeszcze o tym nie wiedzą.

— Ale jak mam to zrobić? — Rozłożyła ręce. — Do rozkręcenia interesu potrzeba pieniędzy, a bardzo mało zaoszczędziłam.

— Nic nie jest niemożliwe. — Wydawał się bardzo poważny. — Ja też chciałbym mieć własną knajpę i pewnego dnia będę miał. — Na moment się zawahał. — Może powinniśmy połączyć siły?

Flavia wybuchnęła śmiechem, choć już wtedy wiedziała, że mówił serio.

Po tym spotkaniu pisał do niej regularnie, a ona odpisywała. Listy były bardzo uprzejme, choć Flavia czuła, że jej są bardziej sztywne i niezręczne. Jej angielski się poprawiał, ale czasem odnosiła wrażenie, że robi jeden krok naprzód i dwa w tył, jak mawiali Anglicy.

Stopniowo się jednak rozluźniła, a on stawał się śmielszy. Listy śmigały między miastami, listy pełne historii z życia, smutku, nadziei, marzeń. On był o trzy lata młodszy od Flavii i czasem pisał jak mężczyzna, czasem zaś jak chłopiec. Flavii przyszło do głowy, że być może przedwcześnie się postarzała.

— Wrócisz kiedyś na Sycylię? — zapytał.

— Nie.

Nad tym nawet nie musiała się zastanawiać. Anglia mogła sobie być zimna i wilgotna, ale tu odnalazła nowe życie. Kraj nadal wracał do siebie po ciężkiej wojnie, coraz więcej się budowało. Ważniejsze jednak, że w powietrzu czuć było nadzieję, a Flavia bardzo jej potrzebowała. Nadal zdarzało się jej pisać do Santiny, ale nigdy nie odpowiadała na listy od rodziców. Nie było powrotu.

On co jakiś czas wsiadał do pociągu i jechał do Londynu, żeby się z nią zobaczyć, a ona czekała na jego wizyty. Nie był natrętny, tego by nie zniosła, lecz miły i dobrze czuła się w jego towarzystwie. Stał się jej przyjacielem.

We wrześniu tamtego roku Bea Westerman zabrała Flavię do Kopuły Odkryć, w której zorganizowano Międzynarodową

Wystawę z okazji Festiwalu Brytyjskiego. Latem Flavia regularnie chodziła nad Tamizę. Plaża Tower była najbliższym morzu miejscem w Londynie i w ciepłe dni piaszczyste brzegi zapełniały się ludźmi na leżakach w paski oraz dziećmi brodzącymi w rzece. Nie mogło się to bardziej różnić od Cetarii, ale Flavia lubiła tu przesiadywać i patrzeć na angielskie rodziny, choć jakaś jej cząstka wciąż pamiętała tamtą rodzinę z Exeter...

Zdaniem Bei Southbank, Południowy Brzeg, był niegdyś dzielnicą zapuszczonych magazynów i podupadających domów, teraz jednak, po generalnych porządkach, w 1951 roku zorganizowano tam Festiwal Brytyjski oraz zbudowano Królewską Salę Festiwalową. Flavię zafascynował już sam teren przed Kopułą i zlokalizowanym w sąsiedztwie budynkiem Skylon o kształcie igły. Mogłaby godzinami wpatrywać się w tę nowoczesną wizję, Bea jednak była kobietą z misją.

— Sześć milionów funtów — oznajmiła. — Milion cegieł.

— Poważnie? — Flavia posłusznie dreptała za nią.

— To ma podnieść naród na duchu, moja droga — oznajmiła filozoficznie Bea. — Po wojnie, którą przeżyliśmy. Coś musi, sama rozumiesz.

Razem z tłumem wjechały ruchomymi schodami. Wnętrze budynku pozostawało niewidoczne aż do chwili, w której znalazły się w środku. I wtedy... Hurra! Zobaczyły wszystko: cudowne galerie, masywne krzywizny dachu, wspartego na kratownicy belek stropowych. Zewsząd dawały się słyszeć westchnienia zachwytu, rozmaite ochy i achy.

Flavia też była oczarowana. Mówiono, że to największa kopuła na całym świecie, a ona właśnie pod nią spacerowała. Zaczęły od brytyjskiej ziemi, jej naturalnych bogactw oraz ich pochodzenia. Potem przyszła pora na krajobrazy i przyrodę, rolnictwo i kopaliny, przemysł stoczniowy, transport... Lista brytyjskich osiągnięć zdawała się nie mieć końca, pomyślała

Flavia, gdy przeszły do morza, nieba i przestrzeni kosmicznej. To była światowa potęga, o jakiej nigdy nie marzyła. W porównaniu z Wielką Brytanią Sycylia wypadała jak ubogi krewny. Flavia wyprostowała się, dumna z tego, że ona, Flavia Farro, jest w Londynie i ogląda tak spektakularne widoki.

Bea nie była pod wrażeniem wystawy poświęconej telewizji. Mamrotała, że nie widzi dla niej najmniejszej potrzeby, a Flavia myślała, że coś takiego nie mieści się w głowie. Potem przeszły do narodu brytyjskiego, symbolizowanego przez lwa i jednorożca, siłę i wyobraźnię. Flavia rzucała wokół siebie ukradkowe spojrzenia. Te cechy nieszczególnie rzucały się w oczy, ale jednak... Przecież niektórym Anglikom, takim jak odkrywca kapitan Cook i wielcy naukowcy, na przykład Charles Darwin, nie brakowało zalet.

W końcu dotarły do pobliskiej herbaciarni.

— Podobało ci się, moja droga? — zapytała Bea. — Podobno wystawa jest bardzo edukacyjna.

— O tak! — zapewniła ją Flavia. — Dziękuję ci, że mnie tu przyprowadziłaś.

Wyraz twarzy Bei złagodniał.

— Bardzo cię polubiłam — wyznała. — I dlatego właśnie...

Flavia poczuła, że musi się przygotować na złe wieści. Bea wzięła ją za rękę.

— Opuszczam Londyn, moja droga — oznajmiła. — Zamierzam zamieszkać z przyjaciółką w Dorset.

— W Dorset? — Flavia zmarszczyła brwi.

— W małym domku — ciągnęła Bea. — Jest mi ogromnie przykro, moja droga, ale...

— Ale nie mogę z tobą jechać — domyśliła się Flavia. — Nie potrzebujesz mnie.

Bea pochyliła głowę.

— Moja przyjaciółka jest bardzo niezależna — powiedziała. — Lubi gotować i sprzątać samodzielnie. — Trzymając Flavię za rękę, drugą nalała herbatę.

— Rozumiem — odparła Flavia.

Patrzyła, jak złocisty płyn wypełnia porcelanową filiżankę. Co mogła teraz zrobić? Co miała począć bez kobiety, która była dla niej tak dobra?

— Podobnie jak ja, Daphne nigdy nie wyszła za mąż — dodała Bea. — Potrzebuje towarzyszki. — Wlała do herbaty odrobinę mleka i nasypała cukru.

— Tak, oczywiście. — Flavia nie miała ochoty rozmawiać o Daphne.

— To mi bardzo odpowiada. — Bea westchnęła. — Londyn jest dla młodych.

To prawda, że w porównaniu z Cetarią Londyn był zatłoczony, hałaśliwy i przerażający, ale Flavia do niego przywykła. Teraz musiała znaleźć sobie prawdziwą pracę. To była tylko kwestia czasu.

— Niemniej... — Bea upiła odrobinę herbaty. — Mam dla ciebie propozycję, moja droga.

Okazało się, że Bea chce przeznaczyć pewną sumę pieniędzy na biznes.

— Będę dysponowała rozsądną sumą pieniędzy do zainwestowania, bo wyprowadzam się z Londynu — oznajmiła. — I chciałabym zainwestować w ciebie, moja droga.

Zasugerowała, żeby kupiły mały barek albo restauracyjkę w miejscu, które wybierze Flavia, a Bea zostanie, jak to się mówi, cichą wspólniczką. Flavia również będzie wspólniczką, tyle że pracującą. Zostanie menedżerką i otrzyma część zysków, poza tym zamieszka na miejscu.

— Ale będziemy potrzebowały więcej personelu. — Bea nalała sobie jeszcze herbatę.

Flavia gapiła się na nią, ledwie mogąc uwierzyć, że to się dzieje naprawdę. Najpierw Kopuła Odkryć, a teraz to. Ten dzień rzeczywiście był nadzwyczajny.

— A może przydałby się jeszcze jeden wspólnik — myślała głośno Bea. — Mężczyzna?

Po błysku w jej oku Flavia domyśliła się, że rozmawiała już z konkretną osobą.

— Myślisz, że byłby zainteresowany? — zapytała Bea, jakby sama nie wiedziała.

— Tak myślę — przytaknęła Flavia.

Rzeczywiście był zainteresowany. Po wstępnej rozmowie postanowili poszukać czegoś w Dorset, żeby Bea miała oko na inwestycję, no i żeby on nie mieszkał zbyt daleko od matki.

— Ale nie w Devon — uparła się Flavia.

— Nie w Devon — zgodzili się jej wspólnicy.

Poszukiwania zajęły przeszło rok, ale w marcu pięćdziesiątego trzeciego wreszcie otworzyli lokal w Pridehaven. Flavia była kucharką, on stał za kasą, a młoda kelnerka pomagała obsługiwać gości.

Zaczęli od angielskich potraw i kilku włoskich dań, po czym stopniowo wprowadzali coraz więcej sycylijskich specjałów. Po spróbowaniu makaronu i pizzy Flavii ludzie wracali po więcej. Flavia stała się bardziej przedsiębiorcza i znalazła dobrych dostawców warzyw, mięsa oraz ryb. Restauracyjka stawała się coraz bardziej wyjątkowa i wyrazista. Narodziło się Azzurro.

Od samego początku Flavii dobrze się pracowało z Lennym. Wynajął pokój w Pridehaven, ale ciągle przesiadywał w Azzurro i pracował równie ciężko jak ona, a praca rzeczywiście nie należała do najlżejszych.

W każdą niedzielę zamykali lokal i robili sobie wolne. Wtedy właśnie szli do kina, czasem na tańce, albo nawet zjeść na mieście. W dniu koronacji królowej zorganizowali uliczne przyjęcie, a kiedy zrobiło się mokro i zimno („Typowe dla Anglii w czerwcu", wymamrotała Flavia do Lenny'ego), otworzyli restaurację i celebrowali na sycylijski sposób, wydając ucztę godną samej monarchini.

Wydawało się, że wyjątkowo płynnie przeszli od statusu przyjaciół do pary i teraz, myśląc o tym, Flavia nie mogła sobie przypomnieć, jak to się stało i kiedy. Lenny był od niej młodszy, ale miał w sobie wewnętrzną, łagodną siłę, która ją uspokajała.

W pierwszą rocznicę otwarcia Azzurro, gdy po zakończonej pracy uraczyli się kieliszkiem szampana (w tamtych dniach kończyli o ósmej, później restauracja była czynna nawet do północy), Lenny dosłownie padł na kolano.

— Wiem, że nie jestem tym, którego sobie wybrałaś. — Popatrzył na nią tymi swoimi niebieskofiołkowymi oczami. — Ale powiem ci, Flavio, moje kochanie, że ty jesteś dla mnie tą jedną jedyną.

Tylko wtedy napomknął o Peterze, choć nie wprost. Wiedziała, że patrzył na nich przed herbaciarnią w Exeter i pewnie nawet znał Petera i jego żonę, przecież mieszkali bardzo blisko jego pracy. Bóg wie, co Lenny myślał sobie tamtej nocy. Nigdy nie opowiedziała mu całej historii, nie chciała przeżywać jej ponownie. I rzeczywiście, nie on był jej wybrankiem. Tylko Santina wiedziała, co Flavia czuła do Petera i co już zawsze miała czuć. Lenny jednak ją kochał, pracował razem z nią i oddałby za nią życie.

— Czy to oświadczyny? — zapytała, biorąc się pod boki.

— Tak, Flavio — odparł poważnie. — Czy wyjdziesz za mnie?

— Oczywiście, że za ciebie wyjdę, Lenny — oznajmiła.

Nigdy więcej nie napisała do Santiny. Jej przyjaciółka była częścią Sycylii i przeszłości, a teraz Flavia pragnęła wyłącznie przyszłości.

Mijają pory roku, a one nie kłamią. W sycylijskiej kuchni używa się tego, co jest pod ręką. Wiosną migdałów, szparagów i wczesnych brzoskwiń. Latem fig, *melanzane* i cukinii.

Starożytni Rzymianie wierzyli, że karczoch to afrodyzjak. Należy chronić go zewnętrznymi liśćmi, bo inaczej serce skurczy się i obumrze...

Sezon trwał od listopada do kwietnia. W czasie festiwalu można było iść do restauracji i zjeść karczochy do każdego dania. Najlepsze pochodziły z jej miasteczka i z okolic. Wszyscy wiedzieli, że to Palermo nosi koronę karczochowego króla. Karczochy, poróżowiałe i fioletowe, na długiej łodydze, z szorstkimi liśćmi i małym, delikatnym jądrem. Flavia pamiętała, że sprzedawano je z wózków, ułożone w stertę.

Dania były różnorodne: od przystawek do risotto, od *caponaty* do *fritteddy*. Duszone, przyrumieniane i duszone, pieczone, z rusztu, smażone i grillowane. Maleńkie karczochy na surowo w sałatkach i z lekkim nadzieniem wsuniętym między płatki. Prostota jest najlepsza.

Gotowanie karczochów to sztuka, napisała Flavia, jak zwykle wyobrażając sobie, że zwraca się bezpośrednio do Tess. Jak wszystko, co dobre, wymaga cierpliwości. Najpierw przygotuj warzywo. Odetnij łodygę, usuń tylko twardsze zewnętrzne liście, odetnij kolczasty kołnierzyk, szypułkę i czubek. Skrop sokiem z połówki cytryny.

Bo pory roku mijają, a pory roku nie kłamią.

* * *

Flavia usłyszała krzyk z ogrodu i natychmiast wybiegła. Lenny najwyraźniej zostawił widły oraz wiadro na trawniku i przeskoczył przez mur do ogrodu Cathy i Jima. Dlaczego miałby teraz biec przez ich ogród? Poczuła ucisk w brzuchu. Lenny...

Cathy usłyszała hałas i wyszła tylnymi drzwiami w chwili, gdy Lenny dawał susa, pokonywał mur i wpadał do ogrodu Edny. Co on wyprawiał, na litość boską? Zachowywał się tak, jakby był po trzydziestce, a nie po siedemdziesiątce. Zawsze utrzymywał sprawność fizyczną dzięki pracy w ogrodzie i spacerom, ale to było coś zupełnie innego. Czy ten człowiek stracił rozum?

ROZDZIAŁ PIĘĆDZIESIĄTY PIĄTY

Tess szła właśnie do willi, chcąc się przebrać przed spotkaniem z Giovannim. Postanowiła przedyskutować sprawy pożyczki i remontu domu. Należało już zacząć, ale nie do końca chciała mieć zobowiązania wobec Giovanniego. Jeśli wierzyć Toninowi, Sciarrowie nie byli przyjemną rodziną, z wyjątkiem uroczej Santiny. A Giovanni? No cóż, Tess nie potrafiła się zdecydować, co myśli na jego temat. Nagle rozległ się dzwonek jej komórki.

— Mamma?

— Chodzi o ojca. — Jej matka od razu przeszła do rzeczy.

— Co z nim? — Przez głowę Tess przelatywały rozmaite scenariusze, a żołądek powędrował w okolice stóp. — Jest chory? Co się stało?

— Przewrócił się.

O mój Boże!

— Czy jest ranny? Wszystko w porządku? — Oparła się o mur wokół *baglio*.

Nigdy nie musiała się martwić o ojca. Zawsze mogła na niego liczyć, był taki stabilny i rozważny...

— Musiał jechać do szpitala, ma otarcia i stłuczenia. I złamał nadgarstek.

Tess zauważyła, że głos matki drży i wydaje się bezbronny.

— Och, mamma. — Mimo zdenerwowania odetchnęła z ulgą. Zadrapania, siniaki i złamany nadgarstek nie zagrażały życiu. — Jakieś inne problemy? — zapytała.

Przyszedł jej do głowy udar i zawał, ale szybko odpędziła od siebie te myśli.

— Nie, skarbie. Po prostu chciałam, żebyś wiedziała.

Tess jednak postanowiła, co zrobi.

— Przylecę najbliższym samolotem, nie będziesz sama. Muszę się z nim zobaczyć i...

Wbiegła na schodki z *baglio*. Trzeba się było jak najszybciej spakować, dotrzeć do lotniska, sprawdzić, czy są dostępne bilety bez rezerwacji. To jedyne rozsądne wyjście.

— Tess. — Głos matki brzmiał surowo. — Nic mu nie jest, naprawdę. Już wrócił do domu. Chcesz z nim porozmawiać?

— Oczywiście, tak, mamma — odparła i wsunęła klucz do zamka. — Tata?

— Wszystko dobrze, skarbie.

Bogu dzięki...

— Co ty znowu wymyśliłeś? — Usiłowała mówić pogodnym tonem.

— Oj, wiesz przecież, że chciałem być bohaterem.

Tess uśmiechnęła się do siebie. Zawsze był jej bohaterem. Pamiętała, jak chodziła za nim po mieszkaniu nad Azzurro, kiedy zajmował się jakąś drobną naprawą w domu. Nazywał ją swoim małym czeladnikiem. Nie zapomniała, jak nosił rozmaite rzeczy do restauracji, załatwiał sprawy, wycierał blaty, przynosił ciasta z kuchni. Nigdy nie brakowało mu dla niej czasu. Jeśli spotkała ją nieprzyjemność w szkole, zawsze mogła mu powiedzieć, kiedy się pogubiła albo czegoś nie rozumiała...

— Wszystko się ułoży, skarbie — powtarzał. — Zobaczysz.

— Chyba powinieneś odłożyć pelerynę i szpadę, tato — oznajmiła. — Nie uważasz, że pora trochę zwolnić?

Przeszła przez kuchnię, położyła torbę na krześle, po czym wyjęła z lodówki wodę mineralną.

— Może masz rację. — Zachichotał. — Ale nie chcę, żebyś zmuszała się do powrotu, skarbie. Nic mi nie jest. Matka troszczy się o mnie jak stara kwoka, już nie mówiąc o twojej córce.

— Naprawdę, ciesz się, że masz takie szczęście. — Uśmiechnęła się i wlała wodę do szklanki.

— Daję ci mammę, skarbie. Chce z tobą rozmawiać.

— Dobrze. Trzymaj się, ściskam.

Tess wyszła na taras. Morze pod nim wydawało się chłodne i zachęcające. Żałowała, że nie może zanurkować aż stąd.

Flavia wzięła słuchawkę i wtajemniczyła Tess w szczegóły wypadku.

— Na litość boską — westchnęła Tess, gdy Flavia skończyła. — Przecież niedługo stuknie mu osiemdziesiątka. Pora skończyć z takimi wygłupami, to starszy człowiek.

Bolało ją samo mówienie o tym.

— Nie ma sensu mu tego wytykać — zauważyła jej matka. — Znasz ojca. Jeśli ktoś potrzebuje ratunku, od razu rusza na odsiew.

— Na odsiecz — poprawiła ją Tess odruchowo. Flavia miała rację. — Naprawdę nic mu nie jest?

— Ile razy mam ci powtarzać? Naprawdę.

— A Ginny?

— Z Ginny wszystko w porządku.

— A David?

— David?

— Daj spokój, mamma. — Tess upiła łyk wody. — Czego chce? Masz jakiś pomysł? Myślisz, że powinnam wrócić i dowiedzieć się, o co mu chodzi?

— Napisał do ciebie — odparła Flavia. — Może poczekaj i przeczytaj, co ma do powiedzenia.

— Napisał do mnie?

To nie było w stylu Davida. Tess przyłożyła słuchawkę do drugiego ucha i wyszła do tarasowego ogrodu. Chodziła wokół popsutej fontanny i krzewu hibiskusa, słuchając, jak matka opowiada o pojawieniu się Davida w ich życiu.

— Ginny musi spędzić z nim trochę czasu — mówiła Flavia. — Myślę, że to jej dobrze robi. Wiesz, córki chyba potrzebują ojców bardziej, niż chciałyśmy to przyznać.

Tess zapatrzyła się na ruiny domku, w którym mieszkała rodzina Flavii. Teraz to była tylko sterta kamieni. Pomyślała o sycylijskiej dziewczynie i jej angielskim lotniku.

— Wszystko bardzo pięknie, mamma — westchnęła, kiedy Flavia umilkła. — Ale pamiętaj o tym, że to David zdecydował się odejść.

Od samego początku zaakceptowała fakt, że jest samotną matką i będzie musiała radzić sobie sama lub przynajmniej bez mężczyzny. Nigdy nie prosiła Davida o nic — zresztą byłoby to bezcelowe, ponieważ niczego nie miał. Udało się jej uniknąć obgadywania go przed córką i absolutnie nie miała nic przeciwko niemu, poza tym, że uciekł. Mimo to fakt, że David zjawił się właśnie teraz, kiedy wyjechała, a Ginny przechodziła trudny okres, zirytował Tess. To było takie typowe dla niego, takie bezmyślne.

— Wiem — powiedziała matka. — Tylko dla Davida być może to nie jest takie łatwe, jak myślisz.

— Mnie też nie było łatwo.

Flavia wiedziała o tym lepiej niż ktokolwiek. To przecież ona była przy Tess po narodzinach Ginny, ona pomagała córce przebrnąć przez depresję poporodową, samotność i przerażenie związane z koniecznością zajmowania się dzieckiem. Co Tess zrobiłaby bez niej? Podeszła do stolika z kutego żelaza i znowu napiła się wody. Nadal ją kusiło, żeby wsiąść w najbliższy samolot, ze względu na sytuację z ojcem i Davidem. Do tego te komplikacje z Toninem... Z drugiej strony czuła, że powinna zostać i zacząć remont willi, no i przede wszystkim porozmawiać z Giovannim.

— A co komu szkodzi pozwolić Davidowi spędzić trochę czasu z Ginny? — zapytała Flavia.

Miała rację. Co mógł zrobić David? Nie był złym człowiekiem, a Ginny była jego córką, na tyle dorosłą, żeby o siebie zadbać. Poza tym zajmowali się nią dziadkowie.

Cóż, najwyraźniej nikt nie chciał, żeby Tess wracała.

Nagle coś jej przyszło do głowy.

— Myślisz, że Ginny chciałaby tu przyjechać, mamma? Na wakacje? A ty i tata?

Dobiegło ją ciężkie westchnienie.

— Wątpię, Tess — odparła Flavia.

— Ale nie chciałabyś jeszcze raz popatrzeć na to wszystko, mamma? — Rozejrzała się po zniszczonym tarasie. — Na willę, *baglio*, miasteczko...

Tess trudno to było pojąć. Cokolwiek Flavia czuła do tego miejsca, wychowała się tutaj, w Cetarii, i tutaj żyli kiedyś jej bliscy. Im dłużej Tess przebywała w miasteczku, tym lepiej rozumiała istotę dawnego życia matki i ją samą. Pojęła, że Flavia stała się twardą kobietą pod wpływem swoich przeżyć. To była kwestia przetrwania i miłości.

— Nie wiem, czybym mogła — powiedziała w końcu Flavia. — To zbyt poważna wyprawa.

Tess pomyślała o stercie gruzu po drugiej stronie ogrodu. To mogło być trudne.

— Zastanowisz się przynajmniej?

Zapadło długie milczenie.

— Bywają dni, że trudno mi przestać się zastanawiać — odparła Flavia powoli.

To jednak była druga część, w większości rozgrywała się już za życia Tess. Dlaczego zatem czuła potrzebę jej spisania? Przecież Tess nie musiała wiedzieć wszystkiego.

Jednak w tej opowieści było coś niesatysfakcjonującego i Flavia zdała sobie z tego sprawę jeszcze przed wypadkiem męża. Historia była niekompletna, pozostało zbyt wiele niedopowiedzeń i nie cała prawda wyszła na jaw. Gdyby Flavia jutro umarła, Tess nigdy by się nie dowiedziała, tak jak do dziś nie wiedział Lenny.

To był szok. W Pridehaven nigdy nie mieli specjalnych kłopotów. Przestępczość w okolicy była niska, większość młodych ludzi okazała się miła, chociaż nieco hałaśliwa. Wielu było groźnych tylko z wyglądu. Kiedy Lenny usłyszał krzyki i podniesiony głos Edny, powinien był zawołać Flavię albo zadzwonić po policję, zamiast próbować załatwić wszystko na własną rękę.

W ogrodzie Edny, jak opowiadała potem sąsiadka, pojawiło się dwóch wyrostków. Jeden deptał jej rabatki kwiatowe na końcu ogrodu, drugi był już w połowie trawnika.

— Bądź uprzejmy wynieść się z mojej posiadłości, młody człowieku — powiedziała do niego Edna. — Albo zadzwonię na policję.

— Ooo, ale się boję — odparł chłopak i w tym samym momencie Lenny bohatersko skoczył na trawnik.

— No, chodź tu, ty mały szmaciarzu! — wrzasnął. („Był bardzo dzielny", dodała Edna). — Niech cię dorwę!

Chłopak numer jeden stawiał właśnie ubłoconą nogę na płocie z tyłu i uciekał niczym szczur po rynnie. Mimo że groził mu czerwony na twarzy stary dziadek w jaskrawożółtych rękawicach ogrodniczych, chłopak numer dwa zmykał już w głąb ogrodu.

— Zwiewasz, co? — warknął Lenny i rzucił się w pogoń.

— Nie zauważył Tabithy — opowiadała Edna Flavii. — Siedziała sobie w ulubionym miejscu przy nasturcjach, ale to taki nerwowy kotek. Wskoczyła Lenny'emu pod nogi, a on potknął się o nią i upadł twarzą na ścieżkę.

Na szczęście wtedy chłopak numer dwa zdążył już zniknąć, nieświadomy, że jego przeciwnik się przewrócił.

— Bardzo mi przykro — powiedziała Edna do Flavii. — Zrozum, Tabitha była przerażona.

— To nie twoja wina — zapewniła ją Flavia. — Ani Tabithy.

Flavia nie miała nawet pretensji do Lenny'ego. Jak można kogoś winić za to, że jest tym, kim jest?

Edna jak najszybciej podbiegła do Lenny'ego. Najpierw myślała, że miał atak serca, więc zrobiła mu sztuczne oddychanie i ułożyła go w pozycji ratującej życie, a potem zadzwoniła po pogotowie. Często oglądała *Na sygnale* i pokusa okazała się nie do odparcia.

— Każdy by tak postąpił — oznajmiła.

Zanim Flavia przybyła bardziej konwencjonalną trasą, czyli po chodniku, ogrodową ścieżką i frontowymi drzwiami, Lenny siedział już u Edny, z rozciętą wargą, i ostrożnie macał się po nadgarstku.

Flavia była zaszokowana jego stanem. Miał poranioną twarz i wielki guz nad skronią. Obie ręce oraz nogi były obtarte do krwi, a jedna ręka bezwładna i wykręcona. Wsiadła z nim do karetki, trzymała jego dłoń i modliła się do Madonny tak, jak ostatnio modliła się na Sycylii, jeszcze jako młoda dziewczyna.

— To zwykły upadek, skarbie, tylko się przewróciłem — powtarzał, ale Flavia uznała, że to musi być ostrzeżenie.

— Byliśmy szczęśliwi, prawda, Flavia, kochanie? — zapytał, kiedy pojawili się przed szpitalem.

Flavia wbiła w niego wzrok.

— Powiedziałeś, że to tylko upadek. To dlaczego mówisz tak, jakbyś stał u okna śmierci, na litość boską?

— U progu — poprawił ją. — U progu śmierci.

— Próg, okno, wszystko jedno... — zacmokała Flavia.

— Powiedz, że byliśmy szczęśliwi.

— Tak, Lenny — odparła. — Byliśmy szczęśliwi.

Owszem, to był zwykły upadek. Czasami jednak upadek może zatrząść wszystkim w posadach.

Właśnie wtedy Flavia to zrozumiała.

ROZDZIAŁ PIĘĆDZIESIĄTY SIÓDMY

Ginny miała co opowiadać Becce, kiedy się spotkały na pizzy i zaległych pogaduchach.

Na pierwszy ogień poszedł upadek dziadka.

— Zanim to się stało, wszystko szło jak po maśle — oznajmiła Ginny.

Gula nie wychylała nosa. Ginny domyślała się, że tylko się dąsa i że wkrótce znów pokaże swoje oblicze, ale w tej chwili cieszyła się wolnością.

— Takie życie — odparła Becca w filozoficzny, nietypowy dla siebie sposób. — Wszystko to huśtawki i cholerne zakręty.

Był wczesny sobotni wieczór i Ginny pracowała w pubie, kiedy zadzwonił telefon. Magic Fingers właśnie zaczęli grać: dużo rytmu, dużo czadu, a Albie wyglądał mrocznie, seksownie i nieprzytomnie, jak zawsze. Już niedługo, uznała.

Teraz potrafiłaby serwować drinki nawet przez sen. Była tak szybka, że niemal wiedziała, co klienci zamówią, zanim jeszcze to zrobili. Potrafiła rozlewać wódkę, jednocześnie nalewając piwo, otwierać puszki i dodawać lodu. Wiedziała, kto czeka najdłużej, a podczas oczekiwania potrafiła dopilnować porządku.

Jak dotąd spotkała się z Albiem ze dwa razy. Okazał się miły i doszła do wniosku, że łatwo byłoby się w nim zakochać, uciec z nim albo zrezygnować dla niego ze wszystkiego, więc trzymała się na dystans. Nie chciała zaczynać czegoś, czego nie mogłaby skończyć, przynajmniej jeszcze nie. Przecież musiała pojechać w różne miejsca, poznać ludzi, a Albie miał swoją muzykę, pisanie tekstów i zespół. Wydawało się, że to go zadowala. Jak na razie.

— Poproszę duże piwo, Ginny, kochanie. Najlepsze, jakie masz. — To był jej ojciec.

Przyszedł posłuchać muzyki i prawdopodobnie przyjrzeć się Albiemu, o którym wspomniała przy ostatniej kolacji.

Telefon w pubie dzwonił i dzwonił, aż w końcu Brian odebrał. Ginny widziała, że ledwie słyszał rozmówcę. Zakrył drugie ucho i wrzeszczał do aparatu, po czym popatrzył na nią uważnie, aż zamrugała.

— Co? — spytała bezgłośnie, nadal obsługując klienta.

Podszedł do niej i objął ją ramieniem.

— Lepiej włóż płaszcz, skarbie — powiedział.

— Co? Co się stało?

W pełnym ludzi, hałaśliwym pubie Ginny wyszukała wzrokiem ojca. Był dość daleko, ale natychmiast ją dostrzegł.

— Tato?

— O rany. Miałaś taki ojcowski moment? — zainteresowała się Becca.

— Tak. — Ginny popijała colę.

— Ale z dziadkiem wszystko w porządku?

449

Kelner przyniósł ich pizze z pieczywem czosnkowym i dużą porcją frytek. Ginny jadła margheritę z pepperoni, a Becca zamówiła serową.

— Jasne, że tak, wszystko okej — odparła Ginny.

Wgryzła się w pieczywo czosnkowe. Było chrupiące, intensywne i idealnie śmierdzące. Dziadek miał pęknięty nadgarstek i rękę na temblaku, ale poza niebieskawo-żółtawymi siniakami wokół ust i szczęki wyglądał nie najgorzej.

Becca nałożyła sobie frytki na pizzę i odkroiła kawałek.

— Co twoja mama na to, że tata pojawił się właśnie teraz? — zapytała, jedząc.

— W sumie zachowuje się w porządku — przyznała Ginny.

Ostatnio udało się jej spojrzeć na pewne sprawy z innej perspektywy i doszła do wniosku, że jej matka jest wyjątkowa. Wiedziała, że tata do niej napisał, i domyśliła się, o czym.

— A teraz opowiadaj o Benie — zażądała Becca.

Ginny posłusznie wszystko jej zrelacjonowała.

— Co za kutas — oznajmiła Becca po chwili. — To nie ty powinnaś robić coś innego w łóżku, Gins, tylko on. Chodź no tutaj.

Ginny nachyliła się, a Becca wtajemniczyła ją w pewne bardziej szczegółowe detale sztuki kochania, przerywając lekcję, żeby napić się coli i zjeść kawałek pizzy.

— Przyda ci się następnym razem — mrugnęła Becca w końcu.

Ginny pomyślała o Mrocznym i Nieprzytomnym.

— Następnym razem — zgodziła się.

— To co teraz masz w planach? — Becca skończyła i rozsiadła się wygodnie.

— Zamierzam podróżować — oznajmiła Ginny. — Jadę do Australii.

— O rany, Gins — mruknęła Becca. — Mnie chodziło o deser.

Nad czekoladowymi ciastkami i bitą śmietaną Ginny streściła jej rozmowę z ojcem.

— Mam w Sydney mieszkanie, które mogłoby ci posłużyć za bazę — oświadczył, a Ginny pomyślała, że pewnie kupił je sobie po tym, jak manna spadła mu z nieba. — Powiedz tylko słowo, a dam ci klucze.

— A będziesz w Sydney? — zapytała go, nie wiedząc, czy tego chce, czy wręcz przeciwnie.

Ojciec wzruszył ramionami.

— Pomyślałem, że sam mógłbym trochę pojeździć tu i tam — odparł. — Camperem. Może po Europie. Ostatnio mi się nie udało.

— Super — oznajmiła Becca. — Łatwo znaleźć robotę w Australii? Dobrze się tam podróżuje?

Ginny rozkoszowała się smakiem śmietany i rozpuszczonej czekolady. Nie istniało nic lepszego.

— Tata mówi, że to proste jak drut. W hostelach można zdobyć informacje o pracy i takich tam, i dokąd dalej jechać. Niektórzy z podróżujących zatrudniają się w barach, inni w telesprzedaży, czasem zbierają owoce.

Becca nie skomentowała tego „tata mówi", i dobrze, bo czasem samej Ginny trudno było się z tym oswoić. Czuła się tak, jakby w jednej chwili nie miała ojca, a w następnej nagle był pod ręką i zapewniał jej wszystko, czego potrzebowała. Teraz zaczynała rozumieć, że w zasadzie nie odwrócił się plecami do niej, lecz do ojcostwa, co było okropne, ale może nie aż tak, jak sądziła. I tak nie zamierzała darować mu tych straconych lat.

— Niesamowite. — Becca wrzuciła resztki deseru do ust.

— Te ciastka?

— Chodzi mi o twojego tatę.

— No tak...

Popełnił wiele błędów, nie był idealny, ani nawet bliski ideału. Po prostu był inny. Ojciec Bekki nosił garnitury, pracował w banku, a matka lubiła wydawać przyjęcia. Bez porównania.

— Potrzebujesz kumpeli w podróży? — Becca dopiła colę.

— Żartujesz sobie? — Ginny gapiła się na nią.

Nie chciała nikomu przyznać, że ten aspekt podróży martwił ją najbardziej. Cudownie było wyruszać w drogę, aby się odnaleźć, ale kto w razie czego poda pomocną dłoń?

— Mówię śmiertelnie poważnie. — Becca wytarła usta serwetką. — Bardzo bym chciała. Serio, Gins, świetnie byśmy się bawiły.

Pewnie tak, ale...

— A co z Harrym? — zapytała Ginny.

— Jakim Harrym? — Becca wydęła usta.

— Ale chyba wy nie...?

— Nie. — Becca pokręciła głową. — Tyle że na Harrym świat się nie kończy, Gins. Poza tym on wkrótce wyjeżdża na uniwerek, i co wtedy?

— Musimy zacząć naprawdę poważnie oszczędzać — powiedziała Ginny.

Ojciec mógł pomóc, ale chciała zacząć sama zarabiać pieniądze.

— Za miesiąc mam osiemnastkę i na pewno wpadnie mi trochę kasy — oznajmiła Becca. — Dzięki bogatej cioci Margaret. Nie ma własnych dzieciaków.

— Genialnie.

Czyli postanowione, pomyślała Ginny i przybiła piątkę z Beccą. Miała plan, bazę i kumpelę do podróży, a także bogatego ojca. Pomyśleć tylko, że jeszcze niedawno jedyną ważną sprawą w jej życiu było podejrzenie ciąży.

ROZDZIAŁ PIĘĆDZIESIĄTY ÓSMY

List przyszedł kilka dni później. Nawet po tych wszystkich latach Tess od razu rozpoznała charakter pisma Davida — stawiał cienkie i pochylone litery, kojarzące się z jego sylwetką.

Oparła się pokusie i nie rozerwała koperty od razu. Najpierw zaparzyła kawę, zaniosła ją na taras i zaczęła podziwiać widok na zatokę. Tego dnia morze było gładkie i spokojne, a niebo przybrało ciemny śródziemnomorski odcień, który tak kochała. Przez chwilę list leżał na blacie. Niech sobie poczeka.

Na dole, w *baglio*, dzień powoli się rozkręcał. Pod srebrnymi gałązkami eukaliptusa Tess dostrzegła grupkę mężczyzn przy kamiennym wodotrysku. Grali w domino albo w karty, parę osób wychodziło właśnie z kawiarni. Widziała też pracownię Tonina i jej właściciela. Kręcił się to tu, to tam, przesuwał jakieś drobiazgi z miejsca na miejsce. Jest niespokojny, pomyślała, i uparty. Dlaczego musiała poznać mężczyznę, który jest tak cholernie uparty?

Wczoraj również poszła ponurkować, ale gdy go mijała, czuła się jak skazaniec. Miał ponurą, zaciętą minę, był zły — bo nadal nurkowała samotnie, czy dlatego, że była jedyną obecną przedstawicielką swojej rodziny, która kiedyś pohańbiła członka jego rodziny? Mój Boże.

Tak czy inaczej była to koszmarna strata i czasu, i niesamowitej chemii.

Omal nie zaczęła tupać, tak bardzo kipiała wściekłością. Wszystko było po prostu idiotyczne. Po raz ostatni spojrzała na turkusową zatokę, *il faraglione*, wysokie głazy sterczące z morza, i wróciła do listu.

Co tam się działo w domu? W ostatnich dniach rozmawiała z Ginny, mammą i tatą i wszyscy wydawali się spokojni. „Wszystko w porządku", zapewniali ją jedno przez drugie. Wszystko w porządku. Nic dziwnego, że się martwiła.

A teraz jeszcze David. Otworzyła list kciukiem i odgięła górny fragment kartki, tak jakby niebezpiecznie było spojrzeć na cały list od razu.

„Droga Tess — napisał. — Sporo czasu upłynęło".

Typowe niedopowiedzenie. Rozłożyła kartkę i nagle coś z niej wypadło. To był czek. Podniosła go, przyjrzała mu się i zaczęła obracać go w dłoniach.

Czek na pięćdziesiąt tysięcy funtów.

Dobry Boże...

Odłożywszy czek, wróciła do listu. Teraz mogła się całkiem na nim skupić.

„Mam nadzieję, że się nie gniewasz za to moje nagłe pojawienie się. Liczyłem na to, że zobaczę naszą córkę".

Naszą córkę. Zadrżała z irytacji. Na liście nieobecnych ojców zajmowałby pierwsze miejsce.

„Zdarzyło się coś, co odmieniło moje życie. Teraz mam pieniądze, Tess".

Uśmiechnęła się wbrew sobie. Z listu przebijała jego osobowość, ani trochę niezmieniona przez lata. To był ten sam David, którego poznała, gdy wędrował boso po

plaży nad zatoką Pride, ten sam, który śpiewał jej piosenki, grał na gitarze, który rozmawiał o odległych miejscach i obiecywał, że ją tam zabierze. David, w którym
zakochała się po uszy, wiedząc, że jest zwykłym marzy-
cielem. Miała również świadomość, że jej pragnął, ale
nigdy nie krył, że nie chce odpowiedzialności, zaanga-
żowania, a już na pewno dziecka.

Tess tego nie zaplanowała. Była równie bezmyślna
jak on, ale kiedy to się stało, nie mogła tak zwyczajnie
powrócić do punktu wyjścia, choć zapewne David tego
od niej oczekiwał. Po prostu nie i tyle.

„Znasz moje zdanie na temat pieniędzy..."

Łatwo przyszły, łatwo poszły, pomyślała Tess.

„Ale te pieniądze mogą odmienić czyjeś życie".

Niewątpliwie. Znowu zerknęła na czek. Skąd to się
wzięło? Napadł na bank czy wygrał na loterii?

„Nie chcę zmieniać Twojego życia, chcę jednak zwrócić dług, który u Ciebie zaciągnąłem. Mam nadzieję, że
to przyjmiesz i że się przyda".

Święci Pańscy... Tess ponownie wzięła czek do ręki. To
naprawdę było pięćdziesiąt tysięcy, tylko dla niej.

Jak mogła jednak to przyjąć? Czy to nie było nieetycz-
ne? I czego chciał w zamian? Nagle uświadomiła sobie,
że niczego. David nigdy niczego nie chciał i to była jedna
z jego najlepszych cech.

„Chętnie bym cię zobaczył, Tess, spotkał się z Tobą
twarzą w twarz i przekazał Ci czek osobiście. Pewnie
chciałbym się przekonać, czy mi wybaczysz, że nie byłem z Tobą, że nie okazałem się dobrym ojcem dla naszego dziecka i wszystko inne".

Wszystko inne, pomyślała. Właściwie też miała ochotę go zobaczyć. Nie po to, żeby odżyły stare uczucia, to było niemożliwe. Po prostu chciałaby się z nim przywitać, tak przez wzgląd na stare czasy.

„Oczekiwałem, że Ginny będzie zła, że będzie mnie nienawidziła. Ale chyba tak nie jest. Wydaje się, że lubi spędzać ze mną czas, a ja bardzo się staram mówić do niej tylko właściwe rzeczy".

Tess uśmiechnęła się do siebie.

„Pozostaje jeszcze kwestia Ciebie. Znam Cię (albo przynajmniej znałem) i wydaje mi się, że jesteś na tyle wspaniałomyślna, aby nie mieć nic przeciwko mojemu spotkaniu z Ginny ani temu, że chcę pomóc. Lepiej późno niż wcale, prawda?"

Tess wcale nie była tego taka pewna. Owszem, miała coś przeciwko jego spotkaniom z Ginny, ale wyłącznie z egoistycznych pobudek. Teraz postanowiła to przemyśleć. Dlaczego miałaby odbierać córce prawo do widywania się z jej własnym ojcem? David chyba mówił prawdę, lepiej późno niż wcale. Nie stanowił dla niej zagrożenia.

Czy powinna przyjąć te pieniądze? Pewnie nie, dotąd zawsze dawała sobie radę sama.

Pod podpisem widniało postscriptum: „Tak przy okazji, świetnie wychowałaś Ginny. Jest piękna i ma Twój uśmiech".

Tess złożyła list i wraz z czekiem wsunęła go z powrotem do koperty. Miała wątpliwości co do tego, że świetnie wychowała Ginny. Oddaliła się od niej bardziej niż zwykle, ulegając zewowi Sycylii, zamiast być przy córce.

Czy mogła sobie pozwolić na taki egoizm? Przecież przede wszystkim była matką.

Zrobiła jednak to, co w tamtym momencie uważała za słuszne, i nikt nie próbował wpędzić jej w poczucie winy. Wobec tego chyba nie powinna przyjmować pieniędzy. Uśmiechnęła się do siebie. Tak, ale...

ROZDZIAŁ PIĘĆDZIESIĄTY DZIEWIĄTY

Flavia pomyślała, że istotą rzeczy były zapachy z *la cucina*. To one ożywiały potrawy, to je usiłowała odtworzyć w angielskich kuchniach — najpierw w kuchni Bei Westerman, potem w Azurro, a na końcu we własnej. Kardamon, goździki, janowiec i miód, aromatyczne i intensywne. Suszone na słońcu pomidory, warkocze główek czosnku, wstążki czerwonych, jakby nawoskowanych papryczek chilli, ostrych, suchych, pikantnych. Karmel, wanilia, morele i brzoskwinie: słodkie, aromatyczne i owocowe wspomnienie *dolce*. *Cannoli* to najstarsze *dolce* i najbardziej kojarzone z Sycylią oraz, tak się złożyło, ze ślubami.

Makaronowa tulejka, wypełniona ricottą, miodem i kandyzowanymi owocami, była uważana za obiekt falliczny. Początkowo serwowano *cannoli* na weselach jako symbol płodności. *Canna*, słowo oznaczające trzcinę, jest także określeniem lufy. *Cannoli scorza* (chrupiąca otoczka) musi być smażona w głębokim, bardzo gorącym tłuszczu przez minutę, żeby zamknąć słodycz wewnątrz potrawy. Po odsączeniu i wystudzeniu napełnij i posyp cukrem pudrem. Udekoruj kandyzowaną skórką.

Flavia uśmiechnęła się do siebie. To rzeczywiście był bogaty i intensywny smak, niemal zbyt intensywny dla podniebienia. Należało jednak wspomnieć o tej potrawie. Tess musiała wiedzieć wszystko.

A zatem przejdźmy do reszty tej historii, pomyślała.

* * *

Po raz pierwszy Peter pojawił się w Azzurro niespełna rok po ślubie Lenny'ego i Flavii. Flavia pracowała wtedy przed domem, a Lenny pojechał zorganizować dostawę.

Nie mogła uwierzyć swoim oczom. Teraz dokładnie wiedziała, jak się czuł tamtego wieczoru w Exeter. Stał przy ladzie, wpatrywał się we Flavię, a ona w niego. Wyglądał tak samo — blond włosy, nieco dłuższe i rzadsze, wystające kości policzkowe i te oczy... Wcale się nie zestarzał, chociaż musiał dobiegać trzydziestki. Czy to możliwe, że tyle się zdarzyło, a on prawie się nie zmienił?

— Jak mnie znalazłeś? — spytała w końcu.

— To nie było łatwe.

Nie spuszczali z siebie wzroku. Innym razem, pomyślała. Innym razem, w innym miejscu. Wyciągnął rękę, a Flavia wsunęła w nią dłoń. Jego palce zacisnęły się wokół jej palców niczym płomienie.

Weszli klienci i czar prysł. Flavia obsłużyła ich, przez cały czas świadoma niewzruszonego wzroku Petera oraz pytania, które miał na końcu języka.

Zajął miejsce w kącie przy oknie, a ona podała mu włoską kawę i ciastko. Przez chwilę siedziała naprzeciwko niego i tylko patrzyła. Na zewnątrz padało, był luty, najbardziej przygnębiający miesiąc w Anglii. Peter przypominał jednak promyk słońca, jak zawsze.

— Popełniłem straszny błąd — powiedział. — To był taki szok... To znaczy kiedy cię zobaczyłem.

— Nie. — Pomyślała o jego żonie i dziecku. — Postąpiłeś słusznie.

Pokręcił głową.

— Nigdy nie byliśmy szczęśliwi — oznajmił. — Jak można być szczęśliwym, kiedy kocha się kogoś innego?

Flavia pomyślała o Lennym. Był dobrym człowiekiem. Wkrótce miał wrócić, a ona nie chciała go ranić.

— Można żyć przyzwoicie — odparła. — Można być zadowolonym.

W duchu jednak pragnęła wyciągnąć ręce do Petera, pogłaskać go po twarzy, dotknąć włosów, pocałować w usta. Chciała poczuć jego ciało, długie i smukłe, na swoim. Nigdy tego nie zrobili i teraz gorzko żałowała.

Tak jakby rozumiał język jej ciała, wyciągnął rękę i owinął sobie ciemny lok Flavii wokół palca. Dotknął jej policzka prawą dłonią, a ona pochyliła się, tuląc twarz do jego ręki. Tylko przez sekundkę, powiedziała sobie.

— Odszedłem od Molly — oświadczył.

Flavia natychmiast się wyprostowała.

— A twój syn? — Czuła, że jej głos brzmi idiotycznie oficjalnie.

Peter westchnął ciężko.

— Widuję go przy każdej nadarzającej się okazji, ale tam nie mieszkam. Nie mógłbym.

Delikatnie dotknęła jego ręki.

— Teraz jestem mężatką — oznajmiła.

— Tak. — Pokiwał głową. Nie wydawał się zdumiony. — Oczywiście, że jesteś, moja piękna Flavio. Każdy zdrowy na umyśle facet by cię chciał.

Poczuła, że coś w niej drgnęło. Wspomnienie tego mężczyzny, kiedy opiekowała się nim na Sycylii, wypłynęło na powierzchnię niczym lawa, gorące i intensywne.

— Przepraszam — szepnęła.

— Kochasz go? — Spojrzenie jego błękitnych oczu zdawało się przewiercać ją na wylot. — Powiedz mi.

Nie tak jak ciebie, pomyślała.

— Tak, kocham go — odrzekła.

Wyszedł niedługo potem, dotykając jej ramienia i bardzo leciutko całując jej włosy.

— Żegnaj, Flavio — powiedział.

Dosłownie po kilku sekundach pojawił się Lenny, który wrócił z Dorchester. Popatrzył na nią dziwnie, ale nic nie powiedział. Być może nie widział Petera, być może nie pamiętał, kto to. Nic nie mówił, kiedy Flavia tej nocy cichutko płakała w poduszkę, jednak jego oddech był bardzo ciężki. Może po prostu spał.

Kiedy jednak w karetce spytał, czy byli szczęśliwi, uświadomiła sobie, że zawsze wiedział o wizycie Petera i zawsze się nad tym zastanawiał. Tak, pomyślała. Tak...

ROZDZIAŁ SZEŚĆDZIESIĄTY

Zgodnie z umową Tess poszła do baru w *baglio* na spotkanie z Giovannim. Było parno, niebo zdawało się wisieć nad samą ziemią, niewątpliwie nadciągała burza. Rozgrzana i spocona, Tess odgarnęła włosy z twarzy. Giovanni się spóźniał (jak to Sycylijczycy), więc kupiła sobie café latte i *cannoli*, a potem znalazła miejsce, z którego nie było widać pracowni Tonina. Usiadła i pogrążyła się w rozmyślaniach o liście Davida i o pieniądzach. O całej furze pieniędzy.

Zastanawiała się, czy można obliczyć wysokość alimentów za osiemnaście lat. Skosztowała kawy, która okazała się kremowa, z mleczną pianką ozdobioną zawijasem espresso. W grę wchodziło mnóstwo czynników: inflacja i odsetki, szkolne wycieczki i wakacje, prezenty świąteczne i hipoteka, już nie wspominając o jedzeniu. I jeszcze całodobowa opieka nad dzieckiem, którą każda matka roztacza automatycznie. Pięćdziesiąt tysięcy funtów...

Ugryzła kruchą skórkę ciastka. Nadzienie było słodkie, gęste i bardzo gładkie.

— Tess, ciao!

Nawet nie zauważyła, kiedy wszedł Giovanni. Wyglądał tak, jakby się spieszył, i był lekko zarumieniony, co wydało się jej raczej dziwne. Zastanawiała się, skąd biegł.

Ucałował ją, zamówił espresso z kroplą gorącego mleka i usiadł naprzeciwko. Miał z sobą wąską, czarną skórzaną aktówkę, z której wyciągnął beżową kopertę. Zachowuje się jak biznesmen, pomyślała, wycierając okruchy ciastka z palców.

— Co to takiego? — spytała.

— Prosta umowa o pożyczkę — odparł. — Ucieszysz się na wieść, że wszystko załatwione.

Tess upiła jeszcze trochę kawy. Po mdlącej słodyczy *cannoli* smakowała nieco gorzko. Wcale się nie ucieszyła, tak naprawdę czuła niepokój. Jak miała to powiedzieć, żeby go nie urazić?

— Świetnie, Giovanni — zaczęła. — I naprawdę bardzo doceniam wszystko, co dla mnie robisz, ale...

— To nic takiego. — Zamachał rękami, jakby chciał podkreślić, że naprawdę nic go to nie kosztowało. — Naprawdę, pomagam ci z radością. — Z emfazą uderzył się w pierś. — Niełatwo jest znaleźć wsparcie dla takich przedsięwzięć, dlatego jestem zachwycony, że udało mi się to zrobić.

O kurczę, pomyślała Tess. To wszystko było takie pompatyczne i teatralne. Giovanni wcale nie wydawał się zachwycony. Czy przypadkiem nie miał śladu szminki na kołnierzyku? Powinnam, nie powinnam? Nadejście czeku od Davida akurat w tym momencie wydawało się zrządzeniem losu.

— Im szybciej zaczniemy, tym szybciej skończymy. — Giovanni zajął się jej talerzykiem i swoim espresso (tak jak wszystkim, zauważyła Tess), czyli odsunął je na bok, a następnie wyłożył zawartość koperty na blat.

— Rozmawiałem z szefem ekipy budowlanej — oznajmił. — Może zaczynać w przyszłym tygodniu.

Tess ze zdumieniem zamrugała. Przecież nawet nie zdążyła wybrać firmy remontowej! Tak naprawdę uważała, że ekipa wskazana przez Giovanniego trochę za dużo sobie policzyła, i poprosiła Pierra, aby polecił jej innego fachowca, bo chciała porównać kosztorysy. Drugi budowlaniec miał przyjść do willi jutro, a poza tym... Coś jej się nie podobało w tym, którego wybrał Giovanni. Nie chciał patrzeć jej w oczy i nie budził zaufania.

— Mam pewne wątpliwości co do tego człowieka — odparła.

— A co z nim nie tak? — Giovanni chwycił swoją kawę i upił łyk.

— Jestem pewna, że zna się na rzeczy... — zaczęła.

— Nie ma lepszego fachowca — przerwał jej Giovanni.

— Ale jest też dość drogi. — Na dowód tego Tess wyciągnęła z torby kosztorys.

Wyrwał jej dokument i pochylił się nad nim, zastanawiając się, cmokając językiem i mamrocząc pod nosem.

— To się wydaje bardzo korzystne... To jest w porządku... Hm, dobrze, tak... Zdecydowanie dobrze. — W końcu wyciągnął własne wnioski. — To bardzo rozsądna kwota.

Dlaczego jej to nie zdziwiło?

— Inne firmy budowlane często najpierw wyceniają tanio, ale potem biorą więcej — wyjaśnił powoli, jakby mówił do głupiego dziecka, i potarł palce. — Jesteśmy na Sycylii, pamiętaj. — Roześmiał się nieszczerze. — Tutaj nic nie jest po prostu czarne albo białe.

Tess westchnęła ciężko.

— Doceniam twoją pomoc, Giovanni, ale potrzebuję więcej kosztorysów, dla porównania.

Wyraźnie się zachmurzył.

— Nie zapominaj też, co mówiłam. — Usiłowała przemawiać stanowczym tonem. — O tym, że to ma być mój projekt. To ja mam podejmować decyzje. Pamiętasz?

Na jego twarzy pojawił się wyraz zawodu.

— Tess, Tess... — Wziął ją za rękę i zaczął bezwiednie bawić się jej palcami.

Usiłowała wyrwać dłoń, ale Giovanni zacieśnił uścisk. Choć to było absurdalne, z jakiegoś powodu poczuła strach.

— Czy nie wiesz, że chcę dla ciebie jak najlepiej? — Podniósł jej rękę do ust i pocałował.

Tess czuła się koszmarnie niezręcznie. Pokiwała głową.

— Oczywiście, byłeś bardzo...

— Nie wiesz, że nasze rodziny są właśnie takie? — Zahaczył mały palec wolnej ręki o drugi mały palec, jak wcześniej. — I zawsze takie były?

— Tak, wiem.

Za bardzo protestował i za długo jej nie puszczał. Żałowała, że dała się mu na cokolwiek namówić i że w ogóle tu jest.

— Czemu więc zaprzątasz sobie śliczną główkę takimi głupstwami? — westchnął pieszczotliwie. — Ja się tym zajmę, to potrafię najlepiej. Znam miasteczko i firmy budowlane. Będę twoim przedstawicielem, to żaden problem.

Tak, ale dlaczego, pomyślała Tess, dlaczego tak strasznie chciał jej pomóc?

— Wiesz, co to było? — zapytała niespodziewanie. — *Il Tesoro*? To... coś, co ukradziono podczas wojny? Chodzi mi o kradzież, o której opowiadałeś, podobno dokonaną przez dziadka Tonina. Wiesz, skąd to pochodziło?

Zamrugał, a potem puścił jej dłoń, jakby go parzyła.

— Dlaczego? — zapytał. — Dlaczego chcesz wiedzieć? Dlaczego wszyscy chcą...

— Wszyscy chcą wiedzieć? — dopowiedziała Tess. — To znaczy kto? Kto chce wiedzieć?

— Nikt. — Zacisnął z całej siły usta. — Nikt, Tess. I nie, nie wiem, co to za zabytkowy przedmiot, wiem tylko, że był cenny. *Il Tesoro*. Nie wiem, gdzie jest teraz. Może ty masz jakiś pomysł? — Przewiercał ją wzrokiem. — Matka ci mówiła? Na pewno wiedziała.

— Nie, nie wiedziała — odparła Tess.

Flavia była wtedy jeszcze dzieckiem, dlaczego miałaby cokolwiek wiedzieć?

Giovanni skrzyżował ramiona.

— Zatrudnimy tę ekipę — oznajmił. — Albo...

— Albo? — Tess nie lubiła, kiedy jej grożono albo ją szantażowano.

— Albo nie będzie żadnych pieniędzy. Żadnych pieniędzy ani umowy. — Zebrał papiery na stosik i ułożył je w kolejności. Teraz, kiedy się nie uśmiechał, wyglądał zupełnie inaczej. Wydawał się zacięty i bezwzględny.

Tess pomyślała o czeku w torebce. Dzięki, David, szepnęła w duchu.

— Świetnie — warknęła. — Nie będzie ekipy, nie będzie pieniędzy ani umowy. — Wstała, hałaśliwie odsuwając krzesło.

Giovanni wydawał się wściekły, ale i zdumiony, jakby ktoś przejrzał go podczas partii pokera.

— Bez pieniędzy nic nie załatwisz, Tess — zauważył.

Pochyliła się ku niemu.

— To się jeszcze okaże — powiedziała.

— Nikt ci niczego nie pożyczy — zaśmiał się Giovanni. — To ci gwarantuję.

Tess otworzyła torebkę i wyjęła kilka monet, żeby zapłacić za kawę i *cannoli*.

— Nie potrzebuję pieniędzy — odparła.

— O co ci chodzi, Tess? — schwycił ją za przegub. — Jak to nie potrzebujesz pieniędzy?

Wzdrygnęła się.

— To boli, Giovanni.

Ale on jej nie puścił.

Widziała, że nadchodzi kelnerka, ale wystarczyło jedno spojrzenie Giovanniego, żeby wycofała się za ladę, a potem na zaplecze. Inni klienci wstali i wyszli, zupełnie jakby nie zauważyli niczego szczególnego. Świetnie, Tess równie dobrze mogłaby być niewidzialna.

— Wydaje ci się, że znasz całą historię, Tess. — Giovanni niemal mruczał. — Ale zapytaj swojego cudownego chłopaka, skąd się wzięły pieniądze jego rodziny. Jak syn biednego rybaka znalazł tyle forsy, żeby kupić sobie pracownię w *baglio* w Cetarii?

Wstał, nadal trzymając ją za nadgarstek. Drugą dłoń zacisnął na jej ramieniu.

— Co chcesz przez to powiedzieć? — Robiła, co mogła, żeby w jej głosie nie słychać było strachu.

Wyjrzała przez okno, ale przestrzeń przed barem nagle opustoszała.

— Jaki to korzystny zbieg okoliczności spowodował, że jego rodzina nagle weszła w posiadanie dużej sumy pieniędzy akurat wtedy, gdy zniknął *il Tesoro* — powiedział Giovanni.

Tess miała dość.

— To nie ma ze mną nic wspólnego — powiedziała. — On nie ma ze mną nic wspólnego.

Jednak nawet mówiąc te słowa, poczuła się tak, jakby zdradzała Tonina.

— Powiem ci coś jeszcze, Tess. — Twarz Giovanniego była teraz blisko, bardzo blisko. — Nie chodzi tylko o pieniądze. Mój dziadek Ettore Sciarra również zniknął po wojnie. Po prostu przepadł, w tym samym czasie, co *il Tesoro*. Co ty na to, hm? — Uniósł głos.

Chryste, atmosfera się zagęszczała. Czy Giovanni sugerował, że ktoś zamordował jego dziadka? Teraz wyglądał jak wariat. Był na tyle blisko, że czuła zapach jego potu i widziała czerwone żyłki na białkach oczu.

— Nie mam pojęcia — oznajmiła stanowczo.

Czuła, że jeśli zdoła zachować spokój, może nie wkurzy go bardziej, a wtedy Giovanni ją puści. Postanowiła, że da mu jeszcze minutę, a jeśli do tego czasu się nie odczepi, kopnie go w klejnoty. Z całej siły.

— Powiem ci, kto wie — warknął. — Powiem ci, kto wie, co się z nim stało.

Tess wcale się nie zdziwiła, gdy w tym krytycznym momencie ujrzała Tonina, który właśnie wchodził do *baglio* i wyglądał tak, jakby nic go nie obchodziło. Zerknął w stronę baru, odwrócił spojrzenie i znowu zerknął. W kilku susach znalazł się na progu, w kilku następnych już stał przy niej.

— Co ty wyprawiasz, na litość boską? — Oderwał od niej ręce Giovanniego. — Nic ci nie jest? — zapytał Tess.

Nic jej nie było, pragnęła jednak, żeby ją przytulił, i miała ochotę rozpłakać się w jego ramionach. To byłoby trochę żałosne, więc tylko pokręciła głową.

Tonino złapał Giovanniego za wysmarowany szminką kołnierzyk.

— Trzymaj się od niej z daleka — warknął.

Przez chwilę tylko patrzyli na siebie i po raz pierwszy Tess odczuła na własnej skórze siłę tej starej rodzinnej kłótni. Widziała i czuła nienawiść, czerwoną niczym ziemia, z której pochodzili, ponurą niczym mroczne oblicze Sycylii. Giovanni zacisnął ręce w pięści, a Tonino zamarł. Obaj byli gotowi do bójki, jednak kiedy Tonino go puścił, Giovanni zachwiał się i ruszył do drzwi. Już w progu odwrócił się do nich.

— Nie myśl, że to koniec — powiedział do Tess, po czym dodał coś bardzo szybko po sycylijsku do Tonina.

W odpowiedzi Tonino zmełł w ustach przekleństwo.

— *Si, si, si. Scopilo...*

Zakląwszy i wykonawszy gest, który miał wyglądać jak podrzynanie gardła, Giovanni trzasnął drzwiami i opuścił *baglio*.

Tess popatrzyła na Tonina.

— Dziękuję — wychrypiała.

Sztywno skinął głową.

— Ty też się trzymaj z daleka od niego — powiedział.

— Tonino...

On jednak zdążył już dotrzeć do drzwi i wyjść.

* * *

Wyszła za nim z budynku i przeszła przez *baglio*. Kiedy była w barze, niebo zrobiło się ołowiane, morze przypominało pofałdowaną stal, a linia horyzontu miała kolor ciemnego fioletu. Nawet powietrze zdawało się uciskać ramiona i głowę Tess. Poruszała się z wysiłkiem, ledwie powłóczyła nogami.

— Tonino — odezwała się do jego oddalających się pleców.

W tym samym momencie rozpadał się deszcz. Grube, wielkie krople dotarły do ziemi, a wiszące w powietrzu napięcie rozładowało się gwałtownie, kiedy poszarpana błyskawica przecięła niebo. Niemal natychmiast dał się słyszeć grzmot.

Nadciągnęła burza. Na szarym niebie pojawił się następny oślepiający zygzak, który odbijał się złocistą poświatą od powierzchni morza. Wyglądało to tak, jakby powoli rozgrzewająca się głębina teraz raptownie zawrzała.

Właściciele barów i kawiarni rzucili się do zbierania krzeseł, stołów i parasoli. Ludzie kulili się w drzwiach, naciągali na głowy kaptury albo apaszki, ten i ów nieporadnie zasłaniał włosy dłońmi. Kto żyw, biegł szukać schronienia albo uciekał do domu.

Tonino w końcu odwrócił się, żeby na nią spojrzeć.

— Wracaj, Tess. — Wydawał się zmęczony. — Wracaj do domu, do Anglii.

Nie ruszyła się z miejsca, chociaż deszcz nie przestawał padać. Miała ochotę zalać się łzami, ale postanowiła to przed nim ukryć.

— Dlaczego? — spytała. — Nie wolno mi tutaj być? Nie mam takich samych praw jak inni?

Uniosła głos, ale i tak zagłuszały ją szum wiatru i ryk fal, rozbijających się o skały w zatoce. Słyszała też podwodny prąd, który wciągał wodę z powrotem w głąb morza.

Tonino pokręcił głową.

— Tu się dzieją złe rzeczy — wrzasnął. — To się jeszcze nie skończyło. Jeśli zostaniesz... Nie zawsze będę mógł cię chronić.

Tess poczuła się urażona. Przecież nie prosiła go o ochronę. Sama poradziłaby sobie z Giovannim, nie ośmieliłby się zrobić jej krzywdy, a poza tym to wszystko wydarzyło się bardzo dawno temu i nie miała z tym nic wspólnego. Co było nie tak z tymi ludźmi?

Burza okazała się tak gwałtowna, że zdawała się zatapiać wszystko. Nawet kocie łby w *baglio* zostały zalane wodą, a budynki wyglądały na smutne i opuszczone.

Tess przemokła do suchej nitki, jednak stała bez ruchu. Tonino westchnął, wzruszył ramionami i zabrał się do przenoszenia rzeczy do pracowni. Teraz pracował nad znacznie większym projektem, w którym dominowało turkusowe i akwamarynowe szkło. Kawałki szkła i kamienia lśniły i połyskiwały od deszczu niczym drogocenny skarb.

— Zatrzymam dom! Nikt mi tego nie zabroni! — wrzasnęła. Do kogo — do siebie, Tonina, całej Cetarii? — Nie boję się Giovanniego Sciarry!

— A powinnaś — wymamrotał Tonino, kiedy ją mijał i otwierał drzwi do pracowni.

Była na niego zła. W końcu to on dał za wygraną, prawda?

— Skąd były te pieniądze? — krzyknęła. — Powiedz mi.

Chciała zwrócić na siebie jego uwagę i tyle, ale od razu uświadomiła sobie, że posunęła się za daleko.

Tonino zamarł.

— Co?

Powinna była milczeć, ale za bardzo ją wkurzył swoim wycofaniem się, swoją odmową stawienia czoła przeszłości, stawienia czoła jej, Tess, i temu, co było między nimi.

— Pieniądze twojego dziadka. Twoje pieniądze na biznes. — Nie mogła spojrzeć mu w oczy. — Powiedziałeś mi, że Sciarrowie odebrali waszej rodzinie całą ziemię.

Zakłął pod nosem i podszedł do niej. Kiedy kolejna błyskawica rozbłysła za nimi, uniósł brodę Tess i smutno pokręcił głową.

— I ty, Tess? — powiedział. — Ty też?

Tym razem popatrzyła na niego.

— Skąd mam to wiedzieć? — spytała. — Jak mam się domyślić, co jest prawdą, w co wierzyć? Ty i Giovanni... Przez cały czas jesteś taki ponury i tajemniczy.

Raz jeszcze westchnął. Mokre włosy przylepiły mu się do czoła, mrugał oczami, żeby wycisnąć z nich krople deszczu.

— Mówiłem ci, że to spadek — odparł. — Po stryjku z sąsiedniego miasteczka, który ciężko pracował i zmarł bezdzietnie. To tyle. A ponieważ stało się to w tym samym czasie, co... — zawahał się — co reszta, wszyscy uznali, że istnieje jakiś związek. Nie było żadnego związku.

Pokiwała głową na znak, że mu wierzy. Pewnie powinna była od początku mu ufać, mimo że był taki wkurzający, ale...

— Zniknął też człowiek — wyszeptała.

— Tak, zniknął. Ettore Sciarra. Maczał palce w tylu rozmaitych interesach, że kto wie, ile osób miało powody go zamordować.

Stał bardzo blisko i gdy się pochylił, była pewna, że jego usta dotkną jej warg. Poczuła przyjemny dreszcz. W tym samym momencie ziemia zatrzęsła się pod jej stopami, jakby przez bruk w *balio* przechodziły wibracje.

Jednocześnie odsunęli się od siebie. Tess usłyszała brzęk szkła w pracowni Tonina, zupełnie jakby olbrzym potrząsał półkami. Patrzyła z niedowierzaniem, jak w kamiennej ścianie tuż obok nich pojawia się pęknięcie.

Tonino stał bez ruchu. Wydawał się nasłuchiwać, aż coś się wydarzy. Morze w oddali nadal szalało, ale wiatr powoli cichł. Burza się przesunęła, szła dalej wzdłuż wybrzeża. Raz jeszcze ziemia zadrżała, jakby przeciągając się po długim śnie, i nagle wszystko umilkło. W miasteczku rozległ się dźwięk dzwonu z wieży kościelnej.

Tonino wyraźnie się odprężył i wziął Tess za ramię.

— Nie przejmuj się — powiedział. — Wracaj teraz do Villa Sirena.

Ledwie mogła ukryć gorzkie rozczarowanie.

— Co to było? — spytała. — Burza?

Tonino pokręcił głową.

— Wstrząs ziemi — wyjaśnił. — Nic nadzwyczajnego. Ale chyba się już skończył. Idź.

Schody do willi nigdy nie wydawały się takie strome. Na samej górze Tess odwróciła się i popatrzyła na skałę, *il faraglione*, na samotne kutry rybackie w porcie, na wyblakłą, opustoszałą tuńczykarnię. Czy można było kochać jakieś miejsce i mężczyznę, a jednocześnie się ich bać? Czy można było czuć do nich pociąg, częściowo wbrew sobie? Jeśli to możliwe, tak właśnie się czuła.

ROZDZIAŁ SZEŚĆDZIESIĄTY PIERWSZY

Mniej więcej pół roku po swojej wizycie Peter wysłał jej list. Flavia przyglądała się schludnym literom na niebieskiej kopercie i od razu wyczuła, że to od niego. Przypomniały się jej wszystkie inne listy, których nie dostała. Co papa z nimi zrobił? Zapewne wrzucił je do pieca. Prawdopodobnie najpierw je przeczytał, bo inaczej skąd miałby wiedzieć, że Peter przyjeżdża po nią na Sycylię? A ponieważ tata nie znał angielskiego, musiał je komuś pokazać, a ten ktoś przetłumaczył mu słowa Petera, miłosne listy Petera do Flavii.

Nawet teraz na myśl o tym trzęsła się z gniewu i upokorzenia. Kto jeszcze je czytał? Enzo? Pomyślała o jego ponurej, okrutnej twarzy i zadrżała. Czy powinna była przestrzec Tess przed rodziną Sciarra?

Ten list nie był o miłości i Flavia cieszyła się z tego. „Moja droga Flavio", zaczynał się, a kończył: „Twój Peter". Naturalnie wcale nie był jej. Pytał o zdrowie i o restaurację, pisał, gdzie mieszka (sam) i że znalazł pracę w ubezpieczeniach, a raz w tygodniu, w każdą niedzielę, widuje swojego syna.

Raz w tygodniu, w niedzielę... Rzadko, jak dla tak dumnego mężczyzny. Przypomniała sobie jego słowa: „Mam dziecko, Flavio. Syna. Ma na imię Daniel".

Peter napisał, że ma nadzieję, iż pewnego dnia Flavia zdoła mu odpisać, jako przyjaciółka. I że gdyby kiedykolwiek czegoś potrzebowała... Tutaj urwał.

Jako przyjaciółka. Kiedy Flavia przyjechała do Anglii, do głowy by jej nie przyszło, że Peter zostanie jej przyjacielem. Kochankiem, owszem, ale przyjacielem? Mimo to poczuła wzruszenie na myśl o tym, że zależało mu na niej na tyle, aby wyciągnąć do niej rękę i uczynić ten gest. Dlatego wsunęła list z powrotem do niebieskiej koperty i schowała go w szufladzie z pończochami w sypialni.

Kilka tygodni później, kiedy Lenny miał odwiedzić matkę w sobotę, Flavia wykręciła się i została w domu. Po południu odpisała na list Petera. Opowiedziała mu o Azzurro i o swoich postępach w posługiwaniu się angielszczyzną. Pisała również o Pridehaven i o tym, że Lenny to miły mężczyzna, jeden z najlepszych. „Ja też będę twoją przyjaciółką", dodała.

Korespondencja była nieregularna, ale Flavia dostawała cztery lub pięć listów na rok. Kiedy Peter miał problem, gdy jego żona znalazła sobie kogoś, a Peter martwił się o to, co to będzie oznaczało dla Daniela, kiedy coś szło źle w pracy i sprzedawał mniej ubezpieczeń, niż powinien, pisał do niej o tym. Czasem wspominał o innej kobiecie. Najpierw była Katherine, z którą spędził kilka miesięcy, potem Audrey, z nią też widywał się przez jakiś czas. Nie ożenił się ponownie i mieszkał sam.

Czy przez te wszystkie lata czekał na Flavię? Nigdy tego nie pisał, a ona starała się o tym nie myśleć. Mimo to zwyczajowo wypatrywała listonosza, tak na wszelki wypadek.

Żyło jej się dobrze, chociaż i ona, i Lenny ciężko pracowali. Flavia sama wyrabiała ciasto na świeży makaron i pizzę, w końcu kupili kawałek gruntu, żeby uprawiać tam pod szkłem pomidory — duże bawole serca oraz małe koktajlowe pomidorki.

Tworzyli zgodną drużynę, ale co z miłością? Lenny nigdy nie był romantykiem, a teraz, od stworzenia Azzurro, w ogóle nie mieli czasu na romantyczne uniesienia. Był jednak dobrym i miłym człowiekiem, za to Flavia czuła wdzięczność do Boga. Romanse... To było dobre dla dziewczyny, którą była kiedyś i która została daleko w tyle.

Wiedziała, że Lenny pragnął dzieci, ale ich nie mieli i Flavia właściwie była z tego zadowolona. I tak wzięli na siebie mnóstwo obowiązków, poza tym nie wierzyła, że sprawdzi się jako matka. Miała inne ambicje i nie dążyła do realizowania się na sposób przeciętnej Sycylijki, której świat sprowadzał się do domu i dzieci.

Kiedy zaszła w ciążę, była już po czterdziestce i na początku nie mogła uwierzyć, że po tylu latach zostanie matką. Narodziny Tess okazały się małym cudem. Na świecie pojawiło się pełne życia i ciepła maleństwo, wrzeszczące tak, jakby dobrze wiedziało, czego pragnie. Flavia uśmiechnęła się do siebie. Jakby zamierzało o to walczyć.

— Chcesz ją potrzymać, mamo? — zapytała położna Flavię.

Mamo. Flavia omal nie parsknęła śmiechem. Pomyślała, że nigdy nie zrozumie tych dziwnych Anglików.

— Tak, poproszę — odparła potulnie. — Bardzo chciałabym ją potrzymać.

Nazwali ją Teresa Beatrice.

Teraz, nawet bardziej niż dawniej, życie z Lennym nie było tylko życiem z Lennym i Azzurro. Nareszcie stali się rodziną, prawdziwą rodziną.

Żółty jak pszenica durum, lśniąca w słońcu, żółty jak szafran, żółty jak cytryny i żółty jak złocisty, ciepły, płynny miód.

Miód, znany już najstarszym cywilizacjom, wytwarzano na Sycylii od tysięcy lat, lecz jego smak zmieniał się przez stulecia.

Zmieniały się kwiaty, a miód, określany mianem *millefiori* („tysiąca kwiatów"), odzwierciedla to dziedzictwo. Obecnie większość sycylijskiego miodu powstaje dzięki nektarowi z kwiatów pomarańczy lub eukaliptusa.

Ulubiony miód Flavii powstawał z nektaru kwiatów sycylijskich pomarańczy. Dodawała go do wszystkich swoich *dolce*, jak mówiła córce. Był lekki, świeży i smakował wiosną, nadzieją oraz nowym początkiem.

ROZDZIAŁ SZEŚĆDZIESIĄTY DRUGI

Tess ucieszyła się, kiedy dostała niespodziewane zaproszenie na lunch u Millie i Pierra. Także Ginny
przesłała jej wiadomość, co nie było może wstrząsają-
ce, ale robiło wrażenie. Tess starała się dać córce trochę
przestrzeni. Pragnęła być przy niej, ale dyskretnie. Taka
taktyka dawała dobre rezultaty, ponieważ Ginny sama
z siebie zaczęła się z nią kontaktować.

Lunch podano na prywatnym, hotelowym tarasie.
Posiłek był skromny jak na sycylijskie standardy, ale prezentował się wspaniale. Składała się na niego między
innymi prosta sałatka z zieloną fasolką, a do tego chleb
i wybór antipasti z owoców morza, artystycznie podane
na białych talerzach.

Pierro bezustannie biegał to tu, to tam, wypełniając
obowiązki związane z prowadzeniem hotelu. W jednej chwili rozmawiał z trudnym klientem, w następnej
szukał kombinerek dla robotnika, a zaraz potem odbie-
rał telefon. Millie za to była jak zawsze odprężona. Jej
„dziewczyna" Louisa pracowała w recepcji, więc Millie
z radością zrobiła sobie parę godzin wolnego.

— Należy mi się — powiedziała do Tess. — Chodź,
pozwól, że ci się przyjrzę.

Tess posłusznie podeszła, a Millie sycylijskim zwy-
czajem ucałowała ją w oba policzki. Dziś miała na sobie

fuksjowy top, czarne bawełniane spódnicospodnie i czarne czółenka z małymi wstążeczkami, także w kolorze fuksji. Jej szminka była równie śmiała i czerwona jak zawsze. Tess doszła do wniosku, że ten kolor uchodzi na sucho tylko Millie.

— Co u was słychać? — zapytała. — Jak interesy?

— Dobrze. — Millie wskazała jej krzesło. — A twój ojciec? Podobno zdrowieje.

Tess nawet nie była specjalnie wstrząśnięta, że Millie jak zwykle wie o wszystkim.

— No cóż, tak — odparła. — Chociaż zdaniem mojej matki jego kariera supermana definitywnie dobiegła końca.

Pojawił się Pierro i od razu zauważył lekkie zaskoczenie Tess.

— No co? — Pochylił się, całując ją w oba policzki.

— Nic, tylko to, że w Cetarii wszyscy wiedzą, co się dzieje u innych.

Tess wzruszyła ramionami i usiłowała zbyć to śmiechem. W końcu uważała ich za przyjaciół, więc wszystko jedno...

— Owszem. — Pierro usiadł na krześle naprzeciwko niej. — A moja żona to największa plotkara ze wszystkich.

Millie skrzywiła się wymownie.

— Nie słuchaj go — powiedziała. — Dobre wieści szybko się rozchodzą i tyle.

— A złe jeszcze szybciej — zauważył Pierro.

Tess uśmiechnęła się pod nosem, gdyż niewątpliwie miał rację. Nagle coś jej się przypomniało.

— Mogłabym przysiąc, że dzisiaj rano, kiedy wychodziłam z willi, ktoś mnie obserwował — powiedziała.

To było dziwne, niemal udawało się jej wyczuć czyjś badawczy wzrok, zupełnie jakby ktoś oświetlał jej plecy snopem światła z latarki.

— Pewnie tak właśnie było. — Pierro nalał trzy szklanki mrożonej lemoniady z dzbanka na stole. — Tutaj zawsze ktoś cię obserwuje.

— Naprawdę? — Uznała, że to niepokojące.

Millie cmoknęła i kazała mężowi siedzieć cicho.

— Żartuje sobie z ciebie — zwróciła się do Tess.

Tess nie była o tym przekonana. Ale niby kto zawsze obserwował i dlaczego akurat ją? Zadrżała na myśl o Giovannim Sciarrze.

Pierro podał jej szklankę.

— I jak ci budowlańcy wczoraj? — zapytał. — Przygotowali rozsądny kosztorys?

Tess wypiła łyk pysznej lemoniady domowej roboty, niewątpliwie z sycylijskich cytryn.

— Nie najgorszy — odparła.

Kierownik ekipy zadał sobie sporo trudu, rozglądając się po willi, a potem omówił plany Tess zrozumiałą, choć łamaną angielszczyzną i dał jej kilka pożytecznych rad. Do tego dochodził jeszcze drobny szczegół: jego szacunkowe obliczenia opiewały na sumę o dziesięć tysięcy funtów niższą niż ta, której zażądał człowiek Giovanniego.

— Zdecydujesz się? — Millie wydawała się zatroskana. — Możesz sobie na to pozwolić?

— Odpowiedź na oba pytania brzmi: tak.

Tess wzięła chleb z koszyka, który podała jej Millie, i poczęstowała się *calamaretti*, czyli małymi kalmarkami z orzeszkami piniowymi, pietruszką, czosnkiem i bułką tartą. Po raz pierwszy jadła tę potrawę podczas jednego z lunchów w towarzystwie Giovanniego. Jeśli miała zatrzymać willę i na niej zarabiać, trzeba było wykonać prace remontowe. Wolałaby umrzeć, niż dać się prowadzić Giovanniemu za rączkę albo pozwolić, żeby Tonino ją wystraszył. Była już dużą dziewczynką i sama potrafiła podejmować decyzje.

— Świetnie poradzili sobie z przekształceniem tego budynku w hotel. — Pierro rozejrzał się wokół siebie z radością i dumą. — A nawet gdyby coś miało iść nie tak, zawsze można się z nimi skontaktować.

— Pewnie dlatego, że płacimy im na czas — zauważyła Millie.

Skrzyżowała nogi, a jedno z jej czarnych czółenek spadło na podłogę. Tess nie mogła pozbyć się wrażenia, że rekomendacja Pierra jest nieporównanie więcej warta niż sugestie Giovanniego.

Millie wrzuciła do ust nadziewanego małża i przeżuwała go w zamyśleniu. Marszcząc brwi, popatrzyła na Tess.

— Jak dasz radę za to zapłacić? — zapytała cicho, jakby mówiła do siebie.

Pierro rzucił jej ostre spojrzenie.

— To nie nasza sprawa, kochanie — powiedział.

Zanim jednak zdołał coś dodać, zadzwoniła jego komórka. Wstał z pełną skruchy miną i odszedł od stołu, po czym zaczął mówić szybkim sycylijskim, którego Tess ani w ząb nie rozumiała.

Millie wychyliła się ku niej.

— Dostałaś jakieś pieniądze, skarbie? — szepnęła. — To cudownie.

Jej zielone, błyszczące oczy zdawały się zachęcać do zwierzeń, Tess jednak była ostrożna. Zdenerwowała ją ta poranna obserwacja, kiedy wychodziła z willi. Nie po raz pierwszy tak się poczuła. Przystanęła na schodkach i się rozejrzała. W *baglio* toczyło się życie, jak zawsze (chociaż nigdzie nie widziała Tonina), a nad morzem dostrzegła tylko kilka osób. Wydawało jej się, że zobaczyła jakiś błysk, jakby odbicie słońca w soczewce aparatu fotograficznego, na wzgórzach za miasteczkiem, tam gdzie spacerowała z Toninem w gaju oliwnym.

Pewnie wyobraźnia płatała jej figla. Mimo to po tym, jak Giovanni groził jej w kawiarni, a Tonino kazał wracać do domu, postanowiła nikomu nie opowiadać o pieniądzach od Davida — ani Giovanniemu, ani Tonino, ani nawet Millie. Nie chodziło o to, że im nie ufała, po prostu zaczynało ją irytować, że tu, w Cetarii, każdy wie wszystko o cudzych sprawach.

— Coś w tym rodzaju — powiedziała do Millie i uśmiechnęła się do niej poufale, a potem poczęstowała się sałatką z fasoli i *gamberoni*.

Jej przyjaciółka wydawała się rozczarowana, ale na szczęście w tej samej chwili wrócił Pierro, więc Millie nie ciągnęła tematu.

Podczas lunchu rozmawiali o innych sprawach — o pogodzie w Anglii, o wydarzeniach na świecie, o tym, że Tess planuje stworzyć w willi pensjonat, i wreszcie o matce Pierra, która groziła, że przyjedzie do Cetarii i zamieszka razem z synem i synową na zawsze.

— To gorsze od śmierci. — Millie przewróciła oczami.

Tess nie wspominała o Giovannim. Postanowiła milczeć, nie chciała rozdmuchiwać tej sprawy ani wpaść w jeszcze większe kłopoty. Doskonale wiedziała, jak wiele szkód może wyrządzić jedno nieostrożne słowo.

O czternastej Pierro przeprosił i zniknął, a Tess zaczęła się zbierać do wyjścia, jednak Millie trzymała ją jeszcze przez dobre czterdzieści pięć minut, trajkocząc bez opamiętania przy *dolce*, czyli migdałowych ciasteczkach własnej roboty, i świeżo zaparzonej kawie. Tess pomyślała, że trudno uwierzyć w to, iż Millie znajduje czas na prowadzenie hotelu.

— Naprawdę powinnam już iść — oznajmiła w końcu. — Muszę skontaktować się z budowlańcami i ruszyć z tym remontem.

Przede wszystkim chciała ponurkować. Po burzy i wstrząsie sejsmicznym morze wydawało się świeższe, jaśniejsze, bardziej zachęcające niż zwykle. Była pewna, że po rozpoczęciu remontu zabraknie jej czasu na nurkowanie, a zresztą nie musiała się usprawiedliwiać — po prostu chciała już iść i tyle.

Uwolniła się od towarzystwa Millie, która nalegała, żeby Tess od razu poszła do budowlańców. Wyjaśniła nawet, jak trafić do ich biura, znajdującego się zaledwie kilka przecznic dalej.

— Sycylijczycy wolą robić interesy osobiście, a nie przez telefon — oznajmiła. — Lepiej kuć żelazo, póki gorące, jak to mówią.

Po wyjściu z hotelu Tess zmieniła jednak zdanie i uznała, że wróci do willi, aby zacząć od nurkowania. W końcu na Sycylii nawet budowlańcy mieli sjesty.

We wczesnopopołudniowym upale *baglio* wydawało się pogrążone we śnie, a sklepy, w tym także pracownia Tonina, były zamknięte. Mimo to Tess znowu poczuła, że ktoś ją obserwuje.

To idiotyzm, powiedziała sobie i ruszyła w górę. Znalazła klucz, weszła boczną furtką i okrążyła budynek, mijając krzew kwitnącego na biało jaśminu. Podchodząc do frontu willi, była całkowicie skupiona na czekającym ją nurkowaniu.

Otworzyła drzwi, weszła do holu i nagle zamarła. Coś było nie tak. Zmarszczyła brwi i zrobiła jeszcze jeden krok. Wyraźnie słyszała hałas, jakby wiertarki, potem stukanie młotkiem, a na koniec mamrotanie.

Ktoś wtargnął do willi.

Niepewnie stała w drzwiach do kuchni. Powinna jak najszybciej wyjść, sprowadzić pomoc (chociaż nikogo nie było w *baglio*), a może nawet pobiec z powrotem do hotelu po Pierra, jeśli w pobliżu nie będzie Tonina. Przypomniała sobie jego słowa: „Nie zawsze będę mógł cię chronić". Nie, nie mogła prosić Tonina o pomoc.

Poza tym... Znowu zrobiła krok naprzód. Instynkt podpowiadał jej, żeby nie wychodziła, tylko dowiedziała się, kto ją nachodzi i co się dzieje. W końcu dom należał do niej, cholera.

— Kto tutaj jest? — krzyknęła. Odpowiedziała jej cisza. — Kto tu jest?

ROZDZIAŁ SZEŚĆDZIESIĄTY TRZECI

Jedzenie zapewniało poczucie bezpieczeństwa i wrażenie ciągłości.

Granite di caffè. Wlej wodę i wsyp cukier do garnka, podgrzewaj, aż cukier się rozpuści. Gotuj przez minutę, potem zmniejsz ogień, dodaj kawę, zmiksuj, zdejmij z ognia. Dodaj laskę wanilii oraz cynamon. Dobrze wymieszaj, wystudź. Na dwie godziny włóż do zamrażalnika, ale wyjmuj co kwadrans, żeby zamieszać. Deser powinien na koniec mieć lekko ziarnistą, niemal papkowatą konsystencję. Ubij na sztywno śmietanę i cukier puder. Przełóż *granite* do szklanek, dodaj bitą śmietanę i podawaj z ciepłą brioszką.

Pewnego dnia, kiedy Tess miała trzy lata, Flavia dostała list od Petera.

„Nie wiem, jak to ująć, Flavio — napisał. — Myślałem nawet, żeby w ogóle ci o tym nie wspominać".

Choć minęło tyle czasu, Flavia poczuła się tak, jakby zimne palce ścisnęły jej serce. Nie pomyliła się.

„Jestem chory — przeczytała. — Mam raka płuc. Powinienem był rzucić palenie lata temu, ale"...

Nawet nie wiedziała, że palił. Mrugała, wpatrzona w słowa na kartce. Jak mogła nie wiedzieć czegoś, co było zarazem drobiazgiem i czymś tak istotnym? Na Sycylii nie palił, a przy-

486

najmniej nic o tym nie wspominał. Nie palił też, kiedy tamtego dnia przyszedł do restauracji.

W ogóle go nie znałam, pomyślała Flavia. Teraz też go nie znam.

„Chciałbym się z tobą zobaczyć", napisał. Po raz pierwszy przez te wszystkie lata zaproponował spotkanie. „Mogłabyś? Zechciałabyś?"

Czy mogła? Tak, mogła, Lenny nie był zaborczy. Nie sprzeciwiał się, kiedy wychodziła (choć, prawdę mówiąc, zwykle przebywali w pobliżu kuchni Azzurro) i szanował jej prywatność. Czy jednak chciała? To co innego. Nie chciała zdradzać męża ani go okłamywać. Ale w jaki sposób mogło to zaszkodzić Lenny'emu? A Peter... Peter był chory. Peter pragnął się z nią zobaczyć. Czy mogłaby mu odmówić?

Spotkali się w Lyme Regis, w herbaciarni nad morzem. Trwał przypływ, fale były wysokie i sine. To morze nie mogłoby mniej przypominać sycylijskiego.

Powiedziała Lenny'emu, że idzie na zakupy z Alice, przyjaciółką poznaną w przedszkolu Tess. Lenny ledwie kojarzył Alice. Obiecał odebrać małą z przedszkola i zająć się wszystkim w Azzurro. Flavia zawczasu przyrządziła większą ilość potraw i zorganizowała zastępstwo. Najgorsze było okłamywanie Lenny'ego, ale... Nienawidziła wyrzutów sumienia, które ją dopadły, gdy napotkała jego szczery, otwarty wzrok.

— Oczywiście, że powinnaś jechać, skarbie — oznajmił, ułatwiając jej sprawę.

Och, Lenny...

Pewnie mogłaby mu powiedzieć, że wybiera się na spotkanie z Peterem. Mogłaby mu powiedzieć o listach i o tym, że Peter jest chory i pragnie się z nią zobaczyć. Lenny, jak to Lenny, pewnie by zrozumiał. Kto wie jednak, czy nie zrozumiałby zbyt dużo i nie pojął, dlaczego zgodziła się jechać. Flavia nie chciała go krzywdzić. Był dobrym człowiekiem i na to nie zasłużył.

Peter był szczuplejszy, a jego włosy się przerzedziły i były cienkie jak włosy małego dziecka. I takie miękkie... Na twarzy Petera pojawiły się nowe zmarszczki i worki luźnej skóry, zwłaszcza wokół oczu. Miał też bardziej zacięte usta. Tylko oczy były błękitne niczym niebo, tak jak zawsze.

— Dziękuję, że się zjawiłaś — powiedział i chwycił ją za ręce nad blatem, jakby byli kochankami.

Pili herbatę, jedli opiekane bułeczki z rodzynkami i rozmawiali, wydawało się, że całymi godzinami, nie tylko o życiu po wojnie, ale też o raku. Gdy mówił, Flavia odnosiła wrażenie, że słyszy jego ciężki oddech, i ból chwytał ją za serce. Teraz oboje mieli grubo ponad czterdzieści lat i najwyraźniej byli w średnim wieku, chociaż ona wcale się tak nie czuła, zwłaszcza z maleńką córką i restauracją na głowie. Życie Petera nie ułożyło się jednak tak, jak na to liczył, a teraz miało się zakończyć jeszcze przed pięćdziesiątką.

— Muszę iść — oznajmiła w końcu. — Lenny będzie się martwił.

Peter pokręcił głową.

— Kto by pomyślał? Moja Flavia, taka angielska... Moja Flavia...

— Mieszkam tu od ćwierćwiecza — przypomniała mu. — I nawet myślę po angielsku.

— Czy myślisz, kochana Flavio, że mogłabyś mi oddać ostatnią przysługę? Przez wzgląd na stare dobre czasy? — znowu przytrzymał jej dłonie.

Wiedziała, że nie zdoła mu odmówić. Najprawdopodobniej widzieli się po raz ostatni.

Peter zatrzymał się w dużym hotelu na wzgórzu.

— Nie proszę cię, żebyś się ze mną kochała — powiedział. — Ale nie chcę umierać, nigdy nie trzymając cię w ramionach. Tylko ten jeden raz. Naprawdę muszę, Flavio.

Doskonale wiedziała, co czuł. Czy nie myślała o tym samym lata temu? Dlatego właśnie poszła z nim na wzgórze, do hotelu. Czekała przy recepcji, gdy brał klucz, i weszła razem z nim do windy, a potem do pokoju.

Już w pokoju odrzucił kołdrę na łóżku, po czym wyszedł. Drżąc, Flavia zdjęła ubranie: ciepły, czarny płaszcz, zamszowe buty, grubą spódnicę i pończochy. Potem ściągnęła kardigan, bluzkę i odpięła łańcuszek ze srebrnym krzyżykiem, który dostała od Lenny'ego w dniu ślubu. Następnie pozbyła się bielizny i wśliznęła pod kołdrę, czekając na Petera tak, jak czekała na niego wcześniej.

ROZDZIAŁ SZEŚĆDZIESIĄTY CZWARTY

Weszli drzwiami po drugiej stronie kuchni, prowadzącymi do salonu.

To był Giovanni Sciarra z innym mężczyzną, starszym, w brudnej koszuli i ogrodniczkach. Giovanni dobrze wyglądał w dżinsach i w białej lnianej koszuli, zupełnie jakby przyszedł tu na niedzielny podwieczorek.

— Giovanni — wysyczała Tess. — Co się, kurwa, dzieje? Co ty wyprawiasz?

Przez jego twarz przetoczyło się milion emocji, jakby nie mógł się zdecydować, w jaką rolę się wcielić.

— Wcześnie wróciłaś, Tess — oznajmił i ze smutkiem pokręcił głową.

Wcześnie wróciła? O czym on gadał?

— Dla własnego dobra powinnaś była przyjść później — dodał.

Tess usiłowała zdławić strach, który w niej narastał i sprawiał, że ugięły się pod nią kolana. Nie ośmieliłby się, nie przy świadku...

— Czego chcesz? — warknęła. — Czego szukasz?

Wiedziała, oczywiście, i miała świadomość, dlaczego Giovanni był zły, że nie zatrudniła jego ekipy budowlanej. Myślał, że *il Tesoro* znajdował się tutaj, w willi, był o tym przekonany. Dlatego właśnie po przyjeździe zastała dom w takim stanie. To nie Edward Westerman zostawił ten nieporządek, tylko Giovanni.

— Gdzie to jest ukryte? — wymamrotał. — *Il Tesoro*?

A zatem nigdy nie wierzył w tę opowieść, którą jej wciskał, o *il Tesoro* przekazanym komuś przez dziadka Tonina w zamian za pieniądze. Po prostu usiłował ich skłócić.

— Giovanni — zaczęła spokojnie. — Chyba o czymś zapominasz. To jest mój dom, a ty się tutaj włamałeś.

Wymamrotał coś, czego nie zrozumiała.

— Proszę, wyjdź. W tej chwili. — Nie spuszczała z nich wzroku, kiedy szli w jej kierunku.

Facet w ogrodniczkach trzymał młot pneumatyczny, na litość boską! To oznaczało, że Giovanni przeszukał już wszystko, co się dało, a przy okazji remontu miał nadzieję wkuć się głębiej. Ona jednak nie chciała wskazanej przez niego ekipy, więc...

— Ech, Tess — westchnął.

Znowu poczuła strach.

— Musi być wyjątkowy — powiedziała. — *Il Tesoro*. Ale dlaczego uważasz, że znajduje się właśnie tutaj?

Giovanni wzruszył ramionami. Powiedział coś do mężczyzny za sobą, który minął Tess, przeszedł do holu i opuścił willę.

Tess go nie zatrzymywała. Teraz zostali sami. Bała się, ale była też zła. Chciała dotrzeć do końca, poznać prawdę.

— A gdzie ma być? — Giovanni przyglądał jej się uważnie. — To chyba oczywiste miejsce, nie?

— Nie rozumiem dlaczego — warknęła. — Przecież może być wszędzie.

— Na przykład? — Giovanni podniósł głos. — *Scopi questo!* Gdyby był gdzie indziej, już dawno ktoś by go znalazł.

Tess już wcześniej przez wiele godzin myślała o tej całej historii. Alberto Amato został poproszony przez jej dziadka o schowanie skarbu podczas wojny. Dlaczego jednak dziadek sam go nie ukrył? Wtedy mógłby być pewien, że nikt go nie zdradzi, i wiedziałby, gdzie znajduje się skarb. To wszystko nie miało najmniejszego sensu.

— Nawet jeśli tutaj jest, to jakie masz do niego prawo, Giovanni? — odezwała się ostrożnie.

Zaklął pod nosem.

— Należał się rodzinie Sciarra — odparł. — To jest nasze prawo.

Następny element układanki trafił na właściwe miejsce. Giovanni już jej to mówił, wspominał o długu zaciągniętym przez rodzinę Amato, a w szczególności przez Luigiego Amata. Chodziło o pieniądze za ochronę biznesu. Dlaczego jednak Edward Westerman miałby wejść w posiadanie *il Tesoro*, skoro ten wcześniej należał do Luigiego Amata?

Nagle wszystko pojęła. Millie jej to powiedziała, zupełnie nieświadomie. Luigi Amato był gejem, Edward Westerman również. Łączyła ich orientacja, kto wie, czy nie byli w związku. Czy Edward Westerman był jedyną osobą, której Luigi mógł zaufać? Czy dał Edwardowi skarb na przechowanie, bo rodzina Sciarra zamierzała go zagarnąć?

— Skąd Luigi wziął *il Tesoro*? — zapytała Tess.

Zaszła zbyt daleko, żeby się teraz wycofać.

— Bystra dziewczynka. — Uśmiechnął się. — Został wykopany, kiedy Luigi kładł fundamenty pod swoją głupią restauracyjkę. Ale my mieliśmy oczy wszędzie, a nawet gdybyśmy nie mieli, jego rozplotkowana siostra nie potrafiła trzymać języka za zębami, jak większość kobiet. — Zmarszczył brwi. — To należy do Sycylii, do Cetarii. — Wyprostował się dumnie. — Do bractwa — dodał tak cicho, że niemal nie usłyszała.

Jakiego znowu bractwa?

— I oddałbyś to Sycylii, Giovanni? — zapytała.

Ona sama chętnie oddałaby to Sycylii. Szczerze mówiąc, nie była kompletnie zainteresowana tym cholerstwem, jak dotąd skarb powodował same problemy.

— A co ty wiesz o Sycylii? — wycedził. — Jesteś tylko angielską turystką, która zachowuje się jak właścicielka całej wyspy.

Chyba zapomniał, że Tess jest pół-Sycylijką, że jej matka tu dorastała, podobnie jak jego, i bawiła się z jego stryjeczną babką na tych samych ulicach.

Poza tym była właścicielką, może nie wyspy, ale tej willi na pewno.

— Wystarczy. — Wyciągnęła rękę, spodem do góry.

Popatrzył na nią pytająco.

— Co?

— Klucz, Giovanni. Daj mi klucz do mojej willi i nie będziemy o tym rozmawiać. — Teraz nie czuła już strachu, tylko złość.

Wyszczerzył zęby i zrobił krok w jej kierunku.

— Sama go sobie weź, Tess.

— Na litość boską! — Odwróciła głowę.

— Nie, poważnie, weź go sobie. — Podszedł jeszcze bliżej i uniósł ręce. — No, chodź, ułatwię ci to.

Tess spiorunowała go wzrokiem.

— Dla kogo pracujesz, Giovanni?

Dałaby sobie rękę uciąć, że nie działał w pojedynkę, był na to zbyt pewny siebie i za dużo wiedział. Skąd na przykład miałby wiedzieć, że dziś wychodziła?

Giovanni nie raczył odpowiedzieć na jej pytanie. A może już odpowiedział? Bractwo... Nadal się uśmiechał, kpił z niej. Biedna, głupia Angielka, turystka, która nie ma bladego pojęcia, w co wdepnęła...

— To ty kazałeś mnie obserwować? — wypaliła na ślepo.

Giovanni uniósł brew.

— Niby dlaczego miałbym to robić?

— Żeby sprawdzić, kiedy wyjdę i włamać się do mojego domu.

— Nie ma takiej potrzeby, moja droga Tess. — Zaśmiał się.

No tak, przecież miał klucz.

— Mam tu wszędzie uszy — ciągnął szeptem. — I oczy. Zależy nam na *il Tesoro*, chcemy go. Nie mógł tak po prostu zniknąć.

— Cóż, ja go nie mam — burknęła.

— Hmm... — popatrzył na nią z zadumą. — Sęk w tym, że nie całkiem ci wierzymy. Dlatego nie możemy cię zostawić samej, *non*?

Tess pomyślała o Toninie. Czy on też chciał *il Tesoro*? W końcu kiedyś skarb należał do jego rodziny. Czy dlatego właśnie?...

Nie, niemożliwe. Gdyby tak było, nigdy by z nią nie zerwał.

— Klucz jest w kieszeni mojej koszuli — wyszeptał Giovanni i postukał się w pierś. — Tutaj.

Tess widziała zarys ciężkiego metalowego przedmiotu pod białym lnem. Koszula była rozchełstana na szyi, pod materiałem zauważyła ciemne włosy na klatce piersiowej Giovanniego i warstewkę potu, który błyszczał na jego oliwkowej skórze.

— Weź go — zaproponował.

Milcząc, skrzyżowali spojrzenia. Tess wiedziała, że Giovanni ją prowokuje, lecz mimo to sięgnęła po klucz. W tym samym momencie Giovanni chwycił ją za rękę, brutalnie przyciągnął do siebie i złapał za włosy.

— Zostaw mnie. — Jej głos drżał.

Ich twarze niemal się stykały. Oczy Giovanniego były okrutne i zimne.

— Myślisz, że cię chcę? — wymamrotał. — Po tym, jak dałaś temu sukinsynowi?

Odepchnął ją tak mocno, że potknęła się i omal nie upadła. W ostatniej chwili chwyciła się oparcia krzesła.

— Daj mi klucz, Giovanni — powiedziała.

Był już w drzwiach. Odwrócił się na moment, wyciągnął klucz z kieszeni koszuli i rzucił go na podłogę. Klucz z głuchym, metalicznym brzęknięciem znieruchomiał na kamiennych płytach.

— Weź sobie — powiedział Giovanni. — Dla mnie to żadna różnica.

Otworzył drzwi.

— I nie przychodź tu więcej! — wrzasnęła Tess do jego pleców. — Albo... Albo...

Marnowała tylko czas. Już go nie było.

ROZDZIAŁ SZEŚĆDZIESIĄTY PIĄTY

Tak, pomyślała Flavia. Sycylijskie potrawy od zawsze opierały się na kontraście i dysonansie. Słodkie i kwaśne, twarde i miękkie, słodkie i słone, gorące i zimne...

Na przykład *cassata* łączyła w sobie twardość kandyzowanych owoców i słodycz glazury na gęstej, serowej ricotcie. Jednocześnie ciasto i lody. Na początku czternastego wieku arabska Sycylia należała już do przeszłości, a *cassata* była arystokratycznym deserem, którego receptury zazdrośnie strzegły klasztorne mniszki oraz nadworni kucharze wyższych sfer. Nawet teraz niewiele osób niezwiązanych zawodowo z kuchnią porywało się na przyrządzenie cassaty w domu. Niemniej była ona specjalnością rodzinnego miasteczka Flavii i Flavia nie mogła dopuścić do tego, żeby tradycja oraz przepisy odeszły w zapomnienie. To też była część historii spisywanej przez nią dla córki.

Kandyzowane owoce należy przechowywać w chłodnym miejscu w przykrytym słoju. Prawdziwy smak owocu zachowany jest pod cukrową glazurą.

Znowu zaczęła notować przepis z tyłu zeszytu.
Tak jak należy...

Rozbierał się powoli, jak gdyby każdy ruch przychodził mu z wielkim trudem. Ściągnął sweter, zaczął szarpać za rękawy koszuli i przez cały czas spoglądał na Flawię to ze smutkiem, to z miłością. Zaczęła się zastanawiać, czy te spojrzenia w ogóle różnią się od siebie.

Leżała w wykrochmalonej, białej pościeli, usiłując zapanować nad drżeniem ciała. To nie był strach ani niepokój, to nawet nie było pożądanie, tylko rozmaite emocje. Emocje, które kiedyś wiązały się z tym mężczyzną, znowu wypłynęły na powierzchnię niczym lawa z wulkanu.

Gdy był już nagi, usiadł koło niej na łóżku.

— Tyle czasu straciliśmy, Flawio — powiedział.

Włosy porastające jego ciało były miękkie i jasne, gęstsze, niż zapamiętała, ale złociste i ledwie widoczne na ramionach. Gdy się odwrócił, zauważyła je także na jego krzyżu. Był zbyt szczupły, pewnie przez chorobę. Już wydawał się wycieńczony, a jego lśniąca od cienkiej warstwy potu skóra miała bladożółty odcień.

Flawia odrzuciła kołdrę.

— Chodź tutaj — powiedziała.

Nachylił się ku niej i położył obok. Gdy rozpostarł ręce, przytuliła się do niego i oparła głowę na zagłębieniu między jego klatką piersiową a ramieniem. Obrócił ku niej twarz, a Flawia dotknęła ręką jego pleców.

Oboje milczeli, dało się słyszeć tylko bicie dwóch serc. Flawia czuła jego puls, tętniący pod jego skórą. Na chwilę jej myśli powędrowały do Lenny'ego. Był mocniej zbudowany i niższy, porośnięty ciemnymi włosami, ale również blady. Nie miodowo-blady jak Peter, ale białoróżowy, jak rumieniec na jabłku. Przywykła do kształtu Lenny'ego, do jego ciała, i dziwnie się czuła w objęciach innego mężczyzny, nawet Petera. Chociaż...

— Tak dobrze — wyszeptała.

Pasowali do siebie, oddychali w tym samym rytmie. Zagłębienie między jego piersią a ramieniem miało idealny kształt dla jej głowy, a jej biodro doskonale odnalazło się w zagłębieniu między jego talią a kroczem.

Trzymając Flavię w ramionach, głaskał ją po włosach.

— Flavia, Flavia — zamruczał. — Nigdy nie przestałem cię kochać.

— Ani ja ciebie, ukochany — odparła.

Wtedy się odprężyła. Drżenie ustało i zapadła w spokojny, półhipnotyczny stan, który przypominał sen.

Nie miała pojęcia, jak długo tak leżeli, przytuleni do siebie.

Potem, gdy go zostawiła i czekała na autobus, który miał ją zabrać do domu, myślała o tym. Nadal czuła zapach jego skóry, zapach drewna i tytoniu, zmieszany z czymś lekko chemicznym. Czyżby rozpoczął chemioterapię? Nawet nie pytała.

Nie czuła się winna. To nie miało absolutnie nic wspólnego z Lennym i w żaden sposób nie mogło się na nim odbić, do tego by nie dopuściła.

Uświadomiła sobie również, że jednak zna Petera. To było w niej i w nim, w ich wzajemnym dopasowaniu. Ukrywało się też w ich miłości, która nigdy nie wygasła, w tym, jak Peter trzymał Flavię w ramionach i jak się w nich czuła.

ROZDZIAŁ SZEŚĆDZIESIĄTY SZÓSTY

Przygotowując sprzęt do nurkowania, Tess wciąż gotowała się ze złości. Doskonale zdawała sobie sprawę z tego, że nie jest w stanie nurkować. Najważniejsze przecież było zachowanie spokoju i zużycie minimalnej ilości energii, by oszczędzać powietrze i poradzić sobie ze wszystkim tym, co może się zdarzyć pod wodą.

Jednak nie zamierzała dopuścić do tego, żeby Giovanni Sciarra zmarnował jej dzień. Planowała to nurkowanie, cieszyła się na to, sprawdzała czas przypływu i odpływu, wszystko. Postanowiła nie zmieniać planów. A jeśli nawet obserwował ją z tym całym swoim cholernym bractwem, przynajmniej zobaczy, że miała to gdzieś.

Włożyła bikini i kombinezon, na razie nie zapinając górnej części, gdyż było bardzo gorąco, a musiała zanieść cały sprzęt nad morze. Przyleciała na Sycylię, licząc na to, że pozna historię matki, a odkryła o wiele więcej. Zapięła pas z obciążnikami, sięgnęła po maskę, płetwy, latarkę i mały nożyk nurka.

Podczas tych przygotowań jakaś maleńka część niej myślała o tym, co było podobno ukryte w Villa Sirena. *Il Tesoro...* Czy był tutaj przez cały czas? Może tkwił gdzieś za kamiennym kominkiem albo w starej studni, albo leżał zakopany w ogrodzie: pięć kroków od karłowatej palmy, trzy od fioletowego hibiskusa, tam gdzie wskazuje krzyżyk?

W zatoce dało się wyczuć świeżość po deszczu, burzy, a może też po wstrząsach. Powietrze było czyste, a akwamarynowe morze wabiło. No, chodź, Tess. Poczuj mnie, dotknij mnie. Spróbuj...

Na dole rozejrzała się szybko, ale najwyraźniej nikt nie zwracał uwagi na kobietę w kombinezonie do nurkowania, z butlą sprężonego powietrza przytroczoną do pleców. Ruszyła do kamiennego pomostu. Drzwi do pracowni Tonina były szeroko otwarte, ale nigdzie go nie dostrzegła. (I niby co miałby zrobić? Co by zrobił? Nic, ot co).

Pokręciła głową. Musiała sama sobie z tym radzić — z Giovannim i z willą, ze swoją cudowną, różową willą, która teraz zdawała się skrywać dziedzictwo zdrady, a może też *il Tesoro*...

Słońce rozgrzewało jej głowę i ramiona, pociła się w kombinezonie, z pokaźnym ciężarem na plecach i u pasa. Nie mogła się doczekać, kiedy wejdzie do wody. Jak zwykle wszystko sprawdziła i zaczęła brnąć przez fale, czując ulgę, gdy zanurzała się w chłodnej toni i studziła rozpalone ciało. Im głębsza była woda, tym bardziej Tess się odprężała, a jej ciało zdawało się doświadczać nieważkości. Wiedziała, że nie musi daleko płynąć, nim znajdzie się przy tych cudownych, zdumiewających formacjach skalnych, koralach, gąbkach i podmorskich stworzeniach. Czuła się bezpieczna. Można było nurkować bez łodzi, można było nurkować bez partnera, byle tylko zachować środki ostrożności.

Dokładnie wiedziała, dokąd zmierza. Już niedaleko była skała, *il faraglione*, rdzawa i kremowa, porośnięta mchem, z ziemią i algami na chropowatej powierzchni. Zanurzyła się pod wodę, nadal nieco mętną po burzy. Fale wzruszyły dno morskie, osady jeszcze nie zdążyły osiąść z powrotem. Podobnie jak ja, pomyślała Tess, usiłując się uspokoić, znaleźć właściwy rytm, który był również pulsem przypływu.

Skały początkowo wydawały się niezmienione, ale było więcej ryb niż zwykle, może z powodu burzy. Widziała salpy, morlesze i papugoryby oraz kilka gatunków, których w ogóle nie rozpoznała. Postanowiła później sprawdzić ich nazwy. Dłonią w rękawiczce przejechała wzdłuż pęknięcia, które wydawało się świeże, jakby powstało całkiem niedawno.

Coś się zmieniło, zupełnie jakby niektóre ze skał się przesunęły albo zostały jakoś przemieszczone. Zobaczyła też wyrwę w miejscu, gdzie wcześniej...

Tess uważnie przyjrzała się skałom. Tam gdzie kiedyś była tylko sterta skał i głazów, teraz zobaczyła otwór. Podpłynęła bliżej. To było coś więcej niż otwór, nawet więcej niż rozpadlina. Natrafiła na wejście, wystarczająco szerokie, żeby zmieścił się człowiek. Na przykład człowiek jej rozmiarów.

Zapaliła latarkę, kierując ją w tamto miejsce. Przestrzeń po drugiej stronie wydawała się większa, a woda bardziej turkusowa, jakby oświetlona czymś więcej niż tylko światłem latarki.

Raz kozie śmierć. Nawet nie musiała się nad tym zastanawiać. Przecisnęła się przez szczelinę i znalazła w naturalnym tunelu ze skał.

O mój Boże, pomyślała, tego tu wcześniej nie było. Nie mogłaby przecież przegapić takiej rozpadliny, przepłynąć obok niej obojętnie... Uświadomiła sobie, że woda jest turkusowa ze względu na cienki snop światła. Kiedy podpłynęła powoli, dostrzegła, że skalny tunel się rozszerza. Minęły ją sunące w wodzie krewetki oraz fragmenty wodorostów. Po chwili wynurzyła się na powierzchnię.

Znajdowała się w podwodnej jaskini. Dobry Boże... Choć było dość ciemno, cienki snop światła nadal rozjaśniał wodę. Gdzieś musiał być wąski komin, przez który wpadały promienie słońca, zapewne zbyt wąski, żeby przecisnąć się na powierzchnię. Zatem jedyną drogą powrotną była ta, którą Tess dostała się do groty — droga podwodna.

Wyjęła ustnik, bo było tu powietrze, trochę stęchłe, ale nadające się do oddychania. Zdjęła też maskę, żeby lepiej widzieć.

Jaskinia była głęboka. Na rozmaitych poziomach wystawały półki skalne, tworząc platformy, wiodące aż do sklepienia. Ciemne przebarwienia na skale wskazywały, do jakiego poziomu podnosi się woda podczas przypływu. Tess zorientowała się, że górna część groty zawsze pozostaje sucha.

Chryste... Powoli popłynęła po powierzchni, słysząc nieustające kapanie. Chlupot każdej zmarszczki na wodzie zdawał się odbijać echem od skały. To było niesamowite i trochę przerażające. Tylko dlaczego nie znalazła tej jaskini wcześniej?

Zatrzymała się po drugiej stronie zbiornika. To proste, chodziło o wstrząs sejsmiczny, ten sam, który zda-

wał się poruszać kocimi łbami w *baglio*, gdy stała tam
z Toninem dwa dni wcześniej, w dniu burzy. Dlatego
właśnie podczas poprzedniego nurkowania nie widziała
wejścia do jaskini — najzwyczajniej w świecie jeszcze go
tam nie było. Jaskinia, owszem, istniała, ale brakowało
do niej dostępu, utworzył się dopiero dzięki wstrząsowi.
Musiało powstać pęknięcie w skale, zapewne przesunął
się głaz albo dwa. Co też mówił Tonino? Na Sycylii skały
zawsze się poruszają. Mogą być solidne, ale prędzej czy
później się przesuwają.

Odetchnęła głęboko i zakaszlała, a ten dźwięk rozniósł się echem po jaskini. Powietrze, wilgotne i zatęchłe,
było w dodatku chłodne. Tess poświeciła dookoła latarką. Skały blisko powierzchni wody były śliskie od zielonego mchu, dostrzegła też osady mineralne na skalnych
półkach oraz wapienne twory zwisające ze sklepienia,
czyli stalaktyty. A także... Jezu! Podskoczyła, kiedy z trze-
potem skrzydeł przeleciało nad jej głową coś ciemnego,
z szerokimi, pajęczynowatymi skrzydłami — nietoperz.

Wystarczy, musiała się stąd wydostać. Zaczęła macać
po skałach blisko powierzchni wody i zauważyła cho-
wające się w popłochu czarne kraby. Czarne jak śmierć,
pomyślała mimowolnie. Przestań, Tess...

Postanowiła, że powie Toninowi o tym miejscu. Cokolwiek się wydarzyło między nimi, musiała to zrobić.

Właśnie zamierzała odłożyć latarkę i nasunąć maskę
na twarz, kiedy dostrzegła coś na szerokiej półce wysoko
pod sklepieniem. Wyglądało to jak jakiś stary, gliniany
garnek... Dziwne. A potem coś jeszcze zwróciło jej uwagę, coś białego, co połyskiwało w świetle. Jakby stos...

To chyba nie mogły być...

Tess nie chciała patrzeć, ale nie mogła się opanować. Kości. Ludzka czaszka i białe, ludzkie kości. Szkielet. Niech to szlag, nie mogła tu zostać ani sekundy dłużej. Nie wiedziała, co się stało, ale miała dość.

Szybko wepchnęła ustnik między wargi i nałożyła maskę. Nurkowanie w jaskiniach było potencjalnie niebezpieczne, a ona nie miała odpowiedniego przygotowania. Nie powinna była tu wpływać, zwłaszcza sama. Teraz było za późno na takie przemyślenia. Powoli, powoli, Tess, powtarzała sobie, wracając do tunelu skalnego i do wyjścia z jaskini. Do morza. Nie było powodów do paniki, musiała wziąć się w garść.

Ktoś tu zginął bardzo, bardzo dawno temu. No cóż, stało się. Czyli tak jak podejrzewała, jaskinia zawsze tu była, ale wejście do niej się zamknęło, być może z powodu wcześniejszego wstrząsu. Niewykluczone, że z góry osypały się kamienie, skutecznie blokując przejście, które teraz otworzyło się na nowo za sprawą ostatnich ruchów sejsmicznych. Skały znów się przesunęły.

Była już blisko wyjścia. Poświeciła latarką i zobaczyła je przed sobą, pod usypiskiem głazów, gdzie tunel zwężał się najbardziej.

Jej teoria była spójna, a tutaj, na Sycylii, nawet prawdopodobna. Wyciągnęła rękę. To wyglądało jak coś w rodzaju linii uskoku i...

Wszystko wydarzyło się bardzo szybko. W jednej chwili zmierzała do wyjścia, dotykając skał w tunelu, a jej umysł intensywnie pracował, gdy powoli posuwała się naprzód. W następnej usłyszała jakiś dźwięk i coś się za nią poruszyło, jakby drgnęła skała. Rozległ się głuchy, ciężki łomot, potem zaś w ogóle nie mogła się ruszyć.

Nie czuła bólu, co ją zdumiało. Kiedy jednak próbowała się obrócić, dostrzegła, że jakiś głaz, prawdopodobnie poruszony przez wstrząs, spadł i uwięził jej nogę. Nadal jednak ją czuła, więc najwyraźniej nie stała się jej żadna krzywda. Nie wolno jej było wpadać w panikę. Należało wyciągnąć nogę spod kamienia, to nie powinno być zbyt trudne.

Spróbowała i okazało się, że może poruszyć nogą mniej więcej na dwa centymetry w każdą stronę, ale nie da rady wyszarpnąć jej spod skały. Szlag by to... Nie panikuj, Tess.

Nie zdołała się powstrzymać i zerknęła na wskaźnik ciśnienia powietrza w butli. Jeszcze piętnaście barów, czyli piętnaście minut. W porządku, nie ma problemu.

Znowu wykręciła górną część ciała i bezskutecznie naparła na głaz. Był cholernie ciężki. Pchała i pchała, ale trudno jej było ustawić się pod odpowiednim kątem i dostatecznie mocno uchwycić kamień. Nie mogła go przesunąć ani o milimetr.

Niech to szlag. Cholera. Kurwa. Nie panikuj, Tess.

Znowu spróbowała poruszyć nogą. Nic. Czuła napór głazu, ale dotarło do niej, że noga jest przyciśnięta do ściany skalnego tunelu. Nic się nie złamało, przynajmniej tego była pewna. Ale co z tego, skoro nie mogła się ruszyć?

Pomyślała o Toninie oraz o jego kumplu od nurkowania, który uwiązł w podartej sieci rybackiej i nikt mu nie pomógł. Tonina nie było przy nim, nie przybył na ratunek. Nie nurkuj sama, Tess. To nie jest dobry zwyczaj. To jest...

Cholerna głupota, pomyślała. Nikogo tu nie było i nikt nie mógł jej uwolnić. Została całkiem sama. Oszczędzanie powietrza nie miało sensu, musiała zaryzykować i poruszyć nogą albo głazem.

Pomyślała o Ginny i o podróży matki do Anglii, a także o własnej wyprawie na Sycylię.

Zostało jej dwanaście minut.

ROZDZIAŁ SZEŚĆDZIESIĄTY SIÓDMY

Flavia zrozumiała teraz, jaka była krótkowzroczna, myśląc, że Lenny niczego się nie dowie, nie domyśli, nie wyczuje, i nie uświadamiając sobie, jak się czuł od początku. Sądziła, że jej miłość do Petera nie ma z nim nic wspólnego, ale to była nieprawda. Lenny był jej mężem.

— Wiesz, że cię kocham — oświadczyła mu, kiedy wyszedł ze szpitala. — Wiesz, ile dla mnie znaczysz.

Dziwnie się czuła, mówiąc mu te wszystkie rzeczy po tym, przez co razem przeszli. Dotąd nie miała takiej potrzeby, nawet nie zdawała sobie z niej sprawy. Jednak musiała to zrobić. Czasami trzeba wypowiedzieć na głos emocje. Najwyraźniej nieporozumienia mogły trwać przez całe życie i pogłębiać się przy całkowitej nieświadomości kobiety.

— Byłaś przy mnie, Flavio, moje kochanie — powiedział. — O nic więcej nie prosiłem.

Wzięła go za zdrową rękę. Wydała się jej bezwładna i bezradna. Nie chciała go takim oglądać, był jej opoką, jej skałą, jej Lennym...

— Czytałeś listy — powiedziała, patrząc mu w oczy. — Wiedziałeś, że do siebie piszemy.

Zawahał się, a potem skinął głową.

507

— Bo widzisz, on tutaj przyjechał. — Opowiedziała mu o pierwszej wizycie. — I spotkałam się z nim pewnego dnia, kiedy wiedziałam, że jest bardzo chory.

— Dziękuję — powiedział Lenny.

— Za co? — Flavia była zdezorientowana.

— Za to, że mnie nie zostawiłaś. Że nie odeszłaś.

Już miała zaprotestować, powiedzieć: „Jak mogłabym cię zostawić, skoro cię kocham?", ale nagle uświadomiła sobie, że miał rację. To nie było takie proste. Kiedy Peter przyjechał po raz pierwszy, kochała ich obu. Mogła odejść, byłaby w stanie to zrobić. Wystarczyłoby odpowiednie spojrzenie, odpowiedni dotyk, odpowiedni moment.

— Wiem, co do niego czułaś — ciągnął Lenny. — Nie zapominaj, że cię widziałem w Exeter. Wiem, jak bardzo ci na nim zależało.

— To prawda — przyznała Flavia. — Ale na tobie też. — Położyła rękę na jego policzku. Nie golił się od kilku dni i na szczęce zdążył mu wyrosnąć szorstki, siwy zarost. Postanowiła zająć się tym później, teraz chciała zatroszczyć się o niego, żeby zrozumiał... — Stworzyliśmy razem nasze życie — powiedziała. — Kochałam cię i nadal cię kocham.

— A Peter? — Jego twarz się wykrzywiła.

Dziwne, pomyślała. Kiedy ma się siedemnaście lat, człowiek myśli, że miłość jest zarezerwowana dla młodych, ale kiedy się starzeje, przekonuje się, że ma takie samo znaczenie. Nawet teraz, choć Peter zmarł tyle lat temu.

— Och, Lenny — westchnęła. — Liczy się to, co mamy, ty i ja.

— Tak? — Zdawał się spijać słowa z jej ust.

— Tak, dlatego że miłość to tak naprawdę dbanie o drugiego człowieka, bycie z nim na dobre i na złe, praca z nim, chęć starzenia się razem. To jest prawdziwa miłość, a nie serduszka, kwiaty i romantyczne marzenia. Miłość jest tym, co mamy, i taka wcale nie jest gorsza. To prawdziwa miłość.

Może, pomyślała, dopasowujemy się w inny sposób do różnych ludzi. Może nie ma tego jednego, jedynego, tylko są rozmaite opcje. A może...

Tak, część jej zawsze miała kochać Petera, być może jednak myliła się, sądząc, że będzie ją to prześladowało do dnia jej śmierci i że nigdy się nie uwolni.

Lenny skinął głową i zamknął oczy.

— Jesteś cudowna, Flavio, moje kochanie — westchnął. — Nie mógłbym prosić o więcej.

— Ani ja — oświadczyła Flavia stanowczo, całując go w głowę, swojego Lenny'ego, i wiedząc, że mówi szczerą prawdę.

Każdy przepis ma swoją przyczynę. Handel, zmiana społeczna, pora roku, pogoda. Jedzenie to ciepło, jedzenie to tożsamość.

Ostatnie *dolce* było ulubionym przysmakiem Flavii. Dlatego zostawiła je na sam koniec.

Figa, podobnie jak granat, jest owocem znanym od pradawna. Niektórzy twierdzą, że najlepiej jeść je prosto z drzewa, dojrzałe i ciepłe od letniego słońca, aksamitne w dotyku. Żeby dotrzeć do smaku dojrzałej figi, należało wgryźć się w miąższ i otrzymać nagrodę w postaci najsłodszego, najbardziej intensywnego aromatu, jaki można sobie wyobrazić: ziarnistego, rozpływającego się jak miód na języku. Figa to uosobienie zmysłowości, symbol seksu w postaci owocu ziemi...

Upiecz je w sosie z pomarańczy z czerwonym winem. Dodaj goździki, gałkę muszkatołową, cynamon, wanilię i miód do smaku. Posyp prażonymi migdałami. Podaj. Delektuj się...

Tamtej nocy miała sen-wspomnienie. Ona i Lenny byli w sali balowej. Pośrodku sufitu wisiała wirująca lustrzana kula, której powierzchnia migotała podczas obracania. Oświetlała lampy z brązu i plakaty na ścianach. Flavia zapamiętała eleganckie, zaczesane do tyłu włosy, wąskie talie, wysokie obcasy, pończochy i szerokie spódnice.

Lenny uczył ją tańczyć walca. Raz, dwa, trzy; raz, dwa, trzy.

— Nigdy tego nie załapię — oświadczyła i tupnęła nogą. — Nigdy. To za trudne.

Raz, dwa, trzy; raz, dwa, trzy.

— To łatwe, jeżeli się nie poddasz — powiedział jej. — I nagle...

Tak, i nagle zaczyna ci to sprawiać przyjemność.

Flavia odłożyła długopis i zamknęła zeszyt. To był koniec opowieści.

Mniej więcej.

ROZDZIAŁ SZEŚĆDZIESIĄTY ÓSMY

Niedobrze, myślała Tess. Głaz się nie poruszył, noga również nie. Przez cały czas tkwiła w pułapce.

Zaraz skończy się powietrze i umrze. Tu, w tym cholernym podwodnym tunelu, sama i wystraszona. A to wszystko jej wina, bo była nieodpowiedzialna, podjęła głupie ryzyko, nie zastanowiła się...

Przepraszam, Ginny. Przepraszam, mamma. Przepraszam, tato.

Minęło dziesięć minut, a Tess nadal walczyła. Nie mogła się poddać bez walki, na litość boską. Raz szczególnie mocno pchnęła i wydało jej się, że głaz nieco ustąpił.

W tym samym momencie dostrzegła drugiego nurka, a on dostrzegł ją. W kilka sekund dopłynął do wlotu tunelu, sprawdził, czy nic jej nie jest, zerknął na wskaźnik powietrza. Ocenił sytuację, ciężar na nodze Tess, ułożenie głazu.

Tonino. Bez kombinezonu, tylko w czarnych szortach i z aparatem tlenowym.

Popchnął z całej siły raz, drugi... Głaz się zakołysał na tyle, że mogła wyciągnąć nogę, oswobodzić ją i przez szczelinę w skałach wyruszyć z powrotem na otwarte morze.

Płynął przy niej. Przyciągnął ją do siebie i przyłożył jej do ust zapasowy przewód z powietrzem, który wszyscy nurkowie musieli zabierać pod wodę.

— W porządku? — zasygnalizował rękami — Wszystko okej?

Skinęła głową, chociaż wcale nie czuła się okej, tylko słaba, zamroczona i oszołomiona. Ale żyła. Przywarła do niego.

Żyła.

— Nie mogę uwierzyć, że chcesz tam wrócić — powiedział Tonino mniej więcej godzinę później, gdy drżąc, siedziała w jego pracowni, opatulona dwoma ręcznikami i kocem.

Obok niej na stoliku stały gorąca kawa i brandy.

Wyciągnął Tess na powierzchnię i zaprowadził do pracowni. Instynktownie rozumiał, że nie chciała robić z tego wielkiej sprawy. Potrzebowała ciszy, ciepła i izolacji.

Bogu dzięki, nie powtarzał: „A nie mówiłem?", tylko patrzył na nią tymi ciemnymi oczami, przytulał ją i się nią zajmował.

— Skąd wiedziałeś, że mam kłopoty? — zapytała go wcześniej, kiedy znaleźli się już na suchym lądzie i szok zaczynał mijać.

— Widziałem, jak idziesz nurkować. — Miał nieprzenikniony wyraz twarzy. — Wydawałaś się przygnębiona.

Tess skinęła głową.

— Byłam.

Opowiedziała mu o tym, jak zastała Giovanniego w willi. Tonino pokręcił głową i mruknął coś, czego nie zrozumiała.

— Co, Tonino?

— To trzeba wreszcie załatwić — oznajmił. — Raz na zawsze.

Nie mogła się nie zgodzić.

— Więc pomyślałeś, że byłam przygnębiona... — drążyła.

Dał jej dwa kieliszki brandy. Poczuła, że jeszcze jeden, a zapadnie w śpiączkę.

Tonino wzruszył ramionami.

— Czekałem czterdzieści minut. Martwiłem się.

Czekał na nią, liczył, jak długo była w wodzie i się martwił? Czy to nie świadczyło o tym, że mu na niej zależało?

— Chyba miałam szczęście, że akurat masz pod ręką sprzęt do nurkowania, po tych wszystkich latach — powiedziała ostrożnie.

Mieszkał właściwie nad samym morzem, ale musiał się bardzo spieszyć, żeby dotrzeć do niej tak szybko...

Tonino nie patrzył jej w oczy.

— Myślałem o tym, żeby znowu zacząć nurkować — wyznał. — Może już pora zapomnieć o przeszłości.

Alleluja! — pomyślała Tess. Nie było go przy umierającym przyjacielu (choć trudno go było o to winić), jednak znalazł się przy niej. Bez niego... Zamyśliła się. Kiedy mówił o tym, że gotów jest zapomnieć o przeszłości, chodziło mu tylko o nurkowanie, czy też miał na myśli coś bardziej osobistego?

— Wiedziałeś, że jest tam jaskinia? — zapytała.

Zmarszczył czoło.

— Dziadek opowiadał mi o jaskini — przyznał. — Nazywał ją Grotta Azzurra.

Pewnie ze względu na to światło w turkusowej wodzie. Natychmiast pomyślała o Azzurro, restauracji rodziców. Czy to był przypadek? Oczywiście, że bliscy Tonina wiedzieli o jaskini, zawsze byli związani z morzem. Łowienie ryb harpunem, połowy tuńczyka... Tonino też kiedyś zarabiał na życie nurkowaniem.

— Nie wiedziałem, że nadal można tam wpłynąć — dodał.

— Bo nie można było — odparła. — Ale teraz tak.

Oczywiście natychmiast zrozumiał. Wiedział, jak to się zwykle dzieje, i skinął głową.

— Wstrząsy — mruknął. — Lawina kamieni.

— Aha. I to nie wszystko. — Opowiedziała mu o garncu i kościach.

Był zdumiony, ale nie tak zdumiony jak na wieść o tym, że Tess chce tam wrócić.

— Po co się w to mieszać? — zapytał. — Czemu tego nie zostawisz w spokoju?

Jaki on głupi, pomyślała Tess. Inna rzecz, że miała więcej czasu, aby to porządnie przemyśleć, kiedy walczyła o życie. W takich momentach do głowy przychodzą rozmaite objawienia.

— Twój dziadek był harpunnikiem, prawda? — Upiła łyk kawy, w której czuć było karmel, orzechy i wanilię.

— No i? — Tonino uniósł brew.

— Czyli znał te podwodne rejony lepiej niż ktokolwiek inny?

— Tak? — Skrzyżował ręce na piersi.

Czy naprawdę musiała wykładać kawę na ławę?

— No więc mój dziadek poprosił go o ukrycie *il Tesoro* — powiedziała. — Domyślasz się dlaczego?

— Bo był jego najbliższym przyjacielem? — Wzruszył ramionami. Ani trochę się nie starał.

— Dlatego, Tonino, że wiedział, gdzie można bezpiecznie ukryć skarb. Co więcej, twój dziadek miał odpowiednie umiejętności, żeby go tam dostarczyć.

Ujrzała zrozumienie na jego twarzy.

— Myślisz, że ukrył skarb w tej podwodnej jaskini? Owszem, to brzmiało wariacko, ale...

— Dlaczego nie? U wierzchołka grota jest zawsze sucha. Skarb byłby bezpieczny, nikt nigdy by go nie znalazł i nikt by się nawet nie domyślił. Ty się nie domyśliłeś. — Nawet ona by nie zgadła, gdyby nie zobaczyła garnca na własne oczy.

— Myślisz, że *il Tesoro*, cokolwiek to jest, schowano w tym twoim garncu?

— Możliwe. — Mimo to nie rozumiała pewnej rzeczy. — Ale jeśli *il Tesoro* ukryto w jaskini, a twój dziadek uświadomił sobie, że wejście zostało zawalone kamieniami, to dlaczego opowiadał wszystkim, że skarb zniknął?

Tonino ponownie zmarszczył brwi.

— Może nie tak to ujął. Może powiedział, że nie może go znaleźć, albo nawet opowiedział o jaskini, ale nikt nie chciał mu wierzyć.

To miało sens. Nawet jeśli Enzo Sciarra uwierzył, zrobił, co się dało, żeby nie uwierzył dziadek Tess.

— Fundamenty Sycylii — wymamrotał Tonino. — Mówił, że tam to jest schowane. Tam gdzie nikt tego nie znajdzie. — Popatrzył na nią. — Możesz mieć rację.

— Żebyś wiedział, cholera. — Cóż, to przecież Tonino opowiadał jej o Cola Pesce. Dokończyła kawę. — Jest szansa na jeszcze jedną filiżankę?

W kącie dostrzegła duży projekt, nad którym pracował Tonino. Dzieło powoli się krystalizowało. Brakowało światła, a jednak turkusy i lśniące zielenie na tle z przezroczystego szkła zdawały się roztaczać blask.

Zauważył, na co patrzyła.

— Nie mogę tego skończyć — przyznał.

— Dlaczego? — Nie była pewna, co ma przedstawiać mozaika.

— Bo brakuje ważnego elementu — odparł, unikając jej wzroku.

Nie tylko mozaice brakowało istotnego kawałka.

— Nie zapominaj o szkielecie — przypomniała mu Tess.

— No tak.

Patrzył na nią tak, jakby jej nie dowierzał, ale naprawdę widziała ludzkie szczątki. Kto zginął w jaskini? Musiało to być dawno temu. Jeśli jej teoria była słuszna, do zdarzenia doszło przed tysiąc dziewięćset czterdziestym piątym, zanim jeszcze Alberto Amato wrócił po *il Tesoro*. Ktoś wiedział, gdzie leży skarb, a skoro to się działo w czasach, kiedy aparaty tlenowe nie były powszechnie dostępne... Czy mniej doświadczony od dziadka Tonina nurek wyruszył po skarb i poniósł klęskę?

— Może powiemy o tym władzom? — zasugerował Tonino i podszedł do kuchenki po więcej kawy.

Tess wpatrywała się w niego. Czyżby oszalał?

— Chodzi ci o te władze, które mają ścisłe powiązania z mafią? — zapytała.

Z mafią i być może z Giovannim Sciarrą.

Nalał kawy i zerknął na Tess znad ramienia.

— Rozumiem, co masz na myśli. — Pokiwał głową.

— Dlatego musimy tam wrócić i sami to sprawdzić — oznajmiła.

— Musimy?

— Musimy, tak. Ty i ja. — Czego nie rozumiał? Co zamierzał?

Czekała. Nie mogła tego zrobić bez niego i wcale nie chciała, ale nie wątpiła, że musi tam popłynąć. Nigdy nie potrafiła zrozumieć, dlaczego Edward Westerman nalegał, aby przybyła zobaczyć willę, zanim ją odziedziczy. Może sądził, że to klucz do sprowadzenia jej rodziny tam, gdzie jego zdaniem powinna się znaleźć. Może żałował, że sam nie wrócił do Anglii, do własnych korzeni. Może po prostu chciał dać im szansę lub też liczył na to, że Tess rozwiąże zagadkę zaginionego *il Tesoro* i odkryje prawdę.

— Będziesz moim partnerem do nurkowania? — zapytała.

Tonino uśmiechnął się do niej.

— Spróbuj mnie powstrzymać — powiedział.

ROZDZIAŁ SZEŚĆDZIESIĄTY DZIEWIĄTY

Ginny zaczęła robić ćwiczenie oddechowe, które zademonstrowała jej psychoterapeutka Jayne, a potem zadzwoniła do matki.

— Musimy porozmawiać — oświadczyła.

Jayne przekonała ją do korzyści płynących z tej rozmowy. „Komunikując się, masz szansę zostać zrozumiana", oznajmiła. Ostatnio Ginny próbowała iść za tą radą i odkryła, że to prawda.

— Oczywiście, kochanie — powiedziała jej matka. — Kiedy tylko zechcesz, przecież wiesz.

Wydawała się zadowolona, że ją słyszy, ale jednocześnie błądziła myślami gdzieś daleko.

Ginny chciałaby wiedzieć, co właściwie dzieje się na tej Sycylii. Matka nie zachowywała się w typowy dla siebie sposób.

— Co słychać? — zapytała.

I tak Ginny wzięła jeszcze jeden głęboki oddech i jej opowiedziała o tym, jak oblała egzaminy, żeby nie iść na studia, o strachu przed ciążą, o planach wyjazdu do Australii i o Jayne.

Zapadła cisza. Ginny wiedziała, że to sporo jak na jeden raz, ale zawsze była blisko z matką aż do... Właściwie to nie była pewna, do kiedy. Matka miała prawo wiedzieć, co się dzieje.

— Dlaczego musisz chodzić do psychoterapeutki? — spytała w końcu Tess cienkim głosikiem.

I tak Ginny opowiedziała jej o Guli.

To ojciec zasugerował, żeby z kimś porozmawiała. Powiedział to, bo pewnego dnia, gdy odwoził ją znad zatoki Pride, gdzie spędzili razem cały dzień, w zasadzie gapiąc się tylko na ocean i jedząc lody, Ginny się załamała. To przyszło nie wiadomo skąd. Gula dorwała się do głosu.

— To był cudowny dzień — powiedział ojciec.

— Tak — odparła. — A gdzie ty byłeś?

— Co?

— A gdzie ty byłeś w dniu sportu?

— Eee...

— Kiedy wszyscy tatusiowie uczestniczyli w wyścigu w workach, a ja potknęłam się, biegnąc z jajkiem na łyżce?

Jego dłonie zacisnęły się na kierownicy. Zjechał na pobocze.

— Ginny...

— Gdzie byłeś w noc huraganu? — Mówiła coraz wyższym głosem i słyszała w nim emocje, zupełnie jakby były turkusowym podbrzuszem fali do surfowania. — Kiedy runęło drzewo, rozbijając nam okno we frontowej sypialni, a mama wrzeszczała i myślałyśmy, że to koniec świata?

Pokręcił głową.

— Gdzie był Święty Mikołaj? — Teraz szeptała.

Nie odpowiedział. Wbił wzrok w podłogę. Walnęła go w ramię.

— Gdzie byłeś, kiedy miałam ospę? I koszmary, i egzaminy, i zatrułam się jedzeniem, a w moim pokoju był pająk... — Jej głos zadrżał, a ojciec w końcu na nią spojrzał.

— Mama musiała iść po sąsiada, żeby go wyniósł — westchnęła Ginny. — Gdzie byłeś?

Zgarbiła się na fotelu, kompletnie wyczerpana.

— Przepraszam, Ginny — powiedział. — Naprawdę przepraszam.

Położył rękę na jej ramieniu, otarł coś, co mogło być łzą w oku, i ruszył. Podrzuciwszy Ginny pod dom dziadków, wysiadł, żeby ją uściskać.

— Gdybym mógł cofnąć czas... — zaczął.

— Wiem.

Następnego dnia dał jej wizytówkę. „Jayne Cartwright. Psychoterapeutka", przeczytała Ginny.

— Co to takiego? — spytała, przytrzymując wizytówkę tak, jakby kartonik mógł ją ugryźć.

— Pomyślałem, że powinnaś z kimś pogadać — odparł. — To mogłoby pomóc.

Ginny najpierw miała ochotę urwać mu łeb, a potem doszła do wniosku, że to wcale nie musi być takie głupie.

— Mogę cię umówić — ciągnął. — I ureguluję rachunek, naturalnie.

— Gula? — powtórzyła jej matka.

— Jayne uważa, że żeruje na moim gniewie — powiedziała jej Ginny. — Na presji, tłumieniu, dezorientacji, niepokoju, jak zwał, tak zwał.

— Och, Ginny... — Matka wydawała się załamana. — Nigdy nie wiedziałam, że czujesz się tak źle.

Ginny też nie miała o tym pojęcia. Wiedziała to teraz, bo czuła się o wiele lepiej. Podczas trzech sesji z Jayne mówiła, oddychała i pisała (często z perspektywy jednego z rodziców, co było dziwne), rysowała, wizualizowała i wyobrażała sobie. Rzuciła też palenie. A Gula...

— Najpierw potoczyła się w kąt — powiedziała Ginny. — Ze wstydem. Jej głos był coraz bardziej przytłumiony i cienki.

— A teraz? — zapytała matka.

— Chyba się ukrywa. Myślę... — zawahała się, jakby niepewna, czy może to powiedzieć — że zniknęła.

— No cóż. Świetnie... — Matka wydawała się oszołomiona.

Naprawdę zniknęła, pomyślała Ginny. A gdyby miała wrócić, Jayne pokazała jej, co robić, żeby znowu ją wypędzić.

— Nie powinnam była jechać na Sycylię — westchnęła matka.

— Ach, miałam tę Gulę od wieków — powiedziała Ginny. — Nie byłoby żadnej różnicy.

— Mimo to...

Czuła, że matka walczy z poczuciem winy.

— To nie twoja wina, mamo — zapewniła ją. — Masz swoje życie, nie tylko mnie, więc proszę, żyj.

— Wracam natychmiast. Zarezerwuję lot na jutro — oświadczyła matka zdeterminowanym głosem, który świadczył o tym, że mówiła poważnie. — Ty jesteś najważniejsza, Ginny. Jak zawsze.

— Mamo...

— Nie mów mi, żebym nie przyjeżdżała, Ginny. Muszę cię zobaczyć.

Ginny uśmiechnęła się do siebie.

— A ja ciebie — oznajmiła. — Dlatego pomyślałam sobie... Może ja przyjadę na Sycylię? Bardzo chciałabym zobaczyć miejsce, w którym dorastała nonna.

— Skarbie, oczywiście, że tak! — Matka wydawała się zachwycona. — Przyjeżdżaj, na jak długo zechcesz, możemy wrócić razem. Powinnyśmy poważnie porozmawiać i coś zaplanować.

— Okej — odparła Ginny. — Brzmi nieźle.

Rzeczywiście tak brzmiało.

ROZDZIAŁ SIEDEMDZIESIĄTY

Następnego popołudnia Tess była gotowa do nurkowania, ale miała mieszane uczucia. Powtarzała sobie, że to jak po upadku z konia, trzeba po prostu na niego wsiąść. Dlatego właśnie, kiedy Tonino zapytał: „kiedy?", odparła natychmiast: „jutro?".

Odwołałaby to, żeby wrócić do Ginny, ale teraz okazało się to zbędne. Jutro szybko przeszło w dzisiaj, a kiedy wkładała kombinezon nurka, mogła myśleć wyłącznie o tych chwilach w tunelu, kiedy szarpała się bezsilnie, bezskutecznie usiłując się uwolnić... Robiła, co mogła, żeby się z tego otrząsnąć. Musiała przejść nad tym do porządku dziennego.

Tonino, ubrany w kombinezon, już na nią czekał nad zatoką. Postanowili wypłynąć w czasie sjesty.

— W *baglio* będzie wtedy najspokojniej — powiedział, jakby i on myślał o tym, że mogą być obserwowani i że ktoś rejestruje każdy ich ruch.

Machając do niego, Tess pomyślała, że Tonino także próbuje odpędzić swoje upiory. Być może całkowicie się mylili co do jaskini i *il Tesoro*. Kto wie, czy garniec nie krył zaledwie kilku kamyków, muszelek i piachu. A szkielet... Zadrżała na samą myśl o nim. To mógł być każdy.

Musieli się jednak o tym przekonać. A jeśli nawet wyprawa okaże się bezowocna, to co? Oboje poczują się znacznie lepiej choćby dlatego, że próbowali.

Wczorajszego popołudnia w pracowni Tonina, kiedy Tess w końcu przestała się trząść, kiedy wypiła kawę i brandy i kiedy zdecydowali, że zanurkują razem, w końcu niechętnie podniosła się, żeby wyjść. Nie przytulił jej ani nie pocałował, jednak położył rękę na jej ramieniu i przeszył ją tym swoim uważnym spojrzeniem.

— Obiecaj mi coś, Tess — powiedział. — Obiecaj, że nigdy więcej tego nie zrobisz. Nigdy nie będziesz nurkowała sama.

— Obiecuję — odparła.

Zamierzała dotrzymać tej obietnicy, a także przekazywać tę radę innym, jeśli kiedykolwiek zdoła zrealizować swoje plany.

Dopiero wtedy pozwolił jej iść do domu.

— Jesteś pewna, że chcesz to zrobić? — zapytał teraz, na brzegu morza.

Uścisnęła jego rękę. Pomyślała nie o nurkowaniu, ale o swojej córce, która wybrała się we własną podróż, choć Tess nie była tego świadoma. Nie mogła powiedzieć, że cieszy ją sprawa z egzaminami i decyzja Ginny o rezygnacji ze studiów. Który rodzic byłby z czegoś takiego zadowolony? Przeżyła szok na wieść o tym, co zrobiła Ginny i przez co przechodzi, ale cieszyło ją, że wkrótce się zobaczą i to, że Ginny w końcu powiedziała jej, jak się czuje.

— Tak. — Popatrzyła na Tonina. — A ty?

Skinął głową. Sprawdzili sprzęt i ramię w ramię weszli do wody.

Tess pomyślała, że nurkowanie z towarzyszem i wspólne podziwianie widoków jest o wiele przyjemniejsze. Bo choć wyruszyli z misją i wracali do jaskini, nadal mieli co oglądać. Mijali szare, paskowane salpy, a także antiasy i morlesze; ośmiornicę z wijącymi się mackami i zabawne, małe, pulsujące sepie, które przypominały brązowo-białe pantofelki w spódnicach. Mimo zdenerwowania Tess uśmiechnęła się do siebie.

Morze było dzisiaj bardziej przejrzyste, a widoczność niezła. Wzburzone przez sztorm muł i piasek osiadły na dnie. Na głazach roiło się od żywych gąbek w kolorach białym, żółtym i pomarańczowym, a miejsca pogrążone w cieniu przez nawisy skalne dawały schronienie ławicom srebrzysto-czarnych, kolczastych apogonowatych oraz ukwiałom. Gdy dotarli do otworu w skale, szczeliny, która tworzyła nowe wejście do jaskini, Tess się zawahała. Czy naprawdę była gotowa tam wpłynąć?

Tonino też bił się z myślami, jakby świadomy tego, co przeżywała.

Do roboty, dziewczyno... Skinęła głową i wśliznęła się do środka, spokojnie sunąc przez tunel. Rozpoznała nawet szary głaz, który ją wczoraj uwięził. Nie myśl o tym. Tonino płynął tuż za nią, smukła sylwetka w piankowym kombinezonie, mknąca bez wysiłku przez toń.

Razem wypłynęli na powierzchnię i ściągnęli maski. Tonino zapalił latarkę, klnąc pod nosem — najwyraźniej był pod wrażeniem rozmiaru jaskini. Była piękna, ciemne ściany skalne kontrastowały z turkusową głębią, a wąski snop światła słonecznego przenikał powietrze i wodę. Grotta Azzurra.

— Gdzie? — zapytał.

Tess zapaliła latarkę i skierowała snop światła w kierunku platformy, na której widziała garniec. Przez chwilę wydawało się jej, że naczynie i szkielet zniknęły, jednak nie, były tam, doskonale widoczne.

Tonino skinął głową, wynurzył się z wody i wpełzł na śliskie kamienie, po czym ściągnął płetwy. Boso wdrapał się po skalnej ścianie na szeroką półkę, a Tess oświetlała mu drogę.

Patrzyła, jak ostrożnie przechodzi nad kośćmi. Mój Boże... Cieszyło ją, że raczej nie zamierzał zabrać ich z sobą.

Nagle schylił się i podniósł coś z półki. Przyjrzał się temu pobieżnie, po czym upchnął to w kieszeni kombinezonu i oburącz chwycił gliniany garniec wielkości dużej dyni.

— Ciężki! — zawołał.

Słowa rozniosły się echem po jaskini. Ciężki... ciężki... ciężki...

Tonino miał przytroczoną do pasa wodoszczelną torbę. Odczepił ją, wsunął do środka garniec i z torbą w rękach na wpół zeskoczył, na wpół zszedł na niższy poziom. Tess się wzdrygnęła.

— Ostrożnie... — wyszeptała.

Tonino był jednak zręczny i najwyraźniej udawało mu się zachować równowagę. Nałożył płetwy, na powrót przytroczył torbę do pasa i zsunął się do wody.

— *Andiamo*. W drogę — powiedział.

Tess podążyła za nim bez sprzeciwu.

* * *

Pozwolili, by prąd poniósł ich z *il faraglione* na brzeg. Musieli tylko lekko pomagać sobie ruchami rąk i nóg, aż w końcu ściągnęli ze stóp płetwy, żeby wyjść na plażę.

Wyłonili się tuż przy kamiennym pomoście, ociekający wodą, lecz zadowoleni. Tess ściągnęła maskę. Tonino zdążył już to zrobić i uśmiechał się do niej szeroko.

— A teraz zobaczymy. — Poklepał torbę.

Tess skinęła głową, czując narastające podniecenie. Podobnie jak on rozejrzała się po plaży. Wokoło panował spokój.

— Chodź — mruknął.

Tess też nie chciała zbyt długo się tutaj kręcić. Podążyła za nim, nawet nie odczepiając pasa z obciążnikami. Minęli stary magazyn na łodzie, zardzewiałe kotwice i weszli na schodki do *baglio*, zmierzając ku bezpiecznej pracowni. Zachowywali się dyskretnie, jednak oboje nie mogli pozbyć się wrażenia, że ktoś ich obserwuje.

Tonino otworzył drzwi do pracowni. Wokół panowała zupełna cisza. Zdjął pas i ostrożnie położył go razem z torbą tuż za drzwiami, po czym zabrał się do odczepiania akwalungu. Tess zrobiła to samo.

Nie wiedziała, dlaczego właściwie podniosła wzrok. Zaniepokoił ją jakiś dźwięk, czy też może miała przeczucie, że chyba nie są sami. Spojrzała w kierunku Tonina, kiedy schylał się, aby odłożyć butlę z powietrzem, i zobaczyła nad nim jakiś cień.

— Toni! — wrzasnęła.

Intruz wyłonił się z bocznej części pracowni i teraz stał w otwartych drzwiach. Jedną rękę miał uniesioną nad głową Tonina i coś w niej trzymał...

— *Diantanani*? Co, u diabła? — Tonino zamrugał.

Wszystko rozegrało się bardzo szybko. Tess rzuciła się przed siebie, odpychając Tonina. Broń, czy też raczej kawał wyłowionego z wody drewna, którym Tonino miał oberwać w głowę, trafił go w ramię. Tonino okręcił się i w ułamku sekundy już stał na nogach.

— Ty — warknął.

To był Giovanni.

Tess na chwilę zamarła. Czuła się tak, jakby wszyscy troje zostali uwiecznieni jako żywy obraz, przypominający dzieło z przeszłości. Wstała nieporadnie.

Mężczyźni patrzyli na siebie — Tonino, nadal w piankowym kombinezonie, z ponurym, rozjuszonym wzrokiem i z widoczną czerwoną blizną na twarzy, a Giovanni z twarzą ściągniętą w grymasie nienawiści i wykrzywionymi szyderczo wargami.

— Co, do kurwy...? — wrzasnął Tonino, rozcierając ramię i obrzucając napastnika strumieniem wściekłych, sycylijskich przekleństw.

Giovanni tylko się roześmiał. Kopnął drzwi, które zamknęły się za nim, i wyciągnął rękę.

— Dawaj torbę — warknął.

Miała rację. Obserwował ich, widział, jak szli nurkować, był poinformowany o wszystkich ich posunięciach. Prawdopodobnie zdawał sobie sprawę z tego, co było w torbie. Wiedział wszystko, za to oni nie wiedzieli, z kim się zadawał.

Tess znajdowała się najbliżej torby. Stanęła przed nią, by nikogo do niej niej dopuścić.

Obaj mężczyźni mierzyli się wzrokiem jak para dzikich, sycylijskich psów, strzegących swego terytorium.

Uświadomiła sobie, że tak właśnie było. Czy Tonino wiedział, że teoria Tess jest słuszna i że skarb pierwotnie należał do jego rodziny? Giovanni niewątpliwie wierzył, że to własność rodziny Sciarra, dawne pieniądze za ochronę, wymuszane przez mafię.

Giovanni uderzył pierwszy, zaskakując przeciwnika. Tonino cofnął się i uniósł pięści, gotów do walki.

Tess zastanawiała się gorączkowo, co powinna zrobić. Nie chciała być bezradną damą, bezczynnie wpatrującą się w walczących. Ale...

Mężczyźni wyzywali się i tłukli pięściami, pewnie nie pierwszy raz. To była stara i zaciekła rywalizacja, a Tess przypadkiem znalazła się w samym jej środku. Uznała, że to nie jej bitwa. Kiedy jednak Giovanni wyprowadził zdradziecki cios w twarz, a Tonino się ugiął, Tess uświadomiła sobie swój błąd. To nie była dziecinna potyczka, tylko kulminacja tego, co wzbierało od lat. Zaczęło się od ich przodków i bulgotało złowrogo w głębokim, mrocznym tyglu, jakim była Sycylia. Teraz, przy tych dwóch, konflikt osiągnął punkt szczytowy.

Tonino... Jak mogła mu pomóc?

Kiedy rozglądała się bezradnie wokół siebie, Tonino najwyraźniej odzyskał równowagę. Zamachnął się pięścią i, raczej przypadkiem niż celowo, rąbnął rywala w nos.

— Au! — Znowu dał się słyszeć strumień rozzłoszczonej sycylijskiej mowy.

Giovanni uderzał raz za razem, a po chwili obaj bez opamiętania tłukli się pięściami. Wymieniali cios za ciosem, obijali sobie twarze, nosy, gardła.

— Przestańcie! — krzyknęła Tess. — Dosyć!

Równie dobrze mogłaby być niewidzialna.

Tonino był szczuplejszy z nich dwóch i spowolniony przez piankę, ale również szybszy i bardziej zwinny, robił sprawniejsze uniki i uchylał się przed ciosami. Bogu dzięki, pomyślała Tess. O dziwo, podczas walki kombinezon zdawał się mu pomagać, gdyż dzięki niemu Tonino był śliski i trudny do złapania.

Obaj mężczyźni oddychali teraz ciężko, nie przestając się wyzywać, i w końcu nieco zwolnili. Byli równorzędnymi przeciwnikami, walka również była sprawiedliwa, i coś podpowiadało Tess, że nie może i nie powinna interweniować. Musiała trzymać się na dystans, pozwolić tym dwóm załatwić sprawę.

Nagle coś się zmieniło.

Kiedy się mocowali, Giovanni unieruchomił Tonina, chwytając go przedramieniem za szyję, po czym trzasnął go pięścią w twarz.

Tess wrzasnęła. Raz jeszcze rzuciła się ku nim, ale Giovanni odepchnął ją brutalnie.

— Przestańcie! Nie!

Ktoś na zewnątrz musiał ją słyszeć, ale nikt nie przyszedł. Tak jak wtedy, w kawiarni, też nikt jej nie pomógł.

Tonino mocno uderzył Giovanniego łokciem w żebra, a ten jęknął z bólu i poluzował uścisk. Tonino niczym foka wyślizgnął się z jego objęć, ale jego twarz była teraz zalana krwią.

— Tonino... — Tess uświadomiła sobie, że płacze.

Jego spojrzenie powędrowało ku niej i w tej samej sekundzie zobaczyła, że Giovanni sięga do kieszeni. Znowu krzyknęła. Coś zalśniło w dłoni Giovanniego i dostrzegła, że sukinsyn miał nóż. Otworzył go i wywijał nim w powietrzu.

Cholera, teraz walka nie była sprawiedliwa. Tess musiała coś zrobić. Chwyciła swoją butlę z powietrzem, podniosła ją z podłogi i z całej siły zamachnęła się na Giovanniego. Udało się jej trafić go w ramię.

Zaklął głośno i ją odepchnął, jeszcze mocniej niż poprzednio. Butla rąbnęła o podłogę, a Tess upadła, uderzając głową o drewniany stół.

Przez chwilę świat wirował jej przed oczami. Tonino coś wrzeszczał, ale dzięki zamieszaniu zdołał wziąć się w garść. Teraz trzymał w dłoni nóż nurka, zwykle przyczepiony do łydki kombinezonu. Nie była to równie groźna broń jak sprężynowiec Giovanniego, ale przynajmniej miał odeprzeć atak.

Na twarzach obu mężczyzn malowało się napięcie. Powietrze było nieruchome i ciężkie, a Tess ledwie mogła oddychać. Przesunęła się trochę dalej, po czym dźwignęła na nogi.

Giovanni zaatakował, łapiąc Tonina za grzbiet dłoni i rozcinając mu kombinezon na ramieniu. Tess ujrzała błysk purpury. Zranił Tonina blisko serca, co znaczyło, że zamierzał go zabić.

— Teraz cię wykończę! — wrzasnął.

Tess krzyknęła, Tonino się uchylił, a w następnej sekundzie się podniósł, tym razem za plecami Giovanniego. Wydawało się, że go uderzy, ale Giovanni obrócił się w samą porę, żeby sparować cios. Tess, która dotąd wstrzymywała oddech, wypuściła powietrze z płuc, jednak walka jeszcze się nie skończyła. Mężczyźni krążyli wokół siebie.

— Wystarczy! — błagała. — Przestańcie natychmiast! Nie macie jeszcze dosyć?

Naturalnie obaj ją zignorowali.

Tess zadrżała. Przerażały ją ich nieludzkie spojrzenia, ogromnie się bała. Chyba obaj uznali, że walka na śmierć i życie to jedyny sposób, aby doprowadzić sprawę do końca.

Nagle Tonino zaliczył pierwsze trafienie — skaleczył Giovanniego w przedramię. Tess ujrzała szok na twarzy Giovanniego, gdy zauważył krew, ale także determinację. Skoczył na Tonina, który wykonał unik, a potem chwycił napastnika. Zacisnął jedną rękę na przegubie dłoni ze sprężynowcem, drugą przyłożył nóż do szyi Giovanniego.

Tess zamrugała. Nie, Tonino...

— Rzuć to — wycedził.

Giovanni nie miał wyjścia. Sprężynowiec zagrzechotał o podłogę, a Tonino odesłał go kopniakiem pod ścianę. Znowu wstrzymała oddech.

Tonino mamrotał coś do ucha Giovanniego, nadal trzymając nóż przy jego gardle.

— *No, no* — błagał Giovanni.

Wyraz jego twarzy się zmienił, głos także. Tess uświadomiła sobie, że jeśli Giovanni przeżyje, nigdy nie wybaczy.

Tonino uniósł rękę i docisnął nóż do szyi Giovanniego, jednak po chwili go odepchnął.

— Idź i nie wracaj — powiedział. — To koniec.

Zataczając się, Giovanni wypadł z pracowni.

— Tonino... — szepnęła Tess.

Popatrzył na nią.

— Jesteś ranna? — Jednym susem był już przy niej. Wstrzymała oddech na myśl o tym, że prawie go straciła, i właśnie wtedy chwycił ją w ramiona.

Tess zdjęła górną część kombinezonu, owinęła się ręcznikiem i zmusiła Tonina, żeby usiadł, po czym zaczęła przemywać mu twarz. Na szczęście pianka chroniła jego ciało, więc rany nie były tak poważne, jak mogło się wydawać. Potem przytrzymała wodoszczelną torbę, podczas gdy Tonino wyjmował z niej gliniany garniec.

— Ciężki. — Pokiwała głową, biorąc go od niego. — Zajrzymy do środka?

Ostrożnie osuszył ręcznikiem włosy, które przylepiły mu się do czoła i szyi.

— Dlatego to tutaj przynieśliśmy. — Ujrzała błysk w jego oku. — Zadaliśmy sobie mnóstwo trudu.

— No tak.

Garniec miał kolor spłowiałej terakoty, a wieko wyglądało na zaskorupiałe, jakby ktoś pokrył je klejem albo solą. Mogło też po prostu zasklepić się ze starości. W końcu Tonino musiał podważyć je nożykiem.

— Proszę. — Wskazał ręką garniec, by Tess czyniła honory.

Uświadomiła sobie, że wstrzymuje oddech, więc wypuściła powietrze z płuc i z namaszczeniem podniosła wieko. Oboje zajrzeli do środka. Wewnątrz znajdowało się jeszcze jedno naczynie.

— Całkiem jak matrioszka — zauważyła Tess.

Ostrożnie wyjęła drugi garniec, stary i kruchy, zwieńczony pokrywką w kształcie płytkiej, odwróconej czarki.

— To jakaś grecka urna — oznajmił Tonino.

— Czy to *il Tesoro*?

Czuła się trochę rozczarowana. Spodziewała się... No, czegoś więcej.

— Być może. — Wzruszył ramionami, ale widziała, że czuł to samo.

— Co jeszcze stamtąd zabrałeś? — zapytała, przypominając sobie, że podniósł coś ze skalnej półki jaskini.

— To. — Wyjął coś z kieszeni.

To była obrączka, Tess pomyślała, że zapewne ślubna.

Tonino wyjął z szafki płyn do czyszczenia oraz ściereczkę, po czym wziął obrączkę od Tess i zaczął delikatnie polerować metal. Wkrótce ich oczom ukazały się inicjały ELS.

— Więc... — westchnął.

Tym razem oboje zrozumieli jednocześnie.

— Dziadek Giovanniego? — powiedział Tonino, a Tess dodała: — Ettore Sciarra?

To miało sens. Dzięki przyjaźni z dziadkiem Tess Enzo najprawdopodobniej wiedział, gdzie szukać skarbu. Czyżby próbował dobrać się do *il Tesoro*, zanim dziadek Tonina miał możliwość zabrać skarb? Być może Enzo wysłał tam swojego brata Ettore, tyle że ten nie zdołał wrócić. Może skończyło mu się powietrze, może upadł, niewykluczone, że został uwięziony przez osuwisko skalne. Schronił się w jaskini i w końcu zmarł z głodu. To mógł być każdy z tych scenariuszy. Kiedy Ettore nie wrócił z misji, Enzo na pewno się domyślił, co zaszło. Stracił brata, co nie powstrzymało go przed oskarżeniem innego człowieka o tę śmierć.

Tonino podniósł starą grecką wazę i przyjrzał się jej uważnie. Miała uchwyt w kształcie lwa otoczonego wężami i na swój sposób była piękna, tyle że...

— Musiał bardzo tego pragnąć — zauważył. — Wszyscy musieli.

A ty? Czy też tego tak pragniesz? — zastanawiała się.

— Ale twoja rodzina znalazła to pierwsza — mruknęła.

Tonino uniósł brew.

— Co masz na myśli, Tess?

— Luigiego.

Wydawał się zdezorientowany, więc wyjaśniła mu swoją teorię.

— Hm. — Odsunął urnę na odległość ramienia. — To mogłoby sporo wyjaśnić. — Zmarszczył brwi. — Zastanawiam się, czy dziadek wiedział, że to był skarb Luigiego. Może wiedział...

— Może zapytałby o to Edwarda Westermana po jego powrocie z Anglii — wtrąciła Tess. — To znaczy gdyby był w stanie wydobyć to z kryjówki.

— Może. — Tonino zważył urnę w dłoni. — Ciężka. Zastanawiam się...

Położył ją ostrożnie na warsztacie, bokiem, a Tess od razu dostrzegła rowek na dnie. Tonino szarpnął denko, które lekko drgnęło. Popatrzyli na siebie. Najwyraźniej w środku coś się kryło. Tonino jeszcze raz szarpnął denkiem, które w końcu obróciło się i wysunęło. Większa część urny, ta pod odwróconą czarką, musiała być wydrążona i pełna.

Wysypał zawartość na stół.

Tess jęknęła. Stare monety z brązu, przyozdobione wizerunkami koni i winorośli, greckich wojowników, gołąbków, węży... Z podziwem dotknęła ich palcami. Niektóre monety były ciężkie i grube, inne delikatne jak suche liście. Zdobienia zatarły się z wiekiem, jednak nadal były całkiem wyraźne. Nierówne krawędzie monet zachowały oryginalny kształt. Patrzyła na złote liście, medaliony i pierścienie. Podniosła owalny pierścionek, zdobiony wizerunkiem starego mężczyzny, który, zgięty i wsparty o laskę, szedł za prowadzącym go psem. Wizerunek był tak misternie wykonany... Ujrzała też wąski naramiennik ze złota, cieniusieńkie, zdobione klejnotami spinki do włosów, złote, spiralne kolczyki i dekorowane wisiory, jeden z chłopcem na delfinie, drugi z nagą kobietą.

— Cudowne — powiedziała. — Po prostu cudowne.

Tonino rozgarnął palcami starożytne monety i złotą biżuterię.

— No i co znaleźliśmy? — mruknął jakby do siebie i uniósł brew. — *Il Tesoro*, jak sądzę — dodał.

ROZDZIAŁ SIEDEMDZIESIĄTY PIERWSZY

Tess czekała na tę chwilę od tygodni. Czasami wydawało jej się wręcz niemożliwe, że nadejdzie. Teraz jednak wszyscy naprawdę byli w Cetarii: mamma, tata i Ginny. Przyjechali na wakacje i planowo mieli wrócić razem z Tess do Anglii jeszcze przed wyjazdem Ginny do Australii. A potem...

— Co cię przekonało do powrotu? — zapytała Tess matkę.

Cała czwórka siedziała przy wysokim stole w restauracji w *baglio*, za starym kamiennym wodotryskiem.

— Nadszedł czas — odparła Flavia.

Jej poorana zmarszczkami twarz była zmęczona, ale również zaróżowiona z emocji. Flavia powoli wyciągnęła z torby gruby, oprawiony w czerwoną skórę zeszyt i położyła go na stole, obok talerzyka.

— Aha! — wykrzyknęła Ginny, siedząca naprzeciwko babci, ale niczego nie dodała.

Bilety do Australii zostały już zakupione, sprawa wiz załatwiona. Becca i Ginny wszystko zaplanowały, tak jak mówiła matce tego popołudnia w drodze z lotniska. Wiadomo było, w których hostelach zamieszkają, gdzie będą pracowały przy zbiorze owoców. Miały także zatrzymać się w Sydney, w domu Davida.

David... To była zupełnie inna sprawa. Tess nie miała okazji porozmawiać z Ginny o Davidzie, ale czuła, że na dobre zagościł w życiu jej córki. Nie w odpowiedniej chwili, gdyż ta była tuż po narodzinach dziecka, ale kiedy Ginny znalazła się na zakręcie. Tess uśmiechnęła się do siebie. Liczyła na to, że spotkanie z inną osobą na zakręcie (nawet jeśli w jego wypadku zakręt był raczej rondem, gdyż trwał przez całe życie) pomoże jej córce. Może nierozsądnie było spodziewać się po osiemnastolatce, zwłaszcza w świecie wielu możliwości, że będzie wiedziała, co zrobić z własnym życiem. Tess była pewna, że w wieku trzydziestu dziewięciu lat dopiero teraz się tego dowiadywała.

— Opowiedz nam więcej o swoich planach, skarbie — oświadczył w tej samej chwili jej ojciec.

Tess oderwała wzrok od oprawionego w czerwoną skórę brulionu. Już rozmawiali o jej planach w kwestii Villa Sirena. Mamma chodziła od pokoju do pokoju, z dziwnym wyrazem twarzy, jakby nie mogła uwierzyć, że tu jest, że znowu widzi willę ze swojego dzieciństwa. Pod koniec tygodnia, kiedy wszyscy zamierzali wrócić do Anglii, miała się rozpocząć najważniejsza część remontu, która powinna dobiec końca przed następnym przyjazdem Tess do Cetarii. Dzięki, David, pomyślała Tess raz jeszcze. W końcu on za to płacił, ze swoich pieniędzy — naturalnie ich część Tess postanowiła przekazać Ginny.

— Jest tak, jak zapamiętałaś? — zapytała Flavię Tess, biorąc ją pod rękę.

Było kilka smutnych chwil, kiedy mamma zobaczyła ruiny swojego rodzinnego domku, ale Tess przygotowała ją na to już wcześniej. Poza tym w pewien sposób to właśnie syrenia willa, Villa Grande z dzieciństwa matki, zrobiła na niej większe wrażenie.

— Nie — odparła Flavia. — I tak.

Tess wybuchnęła śmiechem. Wiedziała dokładnie, co Flavia ma na myśli. Pomyślała, że pamięć to dziwny twór, jest wybiórcza i może płatać nieoczekiwane figle. Czasem nie sposób było oddzielić to, co naprawdę się zdarzyło, od tego, czego się pragnęło, o czym się marzyło i co podobno się stało. A jednak człowiek zawsze uważał, że wie najlepiej...

— No, teraz trzeba będzie zająć się pensjonatem — oświadczyła Tess.

Rozmawiały długo i namiętnie o tym, jak będzie się czuła Ginny, mając matkę na Sycylii, przynajmniej przez jakiś czas. Czy na pewno wyjazd do Australii był dobrym pomysłem? Czy koniec końców Ginny spędzi więcej czasu z ojcem, czy wróci do Anglii wcześniej, niż planowała? Może nawet przeprowadzi się na Sycylię?

Żadna z nich nie miała pojęcia, co przyniesie przyszłość, ale zamierzały zająć się tym w stosownym czasie, jak stoicko zadecydowała Tess. Była w zasadzie gotowa na powrót do Anglii, gdyby zaistniała taka konieczność. Postanowiła wynająć dom w Pridehaven, zamiast go sprzedawać, by ewentualnie mieć do czego wracać. Ciężko było jej ze świadomością, że nie wiadomo kiedy znowu zobaczy córkę, ale postanowiła nie stawać jej na drodze. Nauczyła się dawać dziecku przestrzeń, być w pobliżu, lecz się nie wtrącać.

— Kocham cię, mamo, i będę za tobą tęskniła — powiedziała Ginny. — Ale...

— To coś, co musisz zrobić. — Tess pokiwała głową. Czuła dumę na myśl o tym, że znów są silne, a Ginny wyrusza we własną podróż.

— Pewnie zatrudnię pomoc, kiedy już mnie będzie na to stać — ciągnęła Tess. Na początku postanowiła radzić sobie sama. — Nauczę się języka i chcę też otworzyć ośrodek nauki nurkowania.

Cetaria dysponowała wielkim podwodnym bogactwem i aż się prosiła o takie centrum, a jednak chyba nikt z miejscowych nie dostrzegał tej możliwości. Najbliższy ośrodek nauki nurkowania znajdował się jakieś trzydzieści kilometrów dalej, przy drodze do Palermo i na lotnisko. Nieopodal pensjonatu Tess czekały też hotele i inne pensjonaty, które mogły przyjmować turystów. W centrum podwodnym można by było wypożyczać sprzęt, uczyć się nurkowania, brać udział w fotograficznych safari głębinowych, może nawet wykupywać pakiety wakacyjne dla płetwonurków. Dlaczego nie? Plan był ambitny, ale i ekscytujący. Już rozmawiała z Tonino o celach takiego ośrodka — zależało jej na ochronie podwodnego środowiska naturalnego oraz archeologicznego dziedzictwa regionu.

— To trochę co innego niż wodociągi, skarbie — zauważył jej ojciec, kiedy skończyła się entuzjazmować. — Chociaż widzę pewien wspólny mianownik. — Roześmiali się oboje. — Dasz sobie radę?

— Oczywiście, że da sobie radę. — Mamma zdumiała Tess swoim zdecydowanym tonem. — W końcu to moja córka, prawda?

Teraz wszyscy wybuchnęli śmiechem. Tess pomyślała, że później podniesie ojca na duchu. Zawsze lubił się zamartwiać, a na lotnisku zaszokowało ją, jak staro wyglądał. Miał mocniej przerzedzone włosy, bardziej się garbił, a jego oczy wydawały się bardziej wypłowiałe niż poprzednio. Kiedy się uścisnęli, a Tess poczuła znajomy zapach z dzieciństwa, wcale nie miała ochoty wypuszczać ojca z objęć.

— Ten upadek go przygnębił — wyszeptała do niej mamma. — Trochę to potrwa, zanim wyzdrowieje.

— Naprawdę zrobił sobie krzywdę? — przecież mówiono jej, że to tylko pęknięcie nadgarstka i parę siniaków oraz skaleczeń.

— Chodzi o jego godność. — Flavia pokiwała głową. — Nagle uświadomił sobie, że jest stary.

Tess musiała się odwrócić, żeby ukryć emocje. Nie chciała, żeby jej rodzice byli starzy, nie chciała, żeby ją kiedykolwiek opuścili.

— Pomyślałabyś, skarbie... — Lenny popatrzył na Flavię — że kiedy nasza córka wyruszy na Sycylię, to się zakocha?

Zakocha? Tess zaczerwieniła się po same uszy.

— To mnie przerażało. — Flavia zacmokała. — Sycylia to uwodzicielka.

Sycylia?... Ach, rzeczywiście, zakochała się w tym miejscu. Co więcej, czuła się tutaj jak w domu.

— Dasz sobie radę sama, Tess? — spytał ojciec, patrząc na nią mądrymi oczami.

— Zobaczymy — odparła Tess. Często widywała się z Toninem od czasu odkrycia *il Tesoro*, ale nie była pewna, jakie miał intencje. Czy była dla niego tylko przyjaciółką, czy w ogóle mogła nią być?

— A teraz opowiedz nam o skarbie — zażądała Ginny, a jej oczy zalśniły.

I tak oto Tess opowiedziała im historię skarbu, tak samo jak opowiedziała ją Millie parę dni po wydobyciu kosztowności z podwodnej jaskini. Owszem, był bardzo wartościowy i piękny. Składały się na niego złota biżuteria oraz monety, pewnie greckie. I owszem, pierwszy odkrył go Luigi Amato.

— Ale gdzie jest teraz? — zapytała wówczas Millie z szeroko otwartymi oczami, w których błyszczała chciwość.

Tess wiedziała, że Millie jest przygotowana, trzyma komórkę pod ręką i chce jak najszybciej przekazać cenne informacje. Tess nie miała wątpliwości komu.

— Powiedz Giovanniemu, że już go nie mamy — oznajmiła. — Nie ma sensu, żeby znowu włamywał się do willi. Naprawdę nie znajdzie tam skarbu.

Po raz pierwszy, odkąd się poznały, Millie wydawała się speszona.

— Co ty wygadujesz, Tess? Chyba nie sądzisz, że ja...

— Widziałam cię, Millie — zaśmiała się Tess. — Nie wysilaj się.

Dzień po nurkowaniu z Toninem i wydobyciu skarbu pobiegła do hotelu. Nie mogła się doczekać, kiedy opowie Millie i Pierro, co znaleźli. Pierro najwyraźniej znowu wyjechał w interesach, a Millie nie było w recepcji, więc Tess poszła do jej prywatnych pokojów. Kiedy tam dotarła, zobaczyła, że drzwi do jej apartamentu się otwierają i ze środka wychodzi Giovanni. Wydawał się rozczochrany i miał wymięte ubranie. Tess ukryła się za palmą w donicy, czując się niczym detektyw z tandetnego filmu *noir*, a wtedy Millie wybiegła za Giovannim, chichocząc i ciągnąc go za rękaw, aż się odwrócił. Pocałunek nie pozostawiał żadnych wątpliwości co do ich relacji.

Tess pomyślała, że to nie jej sprawa, i wróciła inną trasą z hotelu do *baglio*. Przypomniała jej się jednak szminka na kołnierzyku Giovanniego oraz długi lunch z Millie w hotelu tego dnia, w którym Giovanni wtargnął do willi. Wtedy właśnie uświadomiła sobie, że wszystko, co kiedykolwiek mówiła Millie, równie dobrze mogła powiedzieć Giovanniemu. Millie ani przez moment nie była jej przyjaciółką. Od samego początku była kochanką Giovanniego i tylko to się dla niej liczyło. Widziała Tess z Giovannim na targu, poczuła zazdrość, więc postanowiła zaprzyjaźnić się z Tess, żeby wybadać grunt. Potem została szpiegiem Giovanniego. Brzmiało to żałośnie melodramatycznie, ale było prawdą.

Millie odchyliła się na krześle i wbiła w Tess lodowate spojrzenie.

— Więc po co tu jesteś? — zapytała. — Żeby się pysznić?

Tess pokręciła głową.

— Chcieliśmy, aby Giovanni wiedział, że może sobie darować próby odzyskania skarbu.

Tonino był niewzruszony w swoim postanowieniu, dotyczącym losu skarbu.

— *Il Tesoro* nigdy nie należał do Amatów — powiedział. — Taka jest prawda. Na dodatek tylko doprowadził do rozlewu krwi w naszej rodzinie. Jego właścicielką jest Sycylia i ona dostanie skarb.

Nie wszystkie władze na Sycylii były przeżarte korupcją. Tess i Tonino poinformowali odpowiednich ludzi o znalezisku, dzięki czemu mieli pewność, że *il Tesoro* nie wpadnie w niepowołane ręce. Miał trafić do muzeum, które uszanuje jego wartość historyczną, a nie do jakiejś chciwej, podłej, przestępczej organizacji.

Millie umilkła. Tess sięgnęła do torebki i wyciągnęła z niej owiniętą w chusteczkę obrączkę.

— Możesz to przekazać Giovanniemu — powiedziała.

Po chwili wahania Millie wyjęła z chusteczki obrączkę i obróciła ją w palcach. Tonino porządnie ją wyczyścił, więc inicjały ELS lśniły w słońcu.

— Kto...? — zaczęła.

— Chyba należała do jego dziadka — wyjaśniła jej Tess. — Do Ettore Sciarry. No wiesz, człowieka, który rzekomo został zamordowany przez dziadka Tonina. — Umilkła. — Wiem, że Giovanni ma podobną obrączkę z wygrawerowanymi inicjałami. To pewnie rodzinna tradycja.

Millie pokiwała głową.

— Była w jaskini — dodała Tess. — Tuż przy *il Tesoro* i przy szkielecie.

— Szkielecie? — Millie się wzdrygnęła, a Tess wstała.

— Giovanni mógłby się zastanowić, co ten kościotrup tam robi — oznajmiła.

Kiedy Tess powróciła do *baglio*, opowiedziała Toninowi o Millie i Giovannim. Nie czuła się w obowiązku chronić reputacji Millie.

— Domyśliłem się już wcześniej — powiedział.

Tess gapiła się na niego.

— Niby jak?

— Millie Zambito ugania się za każdym mężczyzną.

— Za tobą też? — spytała Tess po zastanowieniu.

— Interesowała się mną przez kilka miesięcy — przyznał. — Ta kobieta tak łatwo nie odpuszcza.

Tess przypomniała sobie, co mówiła Millie o Toninie i jak wtedy wyglądała.

— Kusiło cię? — Uświadomiła sobie, że to pewnie Millie powiedziała Tonino, iż Tess jest córką Flavii Farro, tamtej nocy, gdy przyszedł do willi spóźniony i pijany. Tamtej nocy, kiedy oczekiwała, że będą się kochać, a zamiast tego z sobą zerwali.

— Jestem tylko mężczyzną. — Wzruszył ramionami.

Tak, zauważyła.

— Ale nie, Millie jest zbyt nachalna — dodał. — To modliszka.

— A co z Pierrem? — Zrobiło się jej smutno.

Był naprawdę uroczy i niczym sobie nie zasłużył na zdrady.

Tonino przystawił sobie ręce do głowy, imitując poroże.

— Może wie, a może nie — westchnął. — Może też ma kogoś, może nie. Millie Zambito jest bardzo nieszczęśliwą kobietą, Tess.

Wiedziała, że miał rację. Pomyślała o fałszywym blichtrze roztaczanym przez Millie. Szkoda, bo naprawdę liczyła na to, że zostaną przyjaciółkami. Czy mogła pozostać w Cetarii, skoro mieszkali tu Millie i Giovanni?

Owszem. Czuła, że teraz dadzą jej święty spokój.

W restauracji wszyscy wznieśli kieliszki w toaście.

— Za *il Tesoro* — powiedziała Ginny. — Za słynny skarb, zwrócony Sycylii przez moją mamę!

Wszyscy wybuchnęli śmiechem.

— Podobno Grotta Azzurra jest bardzo piękna — mruknęła Flavia.

— O tak. — Tess urwała nagle. Czy zdradziła im nazwę jaskini? Na pewno nie. — Mamma? — Spojrzała matce w oczy. — Nie wiedziałaś o skarbie ani o tym, gdzie jest ukryty, prawda?

Flavia znowu zacmokała.

— Myślisz, że ci mężczyźni by mi powiedzieli? — zapytała.

Nie, na pewno nie. Santina jednak opowiadała jej, jak Flavia lubiła podsłuchiwać. Kiedy Tess wpatrywała się w stare, mądre oczy matki, dostrzegła w nich figlarny błysk.

— Mamma... — szepnęła.

Flavia uśmiechnęła się i wzruszyła ramionami.

— To była twoja własna droga, kochanie — odparła.

— Za Edwarda Westermana. — Tess rozejrzała się wokół.

Popatrzyła na swoją rodzinę, tutaj, razem z nią, w Cetarii, gdzie wszystko się zaczęło, przynajmniej dla mammy. Pomyślała, że coraz więcej rozumie i wie, dlaczego Edward Westerman zostawił jej Villa Sirena. Człowiek dużo tracił, gdy ignorował własne korzenie. Przybyła na Sycylię zrozumieć matkę, ale przy okazji udało się jej zrozumieć także córkę.

Matki i córki... To dopiero była podróż.

— Za Edwarda — powtórzyła Flavia. Z uśmiechem zerknęła na Lenny'ego. — I za jego siostrę Beę.

— Kiedy nam powiesz, co to jest, nonna? — Ginny wskazała na czerwony zeszyt. — Widziałam, jak w tym coś zapisujesz.

— To moja historia — Flavia ze skromną miną wręczyła brulion Tess. — Może wypełni niektóre luki, kochanie.

Tess wzięła od niej zeszyt i go otworzyła. Schludne, pochyłe pismo matki wypełniało strony. Poczuła ucisk w gardle. Flavia była taka dzielna...

— Mamma... — Tess położyła rękę na dłoni Flavii.

— A tam z tyłu...

Tess spojrzała. Znajdowały się tam strony zapełnione przepisami, też nakreślonymi pismem matki. Zaczęła czytać jeden z nich. „Odrobina tego, garść tamtego, parę czegoś innego..." Przerzucała strony. *„Antipasto* i mięso, i ryby, i *dolce*..." Wszystko sycylijskie, wszystkie przepisy, przy których dorastała.

— Zaczęłam to pisać dla ciebie, kochanie — oznajmiła Flavia. — Ale okazało się, że piszę to również dla siebie.

— Dziękuję, mamma — powiedziała Tess.

„Jedzenie to tożsamość... Jedzenie to miejsce, z którego pochodzisz. Które nazywasz domem..."

Teraz wiedziała, że naprawdę chodziło o matkę i córkę. To był prawdziwy skarb.

ROZDZIAŁ SIEDEMDZIESIĄTY DRUGI

Tamtej nocy Lenny odwrócił się w łóżku do Flavii.
— Co myślisz o naszej córeczce? — zapytał.
— Dobrze sobie poradziła. — Flavia uśmiechnęła się do niego.
— Uważasz, że będzie tutaj szczęśliwa?
— Jak dziecko w fabryce czekolady.
Flavia widziała, jak Tess rozmawia z mężczyzną, który robił mozaiki w *baglio*. To był wnuk Alberta Amata, porządny mężczyzna. Można było mu ufać.
— A ty, skarbie? — rozłożył ramiona, a ona przytuliła się do niego i oparła głowę na jego ramieniu. — Jesteś szczęśliwa, że wróciłaś? Choćby tylko na wakacje?
— Chciałam z tobą o tym porozmawiać — oznajmiła Flavia.
— O czym?
— O wakacjach.
— Och.
Oboje umilkli. Flavia poczuła znajome ciepło i zadowolenie. Tego popołudnia odwiedziła Santinę i obie zalały się łzami.
— Myślałam, że nigdy nie wrócisz — powtarzała Santina raz za razem, przytulając Flavię, a potem odsuwając ją na odległość ramienia. — Niech ci się przypatrzę, przyjaciółko.

Przyjaciółko... Santina pokazała jej próbkę tego, co kiedyś razem wyhaftowały. Dziwne, Flavia niemal zupełnie o tym zapomniała, ale widok fragmentu spłowiałego lnu odświeżył jej pamięć.

Czasem powrót do domu oznacza przebaczenie, a czasem domu trzeba szukać. Przez te wszystkie lata Anglia stała się domem dla Flavii, ale... Tak jak mówiła temu młodemu człowiekowi w *baglio*, wróciła tutaj, ponieważ nadeszła pora, by przeszłość naprawdę stała się przeszłością. Pora zakończyć podróż, wybaczyć rodzinie, a także Sycylii.

Flavia w końcu postanowiła odpuścić.

ROZDZIAŁ SIEDEMDZIESIĄTY TRZECI

Kiedy wszyscy już leżeli w łóżkach, Tess zeszła do *baglio*. Była północ, a Tonino czekał na nią nad zatoką. Rozpalił ognisko i opiekał ryby oraz krewetki. Zapach płonącego drewna wypełniał powietrze, mieszając się ze słodyczą owoców morza, aromatem soli i mokrych kamieni.

Usiadła na murku przy pomoście. Tonino przyniósł z sobą dwie lampki olejne, które teraz stały oparte o kamienie, roztaczając żółto-niebieskie światło. Blask ich płomyków wraz z poświatą ogniska oraz księżyca całkowicie zapewniał odpowiednią iluminację. Rozłożył koc na kamykach, a na nim rozstawił białe wino, lód, kieliszki i chleb w koszyku.

— Skończyłeś? — zapytała.

Wiedziała, że mozaika, którą projektował, była wyjątkowa, ale jeszcze jej nie zdradził, dlaczego ani co to takiego jest. Czekał, jak mówił, na brakujący element.

— Tak, jest gotowa — odparł i wycisnął odrobinę soku z cytryny na rybę.

— Naprawdę? — Nagle zauważyła, że oparł o pomost jakiś płaski, duży przedmiot, owinięty brezentem. — Co to jest? Będzie uroczyste odsłonięcie? — zażartowała.

— Jak najbardziej.

Kazał jej czekać, aż zjedzą do końca rybę i krewetki z pajdami sycylijskiego chleba i do ostatniego kieliszka wypiją białe wino. W końcu ogień przygasł, a oni przylgnęli do skały i zapatrzyli się na *il faraglione*, na pogrążone w cieniu urwiska i księżyc, rozjaśniający fale w zatoce.

Nagle Tonino wstał, ułożył swoje dzieło tak, aby padał na nie księżycowy blask, i przysunął lampy. Potem odsłonił brezent.

Tess wyprostowała się i popatrzyła na mozaikę. Była piękna, naprawdę piękna. Przedstawiała syrenę, a właściwie profil syreny, trzymającej lustro w jednej dłoni, a grzebień w drugiej. Jej długie włosy koloru wodorostów spływały na nagie plecy, zaś prześliczny ogon zakrzywiał się do góry za nią. Przypominała Tess dekorację na willi, syrenę, o której myślała już jak o swojej własnej syrenie. Twarz tej syreny była jednak bardziej spokojna niż smutna. Wyglądała, jakby odkryła jakiś sekret, jakby dowiedziała się znacznie więcej, niż mogła wyjawić.

— Cała jest z morskiego szkła — zauważył Tonino.

— Bo stamtąd pochodzi. — Tess widziała teraz odcienie wielobarwnego szkła: turkus i akwamarynę ciała, liliowy połysk dłoni, rąk i twarzy, żółtobrązowe włosy.

— A ten brakujący kawałek? — zapytała.

Wskazał na idealnie migdałowe, fiołkowe oko.

— Znalazłeś!

— To nie było proste. — Uśmiechnął się. — Ale warto było czekać, nie sądzisz? To wyjątkowy kamień. Znalazłem go tam daleko, przy skałach.

— Jest cudowny. — Tess czuła, że się z nią przekomarzał. — Ale co oznacza ta syrena? Kiedy opowiesz mi jej historię?

Przykucnął i przez chwilę zdawał się zastanawiać.

— Syrenę zauważył na *il faraglione* pewien rybak z Cetarii — powiedział. — Spoglądała w lusterko i czesała swoje długie brązowożółte włosy. — Dotknął ich z uśmiechem. — Zdaje się, że ukazywała się tylko w pełni księżyca.

— Tak jak dzisiaj — mruknęła Tess, spoglądając na skały.

— Jak dzisiaj — przytaknął. — W jej lusterku odbijało się morze. Oczywiście syrena natychmiast oczarowała rybaka, który usiadł na skałach i wsłuchał się w jej pieśń. Nigdy w życiu nie słyszał nic równie pięknego.

Urwał, a Tess wytężyła słuch. Słyszała jednak tylko plusk wody przy skałach i cichy chlupot oraz syk fal, które rozbijały się o brzeg i cofały do morza.

— Ale nie wystarczyło mu słuchanie jej tylko raz w miesiącu — ciągnął Tonino. — Chciał więcej, pragnął słuchać jej każdej nocy.

Tess pokiwała głową. Jak wszyscy, pomyślała.

— I co zrobił?

— Usiłował ją zatrzymać. Nie wolno ci wchodzić do wody, przykazał syrenie. — Głos Tonina się zmienił. Brzmiał teraz tak, jak pewnie mógłby brzmieć głos rybaka z opowieści. — Musisz zamieszkać ze mną i pozwolić się kochać.

Tess czekała.

— Ale kiedy wyjdę z wody, moja pieśń umrze, odparła syrena. — Tonino wstał i podszedł do mozaiki. — Rybak jej nie uwierzył. Mogę łowić ryby tylko wtedy, gdy słyszę twoją pieśń, mówił. Przez resztę czasu morze jest jałowe. Zamieszkaj ze mną. Będzie mnóstwo ryb, będziemy ucztowali, kochali się i weselili.

— I co ona na to? — spytała Tess.

Popatrzył na nią.

— Nadal nie chciała — odparł cicho. — Jeśli opuszczę morze, ryby również cię opuszczą, i będziesz głodny. — Urwał. — W trzecim miesiącu rybak rzucił się na skały u jej stóp. Kiedy jesteś ze mną, czuję się bezpieczny w wodzie, powiedział. Wiem, że moja tratwa mnie nie zawiedzie, a harpun będzie celnie trafiał. Bez ciebie morze to mój wróg.

Tess popatrzyła na Villa Sirena. Stąd nie mogła dostrzec płaskorzeźby z syreną, ale czuła, że przed nią trudna decyzja.

— Syrena nie potrafiła znieść myśli o tym, że rybak mógłby utonąć. Odłożyła więc swój grzebień, lusterko i zamieszkała z nim na lądzie. — Tonino też popatrzył na willę. — Nazwał swoją chatę na jej cześć, Sirena. Ale syrena utkwiła w pułapce. Nie była wolna. Mijały przypływy, odpływy, nadeszła zima i w morzu zabrakło ryb. Syrenie zaś brakowało sił, żeby siedzieć na skale. Powoli jej pieśń cichła.

Jego głos był jak zawsze hipnotyczny. Wyglądało na to, że kiedy Tonino opowiadał, łatwo wczuwał się w inną rzeczywistość.

— Nic dziwnego, że wygląda tak smutno — zauważyła Tess.

— W końcu rybak zorientował się, co uczynił. Pewnej nocy, przy pełni księżyca, wziął swoją tratwę, posadził na niej syrenę i razem wypłynęli na morze. Bądź wolna!, krzyknął, a ona ześlizgnęła się z tratwy wprost w fale. Jej ogon mignął niczym żywe srebro.

Tess niemal widziała to na własne oczy. Popatrzyła na mozaikę, którą tak pieczołowicie ułożył, a Tonino pochylił głowę.

— Rybak miał złamane serce — powiedział. — Nie obchodziło go, że ryby wróciły do morza i że słyszał jej pieśń przy pełni księżyca. Nie powinienem był się spodziewać, że zamieszka ze mną w moim świecie, powtarzał sobie. Podczas następnej pełni poszedł na brzeg morza i wszedł do wody.

— I? — Tess patrzyła na niego z uwagą.

— Zobaczył ją na skałach, w blasku księżyca. Popatrzył w jej fiołkowe oczy, wsłuchał się w piękną pieśń, tę samą, którą słyszał wcześniej. Kiedy o poranku syrena zeskoczyła do wody, popłynął za nią. — Tonino skrzyżował ręce na piersi. — *Finito* — oznajmił.

Finito? Tess zastanawiała się, czy Edward Westerman słyszał kiedyś tę opowieść.

— I jaki z tego morał? — zapytała. — Że warto zrezygnować ze wszystkiego dla miłości? Czy że wolność jest potrzebna nam wszystkim?

Tonino pieszczotliwie przejechał ręką po mozaice.

— Może mówi nam to coś o związkach — zasugerował.

Ale co z nami?! — chciała krzyknąć. Czy zorganizował ten fantastyczny piknik przy księżycu tylko po to, by pochwalić się swoim najnowszym dziełem i gadać o syrenach?

— Ta syrena, Tess, Sirena, jest dla ciebie — oświadczył.

— Dla mnie? — Była taka piękna. Tess nie miała pojęcia, co odpowiedzieć.

— Rozmawiałem z twoją matką.

— Moją matką? — powtórzyła.

— Tak jak ja uważa, że już pora.

— Pora? — Miała nadzieję, że nie zamieni się w jedną z tych osób, które bez przerwy powtarzają ostatnie słowa rozmówcy.

Tonino podszedł i stanął przy niej, bardzo blisko. Czuła jego zapach, zapach kleju, kurzu, kamieni i sycylijskich cytryn. To była mocna mieszanka. Tonino wyciągnął rękę i pomógł jej wstać. Miał bardzo ciemne oczy, ale inne niż wcześniej, tak jakby chciał jej coś powiedzieć. Stara blizna na jego twarzy, zarys policzka, szczęki...

Tak, kogoś jej to przypominało, albo coś. Z jakiegoś dziwnego powodu pomyślała o domu. Dom mógł się znajdować gdziekolwiek, mógł nim być drugi człowiek...

Położył dłonie na jej ramionach.

— Pora skończyć z przeszłością — powiedział i nachylił się, niemal jej dotykając. — Nie wydaje mi się, żebyśmy żyli w tak odmiennych światach, ty i ja.

Tess uświadomiła sobie, co starał się jej przekazać.

— Chodzi ci o to...?

Stanął jeszcze bliżej.

— Dokładnie o to — przytaknął.

PODZIĘKOWANIA

Przeczytałam mnóstwo przewodników oraz powieści o Sycylii, żeby przygotować się do napisania tej książki, i zrobiłam co w mojej mocy, aby była wierna faktom: historycznie, geograficznie, kulturowo i językowo. Mimo wszystko jest to fikcja, więc pewne rzeczy dostosowałam do potrzeb tej historii. Wszelkie błędy powstały z mojej winy.

Z głębi serca dziękuję mojej cudownej agentce Teresie Chris za jej wsparcie i wiarę we mnie jako pisarkę. Dziękuję też wszystkim w wydawnictwie Quercus. Na szczególną wdzięczność zasługuje Jo Dickinson za błyskotliwą redakcję i wrażliwość.

Pragnę podziękować Greyowi Innesowi za jego pomoc w trakcie całej pracy nad książką, za spostrzegawczość i zdolność uważnego słuchania... Podziękowania należą się też Margaret i Leonowi z Castellammare za pomoc w kwestiach sycylijskich. Dziękuję mojej wspaniałej przyjaciółce Jane za rady związane z psychoterapią, a także przyjaciółkom, które czytały dla mnie fragmenty niniejszej książki — Sarze Sparkes, Caroline Neilson i June Tate.

Podziękowania kieruję również pod adresem mojego drogiego przyjaciela Alana Fisha, który zawsze mnie wspiera, zawsze jest zainteresowany i gotów czytać moje teksty, aby mówić mi szczerze, co myśli. Gdy pracowałam nad tą książką, ale brakowało mi czasu i siły, pomógł mi w gromadzeniu materiałów.

Napisałam większość książki podczas podróży po Europie, zatem wyjątkowe podziękowania należą się mojej przyjaciółce Caroline Neilson, która zajmowała się wszystkim, kiedy mnie nie było. Bardzo mnie wspierała pod wieloma względami.

Ogromnie dziękuję moim pięknym córkom Alexie i Anie oraz mojemu synowi Luke'owi. I jeszcze serdeczne dzięki, Grey — pisarka nie mogłaby mieć lepszego i bardziej pomysłowego towarzysza podróży!

Opieka redakcyjna
Katarzyna Krzyżan-Perek

Redakcja
Paulina Orłowska

Korekta
Etelka Kamocki, Lidia Timofiejczyk, Barbara Turnau

Projekt okładki
Design & Illustration by Ghost

Komputerowe opracowanie okładki i układ typograficzny
Robert Kleemann

Redakcja techniczna
Bożena Korbut

Książkę wydrukowano na papierze Creamy 70 g vol. 2,0
dostarczonym przez Zing Sp. z o.o.

Printed in Poland
Wydawnictwo Literackie Sp. z o.o., 2013
ul. Długa 1, 31-147 Kraków
bezpłatna linia telefoniczna: 800 42 10 40
księgarnia internetowa: www.wydawnictwoliterackie.pl
e-mail: ksiegarnia@wydawnictwoliterackie.pl
fax: (+48-12) 430 00 96
tel.: (+48-12) 619 27 70
Skład i łamanie: Infomarket
Druk i oprawa: Drukarnia Na Księżym Młynie, Łódź